語言學論叢

(第二十九辑)

北京大学汉语语言学研究中心

《语言学论丛》编委会编

商务印书馆
2004年·北京

《语言学论丛》编委会

主　编：林　焘

编委（按姓氏音序排列）：
　　　　贝罗贝　　丁邦新　　郭锡良　　何九盈　　何莫邪
　　　　江蓝生　　蒋绍愚　　鲁国尧　　陆俭明　　梅祖麟
　　　　平山久雄　裘锡圭　　唐作藩　　王福堂　　王洪君
　　　　王士元　　徐通锵　　余霭芹　　郑锦全　　朱庆之
　　　　邹嘉彦

编辑部成员（按姓氏音序排列）：
　　　　陈保亚　　耿振生　　郭　锐　　李小凡　　宋绍年
　　　　王洪君（主任）　詹卫东　　张　猛　　朱庆之（副主任）

本辑执行编辑：　朱庆之
执行编辑助理：　杜　轶

《语言学论丛》
入选欧洲人文科学标准委员会语言学刊物名录

据 Communications(欧洲科学基金期刊)44 期报导,欧洲科学基金人文科学标准委员会(Standing Committee for the Humanities, European Science Foundation)近期确定了作为欧盟范围内评价人文学科科研工作通用索引标准的《欧洲人文科学标准委员会语言学刊物名录》。其中,世界范围内以中文出版的语言学刊物有三种入选,它们是:

《中国语文》,中国社会科学院语言研究所主办,商务印书馆出版。

《民族语文》,中国社会科学院民族学与人类学研究所主办,民族语文杂志社出版。

《语言学论丛》,北京大学中文系主办,商务印书馆出版。

为编撰这一名录,欧洲人文科学标准委员会曾举行多次学术论证讨论人文学科的特点,并投入大量人力物力对世界范围内以不同语言出版的语言学刊物进行了文献学的分析,历时两年。具体工作流程为:选择国际语言学界有代表性的三种语言学杂志和丛书(Language,美国语言学会杂志,代表普通语言学方面; Linguistic Inquiry,美国麻省理工学院,代表形式语言学特别是生成语法方面; Studies in Language,荷兰阿姆斯特丹,代表功能语言学方面)作为查询引用率的根据,1990—1999 年期间为以上杂志中的两种以上引用过,且引用超过 10 次的刊物进入名录。世界各种语言的语言学刊物进入该名录的共计 85 种。

(信息来源:欧洲科学基金期刊 Communications, No. 44, pp. 12—13, Spring 2002.)

目 录

纪念岑麒祥先生诞辰一百周年	徐通锵	(1)
纪念敬爱的袁家骅先生	王福堂	(7)
汉语和亲属语言比较研究的基本原则	何九盈	(12)
论音义互动	潘文国	(67)
汉语语义范畴的层级结构和构词的语义问题	叶文曦	(95)
时空域、支点和句子	张新华	(110)
《韵籁》声母演变的类化现象	竺家宁	(129)
明末官话调值小考	〔日〕高田時雄	(145)
韵书残卷 P4871 考释	尉迟治平	(151)
赵与时《宾退录》射字诗声韵问题探讨	张民权	(161)
《山门新语》与清末宁国徽语音系	高永安	(175)
先秦汉初汉语里动词的指向	徐 丹	(197)
关于《左传》动词"伤"的义项判定规则	张 猛	(209)
近代汉语中表自指的结构助词"的"	刘敏芝	(226)
近代汉语中副词连用的调查分析	杨荣祥	(239)
"对着"的虚化过程及其语法地位	储泽祥	(278)
趋向动词"来/去"的用法及其语法化	李 明	(291)
广义配价模式与汉语"把"字句的句法语义规则	詹卫东	(314)
台湾闽南话移动动词"走"的多义性及概念结构:		
语义延伸的途径	刘秀莹、连金发	(334)
试论"虚假字义"	杨宝忠、张新朋	(372)

由《诗论》"常常者华"说到"常"字的隶定
　——同声符形声字通假的字形分析 …………… 虞万里 （398）

ABSTRACTS（英文提要） ………………………………… （417）

CONTENTS

Commemorate the 100th Birthday of Prof. Cen Qixiang
.... Xu Tongqiang (1)
Commemorate Honorific Prof. Yuan Jiahua ········· Wang Futang (7)
Basic Principles in the Comparative Linguistic Studies
　　of Chinese and its Related Languages ············ He Jiuying (12)
On Interaction of Sound and Meaning ················ Pan Wenguo (67)
The Hierarchical Structure of Chinese Semantic
　　Category and the Semantic Problem of
　　Word-Formation ···································· Ye Wenxi (95)
Space-time field, Pivot and Sentence ············ Zhang Xinhua (110)

Analogical Change of Initial Consonant Reflected
　　in *Yun Lai*(《韵籁》) ·························· Chu Chianing (129)
A Note on the Tones of the Mandarin in the Late
　　Ming Dynasty ································ TAKATA Tokio (145)
A Philological Study on Remaining Fragment p 4871
　　of the Rhyming Dictionary ···················· Yuchi Zhiping (151)
On the Phonology of the Shezi Poetry in Book
　　Bin Tui Lu (《宾退录》) by Song Scholar
　　Zhao Yushi ·································· Zhang Minquan (161)
Hui Dialect at Last Qing: The Phonology of
　　Shanmen Xinyu (《山门新语》) ············· Gao Yong'an (175)

Orientation of the Verbs in Old Chinese and Late Old

Chinese ·· Xu Dan (197)

Rules on How to Define the Meaning of the Verb
   shang(伤) in *Zuo Zhuan* (《左传》) ········· Zhang Meng (209)

The Self-description Structural Partical *de*(的) in
   Modern Chinese ······························ Liu Minzhi (226)

Research and Analyse of Serial Adverbs in Early
   Modern Chinese ························ Yang Rongxiang (239)

The Grammaticalization Process of *duizhe* (对着)
   and its Grammatical Position ················ Chu Zexiang (278)

On Deictic Verbs *lai/qu*(来/去):Their Usage and
   Grammaticalization ······························ Li Ming (291)

Syntactic and Semantic Constraints of *ba*(把)
   Construction Based on Generalized
   Valency Mode ······························· Zhan Weidong (314)

Lexical Polysemy and Conceptual Structure of *chau*²(走)
   in Taiwanese Southern Min:An Approach to
   Semantic Extension ············ Liu Hsiuying, Lien Chinfa (334)

The Exposition of False Meaning of Chinese
   Character ··············· Yang Baozhong, Zhang Xinpeng (372)

On the Stabilization of Han Style Character *chang*(常)
   from *changchang zhe hua*(常常者华) in *Shi Lun*
   (《诗论》):An Analysis to the Discipline Dealing
   with the Form of Characters of Phonogram in
   Interchangeable Homophones ··················· Yu Wanli (398)

ABSTRACTS ··· (417)

纪念岑麒祥先生诞辰一百周年[*]

徐通锵

今年是我国著名理论语言学家岑麒祥先生诞辰一百周年,为缅怀先生对中国语言学理论和北京大学语言学教研室建设的贡献,我们今天在这里召开纪念座谈会,以表后辈对先生的怀念。

先生1903年出生于广西省合浦县。1921年中学毕业后进入上海商务印书馆附设函授学校英语科学习,次年考入广州国立广东师范学校(今中山大学前身),以英语部为正科,文史部为副科。1926年在高师部毕业,升入大学三年级,同时在广州知用中学任语文教师。当时,广州是中国革命的中心,先生积极参加革命活动,多次到原广东高等师范学院大礼堂(即今鲁迅博物馆礼堂)听孙中山先生关于三民主义的演说。1925年还参加了由中国共产党领导的省港大罢工的游行。1926年,北京段祺瑞政府残酷镇压爱国群众和革命师生,制造了"三·一八惨案",一些著名的教授如鲁迅、傅斯年、许德珩等都南下广州,受聘于中山大学任教。先生选听了鲁迅先生的"文艺理论""中国小说史"和"中国文学史",对鲁迅先生非常敬仰和眷恋。岑先生晚年蓄须,模仿的就是鲁迅的胡子样式。1928年大学毕业,通过考试,由中法协会资助去法国留学。先生专攻语言学,曾师从著名语言学家房德里耶斯、梅耶、柯恩、傅舍等学习语言学、历史比较语言学、语言调查和语音学等课程。在法留学期间,生活俭朴,专心学习,不参加一切与专业无关的娱乐活动。1932年,时任广

---

[*] 本文是在岑麒祥、袁家骅两位先生百年诞辰纪念会(北京大学,2003.10.25)上的发言。文稿吸取了河北人民出版社出版的《中国现代语言学家》中"岑麒祥"条的部分内容。

东省主席的陈铭枢游历西欧,邀他与其他一些留学生到巴黎最华丽的舞厅跳舞,得知先生从未跳过舞,感到愕然。当时先生最要好的朋友是音乐家冼星海,两人都去自广州,拥护革命,因而成为知己,冼还称先生为"大哥"。1933 年法国政府授于先生文科硕士学位和语音学高等研究文凭,并于同年底回国。1934 年春任中山大学文学院副教授,两年后晋升教授。1946 年文学院增设语言学系,先生任系主任,1948 年起兼任文学院代理院长和院长。解放后,任中山大学文学院副院长兼语言学系主任。1954 年中山大学语言学系并入北京大学中文系后任语言学教授。打倒"四人帮"后恢复正常的语言学教学和研究,先生任语言学教研室主任,为重建语言学教研室和发展语言理论研究发挥了积极的作用。1989 年 12 月 20 日先生去世,中国语言学从此失去了一位在语言理论研究的开拓时期曾发挥过积极作用的理论语言学家。

先生一辈子从事语言理论的教学和研究,在学术研究的道路上取得了一些重要的进展,在上一世纪五六十年代曾是与高名凯先生、方光焘先生齐名的中国三大理论语言学家之一。先生的业绩大体上表现在三个方面:第一,撰写了一批语言学著述;第二,翻译出版了几种语言学名著和编纂了一部外来语词典;第三,培养了好几位后来在学术界产生过重要影响的研究生。

先生的语言学著述很多,涉及的面也很广,包括语言理论、语言学史、语言调查和历史比较语言学等几个方面。语言理论方面的著述有《语音学概论》《语法理论基本知识》《普通语言学》和《语言学史概要》。《语音学概论》撰写于 1934 年,因当时时局动荡,面对抗战,印刷困难,直到 1939 年才由上海中华书局出版。全书分总论、描写语音学、历史语音学三编,联系汉语,全面介绍语音学的方方面面,是我国第一部普通语音学方面的著作。《语法理论基本知识》简明地介绍了语法学理论的基本知识,1956 年由时代出版社出版。该书通俗易懂,为初学者所欢迎。《普通语言学》是参考苏联有关的语言学课程的教学大纲编写的。当时"一边倒"学习苏联,苏联很多语言学课程的教学大纲都是我们有些课程的参考蓝本。先生据此编写讲稿,开设"普通语言学"课程,内容包括普通语言学简史、语言学的对象问题、语言学的特殊方法(历史比较法和静态分析法)、语言学的构成以及语言学在科学体系中的地位等问题,其中重点评述现代各语言学派的理论要点及其学术背景,与当时出版的其他普通语言学著作的内容不一样,具有自己的特点。笔者当时还是学生,选听了这门课程,深受教益。先生在讲稿的基础上修订补充,1957年由科学出版社出版。

语言学史方面的著述主要是《语言学史概要》,1958年由科学出版社出版。这是先生影响最大的一部著作,至今仍旧是高校语言学史课程的教材或主要参考书。全书分古代语言学史、历史比较语言学史和普通语言学史三个方面进行讨论分析,介绍相关的理论和方法。"古代语言学史"分别介绍了语言学的四大源头:希腊—罗马、古印度、中国和阿拉伯人研究语言的成就。"历史比较语言学史"是全书的重点,详细阐述了历史比较语言学的产生、发展和各语系的历史比较研究概况。此前,国内还鲜有相关的研究。"普通语言学史"讲述了自洪堡特开始的语言理论研究的发展,介绍了结构语言学及其以前的各个流派的语言学观点及其相互间的联系,与他的《普通语言学》一书的叙述相互补充、相互辉映。先生很重视这部著作,一再审读和订正。1985年趁北京大学出版社重版这本著作之机,对它进行了一些修改,除了订正一些人名、地名和术语之外,主要是根据四大源头的语言学在语言学史上的地位和贡献的大小对全书的内容进行了一些调整、增删和补充。先生在"修订序言"中强调指出:"根据这些原则,我们对古代语言学史中的印度部分和阿拉伯部分作了必要的增订,对历史比较语言学史中关于美洲印第安语的叙述作了适当的压缩,特别是普通语言学史的最后关于美国、英国、苏联和中国的几章都分别各立为一章重新写过。"这次修订丰富了《语言学史概要》的内容,但先生并不以此为满足,仍旧不断琢磨此书的优劣短长,设法弥补其中的不足。晚年,先生觉得此书的有些章节讲得太简单,有些章节则又嫌啰唆。"特别重要的是,在近代和当代普通语言学史方面,由于篇幅限制,好些应收的国家没有收,好些应收的语言学家没有收,或者虽然收了也讲得太简单,不能详所欲言,全部形成了一个不均衡的局面,很不和谐"。精益求精,先生为改变这一遗憾,不计自己的精力衰微,广泛查阅资料,写了18位在语言学史上产生过重要影响的语言学家的评传,其中14位是外国语言学家。据先生自己说,这"可以补《语言学史概要》之不足","可以增加我们对语言学史的知识,作为我们对语言学研究的借鉴"。这些语言学家的评传1989年由北京大学出版社结集出版,书名冠以《普通语言学人物志》,前面的引文均摘自该书的"前言"。先生在生前终于弥补了这一缺憾。

　　语言调查和历史比较语言学也是先生从事语言学研究的一个重要方面。1936年,先生应聘为中英庚款委员会招考留英学生语言课考选委员,趁赴南京阅卷之便,与前中央研究院语言研究所赵元任先生等商定,由先生负责和组织两广和华南汉语方言和少数民族语言的调查研究。为适应这种调查研究的需要,先生把方言调查课的讲稿整理成《方言调查方法概论》,刊载于中山大学文科研究所《文学语言专刊》上,1956年补充修订为《方言调查方法》,由文字改革出版社出版。该书着重于方言调查的基本理论,通俗易懂,作为方言调查的一本入门书,是有一定参考价值的。解放后的50年代初期,先生对少数民族语言的调查研究倾注了很大的精力,撰写了一批相关的文章,讨论民族语言调查、文字创立、民族语言政策等问题。1951年,先生参加了中央中南区少数民族访问团第二分团,对广东北江和海南岛地区的少数民族语言概况进行了初步的调查,回来后整理分析了由调查所得的有关苗、瑶、黎等语言的情况,发表了《广东少数民族语言调查记略》。该文对瑶语、黎语内部的结构差异与汉语的影响进行了具体的分析讨论;至于苗语,先生指出海南岛的苗语和粤北、桂林瑶语近似,而与广西、湖南等地的苗语则相去甚远,先生据此对语言系属的划分提出了一些疑问。这些调查研究的成果,当时还是比较少见的。和这些语言调查研究相联系,先生还进行了历史比较语言学的研究。1960年他应邀去南京大学讲学,结合教学,先生编写了历史比较语言学的讲稿,1981年以此讲稿为基础写成《历史比较语言学讲话》一书,由湖北人民出版社出版。

这些语言学论著中,《语音学概论》《语言学史概要》和《历史比较语言学讲话》等都是中国语言学的初创性研究,为后辈的语言研究奠定了必要的基础。一些散篇论文,先生认为是"经过深思熟虑、反复思考才写成的",都收入文集《语言学学习与研究》,1983年由中州书画社出版。晚年,先生以极大的精力与毅力,广泛收集材料,编著《汉语外来语词典》,共收外来词四千多条,每条包括外来词、原词、释义和举例几部分。编过字典或词典的人都知道,这是耗时耗力的工作,从材料的收集、鉴别到释义、例证,每一项程序都要求有一丝不苟的精神。先生以七八十岁高龄进行这项词典的编纂工作,没有高度的毅力与敬业精神,是难以实现的。这种精神实在令人钦佩,特别值得我们后辈学习和仿效。这部外来语词典脱稿于1984年,1990年由商务印书馆出版,遗憾的是,先生时已去世,未见自己心血的结晶,未免不是先生的一件憾事。

除了语言学的著述以外,先生还翻译出版了几部重要的语言学名著,其中独立翻译的有柯恩的《语言——语言的结构和发展》和梅耶的《历史语言学中的比较方法》,和他的学生叶蜚声一起翻译的有房德里耶斯的《语言论》,并共同校订高名凯先生翻译的索绪尔《普通语言学教程》。这些译著对中国语言学的发展都起了积极的作用。

先生的另一方面的业绩是培养了好几位后来在语言学界产生积极影响的语言学家,如叶蜚声、贾彦德、李兆同等;特别是其中的叶蜚声,不仅继承了先生的语言学史方面的教学和研究,而且在语言理论建设方面也作出了积极的贡献。

先生是我国早期从事语言理论研究的语言学家之一,在近半个世纪的教学和研究中,始终兢兢业业,培养了许多学生。我们今天在座的,包括我自己在内,就有许多是先生的学生。我们今天纪念先生的百年诞辰,就要学习先生的孜孜不倦的敬业精神,努力将国外的语言理论和汉语的实际结合起来,为推动和发展中国语言学做一些力所能及的事情,以告慰于先生。

(100871　北京,北京大学中文系)

纪念敬爱的袁家骅先生*

王 福 堂

今年是我们敬爱的袁家骅先生诞辰一百周年。作为袁家骅先生的朋友、同事和学生,我们在这里开会纪念他,纪念他为我国的学术研究和教育事业辛勤工作的一生。

袁家骅先生的学术经历可以分为几个略有交叉的阶段,我们中间多数人恐怕不容易有全面的了解。因此,请允许我在这里对他的生平做一个简要的介绍。

袁先生于1903年出生在江苏省常熟县郊区的一个农村(现分出为沙洲县),家境贫寒。5岁时父亲就去世,8岁时在异母兄长的帮助下,才有机会上学,从此勤奋学习,成绩优异。袁先生是在不需要学费的师范学校上中学的。中学时代,袁先生是一个文学青年,受创造社浪漫主义思潮的影响,曾经撰写《唯情哲学》一书,因此在文坛上为人所知,并与郭沫若、成仿吾、郁达夫等著名作家往来,时时盘桓于太湖山水之间。后来考上北京大学英文系,仍然醉心于文学。1930年袁先生大学毕业,短期内当过编辑和中学教师。两年后经母校邀请回到北大英文系任教。随后几年中,教学以外,还翻译了波兰作家康拉德的小说《吉姆爷》、《黑水手》、《台风及其他》等。1937年考取庚款,赴英国牛津大学默顿学院留学,三年中间,学习了古英语、古日尔曼语及印欧语比较语言学等。1948年应英国文化协会邀请再度赴英国访问,在牛津大学从事英语和汉语词汇的比较研究,并以"丝绸之路"为名做学术演讲。袁先生通过在牛津大学的学习和访

---

* 本文是在岑麒祥、袁家骅两位先生百年诞辰纪念会(北京大学,2003.10.25)上的发言。

问,建立了深厚的比较语言学的功底,学术上也向语言学方向转变。

袁先生1940年留学结束后离开英国回国,继续在西南联合大学从事英语教学工作。其间云南各地向各学校提出编写地方志的要求。联大中文系主任罗常培等因此投入了民族语言和社会文化的调查工作,并在系内开设了"边疆人文"课。袁先生也参加了这一工作,先后调查了彝语一支的窝尼语(哈尼语)和阿细语,记录了上万个词语和数十个故事,写成论文《窝尼语音系》、《峨山窝尼语初探》和专著《阿细民歌及其语言》。《阿细民歌及其语言》是为编写云南路南县县志而写作的,以三首记述阿细族男女青年劳动和爱情生活的长诗为基础,介绍阿细语的语音系统和语法特点。1949年新中国成立后,袁先生又调查了贵州的水语和广西的壮语。袁先生在壮语调查和壮文制订两方面作出过贡献。当时(1951年)政务院下属民族语言文字研究指导委员会成立,组织进行我国少数民族语言调查和文字制订的工作。袁先生受中国科学院语言研究所的委托,在北大成立了语言专修科,担任主任,培养少数民族语言和汉语方言的研究人才。然后又和罗季光、王均先生等组成广西壮语调查工作队,带领专修科的学生前去调查,两年中几次去当地,共调查了51个壮语方言。调查中发现,壮语可以根据有没有送气的清塞音分为南北两个方言。在这一认识的基础上,1952年袁先生在《广西壮语分布概况和创制文字的途径》一文中就制订壮文的问题提出,由于壮语区还没有形成一个政治经济文化中心,因此需要在壮语南北两个方言的基础上制订出两种可以汇通的文字先行使用,以后再统一起来。但当时有关人士要求一种单一的壮语文字,不久后袁先生又在《壮族语文问题》一文中表示,可以选择政治经济文化相对发达的广西中部地区,以武鸣话或来宾话作为方言基础来制订统一的壮语的文字。袁先生在这个改变想法的过程中,作为一个正直的知识分子,妥善地处理了学术良知和群众要求的关系。

回到北大以后,袁先生于1955年转入中文系,开始了语言学的教学和研究。袁先生一方面把壮语研究的心得陆续写成《壮语/r/

的方音对应》《壮语词法初步研究》(合作)和《汉壮语的体词向心结构》等重要论文,一方面把注意力转移到汉语方言研究方面,当年就开设了汉语方言学课程。1955年正好召开"现代汉语规范问题学术会议"。会议肯定了"普通话以北方方言为基础方言,以北京语音为标准音",并且从推广普通话的角度出发,提出了调查汉语方言的要求,建议中科院、教育部、高教部在两年内完成这一调查工作。为了替调查工作做准备,1956年高教部委托袁先生制订汉语方言学课程的教学大纲,以便全国各高校都能开设这门课程,培养学生具有必要的方言调查的知识和技能。袁先生很快完成了大纲的编写,然后又根据大纲主持编写了课程的教材,以《汉语方言概要》为名出版,供各高校参考使用。为了配合课程的需要,袁先生还建议编写一套汉语方言语音、词汇、语法的资料,并主持完成了前两种的初步设计,由青年教师着手进行。前两种资料后来得以完成,以《汉语方音字汇》和《汉语方言词汇》为名先后出版。以后袁先生又因教学需要,编写了"汉藏语导论"课程的教材,介绍汉藏语系各语族的特点,而以藏语为重点。此外,袁先生还合作翻译了布龙菲尔德的名著《语言论》等。几年中紧张的工作获得了丰硕的成果。但遗憾的是袁先生不久就患了糖尿病,很快停止了工作。袁先生因病逐渐衰弱,终于在1980年去世,享年78岁。

袁先生早年从事英语的教学,中途转向民族语言的调查,后来又转向汉语方言研究,几方面都留下了重要的成果。在这里,请允许我说一说他主编的《汉语方言概要》。

《汉语方言概要》是一部以现代语言学的观点全面介绍汉语方言的著作。全书共12章,可以分成三部分。第一部分前三章是理论概述,介绍方言、汉语方言学和汉语方言发展简史。第二部分第4至第11章介绍各大汉语方言的概况,每一个方言中都介绍方言形成的历史背景、代表方言的语音系统、词汇特点和语法特点等。最后第三部分第12章综论综合比较汉语方言的语音、词汇、语法,从中归纳汉语方言的亲疏关系。

就我认识所及,我觉得《汉语方言概要》有两点很值得注意。第一是具有多个视角:比如从历史语言学的角度看待汉语方言的发展,从描写语言学的角度介绍汉语各大方言,其间又有理论上的说明。第二是运用多种方法:即兼顾平面的描写、平面的比较以及历史的比较等方面。这种多视角多方法的考虑和做法,一则是出于教学的需要,要为学生提供有关汉语方言各个方面的知识内容和思考角度,再则和袁先生学识和实践的深厚积累也是分不开的。此前30多年,傅斯年在史语所筹备成立时曾经说过,汉语方言研究的方法和步骤应该是"以调查取得分类的材料,以某一种方言的细密研究认识其中各种机用,以相互的关系和古今的变迁认识其演化"。《汉语方言概要》和这种看法在精神上是一致的。

《汉语方言概要》对汉语方言有着深刻的认识。比如它注意到中国历史上一直存在着一种与汉语方言相对的、共同的书面语言,这种书面语言和方言中文白异读的出现有关。它还注意到上古的汉语方言中有异族语言的影响,中古以来的汉语方言中有人口流动的影响。实际上后来人们接触到的一些问题,比如前一段时期的文白异读和近一段时期的层次问题,《汉语方言概要》都已经提供了研究的基础。这说明《汉语方言概要》不只是总结了当时方言研究的成果,而且是在进行探索,其中有许多面向未来的思考。《汉语方言概要》是在40多年前方言研究草创时期写成的,它在语言事实的发掘方面的确是逐渐落在时代后面了,但就其观察和思考而言,至今仍然不失为深刻。我们完全相信,它将继续给我们以丰富的知识营养,给我们的研究以启迪。

袁先生在做出重要的学术贡献的同时,也培养了许多人才。袁先生指导的有大学生、研究生、留学生,也有社会上的知识青年。袁先生指导研究生可以从西南联大时期算起。而直到生命的最后一年,他还招收了一名研究生。袁先生培养的人才,如今分布在各地许多高校和研究机构,成为民族语言和汉语方言方面教学和科研的领导和骨干。

袁先生出身贫寒，对祖国怀有拳拳之心。1940年留学英国学成后，袁先生毫不犹豫地回到遍燃抗战烽火的祖国，从香港直接飞回昆明。1949年在英国结束访问，袁先生又毫不犹豫地回到解放了的祖国。袁先生忠于祖国忠于人民，始终按党的要求规范自己的言行。袁先生又是一个正直的人，不受一时的空气所左右。"文革"前彭德怀一度被软禁在海淀挂甲屯。袁先生一次从承泽园住处散步出来见到他，就邀请他到自己家中小坐，热情交谈。袁先生敬重彭德怀，一点不觉得有必要避嫌。一个表面上不问政治的老教授行事如此，令人深思。

袁先生待人接物最大的特点就是热情谦逊。袁先生在方言研究方面是一位权威，但他从不以权威自居，对同行学者有着始终如一的尊重。袁先生在上课时也一点不像权威，听他讲课时的轻声细语，可说是如沐春风。袁先生对年轻人还不仅在学术上指导他们，也在生活上帮助他们，给他们寄书寄稿纸，甚至倾囊相助。袁先生待人的平和与热心，给人们留下了难忘的印象。

各位先生，各位同学，袁先生去世已经23年了。他的学术成就使人敬仰，他的为人让人感念。今天在他诞辰一百周年的时候，我们大家聚集在这里纪念他，回想他当年工作和生活的情景，以及他对我们治学、工作和生活各方面的影响。我们衷心怀念他。同时我们也希望，袁先生作为一位已故的语言学家，高等学校的教师，以他对语言科学的广博知识和对语言事实的深刻认识，能在学术界，在学校，对汉语方言和民族语言研究的发展，继续发挥有益的影响。

(100871　北京，北京大学中文系)

汉语和亲属语言比较研究的基本原则[*]

何九盈

提要 汉语究竟有哪些亲属语言，至今还没有统一的结论，距离统一结论还非常非常遥远。因此，现在来检讨一下比较研究的基本原则，对于促进这门学科的发展，应该是一件有重大意义的事情。

　　本文对基本原则的检讨是通过对两大公案的分析来展开的。第一桩公案是：在汉语亲属语言分类问题上白保罗、马提索夫对李方桂的批评；第二桩公案是：由汉语声调起源问题引发的奥德里古尔、蒲立本对上古音构拟问题的挑战。这两桩公案似乎只是具体问题上的分歧，实际上是基本原则的分歧。第一桩公案涉及的基本原则是，如何对待远程构拟与层级构拟。第二桩公案涉及的基本原则是，如何对待比较构拟与内部构拟。这两个问题是互相联系的。凡是盲目鼓吹远程构拟的人就必然乱用比较构拟。但第一个问题是分类的矛盾，第二个问题的焦点是古音构拟的矛盾。

　　两桩公案原本均发生于海外，在台湾早有讨论，上世纪80年代开始传入大陆内地。料想不到的是，在海外早已受到批评的白保罗、蒲立本等人的某些主张，在内地却被个别人吹捧为"新说"，为"主流"。把原本是构拟学说中基本原则的分歧说成是"新派"与"旧派"的分歧，是"主流"与"非主流"的分歧。本文的根本目的就是要从国际背景、历史渊源来说明这种分歧由来已久，其性质是构拟原则不同。并首次提出了两种"相结合"，两个"基础"的构拟理论。我们的态度是：尽管我们不赞同白保罗、奥德里古尔的主张，但我们尊重他们的探索精神，在坚持学术多元化原则的同时，坚持求真务实的学术原则。

关键词　汉语　亲属语言　远程构拟　层级构拟　比较构拟　内部构拟

引　言

　　20世纪汉语和亲属语言比较研究留下了两大公案。五六十年

---

[*] 本文初稿完成后，曾请几位同仁斧正。先后收到通锵、俭明、绍愚、洪君四位先生的书面意见，对本文定稿很有帮助。研究生杜轶同学为此文的录入和校对做了很多工作，花了不少时间，在此一并表示谢意。

来,这个领域里的许多是是非非,几乎都跟这两大公案有关。

第一大公案是美国白保罗(Benedict, Paul k.)首先发难的。在汉藏语系分类的问题上,白保罗用新的二族说否定李方桂的四族说。二者的矛盾从表面看只是语源发生学分类的不同,实际上涉及如何处理远程构拟和层级构拟的关系问题。

第二大公案的案主是法国的奥德里古尔(Haudricourt, André G.)和加拿大的蒲立本(Pulleyblank)。他们关于汉语声调问题的主张,也是牵一发而动全身。从原则上来说是比较构拟和内部构拟在古音构拟中的地位问题。

这两桩公案都发源于海外,都有很广的国际背景和很远的历史背景。从1974年马提索夫批判李方桂到2001年有人批判王力,这两个事件前后呼应,一脉相承,有明显的内在联系。这不是门户之争,也不是个人意气之争,而是各人所选择的构拟原则不同。在台湾语言学界,这种争论似乎早已成为过去,而大陆内地,白保罗、马提索夫、奥德里古尔、蒲立本的某些主张仍被少数人奉为"新说",奉为"主流",所以我们有必要对他们的主张作一次梳理。我们所得出的结论是,这不是什么"新""旧"之争,也不是什么"主流"与"非主流"之争,而是基本原则的论争。也就是在汉语和亲属语言的比较研究中,我们应当坚持什么样的基本原则。是用假设剪裁事实还是用事实验证假设,是尊重李方桂、张琨等人所开创的传统还是从根本上否定这一传统。

基本原则之一:远程构拟应与层级构拟相结合,应以层级构拟为基础

一 白保罗、马提索夫与远程构拟

对原始共同母语的构拟,从以往的经验来看,不外乎层级构拟和远程构拟这两种方法。所谓层级构拟就是"从最低的语言层次开

始,逐级往上推,最后求出最高层次的共同母语"。远程构拟也就是马提索夫所说的"巨观语言学",这种方法是"一开始就比较差别大的语言,直接跳到构拟的目标,不很重视低层的比较"①。"巨观语言学以大胆和冒险为其特征"②。有人说,在汉藏语系研究中,运用远程构拟法,"这是白保罗的一项发明"③。我们现在要郑重地反思一个问题:白保罗的这项"发明",是好事还是坏事?它留给后人的是有益的经验呢还是无情的教训呢?也就是说:远程构拟法的运用是成功了呢还是失败了呢?五六十年过去了,这些问题至今没有彻底澄清。我个人的选择性回答全是后者。我至少可以从三个方面说明我的回答不是没有道理的。

1. 白保罗的系属分类是建立在沙滩上的大洋楼

白保罗用远程构拟法建立了两座"大洋楼"。一座是澳泰语系,认为台语、加岱语和印尼语(南岛语)有发生学的关系;一座是汉藏语系,认为汉语族、藏—克伦语族有亲属关系,而苗瑶语、侗台语不在其中。

白保罗的这个分类在上世纪70年代就受到张琨的尖锐批评。张琨在台湾的一次演讲中说:

> 在Benedict的书(即Sino-Tibetan, A conspectus)里头,有一章讲到语言的分类是完全头脑简单的分类。你怎么能够拿现在这些不同的民族的地理的分类,说就是两千年三千年以前的分类呢?但分你有普通常识就知道。尤其这些少数民族受到有力量的人民的压迫、剥削这种事情,这个变动是很大的。所以要拿现在这些各种民族的地理分布做根据,来做这些语言的早期的分类,这是靠不住的。④
>
> ……
>
> 最后,我刚才说Benendict的书出得太早,我的态度就是不要好高骛远,好大喜功,要从小处着手。因为他那本书里,材料是几十年以前的材料,很多现在的新材料完全没有用。有些材料只有

几十个字,有调没调也没说,音标也不正确。拿这种材料来做比较研究,那就好像在沙滩上要盖大洋楼一样,那是绝对不行的。所以说我们应该要注重材料,注重一种或一支语言……这种工作没有十年二十年是做不出来的。⑤

张琨评的是一本书,而讲的道理却是基本原则。用远程构拟法分类并不一定就是"头脑简单的分类",并不一定是"好高骛远,好大喜功",而在白保罗那里却是如此。"从小处着手","注意一种或一支语言",这就是强调层级构拟是基础。

《汉藏语言概论》于1972年由英国剑桥大学出版社出版之后,《香港中文大学中国文化研究所学报》请周法高写一书评。周氏写了一篇《上古汉语和汉藏语》,文中有一条小注,说他曾就白保罗《台语、加岱语和印度尼西亚语——东南亚的一种新联盟》中的分类"函询泰语权威李方桂先生",李氏复信说:"他(指白氏)的议论是泛论,而不大看详细的事实,很有可讨论的余地。"⑥所谓"泛论","不大看详细的事实",这正是远程构拟的特点,也是远程构拟不成功的根本原因。

白保罗最有影响的一个"泛论",就是汉藏语特别是汉语在历史上曾深受澳泰语的影响,这就是所谓"东南文化流"的假设。根据这个假设,古代的南中国原本属于澳泰语区,当时的汉文化低于澳泰文化。故"早期汉语曾向其南方的近邻澳—泰语借了少量重要的词","即澳泰语向北扩散到汉语","用作基本的交换手段的'贝壳'这个关键借词,还有'盐'和'市'、'价'、'卖'借词都说明早期汉人的文化在经济(市场)领域得过澳—泰人极大的好处"。"这一切说明古代汉语不是输出者而是借入者,它从某种技术上高于自己的民族语言(和文化)借入。这些借词后来在汉语中'自然化'之后,在许多情况下又以'返借'形式输入到东南亚各语群"。白保罗的这些说法都缺少起码的事实根据,纯属空论,无法验证。他说:"汉语的早期借贷词似乎不是借自原始澳—泰语本身,而是借自一种后来的、至今尚不清楚的澳—泰语(暂写作X澳—泰语),这种澳—泰语也不是台语或现今任何大陆澳—泰语的祖先。"⑦这样神秘,如何验证!所以桥本万太郎说:"白保罗博士据此提出与至今由北方(中原)语言文化同化南方语言文化的图式完全相反的见解,他想用南方语言文化向北方传播的形式来建立东亚大陆语言形成的学说。遗憾的是他的考察方法不很符合现代语言学的基本原则。"⑧"东南文化流"的假设要得到证实,必须要从低层构拟做起,"泛论"不能解决问题。

2. 两种话语体系的公开较量

李方桂、张琨以及国内一些著名的汉藏语学家对白保罗的分类多持批评或保留态度,为什么在西方特别是在美国却受到高度的赞扬呢?这中间的原因并不是白氏的分类优于李方桂的分类,而是他们在分类问题上要建立自己的一套话语体系以取代原有的话语体系。我们从马提索夫对白与李的评论态度中就很明显可以看出这种用心。

马提索夫认为白保罗开创了"一个汉藏语言学的令人振奋的新纪元,大体上也是东南亚语言学的新纪元"。"可以有把握地预言,他的观点最后会占优势的"⑨。"白保罗的《澳泰语言和文化》是一本光辉的著作,它将激励(和激怒)未来的几代语言学家。书中学识的渊博,想像力的丰富,'突破'一般学术交流的空气等等,使这本书在东方语言学史上成为一本经得起考验的重要著作。在这本书中可能有上千条细节上的差错,但人们从白保罗的'错误'中学到的东西比从有些人所谓'正确的答案'中学到的东西还要多,他已经给我们指出了一条路,向我们提供了一个坚实的线索,提出了研究东方的新路线,他不愧是这个领域里的革命家"⑩。

马提索夫对白保罗的颂扬已到了无以复加的地步。"新纪元"、"新路线"、"革命家"都不过是"新话语体系"的代名词。他们要"革"谁的"命"呢?矛头所向,当然是李方桂。

李方桂在1973年《中国语言学报》创刊号上重新刊发了他写于1937年的一篇旧作——《中国的语言和方言》⑪。他为什么要刊出这篇旧作呢？我猜想他有意要回应白保罗的"新路线"、"新纪元"。起码是在表明：他仍然坚持自己的分类原则和结论。

此文发表不久，马提索夫就在该刊第 1 卷第 3 期上刊出一篇出语不逊、措词相当偏激的批评文章——《对李方桂〈中国的语言和方言〉一文的评论》。文章指责李氏对藏缅语族的内部分类已"显得十分陈旧了"。而且说："更糟糕的是他恢复了那个无所不包的印支语群，李大致是根据语音学和形态学的特征（单音节和区辨词义的声调）把汉语、藏缅语以及侗—台语、苗—瑶语都糅合到这个语群里去了。"马提索夫在这里用了"恢复"这个词，在他看来，李方桂的分类系统早在 40 年代就被白保罗颠覆了，到了 70 年代李氏还坚持这样的分类，这不就是复旧吗？文章最后说："在这里，我们展望未来，觉得像李教授这样一位大语言学家再重新发表他 35 年前的意见而没有什么修订对他确实是有损害的。"⑫这完全是以白保罗的是非为是非。李方桂应当"修订"自己的分类结论，向白保罗看齐，这样就不会有"损害"了。可惜，不仅李方桂没有接受白保罗的"新路线"，中国大多数汉藏语言学家似乎也没有轻信马提索夫的颂扬，也没有抛弃李方桂的分类。而马的评论不可能不对李先生造成心理伤害。

李方桂本人并没有对马提索夫的指责进行直接的反驳。直到 1976 年他才发表《汉语和台语》一文，对有关的批评作出了很委婉的回应。文章说："有些学者却认为汉语和台语的关系是借贷关系。我认为这个问题似乎应当不带偏见地去考察一下。"⑬所谓"不带偏见"究竟是什么意思呢？是学术观点上的"偏见"呢还是对中国学者的"偏见"呢？我琢磨不透。我读马提索夫的那篇"评论"，明显感觉到他是那样盛气凌人，自以为是。李文还指出："我们还没有办法确定哪些词源是可以接受的，哪些不行，也没有个判断是否借词的标准。"这后一句很重要。既然没有"判断标准"，那么，白保罗说台语和汉语乃"借贷关系"，同样是证据不足，非充分判断。而马提索夫却指责李方桂不"修订"旧说，这不是"偏见"又是什么呢！

李方桂发表《汉语和台语》的目的就是要用事实来纠正白保罗、

马提索夫等人的"偏见",这也是两种话语体系的公开较量。文章说,他把台语和汉语定为亲属关系,"不单是像声调系统和音节结构之类的类型上的相同",也有一批韵母与声母"整齐对应的词"。在例字中,"有身体部分、亲属称谓的说法,也有普通名词和普通动词"。李方桂列举这些例字是要反驳一种说法:"有人说台语中与汉语有关的词总是在某种语义或文化领域中的一些词,例如数词、商业词语等,因而可说是借词;这种说法在这儿就站不住脚。"

同年,巴苹·诺玛迈韦奔在《亚洲语言计算机分析》第6期发表《汉语和泰语是不是亲属语言》,文中的泰汉同源词表列举了208对同源词,证明"汉语和台语在很早某个时期是属于同一语系的"。巴苹和李方桂一样反驳了下面这样一种说法:

> 欧得里古尔(Haudricourt)1948年的文章里说,台语身体部分的词汇跟汉语不同,因为它和汉语是不同源的。他说台语与汉语有关的词仅限于某些文化词,因而都可认为出自借贷;所以他推论说这两种语言属于不同的语系。可是我们的词表表明,除了有一批表示身体部位的词汇相同以外,还有大量名词和动词是共同的。差不多有二十来个表明身体基本部分的词是相同的,这些汉语和台语词的亲缘关系不可能全属偶合。确实,这表明它们不是借词,而是从相同的词根演化而来的同源词,似乎很难解释为什么台语必得从汉语借入那么多这样的普通词汇。[14]

巴苹的文章对李方桂的分类学说无疑是一个有力的支持。白、马的话语体系无法独霸天下了。

3. 远程构拟法给汉语亲属语言比较研究带来的严重后果

评价一种方法一个原则是好是坏,无非是两种途径。一个是从一般规律来看,一个是拿事实来验证。

从规律来看,各门学科都有远程与近程的关系问题。"千里之行始于足下",远程必须从近程开始。杨振宁讲物理研究中远程与近程关系的道理,对语言研究也是适应的。他在《几位物理学家的

故事》的讲演中谈到费米的研究原则时说:

> 费米还认为,物理学发展的方向必须从近距离的了解开始,才能得到大的规律。当然,也许有人要问,爱因斯坦发现广义相对论时,是不是用非常大的原则来做的呢?我想,回答是这样的。不错,他发现广义相对论是用大的原则来做的,表面上看起来,不是从具体开始的。不过,你如果再仔细地想一想,他取了哪些原则,他为什么抓住了那些原则,以及他怎样运用这些原则来写出广义相对论的,你就会了解,他的那些原则还是由他从近距离所看到的那些规律所归纳出来的。换句话说,爱因斯坦吸取的过程,仍然是从近距离变成远距离,然后从远距离得到规则再回到近距离来。
>
> 总而言之,我认为,一个完全只想从远距离的规律来向物理学进军的人是极难成功的,或者说,几乎是史无前例的。⑮

在《忆费米》那篇文章中,杨振宁也谈到了他从费米的演讲中懂得了:

> 物理不应该是专家的学科,物理应该从平地垒起,一块砖一块砖地砌,一层一层地加高。我们懂得了,抽象化应在具体的基础工作之后,而决非它之前。⑯

白保罗、马提索夫所犯的大忌,就是没有把"近距离"和"远距离"很好地结合起来。澳—泰语系的失败就是没有坚实的"近距离"作为基础,不是"从平地垒起,一块砖一块砖地砌,一层一层地加高",所以成了沙滩上的大洋楼。具体来说,就是没有解决亲属语言之间语音上到底有什么样的对应规律这一根本问题。所以即使赞同南岛语和原始台语之间有发生学关系的苏联的帕依洛斯(Ilya I. Peyros)和史塔洛斯汀(Sergey A. Starostin,又译为史塔洛斯金)也说:"南岛语和原始台语之间适合的对应系统还没有完全建立起来,这使得许多人对澳—泰语假设仍持反对意见。"⑰

事实上,不仅澳—泰语假设是不成功的,迄今为止,在中国内地远程构拟法还没有构拟出一个成功的范例。相反,倒是制造了一批豆腐渣工程。我们若问:汉语有多少亲属语言?从远程构拟者那里得到的回答是:溥天之下皆亲属也。在南美,我们和玛雅人五千年前是一家;在北方,我们和叶尼塞语、北高加索语是一家,和通古斯、蒙古、突厥语也是一家;在西方,我们和巴斯克语是一家;在南方,我们和南亚语、南岛语是一家。在世界范围内,我们和印欧语系是一家。

　　白保罗似乎早已预见了这一点。他说:"不加鉴别地使用远程构拟可能导致语言学的灾难。"⑱他的话不幸而言中。我们现在正面临着这样的"灾难"。这种"灾难"的制造者,他们既没有白保罗那样的人类学视野、语言学视野,又没有白保罗那样丰富的田野调查经验,而他们的"大胆和冒险"却远远超过白保罗。他们给汉语建立了那么多"八竿子打不着"的亲属关系,凭什么？在非汉语那边,就凭几本字典,或几份不全面的调查报告。在汉语这边,就凭高本汉或李方桂或王力的上古音系。这就大成问题。以元音系统为例,高、李、王三家的元音系统很不一样。用高的元音系统来比较说得通,用王的元音系统就根本无法比。而且,上古元音有特定的时空制约,各种非汉语语言也不是直线发展,直线分化,也都有自己的方言,也都与周边语言有各种各样的接触关系。任何语言都有漫长的历史,要一个一个研究才能说得清。总之,上古音万能论是错误的,非汉语一成不变论也是错误的。

　　我这样说,必然会有人反对。理由是:那些建立汉语亲属关系的人不是也有几十几百的例证吗？这个问题,提出"巨观语言学"的马提索夫在理论上已有很好的说明,只不过他的"大胆和冒险"精神使他偏离了自己的理论。马提索夫说:

　　　　当我们面临任何两种语言之间有相似特征时至少有四种假设在理论上是可能的:

　　(1) 偶然性:这种相似仅仅是偶然的,碰巧对上的。

　　(2) 普遍的趋势:这种相似在许多语言中出现面很广,甚至可以说是普遍性的制约。

　　(3) 接触关系,这种相似是由于一种语言影响另一种语言(单向性的影响),或是相互影响(双向的或"并合")而产生的,这种语言上的问题反映在文化接触中。

(4) 发生学上的亲缘关系:这种相似是共同的原始母语遗留下来的特征或趋向。

马提索夫也注意到:"本文所涉及的难题在于由于长期的或古代语言的接触所产生的相似性跟发生学上有亲缘关系两者之间不易区分。""巨观语言学……提出某些语言间有发生学上的亲缘关系,而这些语言的关系如此遥远,留下来的相似性似乎用其他假设(偶然性、普遍的趋势、接触关系)也能说得通。"[19]这正是巨观语言学的致命缺点所在,它无法排除其他三种假设,又怎么能验证这种假设是可信的呢?

更何况,由于比较者对汉语和非汉语的知识有各种各样的缺陷,对古今音义及语法结构没有全面深入的研究,甚至只能利用第二手材料,比较的结果会是一个什么样子,可想而知。

两种或几种语言的比较研究,是语言学中最精密最复杂的一门学问,即使像李方桂这样的语言学大师也不敢轻言比较。巨观语言学把复杂的问题简单化,为"好高骛远,好大喜功"者大开谬误之门,这已经是有目共睹的事实。在这种情况下,我们呼唤李方桂的构拟原则,应当是很有意义的一件事情。

我在这里要郑重说明,我并不是在一般意义上反对远程构拟。远程构拟作为一种方法当然有它的重要意义,但这种意义只有在与层级构拟结合起来且以层级构拟为基础时才可显示出来。离开了层级构拟,远程构拟必败无疑。还有,本文并不是要对白保罗的学术研究进行全面评价,全面评价白保罗不是本文的任务。

二 李方桂、张琨与层级构拟

现在有不少文章在谈到第一桩公案时,只突出白保罗、马提索夫和李方桂、张琨在系属划分问题上的矛盾,完全忽视了矛盾的理论背景是双方构拟路线不同。在分类问题上我们现在还难说谁是谁非,现在说谁是谁非,未免主观。但在构拟路线上我们可以肯定地说,白保罗、马提索夫是错误的,李方桂、张琨是正确的。白保罗为什么错,上文已有论述,李、张为什么正确呢?

首先,李、张的学术背景、语言背景、研究背景都是白、马所望尘莫及的。汉语是李、张二先生的母语,他们对自己的母语无论是现状还是历史都作过很深入的深究。李方桂的上古音研究,张琨的《切韵》研究、方言研究,都自成体系,影响及于海内外。所以,他们在谈汉语和亲属语言关系时,起码汉语这一块占了绝对优势。而白保罗跟蒲立本一样,连商周是否操同一语言的问题都不清楚,说什么"周民族也许被认为是操藏汉语者,此语言融合或渗入于商民族所操之非汉藏语中"[20]。他们对汉语的知识基本上是来自书本,来自一些似是而非的零零碎碎的介绍,对汉民族历史的了解也很肤浅。知道得越少,胆子就越大,他们可以毫无根据地说:"泰语对汉语必定也有巨大的影响",只是我们"中国语言学家接受这一观点也许有点困难"[21]。我看马提索夫是过虑了,事情果如他们所言,中国语言学家是绝对会"接受这一观点"的。

关于非汉语语言研究的学术修养,与李、张相比,白保罗也弗如远甚。张琨对苗瑶语的研究具有开创之功,他对苗瑶语分类问题的发言权当然大大超过白保罗。李方桂对台语研究有40年的经验,"他对泰语的各个支派研究得很清楚,所以他说藏语的分派是从泰语方面看全系"。而白、马二人呢?且听张琨的评说:"白保罗的划分完全是凭印象,不值得仿效。""马提索夫对藏缅语研究得很深,别的就很难说了。"张琨紧接着说:"究竟有没有藏缅语族?这在我心目里头还是一个问题。"[22]

既然白、马也就这种"很难说"的水平,为什么他们敢于向李方桂挑战呢?这跟美国文化具有进攻性敢于挑战权威的特点有关,也跟美国的现代学术风气有关。朱德熙曾指出:"近年来,美国语言学有重理论轻事实的弊病,而且不独语言学,经济学甚至物理学亦有类似的情形。"朱先生还给我们提供了一条材料:诺贝尔得主魏惜理·

李昂迪夫批评其经济学家同行使用太多的假设和太少的事实来玩他们的水晶球。李昂迪夫指出："假设是廉价的东西。"[23]张光直也曾指出美国考古学界的不良学风,他说："美国所谓'新考古学派(New Archaeology)',他们的做法是先作结论,然后发掘考古资料来对他的结论(原注:美其名曰'假设')加以验证,考古资料出现之后,就要看是否照假说预定的方向走,不管它走哪个方向,假说是否验证,考古资料本身再无用处,一般便作废物丢掉了。"[24]

大胆假设,跳跃性前进,把触角伸得很远,敢于向权威挑战,这本来是美国学人的优秀品格,是值得我们学习的。但仅仅满足于假设,看不起中国式的稳扎稳打,贬抑层级构拟,不愿付出长时间的艰苦的劳动,其必然结果就是"灾难",白保罗、马提索夫向李方桂提出了两种责难:一是"借贷"说,一是类型说。后来有的人也跟着这么说。而且把类型与发生的关系完全对立起来,把"借贷"与同源关系对立起来。其实,我们上当了。因为白、马这样立论,并不是以大量可信的事实为基础,而是纯属假设。马提索夫也不得不承认:"在现阶段,以我们现有的学识水平想把发生学上的同源词跟'借词'区别开,往往也不太可能。甚至某一词源我们能十分肯定它在两个语言或两个语系间曾相互借入过,但我们也往往无法肯定是谁从谁那里借入。"[25]

解决这个问题的唯一办法就是李方桂、张琨一再提倡而且身体力行的构拟路线,从低层做起,先把远程构拟放上个十年几十年。张琨说:"现在最好是大家不要争辩系属划分问题,都好好地、扎扎实实地做点研究,像李先生那样把所有的泰语做出一个系统来。我希望 Matisoff 将来也能专就藏缅语作出一个扎实的成绩来……把各个语族都搞清楚了,然后再说这些语言的系属划分问题。"[26]

李方桂的经验更值得我们研究。上个世纪70年代初,台湾史语所曾举行过"汉语研究方向的研讨会"。在这次会议上,民族学家芮逸夫曾请李方桂就白保罗的语系分类问题发表意见。在回答芮逸夫的问题时,李根本没有就白保罗的分类谈任何看法,但他的看法尽在

不言中。他只谈了自己的研究经验。他说:

> 我个人自从 1930 年到 1970 年左右,40 年的工夫我没有作过音韵学的研究,一直都专门在作泰语的研究。这项研究一方面需要到各处去调查,收集语言的资料,收集它的成套的词汇、故事,一方面还得要整理出来,发表出来,所以时间耗费相当多。我在这 40 年之中,对于泰语这方面的比较研究,曾经发表了很多的论文。但是对泰语跟汉语的关系的论文却一篇也没写过,这就表示我对于这件事情非常没有信心。但是我也不能说汉语和泰语没有关系,或者泰语和汉语一定有关系,因为事实上这是需要作一番仔细的比较工作才行。我相信如果把中国古代音韵往上推得好,把泰语从比较上研究(我自己正在写泰语比较研究的书)往上推,能推多远我们不敢肯定,但至少我们希望它们能有接近的机会。如果它们接近的机会相当大的话,那么我们就有很多希望说泰语跟汉语有关系。[27]

两年以后,李氏就发表了《汉语和台语》,为"考虑汉台关系提供一些资料",对白保罗的"借贷关系"说进行了委婉的批评。

我们今天重温李方桂的讲话,深感李氏的构拟路线应大力发扬。他的目标非常集中,把一种语言搞深搞透。他的研究过程也很有步骤。第一步对泰语各方言点进行田野调查。第二步再在泰语内部进行比较。第三步再往上推,构拟原始台语。至于汉台比较的论文,40 年间"却一篇也没有写过",仅此一点就非常值得我们深思。那些根本没有对侗台语、南岛语、南亚语进行过长期田野调查的人,反而虚张声势,大谈什么什么"语系",这不值得迷信远程构拟的先生们认真检讨一下吗?

据李壬癸介绍:"李先生亲自调查的方言有 20 多种,此外他又参考其他学者的方言研究材料也将近 20 种,总共有三四十种方言,参考资料何止数百种!方言纷歧,材料庞杂,要把它们整理出系统来是何等艰巨的工作!"[28]一个对台语有如此精深研究的大学者,为什么"比较研究"的"信心"反而远不如现在的后学小生呢?问题在哪里？是不是学问越少反而"信心"越足呢？

因此,我竭诚奉劝那些不愿踏踏实实做底层研究只想建立大系统的人,应该把李先生的讲话抄下来,贴在墙上,当作座右铭。于人于己,一定大有裨益!

丁邦新在《"非汉语"语言学之父——李方桂先生》中说:"要使作品有经久的学术价值,必须要经过深思熟虑,匆忙的厨师总做不出色、香、味俱佳的菜,董同龢先师以前就曾经说过:'我的文章里面谨严的说法是李先生的训练,不该推论的地方就不说话。'"[29]快30年了,今天重读这些话,觉得不仅没有过时,而且对矫正时下学术界的不正之风仍然很有意义。由于李方桂、张琨长住美国,海峡两岸又长期隔绝,对他们的学术业绩,尤其是优良学风,内地学人知之者甚少。而改革开放以来,西方学术像潮水般涌入中国,白保罗、马提索夫、蒲立本等人的一些主张,乃至他们的学风,对某些缺少传统训练的人,对某些既不搞田野调查又不认真钻研文献的人,简直如获至宝,奉若神明,这对中国历史语言学的独立发展是极为不利的。

三 远程构拟与人类遗传学和考古学

远程构拟、巨观语言学的提出,而且在一定范围之内能吸引一定数量的追随者,当然不完全是学风问题,也不仅仅是历史语言学内部方面的原因。当代人类遗传学和考古学所取得的卓越成就,给远程构拟(巨观语言学)以极大的鼓舞。

遗传学和语言学有关系,达尔文在1859年的《物种起源》中已经谈到:

假如我们拥有一个完善的人类系谱,则人种排列成的系谱将能提供现在整个世界上所说的各种语言的最好分类。假如所有灭绝的语言和中间的语言以及缓慢变化的方言都包括在内,这样一种排列将是惟一可能的一种。[30]

世界著名人类学家斯坦福大学教授路卡·卡瓦利-斯福扎(L.

L. Cavalli-Sforza)说:"当我知道,我们在遗传学树和语言学树间所观察到的极强的相似性已被查尔斯·达尔文所预言过时,在那一刻,我的心情混合着激动、高兴和某些窘迫。"[31]路卡于1994年出版了一本在国际上产生了广泛影响的巨著《人类基因的历史学与地理学》,后来他又和自己的儿子弗朗西斯科在此书的基础上写成科普读物《人类的大迁徙——我们是来自于非洲吗?》。此书第7章"没有建成的通天塔"谈到:一位意大利语言学家在20世纪初期就提出:"所有的语言有共同起源","现在这个想法正在被越来越多的人接受"[32]。人类语言如果真的是由一种共同母语分化而来,也就是说人类历史上曾经只有一种祖先语言,那么语言学家就有理由把建立一个完整的语言进化树当作自己的伟大目标。巨观语言学正是从此种理念中受到巨大的鼓舞。该书专门探讨了"语言学进化和遗传学进化间有平行关系"的问题,254页有《世界主要人群的遗传树和语言间的关系》的树形图。图中将世界27个群体按遗传关系的远近排列组合。

整棵树分为两大支派:一支为非洲人,一支为非非洲人。这是遗传树最初的差异。非非洲人又分为三大支,左右各一支不细谈,中间这一支再分为三支。最值得注意也是最有意思的是:中国南方人/泰国人与马来波利尼西亚人距离最近,而中国北方人/日本人最近,美洲印第安人,爱斯基摩人介于"中国南方人"和"中国北方人"之间。这就引发出另一个问题:汉语的发源地究竟是在南方呢,还是在北方呢?汉语的原始状态是不是一种混合语?

问题并不是像树形图这么简单明白。下面我们要谈到的情况对巨观语言学都极为不利。首先是"非洲独源"理论还有争议。张光直就持否定态度。他说:"非洲独源或夏娃(Eve)的理论显然是有问题,爪哇人类化石年代的重订和金牛山人头骨的发现迫使我们重新认识人类的起源,绝没有什么独源论。"[33]依此说法,树形图就得连根拔掉。

其次,树形图本身也存在问题,路卡已指出:"在这个树上,东南亚的居民有和澳大利亚人和新几内亚人聚集在一起的倾向,这一定位并不十分肯定,因为用稍微不同的方法,便显示出东南亚人应该与居住在北方更远处的蒙古人种聚在一起,而不是与大洋洲的居民聚在一起。东南亚居民中的遗传变异,根据迄今收集到的资料尚无法得出合理的解释。"[34]南亚语、南岛语的归属问题,至少到现在为止,人类遗传学还不能提供绝对可信的旁证。无论是白保罗的假设,还是沙加尔的假设,都不能从中取得有确定意义的参考资料。

还有,许多研究者均已指出:遗传进化与语言进化即使有"平行关系",但二者的进化规律毕竟同中有别。例如,俄国的阔姆力对路卡的研究就既有肯定也有否定。他说:"近年来在散居人群的史前史研究中有一个重要的迹象是尝试运用某些遗传学的方法。在颁布的有关研究成果中包括详尽列举了遗传结构的地理分布图以及其语系上可能存在彼此对应的探索(Cavalli-sforza, Luca, Menozzi, Piazza, 1994)。当然,这还不能充分揭示语言学分类法与生物—遗传学分类法之间如何对应的问题。基因完全根据其遗传生物规律传承,并且每个人都不能对其基因有任何改变。而与此相反的是语言的传承则是一个文化过程:儿童在其所处的社会环境中在运用语言的过程中成长,与其是否是这个生物社会群体的亲属成员无关。"[35]

王士元"以中国背景"为例,指出:"不同种群之间的边界是不确定的,并且一直处在不停的变动之中,这导致基因和语言经常是独立发展的。如果人们确实是非常典型地把基因和语言都传给后代,那么我们应该在这两个不同的种系发生系统之间找到某种强烈的相互关联。然而,各种各样的因素使这幅画变得相当复杂。"[36]

语言谱系树的建立无疑是展示亲属语言关系的比较理想的直观模式。早在19世纪德国语言学家施莱歇尔(Schleicher, 1821—1868)就构建过印欧语系的谱系树模式。他在1863年发表《达尔文理论与语言学》,主张"把达尔文所建立的关于动植物物体的规律至少大体上应用于语言的机构"。岑麒祥批评他"完全忽视了语言的社会本质,只把它当作一种自然界的产物去加以研究"[37]。这个批评是对的。语言的社会性决定了语言有分也有合,不同语言在接触之间会互相影响渗透,它的发展分化不可能是单一性的,界限也不可能像谱系树显示的那样位置分明。强调语言的社会本质、文化过程,也不是要否定谱系树理论,只是要提醒人们注意,遗传树不等于语言树。

考古学的重大发现,对远程构拟、巨观语言学也有极大的促进作用。

上世纪70年代以来,考古新发现使黄河流域是中华民族摇篮的传统观念受到猛烈冲击,代之而起的是中国文化原本为一个多元体组合。许多考古材料"证明许多中原以外的边疆文化不比中原文化为晚,甚至有时比它还要早"。所以张光直说:"我们逐渐发现从我们几十代的老祖宗开始便受了周人的骗了;周人有文字流传下来,说中原是华夏,是文明,而中原的南北都是蛮夷,蛮夷没有留下文字给他们自己宣传,所以我们几十代的念书的人就上了周人的一个大当,将华夷之辨作为传统上古史的一条金科玉律,一直到今天才从考古学上面恍然大悟。"[38]

这一传统观念的打破,对印证白保罗的"东南文化流"是有利的。对汉语"多源性"的假设也是有利的。尤其是张光直的《中国东南海岸考古与南岛语族起源问题》一文中的某些论点对远程构拟者似乎提供了强有力的支持。这些论点有:

1. "从考古学的资料复原南岛语族的历史,应当是最为可靠的一种方式。"

2. "一般都相信南岛语族是起源于东南亚及其附近地区的。""这种研究的开山工作一般归功给柯恩1889年的一篇大著,题为《推定马来波利尼西亚语族最早老家的语言证据》……他相信有这种文化的原南岛语族可能居住在印度尼西亚或印度支那半岛的东岸……"。

3. "语言学家对柯恩氏这种推测方式的兴趣,到了20世纪的70年代骤然大为增加;这是由于大洋洲的考古工作到了这个时期有了很大的进展的缘故。"

4."在中国东南海岸地区仅在台湾有现存的南岛语族……台湾史前的南岛文化可以与大陆海岸区域的史前文化相比较而判定其间的文化关系,也就是判定史前的南岛文化(原南岛语族文化)在中国大陆东南海岸上的存在性与特性。"

5."华南考古学上的一个关键问题,是台湾的大坌(bèn)坑文化有没有延伸到大陆?如果有的话,再如果我们接受大坌坑文化代表台湾南岛语族文化祖型的假定,那么南岛语起源于中国大陆东南海岸这个多年来的一个假设,便可以得到初步的证实。"

以上5点,尤其是4、5两点,对于可以认定汉语和南岛语有亲属关系的假设那当然是极为有利的。沙加尔还构拟了二者之间的语音对应规律。

可是,张光直在这篇文章的"余论"部分一口气提出了5个问题,远程构拟者对这些问题就不怎么关心了。

1."几千年以前的中国大陆东南海岸如果是原南岛语族的老家,或至少是他们的老家的一部分,那么大陆上的原南岛语族后来到哪里去了?"

2."自有历史的材料开始,我们便在中国大陆再也找不到南岛语言的踪迹了。他们与日后这个区域占优势地位的汉藏语系的语言有什么关系?"

3."南岛语族是完全绝灭了,还是与汉藏语族混合,或与后者同化了?"

4."在这段历史上,语言、文化和民族之间的关系是不是对等性的?"

5."最后,考古学的研究能够在什么程度上把这些问题解决?"㊴

根据张光直的设问,要判定汉语和南岛语有亲属关系,为时尚早。起码还要进一步对语言事实进行更为深入的调查、研究,光靠远程构拟,几乎无法回答这些问题。

而且,我们一定要头脑清醒,任何个人都没有力量来全部解答这些问题。必须经过几代人的努力,积累资料,攻克一个一个难关,为后人打地基,开方便之门,将来自然会有集大成者,会有"后来居上"者。对于当前的我们来说,还是要以李方桂、张琨为榜样,从低层做起,分工合作,把一个一个语族的情况搞深搞透。在这个领域里,欲速则不达。

最后,我借用俄国学者阔姆力的话作为这一节的结尾:

> 对我们来说,谨慎求证十分必要。应仔细区分哪些是能够充分建立起来的翔实可靠的参数,哪些是在普遍有益的科学探索中未经核实的推测,推测能够很好地为我们的理论假设提供实质性的线索,而同时也会成为极为危险的陷阱。[40]

引用这段话的目的,意在证明:对那些廉价的理论假设表示忧虑的,不仅仅是我们,国外也有人为此而担忧。我们不愿意看到我们的某些本来可以有所作为的同行,掉进"极危险的陷阱",反而误以为是置身于"主流",是在领导"潮流",这是很可惜的。请勿将国王的新衣当作灿烂的华裳,这是忠告。

基本原则之二:比较构拟应与内部构拟相结合,应以内部构拟为基础

我们这里说的"比较构拟"、"内部构拟"与西方语言学词典对这两个概念所下的定义不完全一样。我们说的"比较"是指亲属语言之间或汉语与非汉语之间的音韵比较、词汇比较、语法比较、类型比较等。内部构拟则不涉及其他亲属语言或非亲属语言,专指根据一种语言的内部材料来进行构拟,而不是着眼于没有文献资料仅根据不规则的形态交替和填空格的构拟方式。同一语言内部也会有古今比较、方言比较,这是内部比较,与外部比较性质不同。不论内部比较、外部比较,所有的比较构拟均应以内部构拟为基础。对于汉语来说,上古音的构拟,必须要以内部构拟为基础,有了这个基础,才能与亲属语言进行比较。李方桂说:"假使拿汉语跟藏语或别的语言比

较,而各人对上古音的看法都不一样,那么比较的结果必然是乱七八糟的。"[41]现在我们面临的情况正是这样。所谓"对上古音的看法"当然不只是细节上的"看法",最根本的"看法"是对构拟原则的"看法",即坚持什么样的构拟原则。

一 两种构拟原则的对立

从高本汉开始,到董同龢、陆志韦、王力、李方桂,上古音的构拟一直以内部构拟为基础。尽管对同样的材料各人有不同的处理原则,从而导致具体的构拟结论不一样,但谁也没有违背过内部构拟的基本原则。

与此相对立的一种作法是把比较构拟的原则引进上古音研究,也就是利用非汉语的材料包括所谓亲属语言的材料来构拟上古音。在他们那里,汉语的上古音变得很怪异,不仅没有声调,还有许多前缀后缀。他们批评"王力的构拟比较保守"[42],批评"高本汉关于上古汉语的拟测在很多方面是十分保守的"[43]。包拟古的看法就具有代表性。他说:"目前存在着好几家上古音构拟体系,其共同缺点是他们的构拟结果多未能与亲属语的形式密合,换言之,'比较构拟'未受重视,至少比起材料来所受的重视要少。"[44]

我的看法刚好和他相反。上古音的构拟并不代表汉语的原始形式,它与亲属语言的距离还相当遥远,故不可能也不应该"与亲属语的形式密合"。在条件极不成熟的情况下,在上古音构拟中乱用"比较构拟",其必然的结果是把上古音的面貌弄成一个非驴非马的样子,要说"缺点",这才是最大的缺点。

我们说的第二桩公案正是在上古音构拟中如何处理内部构拟和比较构拟的关系问题。这桩公案的具体起因看起来只是汉语声调起源问题上的分歧,但声调的有无涉及韵尾,涉及整个音节结构,涉及采用什么样的构拟原则等大问题,真是牵一发而动全身。这桩公案的发生也是在国际范围之内进行的,也是由国际转入国内,至今已有半个世纪之久。

人所共知,这桩公案的始作俑者是法国语言学家安德列·G.奥德里古尔,奥氏发表于 1954 年的《越南语声调的起源》和《怎样拟测上古汉语》,首次利用汉越语中的古汉语借词材料,猜想古汉语去声字曾经有一个-s 尾,这个"后缀*-s 可以加在其他字后起派生作用,后来变作去声调,本身就消失了"㊺。1960 年英国的福雷斯特(Forrest)又进一步"认为这个构拟的-s 等于古西藏文的接尾词-s"㊻。"指出藏语的-s 具有同样的派生功能……把越南语、藏语这些分布得很广的比较材料聚集在一起,可以强有力地证明 Haudricourt 的理论是正确的"㊼。

1962 年,加拿大的蒲立本批评"王力(1957)的构拟比较保守,只有三个韵尾-k、-t、-p,在长元音后面变去声,以此来解释《诗经》中后来的去声字与入声字押韵现象"㊽。他赞同奥德里古尔去声源于-s 尾的说法。"打算通过早期外语的汉译材料来验证内部拟测"㊾。用于"验证"-s 尾的材料有三个来源:

一是从英国学者贝利的《犍陀罗语》一文中找了 7 个例子;二是从早期佛经翻译中找了 4 个例子;三是从非佛经译音材料中找了 7 个例子。

关于上声来自喉塞尾的问题,这是蒲立本的一项"发明"。奥德里古尔只不过说:"汉语读'上'声的字,在越南语里读作锐声—重声调","锐声—重声调与'上声'相似,是一个升调。"他根据孟高棉语族中的日昂(Riang)和格木(克木 khmu)语有喉塞音尾,从而判断"这个声调起于喉塞音的语音的结果,在喉塞音消失以后,变成音韵学上的确实的声调,用以区别一个词"㊿。

到了蒲立本那里,汉越语锐声—重声起源的假设就和汉语上声起源的假设混而为一了。他说:"按照 Haudricourt 的越南语声调演变理论,上声调从原来喉塞韵尾变来。因为汉越语与汉语的声调之间存在高度一致的对应关系,而且去声调来自*-s 韵尾的假设已经得到如此成功的证明,所以,认为汉语的上声也是来自喉塞韵尾的可

能性就很大。"㊿

1970年,梅祖麟发表《中古汉语的声调与上声的起源》。此文一开头就批了董同龢。因为董氏在《中国语音史》中说过:

> 自有汉语以来我们非但已分声调,而且声调系统已与中古的四声相去不远了。

梅却认为:"法国汉学家 Haudricourt 于1954年对此一论说提出有力的反驳。他认为汉语的声调,跟越南语一样,系由字尾子音消失发展而成。"㊾梅氏明明知道,这只不过是一种"类比的推断",蒲立本举的那些音译字例证"为数不多,可靠性值得怀疑"。说明梅的判断力并不差,可惜他聪明胜过学问,求新胜过求真,还是要沿着奥、蒲的路子往下走。他没有把"怀疑"发展为否定,却在"怀疑"的基础上为蒲氏的喉塞音说提供了"三项新的证据:现代方言的材料,佛经中有关中古汉语的材料以及早期的汉越借字"㊿。

从50年代到70年代,经过奥、福、蒲、梅四人的猜想假设,声调源于韵尾以及上古有-ʔ、-s 尾的说法,在国际上颇有影响。当时的王力、李方桂在学术舞台上仍然相当活跃,他们对这类猜想假设持什么态度呢?

李方桂曾多次就这个问题表达了自己的看法,不赞同上古时代汉语有-ʔ、-s 尾(张琨也持类似的观点),下文我们还会谈到。至于王力的态度如何,由于大陆内地当时与西方学界处于隔绝的封闭状态中,王先生很有可能不知道蒲立本对他的非议,也有可能不知道奥德里古尔关于声调起源的主张。有一点我在这里可以肯定,从原则上来说,王力即使知道奥、蒲的说法,他也不会随声附和,早在上个世纪40年代,他在《汉越语研究》中就以先见之明发出过警告:"我们如果走得太远了,就不免有危险。虽然我们对于一部分疑似的古汉越字不妨暂作一个假设,但是,可能性太小了的假设我们也应该放弃的。"㊿王力的态度很明确,"汉语不可能是越语的亲属"㊾。某些"疑似的古汉越字""有事实可以证明它是来自高棉语,和汉字毫无渊源可言"。王力"放弃"的假设,被奥德里古尔捡了起来,又经过不断演绎,上古音的构拟就成了越来越脱离汉语实际的"太虚幻境"。于是,"假作真时真亦假,无为有处有还无。"

我们说王力不会赞同奥德里古尔等人的假设,还有一个重要根据是这类廉价的假设与内部构拟的原则大相抵触,王力的上古音构拟一直坚持内部构拟的原则。他1964年发表的《先秦古韵拟测问题》比奥氏的《怎样拟测上古汉语》晚10年,比蒲氏的《上古汉语的辅音系统》晚两年。以年代而论,奥、蒲是旧说,王氏是新说。王力此文一开头就表明了自己的主张:

> 拟测又叫重建。但是先秦古韵的拟测和比较语言学所谓重建稍有不同。
>
> 比较语言学所谓重建,是在史料缺乏的情况下,靠着现代语言的相互比较,决定它们的亲属关系,并确定某些语音的原始形式。至于先秦古韵的拟测,虽然也可以利用汉藏语来比较,但是我们的目的不在于重建共同汉藏语;而且,直到现在为止,这一方面也还没有做出满意的成绩。一般做法是依靠三种材料:第一种是《诗经》及其他先秦韵文;第二种是汉字的谐声系统;第三种是《切韵》音系(从这个音系往上推)。这三种材料都只能使我们从其中研究古韵的系统,至于古韵的音值如何,那是比系统更难确定的。[56]

材料的选择就包含着方法论问题,只能用特定的方法论来处理特定的材料。方法论又服务于构拟目标。如果是"重建共同汉藏语",当然就要进行比较构拟;如果是构拟周秦古韵,当然就只能以内部构拟为基础,所利用的材料应以切合周秦音系的材料为主体。把构拟汉语的原始形式和构拟上古音混同起来,把两个层级合并为一个层级,这是常识性错误。其严重后果就是既破坏了上古音的历史性、系统性,又无法确定汉语的原始形式。懂得了这个道理,我们也就可以理解,为什么李方桂手头掌握了那么多非汉语语言材料,而他的《上古音研究》却不列举这些材料来作证,也不利用这类材料来大谈比较。就是复声母的构拟也是以内部构拟为基础,适当地参照汉语以外的材料。

我在这里要申明两点。第一,我并不反对学术研究中可以猜想,可以假设。但猜想和假设在没有取得严密论证和事实根据之前,都不能称之为学说。作为学说必须成系统,必须有不可或缺的逻辑推断或事实根据。第二,汉语声调究竟是源于韵尾还是源于声母或元音,各人完全可以持不同的看法,本文并不打算介入这种争论。我所不赞成的只是那种说周秦时代无声调的意见。也就是不同意那时的上声为-ʔ尾,去声为-s尾的说法。至于原始汉语有无声调,是否有-ʔ尾、-s尾,那要另说,不能与周秦音混为一谈。

我根据自己多年研究的结果,认为李方桂对汉语声调年代的判断是可信的。李方桂《上古音研究》说:"我们也不反对在《诗经》以前四声的分别可能仍是由于韵尾辅音的不同而发生的,尤其是韵尾有复辅音的可能,如*-ms、*-gs、*-ks等。但是就汉语本身我们已无法推测出来了。"[57]1978年他又一次强调:"声调怎样在汉语里出现的问题,我看属于上古以前的汉语……这个理论可能适用于汉藏语或原始汉语,这点我们不想否认,但必须比较了可靠的词源材料才能证明。否则,这样的韵尾辅音即使可以假定在原始汉语或史前汉语里存在,却没有充分的证据可以证明它在上古汉语里存在。像*-ks:*-k,*-ts:*-t,*-ngs:*-ng,*-ns:*-n等等的押韵,在上古汉语里似乎很勉强。"[58]这些道理非常透,也非常切合实际,可是持复辅音韵尾说者,置若罔闻。刚愎自用,甚为有害。

还有,董同龢关于汉语声调的看法,也不失为一家之言,与奥氏的主张虽然不合,但根本谈不上奥氏"对此一论说提出有力的反驳"。奥的主张本来就十分软弱无力,证据薄弱,哪有力量来反驳董说呢!直到今天,董说仍然值得我们重视。马伯乐就主张:"在有声调的语系里,声调必然存在母语分化为几个现代方言之前。"[59]李方桂对台语声调起源的研究也可间接支持董说。李方桂说:"至少从目前来看,认为原始台语里存在声调是有理由的,它们可能起源于台语之前的时期。"[60]现在有个别人不仅不承认《诗经》时代已有声调,甚至认为两汉时代仍然没有声调,这就完全是昧于史实以瞽言蒙人了。

二　验证假设的两种方法

第一种办法是用事实验证假设。

假设"应该是可以检验的,即假设可以重新表示为一些可操作的形式,而这些形式又是可以在数据的基础上评估的"[61]。"检验假设的目的是决定它受事实支持的程度"[62]。

-ʔ尾、-s尾是经不起验证的。它不仅没有可操作的形式,也没有数据作为基础。它是以多重假设为基础推断出来的。

第一重假设是由马伯乐作出来的[63]。越语中根本没有-s尾。马伯乐根据孟—高棉语的清擦音尾,假设汉越语的问声(3声,hoi)、跌声(4声,nga)也有擦音韵尾-h,而这个-h又是从-s韵尾变来的。

第二重假设是由奥德里古尔作出来的。汉语原本也没有什么-s尾。奥氏根据马伯乐的假设,认为既然"汉语的去声和越语的hoi和nga两种声调相配"[64],那么"现在姑且假设上古汉语有-s这么一个韵尾"[65]。

第三重假设也是由奥德里古尔作出来的。他根据孟—高棉语族中的日昂语、格木语有塞音韵尾的材料,假设汉越语的锐声(5声,sac)、重声(6声,nang)也源于-ʔ尾[66]。

第四重假设是蒲立本提出来的。他根据前面几重假设,假设汉语上声来自-ʔ尾。

把孟—高棉语的-ʔ尾和-h/-s尾嫁接到汉越语,由汉越语再嫁接到上古汉语,这是假设中的假设。当前上古音研究中的所谓"新说"就是以假设中的假设为基础的。而他们自己已忘记了这是假设中的假设。他们说,以下4种材料可以为他们作证。1.汉越语中的汉语借词;2.对音、译音材料;3.汉语方言的材料;4.藏文中的-s尾。大家知道,这些材料全都是有问题的。1981年,丁邦新发表了《汉语声调源于韵尾说之检讨》,对这些材料中的相当一部分已作了摧毁性的廓清。题注说:"本文承李方桂先生审阅教正,复承周法高、龙宇纯、李壬癸、龚煌城,Jerry Norman、South Coblin 诸先生赐教。"⑰这条题注已告诉我们,这篇文章具有重要的背景、分量和意义。1998年徐通锵发表《声母语音特征的变化和声调的起源》⑱,2001 年又发表《声调起源研究方法问题再议》⑲,对-ʔ 尾、-s 尾的证明材料也进行了全面否定。

我不知道那些坚持所谓"新说"的先生们是根本不读这些文章呢还是读了而不赞同呢?如果根本不读这些文章,那是自闭;读了这些文章还把一些错误材料抄来抄去,不加任何辨别,这就是不负责任。

在谈到材料问题时,我不想苛责奥、蒲。洋人在汉语材料问题上出现纰谬,情有可原。陈寅恪 30 年代就已指出:"西洋人《苍》《雅》之学不能通,故其将来研究亦不能有完全满意之结果可期"⑳。而我们某些自封为"主流"派的学者、专家,如果也是"《苍》《雅》之学不能通",对已有专家批评过的错误材料缺乏起码的鉴别能力,这不能不说是莫大的悲哀。

现在,我们在丁、徐批评的基础之上,对有关材料再作一次"检讨"。

先说汉越语问题。

关于汉越语的年代,据王力研究:"大批汉字输入越南乃是第 10 世纪的事,可见在第 10 世纪以前越语里的汉字很少"㉑。又据王禄研究,"古汉越语是指中唐以前零星输入越南语的汉语成分,区别于晚唐有系统地输入越南语的汉越语和越化了的汉越语"㉒。古汉越语可以和中古汉语(《切韵》时代)的音韵系统相比,汉越语只有和近代汉语相比了。如"汉语古音中读 p、b 的,在汉越语中几乎都读为 f,汉语中古音中读 m 的,在汉越语中几乎都读为 v"㉓。所以桥本万太郎说:"有一个很好的证据说明汉越借词是中古汉语经历了'轻唇化'之后借的。"㉔桥本又根据重纽演变的情况,"认为借词是在中古汉语纯四等字和三、四等重纽字中的四等字合并以后借入的"㉕。

关于汉越语的基础方言也很重要,这个问题虽无确定的结论,桥本的意见却有一定的权威性。他说:"根据以上的观察,我们的结论是,如果不是从10世纪末中国和越南曾自由移居互相接触的话,在越南交州学校里教学的汉语应该是当时通行在中国南部的一种口语。我们今天所见到的汉越语基本上是以这么一种口语为基础的汉字读音。"[76]

根据年代和基础方言这两个条件来判断,我们可以这样认为,汉越语的来源乃借自近代汉语早期的某种南方方言,与公元前中原地区的上古音系相差甚远。我们也没有材料可以证明,近代汉语早期南方某种方言有-ʔ尾、-s尾。因此,不仅说上古汉语《诗经》音系有-ʔ尾、-s尾是子虚乌有,就是汉越语本身究竟有没有-ʔ尾、-s尾,也非常值得怀疑。即使有这样的韵尾,难道就一定来自汉语吗?越语不仅深受汉语影响,也深受泰语、孟—高棉语的影响。"有些字,是越语、泰语和汉语所同有的(形式上有不同而已),在此情形之下,越语的形式总是比较地接近泰语。"[77]何况,丁邦新已经提出,所谓去声对应于问声、跌声的说法也与事实严重不符[78]。

去声字有对应平声的,如:绣、贩、放、豹、惯。

也有对应弦声的,如:雾、味、未。

也有对应锐声的,如:信。

也有对应重声的,如:地、御、命。

这样明显的错误已足以证明其结论不科学,为什么我们的学者如此缺乏独立判断的能力还要以讹传讹贻误后学呢!

再说对音、译音材料问题。

从汉语方面来看,蒲立本所举的例子,在中古分属5个韵:

至:利匮贰类

未:谓魏贵

祭:卫劂

泰:奈赖蔡蕯会

队:昧对

这 16 个字,在上古时代除"贰魏"之外,其余均属入声韵(月、质、物),收-t 尾。由上古的-t 尾变为中古的-i 尾。这类长入字其-t 尾的变化始于南北朝,也就是由长入变为去声。但在南北朝时期,这类去声字与入声还有相通的痕迹。王力在《南北朝诗人用韵考》中说:

> 由本节的许多例子看来,去声寘至志未霁祭泰怪队代都有与入声相通的痕迹……归纳起来可以说:以今音读之,凡全韵为"i"或韵尾为"i"者,其去声皆可与入声相通……我们可以断定霁祭与屑薛的音值极相近,因为依王融、江淹诸人的用韵看来,这四韵简直是并为一韵了。⑦

在南北朝时代"屑薛"仍收-t 尾,"霁祭"仍与它们相通,其收尾有可能在南朝某些方言中仍收-t 尾。总之,这类-i 尾由-t 尾变来,证据确凿,如果这类字收-s 尾,由-s 变-i,就无法解释"其去声皆可与入声相通"这一事实了。在高本汉的构拟系统中,这类字虽不归入声,但除了"贰魏"二字收-r 尾之外,其余一律收-d 尾。李方桂对这类字的处理虽不能得其详,而脂微祭部去声收-d 尾与高本汉一致。从分类的结果看,高李与王有去入之别,差别颇大。从构拟的结果看,高李与王均以舌尖塞音收尾,只不过清浊不同罢了。若收-s 尾,性质就完全不同了。

根据以上分析,我们再来看蒲立本的结论如何。他说:"Bailey 的《Gandhārī》(《犍陀罗语》)一文(1946)中有很多例子用汉语带-i 的复合元音来代表外语的咝音或舌齿擦音。"⑧这条规律是不能成立的。-i 与擦音之间不存在"代表"关系。汉语受音节结构的限制,咝音往往略而不译,这从不略的同名异译中可以得到证实。

波罗奈(vārāṇasī),释道安(312—385 年)《西域志》译作"波罗奈斯"。⑧

三昧(samadhi Samaði),又译作"三摩提""三摩地"。

舍卫(śravastī),又译作"舍婆提""捨罗波悉帝""尸罗跋提"。

还有的译音原本有误。如"忉利"(trāyastrimśa),丁文已指出,原文"和汉语对音距离很远"[82]。玄应《音义》、慧苑《音义》均说："此应讹也"，"忉利，讹言"，"正言多罗夜登陵舍天，正云怛利耶怛利奢。言'怛利耶'者，此云'三'也。'怛利舍'者'十三'也[83]。"

　　对音、译音来源很复杂，译者的语言情况及其年代也很复杂。如所谓"犍陀罗语"原本是用佉卢文书写的印度西北俗语方言，因起源于犍陀罗地区（大体上位于以巴基斯坦白沙瓦为中心的喀布尔河下游一带），贝利命名为"犍陀罗语"。这种语言何时传入西域，与汉文之间有什么对应关系，没有系统的比较研究。仅凭少数例证就拿来作为汉语上古音系的构拟根据，这未免过于大胆冒险了。转引这类材料的人，起码也要斟酌一下。人云亦云，还搞什么研究呢。既然敢于挑战中国权威，当然也要敢于挑战外国权威，这才是学术无国界。如果只敢贬抑中国权威，对外国权威的话惟命是从，这就是有"国界"了。

　　关于古藏文-s尾问题。

　　以古藏文-s尾证上古去声有-s尾，这也是不可信的。据韩国成均馆大学全广镇教授研究，这种比较本身就极为片面。他说：

　　　　欧第国（即奥德里古尔。Haudricourt, A. G. 1954a:221）首次提到上古汉语的去声与词尾-s有关之后，不少学者（如蒲立本1962,1973b,1978；梅祖麟1970；包拟古1974等）讨论过这个问题。他们举出少数汉藏同源词来作旁证而已，没有全面地考察汉藏同源词的情形。在本文第三章所举的同源词上具有韵尾-s的古藏语，怎么对应汉语声调？统计得到的结果显示：平声29个；上声8个；去声43个；入声29个。果然，对应去声者最多，但对应平声者也不少，因此不能一概而论。[84]

　　全广镇列出的例子共计109个。去声字与非去声字的比例是43∶66。可见以古藏文-s尾来证明上古汉语去声也有-s尾，且不说年代相去甚远，材料的使用也是只取有利于假设的部分，态度很不诚实。

　　全广镇的《汉藏语的同源词探索》是他在台大读博士研究生班

时由导师龚煌城教授指导写的论文,1996年由台湾学生书局印行。如果内地的学人不容易见到此书,不能及时了解书中的这一结论,那么,2001年由上海大学出版社出版的《汉语藏语同源字研究》应该不难见到。该书作者薛才德"根据汉藏同源字材料""对此问题作进一步讨论"。所得结论也是"看不出汉语去声字跟藏语-s尾字有什么特殊的联系。……藏语-s尾字可以跟汉语去声字对应,也可以跟汉语非去声字对应。汉语去声字可以跟藏语-s尾字对应,也可以跟藏语非-s尾字对应。由此可见,汉语去声来自-s尾的假设值得怀疑"⑧。

现在,有的论者对全广镇、薛才德的研究成果采取漠视态度,仍然以古藏文-s尾来证上古去声-s尾,这就有悖于求真务实的精神了。

最后一项材料是以方言证-ʔ尾。丁、徐二先生已有驳议,至今无人提出异议,可以不再讨论了。

第二个办法是用系统验证假设。

这里所说的"系统"是指汉语历史音韵系统。从上古到中古,汉语音韵结构系统基本上是一致的。就上古音而言,它有三大特点:三分,四调,二类。

先说三分。

所谓三分是指韵部分为阴、阳、入三大块。三分格局的确立,既非主观臆测,也不是来自外部比较,而是以先秦谐声系统和韵文系统作为内证,又以《切韵》等韵书或韵图资料作为参证,经过古音学家几百年的研究才把三分的格局及搭配关系最终确定下来。如果肯定周秦音系有-ʔ尾、-s尾,阴阳入三分的格局就被破坏了。这意味着对三大文献资料(谐声、诗韵、《切韵》)的轻视,因为从这些资料中根本找不出什么-ʔ尾、-s尾;也意味着中古汉语与上古汉语的完全脱节;同时也意味着对中国已有几百年历史的传统古音学的彻底背弃。所以,-ʔ尾、-s尾的问题,不单是声调、韵尾的问题,而是对上古音整个音韵结构的大改变。我们试取王力、李方桂两家的上古韵尾系统然后加上所谓-ʔ尾、-s尾,看究竟是个什么样。

A. 王力韵尾系统加-ʔ尾、-s尾

	平	上	入 长入	入 短入
阴	ø -i	øʔ -iʔ		
阳	-m -n -ng	-mʔ -nʔ -ngʔ		
入			-ps -ts -ks	-p -t -k

王力的长入大体上相当于通常所说的去声。他原本只有7个韵尾,阴阳入三分的格局井然有序。如采纳奥、蒲等人的说法就有15个韵尾了,其中有7个是复韵尾。阴阳入三分的格局彻底破坏了。

李方桂虽然对古韵分为三大类不以为然,认为"阴声韵就是跟入声相配为一个韵部的平上去声的字。这类的字大多数我们也都认为有韵尾辅音的"㊏。但李先生承认上古有四声之别,他的阳声韵收-m、-n、-ng,与传统完全一致;阴声韵的存在他是肯定的,只不过在构拟上加了一套浊塞尾或-r尾,毕竟与入声韵有别。所以在事实上他还是阴阳入三分。分歧只在阴声韵有无辅音尾,而不在"三分"这个层面。加上-ʔ尾、-s尾之后,韵部的面目、韵尾的性质就与上古汉语本来应有的格局迥然不同了。请看下表:

B. 李方桂韵尾系统加-ʔ、-s尾

	平	上	去	入
阴	(-b) -d -g -gw -r	(-b) -dʔ -gʔ -gwʔ -rʔ	-bs -ds -gs -gws -rs	-p -t -k -kw

续表

	平	上	去	入
阳	-m -n -ng -ngw	-m? -n? -ng? -ngw?	-ms -ns -ngs -ngws	

除去两个(-b)不算,韵尾有29个之多,种类也很繁复。一般对先秦韵文有点常识的人,恐怕没有不感到诧异的:我们的《诗经》、《楚辞》使用的语言,所押的韵脚,有这么多沉重而复杂的尾巴吗?它又是怎样演变成中古汉语的呢?这样的构拟显然是脱离实际的。

现在说四调。

"古无四声"说,并不是什么新鲜的论调。江有诰早年在《古韵凡例》中就如此主张,态度还很坚决,说"确不可易矣"[87]。道光二年(1822)冬在《再寄王石臞先生书》中他放弃了自己的主张:"至今反复紬绎,始知古人实有四声,特古人所读之声与后人不同。古无四声之说,为拾人牙慧。"[88]第二年(1823)三月,王念孙复信说:"接奉手札,谓'古人实有四声,特与后人不同,陆氏依当时之声,误为分析。'特撰《唐韵四声正》一书,与鄙见如桴鼓相应,益不觉狂喜。"[89]江有诰批评陆氏"误为分析",这是缺乏历史观点,不可取。但他毕竟是音韵学大家,勇于否定自己,这种精神是值得我们学习的。现在有的人,明明自己错了,而必为之辞,御人以口给,太缺少气度了。在江有诰之前,江永也说:《诗经》"平自韵平,上去入自韵上去入者,恒也"[90]。

段玉裁的"古四声说",主张"周秦汉初之文,有平上入而无去。洎乎魏晋,上、入声多转而为去声,平声多转为仄声,于是乎四声大备,而与古不侔"[91]。他的古无去声说,经王力重新解释和发展,分为平、上、长入、短入,还是调分为四。承认上古有声调,调分为四,实际上就是承认汉语的声调是一个系统,它的发展具有一贯性、连续性的特点。事实上,诗歌韵文等材料可以证明,从先秦到现代,许多字的调值在变化,而调类大体上没有变化。即使有变化,也能从声母、韵尾的变化找到声调变化的原因,而且现代方言也可作证。可是,-ʔ尾、-s尾,不仅于古无据,在现代方言中也了无痕迹,这是说不过去的。足证,-ʔ尾、-s尾的说法,纯属"拾人牙慧"。只不过拾的不是古人的"牙慧",而是洋人的"牙慧"。王力说:"古无四声之说是最荒唐的。"⑫同理,上古有-ʔ尾、-s尾的说法也是最荒唐的。

现在说二类。

-ʔ尾、-s尾的说法不仅与汉语悠久的声调系统全然不合,也破坏了声调系统的完整性,破坏了调与调之间的有机联系。汉语的四声可以分为舒促两类:在上古平上为舒类,去入为促类。段玉裁说:"平与上一也,去与入一也。上声备于《三百篇》,去声备于魏晋。"这几句话揭示了上古四声内部的组成关系和时间层次,极为深刻。由于时代的局限,他还无法解释。既然"去与入一也",当然就有共同的塞音尾,那么后来去声如何从入声中分离出来了呢?塞音尾又为何脱离了呢?这个问题王力作出了回答。他说:

> 我所订的上古声调系统,和段玉裁所订的上古声调系统基本一致。段氏所谓平上为一类,就是我所谓舒声;所谓去入为一类,就是我所谓促声。只有我把去入分为长短两类,和段氏稍有不同。为什么上古入声应该分为两类呢?这是因为,假如上古入声没有两类,后来就没分化的条件了。⑬

王力很成功地解释了去声从入声中分离出来的条件。段氏正确地指出了"去与入一也",而不知道这个"一"又要分为二。他正确地指出了"去声备于魏晋",而不知道"备"的条件是什么。也就是知道"备"的已然性,而不知道"备"的必然性。王力说:

> 上古四声不但有音高的分别,而且有音长(音量)的分别。必须是有音高的分别的,否则后代声调以音高为主要特征无从而来,又必须是有音长的分别的,因为长入声的字正是由于读音较长,然后把韵尾塞音丢失,变为第三种舒声(去声)了。⑭

王力既尊重传统,又用现代语音学的知识阐释传统,发展传统,做到了现代与传统的完美结合。而-ʔ尾、-s尾的提出，显得鲁莽灭裂，既无文献材料为证，又无语音理据可言。跟段氏平上一也，去入一也的两类说，全然不合。-ʔ尾与平无关，-s尾与入无关。置谐声诗韵于不顾，置内部系统于不顾，纯属无稽之谈。稍有古音常识的人都知道，在谐声系统中，诗韵中，去入关系最为密切，所以在上古它们有共同的塞音尾。如果去声为-s尾，入声为塞尾，一擦一塞，关系能最为密切吗？段玉裁说："不明乎古四声，则于古谐声不能通。"⑨⑤那些坚持-ʔ尾、-s尾的人原本也没有想"通"古谐声呢。他们急于要"通"的是藏缅语。故进退失据，羌无故实。

持去声来自-s尾的人，还进一步主张这个-s尾有派生作用。这也是套用非汉语的理论强作解说。奥德里古尔在《怎样拟测上古汉语》中举了四对例子。

恶(è,乌各切)	âk	好(hǎo,呼晧切)	xâu
恶(wù,乌路切)	âks	好(hào,呼到切)	xâus
度(duó,徒落切)	dâk	使(shǐ,史籍切)	si
度(dù,徒故切)	dâks	使(shì,疏吏切)	shis

（盈按：括号中的现代注音及中古反切为我所加）

四对例子中，有两对是去入关系问题，它们的区别不在韵尾，在元音长短不同。有两对是上去关系问题，按王力的意见："上去两读的字，在上古只有上声"⑨⑥，也与-s尾无关。这类"两声各义"的例子正好证明段玉裁的"洎乎魏晋，上入声多转而为去声"的结论是符合实情的。"两声各义"是以改变声调为主的一种造词法。从理论上来说，当然是先有声调，后有这种"别义"造词方式的产生。用-s尾来解释这类造词方式，纯属画蛇添足，多此一举。

用现代语音学的观点来分析，段玉裁的古无去声说，既是古声调理论，又是古韵尾理论，还牵涉到元音理论。这是提出这一学说的段玉裁本人无法料想得到的。敏锐的李方桂注意到了这一点。他说：

自从段玉裁以为古无去声，就引起去声是否韵尾辅音的失落而发生的问题，更引申到四声是否都由于不同的韵尾辅音的失落或保存而成了后来的平上去入的问题。[97]

应该说,这个问题既有趣也颇有理论价值,由长入变去确实导致韵尾辅音的脱落,能否就此作出结论,说声调起源于辅音韵尾的脱落呢?这样说,未尝不可,问题却没有这么简单。王力所强调的重点在元音,是由于长入的元音较长,故促使韵尾塞音丢失。关键不在韵尾,所以短入的塞音尾从上古到中古都没有脱落。认为平上去入四声的形成全取决于韵尾的失落或保存,这就是把韵尾当作一种孤立现象过分看重韵尾的作用了。声、韵、调三者为一个整体,互相之间有一种互动的制约关系。欧阳觉亚在《声调与音节的相互制约关系》中说:"在以塞音-p、-t、-k 为韵尾的促声韵音节里,韵尾不能随意伸缩,起不到调节音长的作用,因而音节的长度完全靠元音来体现。"[98]长入韵尾之所以比短入韵尾脱落的时间要早一千多年,原因就在同音节之内,元音是首要因素(音响度高),韵尾是次要因素(音响度低)。在同样受塞尾限制的条件下,长元音的塞尾寿命短,短元音的塞尾寿命长。欧阳觉亚还谈到:"声调的产生或分化,原因是多方面的。至少可以说,声母的清浊和元音的长短对声调的产生或分化是有很大影响的。"[99]"去声备于魏晋",主要是由元音造成的,韵尾非决定因素。

关于上古声调的研究,清代古音学家和现代古音学家已积累了丰富的经验。分歧虽然还有,但大体上都是遵照系统性、历史性的原则来立论的。-ʔ尾、-s尾完全是从比较构拟的角度提出来的,与内部构拟无关,故必然以失败而告终。

三 汉语原始形式的构拟

古音构拟向前推进到对汉语原始形式的构拟,不论成就如何,毕竟是一大进步。因为,所谓汉语和亲属语的比较,这个"汉语"当然不是指现代汉语,也不是上古汉语,而是指汉语的原始形式。上古音有明确的时空背景,有丰富的文献资料,对上古音的构拟虽然也带有假设的性质,但这种假设不属于史前语言学的范围,也不应该利用上古音和亲属语进行比较,能跟亲属语进行比较的只能是汉语的原始形式。张琨说:"要在比较稳固的基础上进行汉藏语的比较研究,首先得把汉语、苗瑶语、藏缅语的原始形式构拟出来:我们不能拿诗经(公元前1100年到600年)上古汉语音韵系统来跟时代较晚的古藏语、古缅甸语、泰语等的音韵系统作比较。"[100]在理论上来说,这是惟一正确的原则。离开这个原则谈比较,比较的基础就很难说是"稳固"的了。正是在这个意义上,我们要对汉语原始形式的构拟给予高度重视,要积极推进这种研究。从上世纪以来,对原始汉语的研究已作出了一定的成绩,也建立了几种构拟体系,我们可以从这些构拟体系中研究一个问题:对汉语原始形式的构拟应采取什么样的构拟原则。请以张琨、包拟古为例。

张琨于1972年发表《原始汉语韵母系统与切韵》,包拟古于1980年发表《原始汉语与汉藏语》,这两篇文章都可以成为独立的专著。从题目本身就已显示出两者的构拟目的与构拟原则迥然不同。张琨的目的是要通过汉语的构拟来解释《切韵》音与《诗经》音不一致的地方,所以他"用汉语内部证据投射原始汉语音韵系统"[101]。用的是内部构拟的原则。包拟古的目的是要与亲属语言接轨,证明汉语和藏语"形式密合",所以"常常用藏语和藏缅语的材料来构拟古代的汉语"[102],"有时候还引用泰语和原始台语的材料来弄清早期汉语的音系"[103]。

张琨对"原始汉语"有自己特定的解释。他认为"把原始汉语设想为一个语言,后来才分裂为方言群——例如先分裂成原始吴语,原始闽语等等,然后再分裂为各个方言——这是荒谬的假设"[104]。这个假设之所以"荒谬",是因为语言发展过程是复杂的社会现象,不可能一直按照单一性分离的方式由分裂再分裂。事实上,"早期汉语方言必定比今天更为复杂,一个小的、相对孤立的部落必有它自己的语言。后来由于科技的进步,人口的繁殖,语言接触的机会增多,也越趋频繁,方言越来越感受标准语统一的影响力。因此,我们的原始系统,不是一个历史上的语言,而是一个假想的对立系统,要用最简单、最合语言实际的办法来解释已知的历史文献上的记录"[105]。把"原始汉语"的性质规定为"一个假想的对立系统",看起来似乎很玄虚,可这个"假想"是有文献为据的。这类文献就是"谐声字,反切,诗文押韵,切韵的分类以及现代汉语方言的反映"。总之,"主要的证据是从汉语内部提取的"[106]。这种方式跟利用亲属语言形式上的某些特点来证明汉语也有这些特点,性质完全不同。这种不同就是内部构拟和比较构拟的不同。可是,内部构拟既用于构拟上古音,又用于构拟原始汉语,所用材料也一样,二者如何区别呢?区别只有两个字:"对立"。提取"对立",解决"对立",张琨的"原始汉语"就以此为目标。具体作法就是"从诗经元音的分配上去找线索"。他发现:"在诗经诸韵部里有极不均衡的元音分布状态,就是在舌根韵尾前的元音种类比舌尖尾、唇音尾前的元音多。在舌尖和唇音尾前,有前 a:后 â 的对立,在舌根音尾前没有这个现象,只有在舌根韵尾前,才有元音 u 和带 u 的复合元音。"[107]根据这种元音分布不均衡的状态,张琨提出了两个假设。

第一个假设,就是"那些出现在舌根韵尾前的元音,也都曾在较早时期出现在舌尖和唇音韵尾前"[108]。也就是"原始汉语"中,u、əu、au 之类的韵不仅出现在舌根尾前,也出现在舌尖、唇音韵尾前。

第二个假设,"上古期以后影响舌根韵尾前的元音的那些变化,在前上古时期也曾影响过在舌尖和唇音韵尾前的那些元音"[109]。如后上古时期的 uə 变 əu,既发生于舌根韵尾,也发生于原始汉语的唇音尾及舌尖音尾前。

张琨的原始汉语有四个元音:i,u,ə,a。这个 a 在诗经音系里分化为 a,â。条件是在唇音和舌尖音前为 a,舌根音尾前为 â。韵尾系统原始汉语和上古音是一致的。

阴声韵:g d b r。有一个开尾音节(-a)。

入声韵:k t p。

阳声韵:ŋ n m。

没有什么-ʔ尾,-s尾。坚持阴阳入三分。张琨所构拟的元音系统,韵尾系统,是否就可以作为定论,这里不加评论。因为各人构拟的上古音不同,对立分布也就会不同,结论自然也就可能不同。我们感兴趣的是他的构拟原则。这是相当典型的内部构拟。其特点:通过对上古元音的分析,推导出一个没有文献根据没有语言材料为据的早期的语音形式系统;用填空格的方法求得元音的均衡分布,形成一个假想的元音结构模式;不与非汉语比较,只在汉语内部提取材料。

张琨是汉藏语专家,他为什么不利用亲属语言来构拟"原始汉语"呢?请听他自己的解释:

> 若是能拿汉语以外,汉藏语系中的其他语言系统来作比较分析,也是一项可行的途径。只是目前还没能确定汉语和藏语是否有亲属关系。这是第一由于目前对于材料并不熟悉的缘故,第二就是牵涉到各人的治学态度了。因为如果不是应用灵活有弹性的比较研究方法,往往在皮毛上把在声韵上、意义上相同或相似的字拿来作比较,实在容易产生相当错误的曲解。[110]

可见,张琨并不是反对比较分析,而是条件不具备。对非汉语的材料"不熟悉"。他非常看重这一点。近几十年来,国内外的汉藏语专家进行了艰巨的努力,进行了大量的调查研究,成绩很显著,是否达到了材料很"熟悉"的程度了呢?恐怕张琨说的"熟悉",不只是这些语言的现状,还应该包括它们的历史,它们的发展变化的历史。他说:"把藏语的古代历史能够弄清楚,那么这个做法相当难。换言之,就是内部拟测法(internal reconstruction),就是怎么样就一个语言的材料来构拟最古的一个阶段,这也相当难的。"[111]又说:"要深一层研究语音演变历史,内部的变化是怎么个情形,更是不容易。所以在应用汉藏语系作为比较研究的工具之先,必须要先对每一种语言作深入的历史性探讨,得出那个语言的结构情形才可。"[112]"到目前为止有成绩的,还是拿一个语族来研究的学者,例如李方桂先生,我太太和我等人。从事这项研究,不可贪多。也许每个语族研究要花50年时间,但却是必要去从事的。不可不自量力,鲁莽肤浅地作研究,不然将一事无成。"[113]

在这个"巧妇"能"为无米之炊"、"皮毛比较"、"鲁莽研究"相当流行的时代,仔细体会一下张琨的话,我看对这门学科的发展,对某些急于求成的研究者,一定很有好处。

拿藏语来说,它是汉语亲属关系中最无争议的一种语言,比较者也常以它为对象。但我们对藏语的内部构拟,也就是张琨说的"最古的一个阶段"究竟有多少了解。汉语和藏语各自独立发展,起码也得有五千年,又都受周边地区其他语系的影响,各自发展的快慢程度也很不一样,尤其是文字、文献产生的年代也相距甚远。汉语的文字资料可追溯到公元前 1300—1028 年之间,藏文呢?古藏文产生于何时至今还是一个颇有争议的问题,大体上相当于隋末唐初,即公元 7 世纪,与《切韵》成书年代差不多。古藏文所能反映的只是中古时代的西藏语言,不可能是藏语的上古形式,更不可能是它的原始形式。就中古藏语而言,它的语音、语法也跟同时代汉语的语音、语法大不相同。古藏文有单声母,也有不少复声母,有二合、三合甚至四合复声母,现在有的方言复声母还达百余个。古藏文辅音韵尾有 -b、-d、-g、-m、-n、-ŋ、-r、-l、-s。还有复辅音韵尾,如 -bs、-gs、-ms、-ŋs、-rd、-ld、-nd 等。古藏文没有声调,现在藏语中有的方言仍无声调。藏语动词有形态变化。语序为 SOV。

中古藏语的这些特点对于汉语的古音构拟有很大的启示作用,是汉语比较构拟的好材料。可问题也就出在这里。从上世纪后期开始,某些标榜在上古音构拟方面取得重大突破的人,往往是用循环论证的方法把藏文的某些形式硬往古汉语身上贴。给上古音穿靴带帽,安上种种新尾巴,然后得意地宣布:"汉语上古音拟音面目一新,能够与汉藏兄弟民族语言接轨了。"[114]我们要问:藏语与汉语何时分的家?藏语最初的基础方言在哪里?它在发展过程中受了哪些语言的影响?它有多少借词?借自何方?它的上古形式是什么?它的原始状态又如何?有谁"花 50 年时间"(当然不是一定要 50 年)去研究过藏语?张琨说的"材料并不熟悉",我以为包括这些问题在内。

既然大家都"不熟悉",有的勇于构拟,而有的人却不愿意"曲解",这就是"治学态度"问题了。用"上古音"与"民族语"接轨,这是接的什么轨!

现在谈包拟古的原始汉语构拟。尽管包氏申明:"由于资料缺乏,我们不可能对原始汉语的各方面作面面俱到的讨论,因此在原始汉语音系的许多问题上仍然存在相当多的疑点"[115],可他还是提出了一个完整的原始汉语体系。声母分单复两套,韵尾也有单复两套。去声为-s尾,上声因为怕与另一个-ʔ尾"发生可能的混乱"[116],故"把上声记作:"[117],"把它解释作紧喉的特征"[118]。

这个体系无论从宏观和细节上来看,著者都做了很大的努力,这种性质的研究当然是有意义的。问题在于他的比较构拟是不可靠的。这里不能详细分析,只就声母、韵尾各举一例。

例一:在单声母中,有所谓四种塞音对立的问题。即阴调的不送气清塞音和送气清塞音的对立,阳调的不送气浊塞音和送气浊塞音的对立。如:

p	ph	b	bh
t	th	d	dh
k	kh	g	gh

这种送气浊塞音是怎么构拟出来的呢?他的根据是"有些藏缅语如图隆语赖话则有四种塞音的对立",加上"所有的闽方言都需要建立一套有四类对立的声母塞音"[119],于是他就将这种对立搬到原始汉语中来了。张琨也谈"对立",但他所说的"对立"是从诗经元音分布中提取出来的,材料范围是严格的,是由内部构拟原则控制的。包拟古也谈"对立",但这个"对立"根本不是来自上古音,而是来自赖话和所谓的闽方言。几乎与上古音毫无关系。我们在"闽方言"前用了"所谓"二字,就是"含不承认意"。这是罗杰瑞给原始闽语拟的音,早已有人表示了不同意见,包拟古自己就引用余霭芹、张琨的看法。

余的看法:"阳调的不送气塞音(它比送气塞音更常见)是基本口语的发展结果,而阳调的送气塞音则归结为北来的影响。"[120]

张琨论及原始闽语中这两类浊声母的时候说:"不过这两类浊音最有可能是两支方言交互影响的结果。"[121]

但包拟古没有采纳这些意见,坚持认为:"依我的看法,Norman的观点无疑是正确的。"[122]

近年,王福堂对此又作了更为具体的分析,否定了罗杰瑞的构拟。他说:"看来闽方言古浊声母塞音塞擦音部分字不送气、部分字送气的现象,可能也是相邻赣方言影响的结果。也就是说,闽方言原有的浊塞音塞擦音声母字清化后不送气,送气音则是由赣方言借入的……它其实不是一种历史音变,甚至也不是一种属于语音层面的变化。"[123]用这样的材料来构拟"原始汉语",岂非"皮毛"而又"鲁莽"!

例二:所谓-s 尾问题,包拟古已经注意到下面这样的事实。"藏缅语元音加-s 的形式可能跟汉语的上声对应"[124]。又说:"按规则,原始汉语塞音加-s 的形式发展为中古的去声字,但是,间或也会发展少数变作中古平声的例子。"[125]这条"规则"本来是虚的。因为汉语中古去声字的来源,首先是入声,其次是平声、上声,与所谓的-s 尾无关。

包拟古构拟了 486 组同源词,问题颇多。我只举三个所谓有-s尾的例子来分析。原书例 5、例 7、例 8[126]。

5. 盖 *kap/kâp

　　*kaps/kâi

7. 沛 *paps/puâi 拔,倒下

8. 弊 *bèps

　　bjeps/bjäi 倒,僵,败坏

按包氏的规定,"带星号的汉语形式代表通过历史比较而得到的原始汉语"[127]。用于比较的相应的藏语材料我们没有引用,因为我们要指出的不是比较得如何,而是这些汉语材料的使用与构拟就不行。

例 5 有两个原始形式,为 *-p 和 *-ps 交替,没有注明意义,他说,

"跟这种交替有关的意义也有点模糊不清"[128]。

无论从语音还是从意义都可证明:"蓋"与"盍"是同源词,最早见于上古,甲骨文未见。

《说文·血部》:"盍(盇),覆也。"大徐音胡腊切,其上古音归匣母叶部。

《说文·艸(艹)部》:"蓋,苫也。"大徐音古太切。这个注音是错误的。

《广韵》"蓋"字有两音两义,分见于泰韵、盍韵。泰韵云:"蓋,覆也,掩也。"音古太切。盍韵云:"蓋,苫蓋。"音胡腊切。《说文》的"苫也"即《广韵·盍韵》的"苫蓋",名词,在这个意义上应依《广韵》音胡腊切,与"盍"同音,而不是古太切,所以我们判断《说文》的注音是错误的。"蓋"用作名词时读胡腊切,不仅有《广韵·盍韵》的反切为据,《经典释文·春秋左氏音义》也可为证。襄公十四年:"乃祖吾离被苫蓋……"《释文》:"蓋,户腊反。"《尔雅》曰:"白蓋谓之苫。"

"盍"的本义为"覆也",即动词"蓋"。在先秦时代已借作副词,后来又分化出去声一读,在字形上又造出一个"蓋"字,故"蓋"乃"盍"之分别字,其时代晚于"盍"。不论作动词还是作名词,其音均为胡腊切,归入声,属匣母叶部。

现在我们看包拟古的拟音。声母拟为 k-,韵尾拟为-p,真是不伦不类。以收-p 尾而论,乃胡腊切,这是对的;以 k-为声母,又归古太切。去入不分,清浊不分,-t、-p 不分。高本汉的《汉文典》"盍"与"蓋"均拟为 gáp[129],这就比包拟古高明。包拟古虽然在例 212 中也认识到"盍蓋之类属于同一个上古汉语词族"[130],也将"盍"拟为 gap,但不与"蓋"同音。他所说的"*-p 和 *-ps 的交替,无所依据,纯属臆测。

例7、例8 也是莫名其妙,音与义均不确。拿"沛"与"弊"配对,语音上虽无问题,而意义无关,这是常识性错误。高本汉毕竟是高本汉,他已明确指出,"沛"的①、②义项均属假借,包拟古还拿它来配"弊",实属鲁莽。

《说文·水部》"沛"字段玉裁注：

今字为"颠沛"，"跋"之假借也。《大雅·荡》传曰："沛，拔也。"是也。"拔"当"跋"。[131]

又《说文·足部》："跋，蹎也。"段玉裁注：

跋，经传多假借"沛"字为之。《大雅》《论语》"颠沛"皆即"蹎跋"也。马融《论语》注曰："颠沛，僵仆也。"[132]

还应该注意"沛"的跌倒义主要用于双音词组，未见单用的例子。

"獘"本是俗体。《说文·犬部》："獙，顿仆也。"段玉裁注：

獙本因犬仆制字，假借为凡仆之称。俗又引申为利獘字，遂改其字作"獘"。[133]

《说文》"獙"的或体作"斃"。段玉裁注："经书顿仆皆作此字。"可证，"獘"乃后出字，而且主要是用于"利獘"义。

包拟古还断言："例7'沛'和例8'獘'显然是不及物与及物的关系。"二者一为假借，一为俗体，根本不见于"原始汉语"，谈什么"关系"呢！

拟音问题。先看高本汉的构拟：

沛 pʻwɑd

"假借为 pwɑd。"①拔除；②跌倒。[134]

獘 bʻjad

①跌倒；②使倒下；③毁坏。[135]

再看李方桂的拟音。李的《上古音研究》未收"沛"、"獘"二字。按谐声推断，"獘"从"敝"得声，"沛"与"肺"同一声符。"敝"、"肺"李归祭部阴声韵去声，其主要元音和韵尾都是 -adh[136]。

"沛"属滂母，高本汉拟为 pʻ，正确。包拟为 p，错误。

包说他的 -aps，相当于李的 -abh，也有问题。李方桂只有 -əbh，-adh，并无 -abh。包将"沛"拟为 -aps，这是不可思议的。"沛"类字从来不与 -b 或 -p 发生关系。另外，李方桂的 -h 只是用来表示去声的一个符号，而包拟古的 -s 是词尾，二者性质不同。李方桂的"沛"、"獘"

拟音,按推断为-adh,换成包拟古的体系应该是-ats,而不是-aps。包所谓"韵尾*ps 在上古汉语以前就跟 * -ts 合流了"[137],并无具体论证。哪些字是由-ps 变-ts,理据何在,条件是什么,没有交代。

梅耶曾经提出:"语言学家想从形态的特点上去找出一些与汉语或越南语的各种土语有亲属关系的语言,就无所凭借,而想根据汉语、西藏语等后代语言构拟出一种'共同语',是会遇到一些几乎无法克服的阻力的。"[138]尽管有许多中外研究人士不赞同梅耶这段名言,甚至反对这段名言,已作出了种种挑战。但冷静想一想,梅耶说的"几乎无法克服的阻力",究竟"克服"了没有?"克服"了多少?比较法是否适合于构拟"原始汉语"?包拟古等人的研究只能说是一种尝试。在没有把藏语的历史情况弄清之前,在没有把藏语的原始形式构拟出来之前,汉藏语的比较还是应取慎之又慎的态度。与其构拟一些无价值的"体系",不如多做点单一语言的内部研究。桥本万太郎的话并非毫无道理。他说:

显然,用印欧语比较法来研究农耕民型的语言谱系就非常困难。[139]

农耕民型语言由于被其中心的同化和不断借用,要想阐明这种同化的组合过程,采用印欧语用过的方法,即根据比较法来构拟祖语则是非常困难的。[140]

认为是亲子(同系语),实际上却是养子(借词);认为有远缘关系(同一系祖不同族的语言),实际却是冒姓祖先的后裔(借词太多的语言)。[141]

桥本似乎是彻底灰心了。"还有什么比'寻根认祖'更为无聊的!"[142]可人类要想知道自己的过去不亚于想知道自己的未来。语言的"寻根认祖"虽有种种困难,这种研究是永远不会停止的,更不能说是"无聊"的。

像"原始汉语"这样的大题、难题,不是一代人或两代人就能解决得了的,也不是一两个学科的研究就能解决得了的。在当前,我们应探讨的问题有:

1. 原始汉语的性质。原始汉语(proto-Chinese)是谱系树理论所说的祖语？还是一个"多源性"的混合体？还是一个"假想的对立体系"？

2. 时空的定位。在时间上起码有三种说法：一说"原始汉语"形成于四五千年前，即黄帝时代；一说"原始汉语"的出现至今很可能至少已有两三万年以上的历史"[143]；一说"这种语言已经使用一百多万年了"[144]。

在地理上，一说由中原地区向四周扩散；一说由南方向北方推移；一说由北方向南方推移。这是三个不同的起源点。

3. 构拟程序与原则。这方面问题最多。按李方桂的经验，应是先内部后比较。李方桂在比较了汉藏语"露"、"帽"（盔）语音"接近"之后，特意强调说："在这里要特别注重向诸位说的就是：我们在这里的拟测并不靠西藏语的比较，而是单纯就汉语的本身来拟测，然后再跟藏语作比较。"[145]

4. 汉语方言的比较。这是同一语言内部的横向比较。我们不能直接拿现代方言来构拟原始汉语，但方言材料经过加工处理之后就可成为构拟原始汉语的重要依据。加工方式主要有：研究同一个词在不同方言的语音变体，文白异读，方言特殊词，特殊语法结构等。还有方言谱系研究，方言与非汉语接触关系的研究。李方桂对原始台语的构拟就得益于对台语方言的研究。他构拟的古台语"前带喉塞音"复声母(ʔb, ʔd, ʔj)在国际上很受重视，立论根据就来自对台语方言的综合研究。张琨在研究原始汉语时，"推想-uə-变成-əu，而不是-əu-变成-uə-，这是从现代方言的反映情形来考虑的，现代汉语方言通常有个复合元音，-u-为其中的第二个成分，从不作为第一个成分出现"[146]。

5. 商代音系研究。对古音的研究向前推进得越久越远，接近原始汉语的希望也就越大。商代已有一千多个字的文字资料，商代考古成绩也很突出，文献资料虽少些，但比没有资料总要强得多。

6. 利用其他学科的研究成果。

7. 亲属语言的研究。原始汉语的构拟虽然应以内部构拟为基础，但能利用亲属语的材料进行比较研究，当然更为有利。如果亲属语的原始形式我们根本不了解，谈对接，谈分化，都会有困难。

结　语

基本原则的论争、探讨，总是始于具体问题的分歧。具体问题的分歧又往往要从原则的高度来判定是非。原则是从实践经验中概括出来的。原则又要接受实践经验的验证。李方桂、张琨以及海内外许多汉藏语言研究者的实践经验是理论研究者的宝贵资料。两大公案的产生与整个汉语和亲属语言研究的水平相关。迄今为止，这种研究还没有脱离"比较幼稚的时期"[147]，"还处在'貌合神离'的阶段"[148]，"有分量的研究成果也寥寥无几"[149]。当务之急，既要立足于一个一个语族的调查研究，也要十分重视将前辈们的实践经验上升为理论原则。只有在正确的理论指导之下，汉语和亲属语言的比较研究才会有一个很大的发展。当前发生的许多争论，都有一定的理论背景。如夸大远程构拟或宏观语言学的作用，比较构拟的不恰当运用。这些，既是材料问题，又是理论方向问题。我以为在构拟原则和治学态度问题上，我们基本上应遵循李方桂、张琨等人所开拓的方向前进。这样说，并不是要死守他们的具体结论，并不是说李方桂的分类就是不可动摇的定论了。

现在有少数人轻视李方桂、张琨、王力等人的研究成果，盲目抄袭西方某些粗糙谬误的主张，以为这样就是与国际接轨，就是走向世界，这是非常有害的。我们应当有自己独立的判断能力。不论这个理论来自何方，不论是谁提供的语言素材，我们都应该加以验证。某些西方学者在使用汉语例证时，谬误相当多，而我们的中国学者竟然不能作出自己的评判，反而引来作为立论根据，这无论如何是不应该的。如果容忍这种状况继续发展下去，将会给学术界造成极坏的影响。

李方桂说:"研究语言学的人,汉语和非汉语的界限不要划得太清楚……如果能混合在一起的话,这对于汉语音韵学将来的发展也是有很大的帮助。"[153]过去几十年间,由于教育体制、研究体制等种种方面的原因,界限划得太清,"混合"研究的程度很低,从而阻碍了汉语和亲属语言关系研究的发展,这种状况亟待改进。

发展健康的学术争鸣,是发展这门学科的必要条件。所谓"两大公案",本来就是两次大的学术争鸣,给我们留下了宝贵的历史资料。本文的根本目的就是要对这两大公案进行历史性的总结,阐明它的国际背景和学术意义,也表明了我们自己对这种论争的看法和态度。同时,本文也通过引证或论述提出了解决争端的有效途径就是,立足于语言事实的调查研究。吕叔湘有一段切中时弊的话:"咱们现在都是拿着小本钱做大买卖,尽管议论纷纭,引证的事例左右离不了大路边儿上的那些个,而议论之所以纷纭,恐怕也正是由于本钱有限。必得占有材料,才能在具体问题上多做具体分析。"争论双方,除了必须坚持正确的构拟原则之外,都应该积累"本钱",扩大"资本"。说大话,胡乱建立大语系,必然导致大失败。

中国,是汉藏语的故乡、发源地,我们有责任推进汉藏语言研究的发展,中国社会科学院中国少数民族语言研究中心与中央民族大学的有关同志在这方面已做出了重要贡献,我们研究汉语史的人也应该向他们学习,尽自己的一份力量。

毫无疑问,我们也要认真对待西方学者那些有意义的研究成果,也要大胆实行"拿来主义",但我们有自己的话语体系,自己的价值取向,自己的判断能力,决不可被西方那些无根之谈牵着鼻子走。互相交流,平等对话,取长补短,这是不变的原则。

我很清楚,公案之所以成为公案,都有聚讼纷纭、莫衷一是的特点。我并不奢望通过这篇文章来了结两大公案,何况我的论述也不可能获得方方面面的满意。但只要大家赞同两个"相结合"、两个"基础"的构拟原则,我的目的就达到了。别的可以存而不论,也可以继续争论下去,但争论一定要有风度,即使缺少学者风度(用专业和智慧的语言),也应保持绅士风度(用体面和理性的语言),不知方家以为何如?

附 注

① 戴庆厦,美国柏克莱加州大学《汉藏语词源学业分类词典》课题研究[J]。国外语言学,1990,4:30。
② 〔美〕J.A.马提索夫,澳泰语系和汉藏语有关身体部分词接触关系的检验[J]。王德温译,胡坦校,民族语文研究情报资料集,1985,6:1—20。
③ 江荻,汉藏语言系属研究的文化人类学方法综论[J]。民族研究,1999,4:67—74。
④ 张琨,中国境内非汉语研究的方向[A],中国语言学论集[C],台湾,幼狮文化事业公司,民国六十六年,p.248—249。
⑤ 张琨,中国境内非汉语研究的方向[A],中国语言学论集[C],台湾,幼狮文化事业公司,民国六十六年,p.252。
⑥ 周法高,上古汉语和汉藏语[J],香港中文大学中华文化研究所学报,1972,5,1:52。
⑦ 〔美〕P.白保罗,澳—泰语研究:3。澳—泰语和汉语[J]。罗美珍译,民族语文研究情报资料集,1987,8:1—29。
⑧ 〔日〕桥本万太郎,语言地理类型学[M],余志鸿译,北京大学出版社,1985,p.186。
⑨ 〔美〕J.A.马提索夫,对李方桂《中国的语言和方言》一文的评论[J],梁敏译。民族语文研究情报资料集,1985,6:136—138。
⑩ 〔美〕J.A.马提索夫,澳泰语系和汉藏语有关身体部分词接触关系的检验[J],王德温译,胡坦校,民族语文研究情报资料集,1985,6:1—20。
⑪ 李方桂。中国的语言和方言[J],梁敏译,民族译丛,1980,1:1—7。
⑫ 〔美〕J.A.马提索夫,对李方桂《中国的语言和方言》一文的评论[J],梁敏译。民族语文研究情报资料集,1985,6:136—138。
⑬ 李方桂,汉语和台语[J]。王均译。民族语文研究情报资料集,1984,4:1—9。
⑭ 〔泰〕巴苹·诺玛迈韦奔,汉语和泰语是不是亲属语言[J]。王均译,民族语文研究情报资料集,1984,4:10—21。
⑮ 杨振宁,几位物理学家的故事[A]。杨振宇文录[C],海口市,海南出版社,2002,p.215。
⑯ 杨振宁,忆费米[A],杨振宁文录[C]。海口市,海南出版社,2002,p.47。
⑰ 〔苏〕I.I.帕依洛斯,S.A.史塔洛斯汀,汉—藏语和澳—泰语。周国炎译,民族语文研究情报资料集,1987,8:54—58。
⑱ 江荻,汉藏语言系属研究的文化人类学方法综论[J]。民族研究,

1999,4。

⑲ 〔美〕J.A.马提索夫,澳泰语系和汉藏语有关身体部分词接触关系的检验[J],王德温译,胡坦校,民族语文研究情报资料集,1985,6:1—20。

⑳ 周法高,上古汉语和汉藏语[J],香港中文大学中华文化研究所学报,1972,5,1:52。

㉑ 徐通锵,美国语言学家谈历史语言学[J],语言学论丛,1984,13:200—258。

㉒ 徐通锵,美国语言学家谈历史语言学[J],语言学论丛,1984,13:200—258。

㉓ 鲁国尧,重温朱德熙先生的教导[J]。语文研究,2002,4:1—3。

㉔ 张光直,考古工作者对发掘物的责任与权利[A],考古人类学随笔[C],北京,生活·读书·新知三联书店,1999。

㉕ 〔美〕J.A.马提索夫,澳泰语系和汉藏语有关身体部分词接触关系的检验[J],王德温译,胡坦校,民族语文研究情报资料集,1985,6:1—20。

㉖ 张贤豹、张琨院士专访[A],张琨,汉语音韵史论文集[C],台湾,联经出版事业公司,民国七十六年,p.230。

㉗ 李方桂,汉语研究的方向——音韵学的发展[A],中国语言学论集[C],台湾,幼狮文化事业公司,民国六十六年,p.238。

㉘ 李壬癸,李方桂及其比较台语研究[J]。音韵学研究通讯,1984,5:16—24。

㉙ 丁邦新,"非汉语"语言学之父——李方桂先生[A],中国语言学论集[C]。台湾,幼狮文化事业公司,民国六十六年,p.468。

㉚ 〔意〕L.L.卡瓦利·斯福扎,人类的大迁徙[M]。乐俊河译,杜若甫校,北京,科学出版社,1998,p.258。

㉛ 〔意〕L.L.卡瓦利·斯福扎,人类的大迁徙[M]。乐俊河译,杜若甫校,北京,科学出版社,1998,p.258。

㉜ 〔意〕L.L.卡瓦利·斯福扎,人类的大迁徙[M]。乐俊河译,杜若甫校,北京,科学出版社,1998,p.238。

㉝ 〔加〕海基·菲里,与张光直交谈[A],张光直,考古人类学随笔[C],北京,生活·读书·新知三联书店,1999,209—210。

㉞ 〔意〕L.L.卡瓦利·斯福扎,人类的大迁徙[M]。乐俊河译,杜若甫校,北京,科学出版社,1998,p.155。

㉟ 〔俄〕B.阔姆力,语言与史前史:多学科研究趋势[A],丁石庆译,戴庆厦主编。中国民族语言文学研究论集[C],北京,民族出版社,p.362。

㊱ 王士元,观察历史的三个窗口[A]。王士元语言学论文集[C],北京,商务印书馆,2002,p.49。

㊲ 岑麒祥,语言学史纲要[M]。北京大学出版社,1988,p.256。

㊳ 张光直,中国考古学与历史学整合国际研讨会开会致辞[A]。张光直,考古人类学随笔[C],北京,生活·读书·新知三联书店。1999,p.77。

㊴ 张光直,中国东南海岸考古与南岛语族起源问题[A],张光直中国考古学论文集[C]。北京,生活·读书·新知三联书店,1999,206—226。

㊵ 〔俄〕B. 阔姆力,语言与史前史多学业科研究趋势[A]。丁石庆译。戴庆厦主编。中国民族语言文学研究论集[C],北京,民族出版社,p. 365。

㊶ 李方桂,上古音学术讨论会上的发言[J],语言学论丛,1987,14:p. 16。

㊷ 〔加〕蒲立本,上古汉语的辅音系统[M],潘悟云,徐文堪译,北京,中华书局,1999,p. 120。

㊸ 徐通锵,美国语言学家谈历史语言学[J],语言学论丛,1984,13:200—258。

㊹ 〔美〕包拟古,译本自序[A],原始汉语与汉藏语[C],潘悟云,冯蒸译,北京,中华书局,1995,p. 3。

㊺ 〔加〕蒲立本,上古汉语的辅音系统[M],潘悟云,徐文堪译,北京,中华书局,1999,p. 130。

㊻ 梅祖麟,中古汉语的声调与上声的起源[A],黄宣范译,中国语言学论集[C]。台湾,幼狮文化事业公司,民国六十六年,p. 176。

㊼ 〔加〕蒲立本,上古汉语的辅音系统[M],潘悟云,徐文堪译,北京,中华书局,1999,p. 130。

㊽ 〔加〕蒲立本,上古汉语的辅音系统[M],潘悟云,徐文堪译,北京,中华书局,1999,p. 120。

㊾ 〔加〕蒲立本,上古汉语的辅音系统[M],潘悟云,徐文堪译,北京,中华书局,1999,p. 1。

㊿ 〔法〕A. G. 欧德利尔(奥德里古尔)。越南语声调的起源[J],冯蒸译,袁家骅校,民族语文研究情报资料集,1987,7:88—96。

(51) 〔加〕蒲立本,上古汉语的辅音系统[M],潘悟云,徐文堪译,北京,中华书局,1999,p. 142。

(52) 梅祖麟,中古汉语的声调与上声的起源[A],黄宣范译,中国语言学论集[C]。台湾,幼狮文化事业公司,民国六十六年,p. 176。

(53) 梅祖麟,中古汉语的声调与上声的起源[A],黄宣范译,中国语言学论集[C]。台湾,幼狮文化事业公司,民国六十六年,p. 177。

(54) 王力,汉越语研究[A],王力文集18[C],山东教育出版社,1991,p. 535。

(55) 王力,汉越语研究[A],王力文集18[C],山东教育出版社,1991,p. 462。

(56) 王力,先秦古韵拟测问题[A],王力文集17[C],山东教育出版社,1989,p. 291。

(57) 李方桂,上古音研究[M],北京,商务印书馆,1980,p. 34。

(58) 李方桂,上古汉语的音系[J],叶蜚声译,语言学动态,1975,5:8—13。

(59) 颜其香、周植志,中国孟高棉语族语言与南亚语系[M],北京,中央民族大学出版社,1995,p. 66。

⑥⓪ 李方桂,原始台语的声调系统[J],李钊祥译,罗美珍校,民族语文研究情报资料集,1987,7:70—86。

⑥① 桂诗春、宁春岩,语言学方法论[M],北京,外语教学与研究出版社1997,p.254。

⑥② 桂诗春、宁春岩,语言学方法论[M],北京,外语教学与研究出版社1997,p.257。

⑥③ 〔法〕A.G.欧德利尔(奥德里古尔)。越南语声调的起源[J],冯蒸译,袁家骅校,民族语文研究情报资料集,1987,7:88—96。

⑥④ 〔法〕Andre,G,Haudricourt,怎样拟测古汉语[A],马学进译,中国语言学论集[C],台湾,幼狮文化事业公司,民国六十六年,p.220。

⑥⑤ 〔法〕Andre,G,Haudricourt,怎样拟测古汉语[A],马学进译,中国语言学论集[C],台湾,幼狮文化事业公司,民国六十六年,p.221。

⑥⑥ 〔法〕A.G.欧德利古尔(奥德里古尔)。越南语声调的起源[J],冯蒸译,袁家骅校,民族语文研究情报资料集,1987,7:88—96。

⑥⑦ 丁邦新,汉语声调源于韵尾说之检讨[A],丁邦新语言学论文集[C],北京,商务印书馆,1998,p.83。

⑥⑧ 徐通锵,声母语音特征的变化和声调的起源[J],民族语文,1998,1:1—15。

⑥⑨ 徐通锵,声调起源研究方法论问题再议[J],民族语文,2001,5:1—13。

⑦⓪ 陈寅恪,致沈兼士函[A],沈兼士学术论文集[C],北京,中华书局,1986,p.183。

⑦① 王力,汉越语研究[A],王力文集18[C],山东教育出版社1991,p.462。

⑦② 〔越〕王禄,古汉越语研究的初步成果[J],傅成劼译,民族语文研究情报资料集。1986,7:67—69。

⑦③ 〔越〕王禄,古汉越语研究的初步成果[J],傅成劼译,民族语文研究情报资料集。1986,7:67—69。

⑦④ 〔日〕桥本万太郎,汉越语研究概述[J],王连清译,民族语文研究情报资料集,1983,2:79—94。

⑦⑤ 〔日〕桥本万太郎,汉越语研究概述[J],王连清译,民族语文研究情报资料集,1983,2:79—94。

⑦⑥ 〔日〕桥本万太郎,汉越语研究概述[J],王连清译,民族语文研究情报资料集,1983,2:79—94。

⑦⑦ 王力,汉越语研究[A],王力文集18[C],山东教育出版社1991,p.462。

⑦⑧ 丁邦新,汉语声调源于韵尾说之检讨[A],丁邦新语言学论文集[C],北京,商务印书馆,1998,89—90。

⑦⑨ 王力,南北朝诗人用韵考[A],王力文集18[C],山东教育出版社。1991,p.65。

⑧⁰ 〔加〕蒲立本,上古汉语的辅音系统[M],潘悟云,徐文堪译,北京:中华书局,1999,p.131。
⑧¹ 太平御览797[M],北京,中华书局,1998,p.3541。
⑧² 丁邦新,汉语声调源于韵尾说之检讨[A],丁邦新语言学论文集[C],北京,商务印书馆,1998,p.93。
⑧³ 丁福保,佛学大辞典[M],上海书店出版社,2000,p.929。
⑧⁴ 〔韩〕全广镇,汉藏语同源词探索[M],台湾学生书局,1996,p.306。
⑧⁵ 薛才德,汉语藏语同源字研究[M],上海大学出版社,2001,p.146。
⑧⁶ 李方桂,上古音研究[M],北京,商务印书馆,1980,p.33。
⑧⁷ 江有诰,古韵凡例[A],江有诰,音学十书[C],北京,中华书局,1993,p.21。
⑧⁸ 江有诰,再寄王石臞先生书[A],江有诰,音学十书[C],北京,中华书局,1993,277—278。
⑧⁹ 王念孙,石臞先生复书[A],江有诰,音学十书[C],北京,中华书局,1993,p.278。
⑨⁰ 江永,古韵标准[M],北京,中华书局,1982,p.5。
⑨¹ 段玉裁,六书音均表[A],段玉裁,说文解字注[C],上海古籍出版社,1981,p.815。
⑨² 王力,清代古音学[A],王力文集12[C],山东教育出版社1990,p.612。
⑨³ 王力,汉语语音史[A],王力文集10[C],山东教育出版社,1987,p.96。
⑨⁴ 王力,汉语语音史[A],王力文集10[C],山东教育出版社,1987,p.89。
⑨⁵ 段玉裁,六书音均表[A],段玉裁,说文解字注[C],上海古籍出版社,1981,p.816。
⑨⁶ 王力,上古汉语入声和阴声的分野及收音[A],王力文集17[C],山东教育出版社,1989,p.204。
⑨⁷ 李方桂,上古音研究[M],北京,商务印书馆,1980,p.32。
⑨⁸ 欧阳觉亚,声调与音节的相互制约关系[J],中国语文。1979,5:359—362。
⑨⁹ 欧阳觉亚,声调与音节的相互制约关系[J],中国语文。1979,5:359—362。
⑩⁰ 张琨,古汉语韵母系统与切韵(即原始汉语韵母系统与切韵)[A],张贤豹译。张琨,汉语音韵史论文集[C],台湾,联经出版事业公司,民国七十六年,p.59。
⑩¹ 张琨,古汉语韵母系统与切韵(即原始汉语韵母系统与切韵)[A],张贤豹译。张琨,汉语音韵史论文集[C],台湾,联经出版事业公司,民国七十六年,p.59。
⑩² 〔美〕包拟古,译本自序[A],原始汉语与汉藏语[C],潘悟云,冯蒸译,北京,中华书局,1995,p.57。

⑩³ 〔美〕包拟古,译本自序[A],原始汉语与汉藏语[C],潘悟云,冯蒸译,北京,中华书局,1995。

⑩⁴ 张琨,古汉语韵母系统与切韵(即原始汉语韵母系统与切韵)[A],张贤豹译。张琨,汉语音韵史论文集[C],台湾,联经出版事业公司,民国七十六年,p.66。

⑩⁵ 张琨,古汉语韵母系统与切韵(即原始汉语韵母系统与切韵)[A],张贤豹译。张琨,汉语音韵史论文集[C],台湾,联经出版事业公司,民国七十六年,p.69。

⑩⁶ 张琨,古汉语韵母系统与切韵(即原始汉语韵母系统与切韵)[A],张贤豹译。张琨,汉语音韵史论文集[C],台湾,联经出版事业公司,民国七十六年,p.72。

⑩⁷ 张琨,古汉语韵母系统与切韵(即原始汉语韵母系统与切韵)[A],张贤豹译。张琨,汉语音韵史论文集[C],台湾,联经出版事业公司,民国七十六年,67—68。

⑩⁸ 张琨,古汉语韵母系统与切韵(即原始汉语韵母系统与切韵)[A],张贤豹译。张琨,汉语音韵史论文集[C],台湾,联经出版事业公司,民国七十六年,p.68。

⑩⁹ 张琨,古汉语韵母系统与切韵(即原始汉语韵母系统与切韵)[A],张贤豹译。张琨,汉语音韵史论文集[C],台湾,联经出版事业公司,民国七十六年,p.68。

⑩ 陈毓华,汉藏语系的世界——与张琨院士一席谈[A],中国语言学论集[C],台湾,幼狮文化事业公司,民国六十六年,427—428。

⑪ 张琨,中国境内非汉语研究的方向[A],中国语言学论集[C],台湾,幼狮文化事业公司,民国六十六年,p.260。

⑫ 陈毓华,汉藏语系的世界——与张琨院士一席谈[A],中国语言学论集[C],台湾,幼狮文化事业公司,民国六十六年,p.428。

⑬ 陈毓华,汉藏语系的世界——与张琨院士一席谈[A],中国语言学论集[C],台湾,幼狮文化事业公司,民国六十六年,p.428。

⑭ 郑张尚芳,上古音研究十年回顾与展望(一)[J],湖南,古汉语研究,1998,4:11—17。

⑮ 〔美〕包拟古,原始汉语与汉藏语:建立两者之间关系的若干证据[A],潘悟云,冯蒸译。包拟古,原始汉语与汉语藏语[C],北京,中华书局,1995,p.57。

⑯ 〔美〕包拟古,原始汉语与汉藏语:建立两者之间关系的若干证据[A],潘悟云,冯蒸译。包拟古,原始汉语与汉语藏语[C],北京,中华书局,1995,p.157。

⑰ 〔美〕包拟古,原始汉语与汉藏语:建立两者之间关系的若干证据[A],潘悟云,冯蒸译。包拟古,原始汉语与汉语藏语[C],北京,中华书局,1995,p.156。

⑱ 〔美〕包拟古,原始汉语与汉藏语:建立两者之间关系的若干证据[A],

潘悟云,冯蒸译。包拟古,原始汉语与汉语藏语[C],北京,中华书局,1995,p.157。

⑪ 〔美〕包拟古,原始汉语与汉藏语:建立两者之间关系的若干证据[A],潘悟云,冯蒸译。包拟古,原始汉语与汉语藏语[C],北京,中华书局,1995,p.66。

⑫ 〔美〕包拟古,原始汉语与汉藏语:建立两者之间关系的若干证据[A],潘悟云,冯蒸译。包拟古,原始汉语与汉语藏语[C],北京,中华书局,1995,p.68。

㉑ 〔美〕包拟古,原始汉语与汉藏语:建立两者之间关系的若干证据[A],潘悟云,冯蒸译。包拟古,原始汉语与汉语藏语[C],北京,中华书局,1995,p.68。

㉒ 〔美〕包拟古,译本自序[A],原始汉语与汉藏语[C],潘悟云,冯蒸译,北京,中华书局,1995,p.68。

㉓ 王福堂,汉语方言语音的演变和层次[M],北京,语文出版社,1999,p.64。

㉔ 〔美〕包拟古,原始汉语与汉藏语:建立两者之间关系的若干证据[A],潘悟云,冯蒸译。包拟古,原始汉语与汉语藏语[C],北京,中华书局,1995,p.156。

㉕ 〔美〕包拟古,原始汉语与汉藏语:建立两者之间关系的若干证据[A],潘悟云,冯蒸译。包拟古,原始汉语与汉语藏语[C],北京,中华书局,1995,p.156。

㉖ 〔美〕包拟古,原始汉语与汉藏语:建立两者之间关系的若干证据[A],潘悟云,冯蒸译。包拟古,原始汉语与汉语藏语[C],北京,中华书局,1995,63—64。

㉗ 〔美〕包拟古,原始汉语与汉藏语:建立两者之间关系的若干证据[A],潘悟云,冯蒸译。包拟古,原始汉语与汉语藏语[C],北京,中华书局,1995,p.68。

㉘ 〔美〕包拟古,原始汉语与汉藏语:建立两者之间关系的若干证据[A],潘悟云,冯蒸译。包拟古,原始汉语与汉语藏语[C],北京,中华书局,1995,p.64。

㉙ 〔瑞典〕高本汉,汉文典(修订本)[M],潘悟云,杨剑桥等译。上海辞书出版社,1997,p.274。

㉚ 〔美〕包拟古,原始汉语与汉藏语:建立两者之间关系的若干证据[A],潘悟云,冯蒸译。包拟古,原始汉语与汉语藏语[C],北京,中华书局,1995,p.135。

㉛ 段玉裁,说文解字注[M]。上海古籍出版社,1981,p.542。

㉜ 段玉裁,说文解字注[M]。上海古籍出版社,1981,p.83。

㉝ 段玉裁,说文解字注[M]。上海古籍出版社,1981,p.476。

㉞ 〔瑞典〕高本汉,汉文典(修订本)[M],潘悟云,杨剑桥等译。上海辞书出版社,1997,p.217。

㉟ 〔瑞典〕高本汉,汉文典(修订本)[M],潘悟云,杨剑桥等译。上海辞书出版社,1997,p.148。

㊱ 李方桂,上古音研究[M],北京,商务印书馆,1980,52—53。

㊲ 〔美〕包拟古,原始汉语与汉藏语:建立两者之间关系的若干证据[A],

潘悟云,冯蒸译.包拟古,原始汉语与汉语藏语[C],北京,中华书局,1995年,p.64。

⑬⑱ 〔法〕A.梅耶,历史语言学中的比较方法[A],岑麒祥译,国外语言学论文选译[C],北京,语文出版社,1992,21—22。

⑬⑨ 〔日〕桥本万太郎,语言地理类型学[M],余志鸿译,北京大学出版社,1985,p.24。

⑭⓪ 〔日〕桥本万太郎,语言地理类型学[M],余志鸿译,北京大学出版社,1985,p.15。

⑭① 〔日〕桥本万太郎,语言地理类型学[M],余志鸿译,北京大学出版社,1985,p.204。

⑭② 〔日〕桥本万太郎,语言地理类型学[M],余志鸿译,北京大学出版社,1985,p.204。

⑭③ 邵靖宇,汉族祖源试说[M],浙江大学出版社,2001,p.59。

⑭④ 马学良主编,汉藏语概论(上)[M],北京大学出版社,1991,p.79。

⑭⑤ 李方桂,汉语研究的方向——音韵学的发展[A],中国语言学论集[C],台湾,幼狮文化事业公司,民国六十六年,p.233。

⑭⑥ 张琨,古汉语韵母系统与切韵(即原始汉语韵母系统与切韵)[A],张贤豹译.张琨,汉语音韵史论文集[C],台湾,联经出版事业公司,民国七十六年,p.68。

⑭⑦ 李方桂,汉语研究的方向——音韵学的发展[A],中国语言学论集[C],台湾,幼狮文化事业公司,民国六十六年,p.232。

⑭⑧ 李荣,上古音学术讨论会的发言[J],语言学论丛,1987,14:5。

⑭⑨ 丁邦新,孙宏开,编者的话[A],汉藏语同源词研究(一)[G],广西民族出版社,2000,p.1。

⑮⓪ 李方桂,汉语研究的方向——音韵学的发展[A],中国语言学论集[C],台湾,幼狮文化事业公司,民国六十六年,p.232。

(100871　北京,北京大学中文系)

读一校样后补记:2002年7月,香港科技大学人文社会科学学院邀请我赴该校访问,作学术演讲。时间商定在2003年4月。本文就是我准备的讲题之一。后因SARS流行,访问推迟,直到今年2月得以履约。2月17日下午,我在语言研究中心报告此文。丁邦新、张洪年、孙景涛、张军、梁金荣等多位先生不吝赐教,在此谨致谢忱。

作者　2004年6月12日

论 音 义 互 动

潘 文 国

提要 本文从人类研究语法手段的历史出发,结合汉语实际,提出"音义互动律"是汉语最重要的语言组织手段。全文共分五个部分:提出问题;音义互动的动力;音义互动律的基本内容;音义互动律对一些汉语现象的解释;要重视对书面语语法的研究。文章认为,音义互动的研究不仅对汉语研究至关重要,并且具有普通语言学的意义。

关键词 语言组织规律　音义关系　音义互动律

一　问题的提出

音义关系是语言研究一个很老的题目,按照一般的理解,语言就是音义的结合体,研究语言就是研究音义关系。但到目前为止对于音义关系的研究,大多限于研究音义之间的静态关系:某某音反映了某某意义,某某意义是由某某音来反映的;或者争论音义之间的关系究竟是任意性的呢？还是有理据性的？很少有人谈到音义之间的动态关系,更没有人谈到过"互动"这样一个题目。而本文更关心的是音义之间的动态关系,特别是互动关系,即义的变化怎么会引起音的变化,而音的调整又怎么会引起义的变化？此外,我们还要更进一步探讨,这种音与义之间的互动关系在普通语言学上有什么意义？由于我们讲的音义互动主要是在汉语的范围内,我们还要进一步探讨,这种音义互动的研究,对于人们常说的,汉语研究要对世界语言学作出贡献又有什么价值？

这里所说的"音",是取其广义,不但包括一般所说的音段成分如元音辅音、声母韵母,包括一般所说的超音段成分如轻重音、声调、长短音,还包括在这些以外的停顿、音节性(syllabicity,主要指音节的数量),以及由此而造成的节奏。这些都在汉语的语言组织中起着至关重要的作用。在比较汉英语的特点以及给予汉语定性的时候,我们曾提出过,汉语是一种语义型语言,汉语又是一种音足型语言(潘文国 1997:116—117)。第一句话有很多人说过,第二句话是我们首先提出来的。我们的基本想法是,一种语言的组织,一定有一种规律在起基本作用,但任何语言,不可能只有一种规律在起作用,它必然有另一种规律在起辅助的、次要的,然而又是不可缺少的作用。例如在英语中,起主要作用的是形态,起次要作用的是词序和虚词。在这一点上我们与有些语言学家的认识不同。他们认为,随着英语越来越走向分析型,形态已显得越来越不重要,起主要作用的是语序和虚词。这是没有从本质上去看问题的结果。从本质上看,决定英语语言构造的主要手段还是形态,特别是其中的主谓一致关系及与之相配的名、动词残留的形态变化。英语句法构造的灵魂和无可取代的核心是主谓一致,去掉了这一点,英语就不成其为英语。在汉语中,许多人都认识到词序和虚词起着重要作用,认为这是汉语最重要的,甚至是唯一的语法手段。但这个说法是有问题的。第一,汉语虚词的作用并没有人们想象的那么大。虚词的大头是介词,但汉语的介词与英语相比根本不成比例,由于汉语没有形态,连介词与动词的界限都划不清楚。此外,介词也好,其他虚词也好,在汉语中的使用都不像在英语中那样有着强制性,在很多情况下似乎是可有可无的,而"可有可无",与"最重要的语法手段"之间就又形成了悖论。第二,汉语的语序确实很重要,但世界上没有只靠语序一个手段便能进行组织的语言。语序的背后是逻辑,世界上也不可能有纯粹按照逻辑来组织的语言。即使我们同意语序是汉语主要的语言组织手段,主要运动规律,但必然还有另一种手段、另一种规律在起辅助而又不可缺少的作用。这个手段就是音节和节奏,这个规律就是我们要说的音义互动律。正是在这个认识的基础上,我们认为光说汉语是一种语义型语言是不完整的,世上不可能存在纯语义型的语言。完整的说法应该是,汉语是一种语义型语言,汉语又是一种音足型语言。其中音义互动在语言组织中起了十分重要而关键的作用。

请注意，我们在上面用的词是"音义互动律"，这就是说，我们是把它当作一种规律来看待的，不只是一般的方法或技巧，也不仅仅只是什么修辞手法的问题。这是一种语法手段，一种语言组织的规律。在人类语法研究史上，最早发现的语法手段是形态，包括屈折形态和黏着形态。西方古典语法的研究几乎一无例外，都是在形态的基础上进行的，因而其研究重点始终是词法，当今世界上看作语法研究中心的句法，在那时根本就没有地位。词序在语言组织中的作用，最早是19世纪的洪堡特在观察汉语的过程中发现的，但他并没有将它看作是语法手段。将词序看作语法手段是19世纪末英国语言学家斯威特的功劳，为了使这一观点为语言学界所接受，他作了不懈的努力。由于词序不像形态那样显而易见，因而他不得不一再强调，"事实上，词序是句法中最抽象的部分，也是最抽象的语法形式"（Sweet 1899:124）。如果说，发现形态是语法规律研究的第一阶段，主要是从古印欧语这样的屈折语中总结出来的，发现词序是语法规律研究的第二阶段，主要是从英语这样的分析型语言中总结出来的话，那么，现在我们很可能正处在语法规律研究的第三阶段，即把音节、节奏，或者我们说的音义互动看作是语法手段，而这很可能首先要从孤立型的汉语中总结出来。这很可能是汉语研究有可能对人类语言组织规律研究作出的巨大贡献。当然，比起词序来，音义互动显得更为抽象，因而我们很可能要比斯威特当年花费更大的精力，来说服人们接受这一点。

音义互动的规律最早是郭绍虞先生发现的，他称之为"汉语语词的弹性作用"；接着，吕叔湘先生在《现代汉语单双音节问题初探》一文中，进一步申述了这一思想，并将之正式引入语法研究；再后来，赵元任先生更将这一现象提到哲学的高度，说："音节词的单音节性好像会妨碍表达的伸缩性，但实际上在某些方面反倒提供了更多的伸缩余地。我甚至猜想，媒介的这种可伸缩性已经影响到了中国人的思维方式。"（赵元任 1975:246—247）再后，郭绍虞于1979年提出:"汉语对于音节,看得比意义更重一些。"(郭绍虞1979:444)这就把音节对于汉语组织的意义,提到了一个新的高度。进入新时期以后,冯胜利(1997,2000)、叶军(2001)、吴洁敏和朱宏达(2001)对韵律与语法的关系都作了进一步的探索,其中冯胜利更将郭、吕等的理论进一步拓展到了句法。

二 音义互动的动力

音义互动作为一条语言组织规律,可能是各种语言都有的现象,但在汉语中体现得最明显,也最有可能首先从汉语的研究中得到发现和总结。为什么呢?这是由音义互动的动力决定的。各种语言音义互动的动力并不一定一样,对于汉语来说,这个动力来自两条:1.汉语汉字的特点;2.口语和书面语的矛盾。

所谓汉语的特点,主要是指汉语的孤立性,也就是缺少乃至于没有什么构词、构形形态;所谓汉字的特点,是指造成这种孤立性的一字一音一义现象。

口语和书面语的矛盾,是凡具有这两种形式的各种语言中都可能有的现象,但在汉语中却表现得特别强烈。在汉语里,从基本的语言单位起,从使用语言进行交际的第一步起,口语与书面语、语言与文字便会发生冲突。

这番话说得似乎有点耸人听闻,为什么说从交际一开始,汉语与汉字两者就出现了矛盾?郭绍虞先生首先对这个问题作出了回答。他认为,汉字(书面语)的单位是单音节,汉语(口语)的单位是双音节,说:"中国的语言文字,究属于单音呢?还是属于复音呢?这是一个长期争论着的问题。大抵以前之治语言文字学者以'字'为本位,所以多觉其为单音,现在之治语言文字学者以'词'为本位,所以观其为复音。还有,从口语讲,由于同音语词的增多,语言本身不得不增加连缀的词汇,所以有趋于复音的倾向,不能承认为单音的语言。但从书面语讲,目治的文辞不怕同音语词的混淆,为了要求文辞之简练,有时并不需要复音的词汇,依旧停留在单音阶段。这在文言文中尤其是如此。由于这两种关系,所以词本位的口头语虽有趋于复音的倾向,而在字本位的书面语中,依旧保存着较多的单音语词,这就引起了语词本身的不固定性,这不固定性即是我们所说的'弹性作用'。"(郭绍虞1938:73)

郭先生的这段话发表已经六十多年,但似乎没有引起足够重视。究其原因,恐怕是因为他没有从理论上加以说明,也许人们认为这不过是他个人的观察经验,是登不了语言理论的大雅之堂的。幸好,当今西方的交际理论为这个观点作了一个最好的注脚。

西方现代交际理论把交际过程简化为如下一个图:

(信息)(编码)　　　　渠道　　　　(解码)(信息)
发出者──→ 发射信号 ─────── 接收信号 ──→接受者
　　　　　　　　　　　↑
　　　　　　　　　　噪音　　(参见 Cruce 2000:5)

其中最值得注意的是所谓"噪音"。现代信息学认为,信息在传递过程中会发生各种变化,主要是由曲解、无关信息的干扰和因信息减弱造成的损失等引起的,这些统称为"噪音"。由于噪音的存在,接受者得到的信号绝不可能与发射信号完全相同。要是发射信号中的每个细节都十分重要、十分关键的话,那交际成功恐怕完全要靠运气了。为了使交际有效,人类语言就采用了一些补偿办法,来弥补传递过程中信息的流失,其主要办法就是提供一定量的冗余信息。也就是说在信号中信息重复出现,或者信号中的别的信息会对该信息提供一些预示。这样,即使经过了传递过程中的信息损失,接受者仍可以将原来的信息重新组织起来。"据说语言中的冗余信息占了50%"(Cruce 2000:6)。

我们知道,在汉语可知的历史上,人们是通过创制文字来进行交流的。汉字具有象似性,尤其在创制之初,象形、指事、会意等,多与概念直接相联系,因而形成了一个概念、一个字形、一个音节的传统。这样浓缩的信息在书面传递上是不成问题的(因而形成了汉语书面语以单音节为基础的传统），但在口头交际上就会出现上文克鲁斯所说的"交际成功要碰运气"的情况，因为"噪音"的存在会造成部分信息的丢失，而对转瞬即逝的一个音节来说，部分丢失等于全部丢失。这种交际成功的可能性是很小的。因此中国人之间交谈，如果只说一个字 A，对方肯定紧接着会问："什么 A?"或"A 什么?"，可见单音节在口语交际中是有困难的。为了弥补信息的损失，就必须进行补偿，增加冗余信息。而按照上面所说的冗余信息占 50% 这样一种比例，两个音节看来是最合适的。这就是为什么汉语口语常以双音节为单位，而双音节的意义又往往只相当于一个音节的字的原因：原来其中一个音节的任务，在许多情况下，主要是为了传递冗余信息。例如加"阿、老、第、子、儿、头"之类构成的合成词，在语义和语法上往往并没添加什么，只是增加了一个音节（"阿姨＝姨，桌子＝桌"等）；并列复合词中的同义、近义、偏义等其中一个音节在意义上都是多余的（"危险＝危＝险，国家＝国，动静＝动"之类）；甚至偏正式词中的"咸盐、乌鸦、苍蝇、麻雀"之类，其中前一成分也只具有音节意义；在实际语言使用中，双音节的意义只相当于其中一个音节的情况就更多了。例如辛弃疾《菩萨蛮·书江西造口壁》上阕结尾是"西北望长安，可怜无数山"，下阕开头是"青山遮不住，毕竟东流去"，"青山＝山"。这正是汉语的单双音节可以根据需要进行调整的基础。

这样，我们就从信息论和交际理论的角度，证明了郭绍虞先生的论断是有道理的，了解了汉语与汉字在使用中必然会发生矛盾的原因。

汉语和汉字发生矛盾还有另外的原因，主要是在韵律上的。因为一个音节构不成节奏，造成一个音步至少需要两个音节（中国的诗律中有一个音节的音步，那是因为这个单音节的后面其实还有一个休止音节，从时值上来讲"单音节＋休止音节"还是两个音节）；而至少两个音步以上才能造成韵律起伏。

汉语和汉字的矛盾是个客观存在，我们很难说它是好事还是坏事,但至少它形成了汉语汉字在使用过程中的一大特色。富有聪明才智的中国人充分利用这个特色,创造了汉语所特有的语言应用技巧和策略,以至到了今天我们已经可以把这些技巧作为语言规律来研究。这个规律,郭绍虞叫做"汉语语词的弹性作用",并且认为主要适用于文言文。我们的研究进一步发现,在用现代汉语写的文章中这种现象仍是大量存在,在汉语中,几乎每一个概念都可以有两种说法,一种用单音字,一种用复音(主要是双音)词。原本是单音的,有办法造一个双音的供临时用;原本是双音的,也有办法只用其中一个字:使用时完全为了适应文章节奏韵律的需要。这恐怕是汉语书面语的一个根本特色。不了解这一点,恐怕根本无法用汉语写出符合汉族人语感的文章来。因而这个规律也可推广一步,不仅仅适用于语辞,而是从语辞开始直到整个篇章,是调节整个汉语组织的最重要规律。这个规律,就是我们说的"音义互动律"。

三 音义互动律的基本内容

音义互动律的基本出发点,是不简单地只把语言看作是一种交际工具或认知工具,而把语言看作是"人类认知世界和进行表述的方式和过程"(潘文国 2001),也就是说,不把语言看作一个静态的供分析的系统,而看作是人们的一种活动方式和过程,强调语言的动态性,强调语言的生成和变化。具体到汉语,我们接受清代小学研究的优秀成果,强调摆脱字形束缚,从音义互动关系上去把握汉语的词汇系统;我们还接受传统句读学和当代语言学中的某些优秀成果,强调汉语各级组织单位的"可伸缩性"(赵元任 1975:246—247)。音义互动律的基本活动单位是"字",或者说"带义的音节",基本活动方式是单双音节的互动,进而至二、四音节的互动,单、多音节的互动,由此而生出种种变化,造成千姿百态的汉语存在形式。

一种语言的组织规律或者说语法,说到底是两个内容,一个是基本单位之间的聚合关系,一个是基本单位向上的组合关系。在英语中,基本单位是词,聚合关系就是词法,组合关系就是句法;在汉语里,基本单位是字,聚合关系就是字的同义、异义、类义种种变化;组合关系就是由字向上直到语篇的组织。在这两个方面,音义互动律都发挥着重要作用。

1. 聚合关系

聚合关系是语汇的研究,由于在这过程中还创造了新词,因此也包含了构词法的内容。在语言的三大部门语音、语汇、语法中,语汇的研究一向是薄弱的环节,这是因为语音、语法等容易整理出一套系统来,而语汇看起来就像一盘散沙,系统的研究不知从何着手。20世纪现代语义学的发展,在语汇研究的系统性上比以往有了很大的进步,但还有进一步发展的余地。

从目前的语义学理论来看,语义研究的系统性体现在三个方面:第一,逻辑的语义系统。这主要表现在语义场理论,从上到下,从大到小,建立各种语义场、语义分场。第二,心理的语义系统,又可分横向的和纵向的两种研究。纵向的是研究从本义到转义的各种引申,当前的一个热点是隐喻理论;横向的是建立同义、反义、对义等各种类义系统。第三,结构的语义研究。又分三个方面,一是仿照句法结构,建立语义的各个层次,从义素、义位、词义、义丛、句义,直到句群义和语篇义,目前做得比较引人注目的是义素分析法;二是研究语义搭配;三是研究成分间的语法关系。后两项还受到了语法学者的重视,形成了现在颇热的句法语义研究。

但据我们的看法,这一研究格局里还缺少了重要的一块,即从语音出发的语义系统研究。本来,音义关系是语言研究中最重要的关系,从语音出发的语义系统研究理应成为语义系统研究的重要组成部分,但是由于"现代语言学"片面强调音义关系任意性的结果,这一研究没有引起足够的重视,而中国传统在这方面的丰硕成果也一直不为现代语言学家所关注。我们认为,以语音为轴,建立近义和类义的语义语汇体系,正是中国训诂学的最重要成就之一,也是中国古代语言研究对世界语言学的巨大贡献。

近义体系:即凭借音义关系建立同义词和近义词系统。汉语在发展过程中,由于时代和地域的原因,产生了很多意义相同相近而音、形俱不相同的词语,然而学者经过研究,发现其语音之间的联系有一定的规律,或者说,其语音的运动有一定的规律。这个规律,经汉代扬雄提出,到清代戴震总结为一个"转语"理论:"凡同位为正转,位同为变转。凡同位则同声,同声则可以通乎其义;位同则声变而同,声变而同则其义亦可以比之而通。"(《戴东原集·转语二十章序》)"同位"即今天说的发音部位相同,"位同"即今日所说发音方法相同。后来的学者简化为"一声之转",是训诂学中"因声求义"的重要理论依据。中国训诂学发展到顶峰时期,其研究几乎无一不是循着这条路在走。王念孙的《广雅疏证》是这方面的一部力作,20世纪朱起凤作《辞通》,收词四万余条,更是运用音韵知识解决古汉语连绵字问题的宏大著作。"一声之转"是中国学者千百年语言研究的可贵总结,也正是音义互动律的自觉运用,尽管当时并没有提出这一名称。

类义体系:汉语中音义之间的关系不但可解释同义词、近义词,还可解释意义相关的一群群词,从而建立一个个类义词体系。其理论根据是王国维提出的"同类之异名"和"异类之同名"学说:"凡雅俗古今之名,同类之异名与夫异类之同名,其音与义恒相关。同类之异名,其关系尤显于奇名……异类之同名,其关系尤显于偶名。"(王国维《观堂集林·尔雅草木虫鱼鸟兽名释例》)

王国维举的"奇名"例子,如"苕",开黄花的叫"藨",开白花的叫"茇";"樆",大的叫"栱",小的叫"閤";虫,食苗心的叫"螟",食根的叫"蟊";天气下地不应叫"雺",地气发天不应叫"雾"等。更典型的见于王念孙的《释大》:"冈,山脊也;亢,人颈也;二者皆有大义。故山脊谓之冈,亦谓之岭;人颈谓之领,亦谓之亢。彊谓之刚,大绳谓之纲,特牛谓之纲,大贝谓之魟,大瓮谓之瓨,其义一也。冈、颈、劲,声之转,故彊谓之刚,亦谓之劲;领谓之颈,亦谓之亢。大索谓之緪。

冈、絙、亘,声之转,故大绳谓之纲,亦谓之絙;道谓之埆,亦谓之甿。"(《高邮王氏遗书》第三册,《释大》第八)

王国维举的"偶名"例子,如虫的"果蠃"、草的"果蠃"、"栝楼"都有圆而下垂之意;草的"萧蓳"、虫的"蟰蛸"、虹的别名"蟰蛸"都有长意等,而最典型的可以程瑶田的《果蠃转语记》为例:"双声叠韵之不可为典要,而唯变所适也:声随形命,字依声立。屡变其物而不易其名,屡易其文而弗离其声。物不相类也而名莫不得不类,形不相似而天下之人皆得以是声形之,亦遂靡或弗似也。"全文共收入"转语"300 多条,均由"果蠃"音转而得,如"果蠃(穗)、栝楼(实)、蜾蠃(细腰土蜂)、果蠃(鸟名)、锅镰、瓠瓜(瓜)、蛞蝼(蝼蛄)、蝼蟈(蛙)、鞠轳(舟名)、痀偻(丈人)、岣嵝(山名)、朐朕(笑貌)、枸篓(轸轳)、拘留……"。王念孙跋此文曰:"盖双声叠韵,出于天籁,不学而能,由经典以及谣俗,如出一轨。而先生独能观其会通,穷其变化,使学者读而知绝代异语,列国方言,无非一声之转,则触类旁通,天下之能事毕矣。故《果蠃转语》,实为训诂家未尝有之书,亦不可无之书也。"(《石臞先生遗文》卷四《程易畴〈果蠃转语〉跋》)

以《果蠃转语记》和《释大》所体现的语言研究思想可说是有清一代词汇研究高度发展的结果。清代小学的巅峰之作,人们一般推为段玉裁的《说文解字注》与王念孙的《广雅疏证》,实际上其发展并没有到此为止。王念孙的《释大》作于晚年,是一部未完成之作。从方法论来讲,它正好与《广雅疏证》互为补充:《广雅疏证》是从义到音,从一个个字出发,研究音义的联系;《释大》则是从音出发,从更广泛的层面推断音义的联系。从义出发,意义无限;从音出发,声音有限。因而从音出发的研究更具有总体把握性,是王念孙在研究方法上的一个升华。《果蠃转语记》在程瑶田生前未来得及出版,也是王念孙校订后才于 1830 年得以付梓,其时王念孙已 87 岁高龄。讲这两部书凝聚了作为中国训诂学最杰出代表的王念孙的一生最后的心血,可能并不为过。它使人们看到,汉语的词汇不是一盘散沙,而是有着强烈的理据性和系统性,可以以音韵为主轴,将它串联成一个个体系。如果认真加以梳理,我们就能对汉语中古今方俗的词语,如何因义的变化引起音的变化,如何因音的变化造成义的变化,作出合理的解释。

从"同类异名、异类同名"的原理推论开去,人们发现这一原则不但可以用来解释连绵字,还可以用来解释单音字。古人造字,对于有关的概念,往往用声音上有关的字来表示,如"天地、阴阳、男女、人民、王后、干戈、父母、晨昏、乾坤、死生、始终、爱恶"等,相对的概念均有音同音近或双声叠韵的关系,其实这就是语言发生发展过程中的语音语义的双向互动:义的需要引起了音的变化,音的调整适应了义的发展。如果说"以形构义"是语言"象似性"在汉语中的一个体现,那么这种音义互动是其又一表现。认识到这一规律,有时我们就可利用语音反映的关系,来推断有关字义。如"好"表"喜爱"义时与"恶"相对,表"美貌"义时与"丑"相对,但"好、丑"叠韵,可见貌美义产生得更早。再如"穷、通"叠韵,"贫、富"同为唇音,而"穷、富"语音上无关,可见,"穷、富"作为反义词是后起的,等等。

2. 组合关系

组合关系是更直接的语言组织规律的研究,又可以分为两个部分来进行。第一个部分是构词造语过程中的音义互动,这是对语言组织材料本身的研究。第二部分是造句组篇中的音义互动,这是对语言组织过程的动态研究。

第一部分研究的理论依据,我们可以用两千多年前的荀子的两句话来概括,即:"单足以喻则单,单不足以喻则兼。"(《荀子·正名篇》)在这里,"单、兼"指的是音节,"喻"指的是意义。这句话基本上总结了古汉语中音节语义互动的规律。现代汉语中由于时代发展,长句、长词多了,我看再加一句"兼不足以喻则再兼"也就大体够了。"单"是单音节,"兼"是双音节,"再兼"是四音节,这些音节与语义的配合互动,基本上可以说明汉语在运动中的构词造语规律。郭绍虞先生在这方面作了很深入的研究,他把汉语语词的弹性作用

概括为四类,我们简单归纳如下:

(1)语词伸缩,即语词成语的音节长短,可以伸缩任意,变化自如。

  ①重言伸缩 ⅰ重言单用(即变双音为单音)"燕燕(居息)→燕(居)"

      ⅱ单字衍为重言(即变单音为双音)"燕→燕燕(于飞)"

  ②连语伸缩 ⅰ徐言疾言(徐言为双,疾言为单)"茨＝蒺藜,奈何＝那"

      ⅱ双叠单用(即变双音为单音)"犹豫→豫,玄黄→玄、黄"

      ⅲ名词割裂(复音据需要改单或双)"先生→生,将军→将"

(2)语词分合,即单音语词可任意与其他语词结合或分离,复音语词则可分用如单音。

  ①助词作用 ⅰ语缓增字(古代加"发声"、"收声";现代加"词头"、"词尾")"夏→有夏,谁→阿谁,尚→尚然,去→去来"

      ⅱ语急减字(减双为单)"不敢→敢,岂得→得"

      ⅲ重言连语借助词而单用(同是双音,但节奏感不同)"穆穆→穆如(清风),婉娈→(静女)其娈"

  ②非助词作用 ⅰ同义复词(变单为双)"孰→庸孰"

      ⅱ偏义复词(变单为双)"失→得失,急→缓急"

      ⅲ复音语词的割裂作用(指缩略语)"管婴＝管仲＋晏婴,骠卫＝骠骑将军霍去病＋大将军卫青"

③增加助词分用词语　ⅰ分用重言连语(变双为四)
"微微→式微式微,猗那→猗与那与"
ⅱ分用并行连语(变双为四)
"居处→爰居爰处,沈浮→载沈载浮"
(3)语词变化,即重言、连语任意混合,形成新语词。
①连语延长为复合的重言(变双为四)"委蛇→委委蛇蛇"
②复合重言缩为连语(变四为双)"(意气)懃懃恳恳→懃恳"
③连语缩合成另一连语(变四为双)"激切明朗→激朗,音问消息→音息"
④连语重言相混(变双为三)"纷纷+纷乱＝乱纷纷,兢兢+战兢＝战兢兢"
(4)语词颠倒。即双音词字序颠倒,此与音节、意义均无涉。(参见郭绍虞1938:75—100)

他是从语词弹性的表现方式进行归纳的。我们从音节性出发,在两、三、四,乃至更多的音节条件下,对之进行了讨论。详见潘文国《字本位与汉语研究》第十章。为什么同样的意义需要不同数量的音节?这是语言表达的需要;为什么不同数量的音节可以表示同样的意义?这是汉语语词的特点所在。因而这个方面是汉语音义互动的极好例证。郭绍虞先生举得较多的是古汉语的例子,其实现代汉语还是如此,除了前面说到过的复合词之外,短语要不要加"之"加"的"、如何加"之"加"的"是个最明显的例子。

第二部分研究的理论依据,我们可以用一千五百年前刘勰的一段话来加以概括:"夫人之立言,因字而生句,积句而成章,积章而成篇。篇之彪柄,章无疵也;章之明靡,句无玷也;句之清英,字不妄也。振本而末从,知一而万毕矣。"(见周振甫1988:306)

刘勰的这段话,有三个地方值得注意。第一,刘勰的"章句",与我们现在一般的理解不同。据我们考证,唐以前的"章句"就相当于唐以后的"句读"(潘文国1997:194),因此,刘勰的层级体系,其实应该是"字、读、句、篇"。其中的"读"特别值得重视,因为这不是一个单纯的语法或语义单位,而是一个语音语义结合的团块。后来《马氏文通》把"读"更多地比附为西方的短语,又把传统的"读"改称为"顿"。从字到顿、从顿到句的构造,都不能用现代的语法理论来解释。为什么?因为其中涉及音的因素,是现代语法所没有的。郭绍虞先生将从顿到句的过程解释为"积音句而成义句"(郭绍虞1978:331),他的理解是对的。"顿"是汉语语句组织的灵魂,不了解"顿",就无法造出符合汉族人语感的句子。而"顿"正是由"字"(音节)组成的。

第二,一般人引这段话往往只到"积章而成篇"为止,后面一部分是不引的,大概以为是同义重复。其实后面这一番话同样重要。如果说由"字"到"篇"是个逐层生成的过程,那么,由"篇"到"字",则是个逐层调节的过程。这说明,刘勰的语言组织思想,是个双向的动态过程。这正暗合了一千多年后西方施莱尔马赫等提出的"阐释学循环"理论,比现代某些或是只看到从上往下的分析,或是只关心从下往上的生成的单向性语法理论就要高明。刘勰既顾到生成,又顾到调节。如果"生成"更多地考虑到义的话,则"调节"更多地考虑到音节。这正是个音义互动的过程。

第三,这段话中的最后两句,说明这一规律是个汉语组织的普遍性规律,是真正"执简驭繁"的规律,了解了这一点,千变万化的汉语组织就尽在掌握之中了。

刘勰的这段话,其实提出了与现代从西方引进的语法学完全不同的汉语组织规律,它告诉了我们两点:第一,中国古人是有自身的对语言组织规律的认识的,用这一规律同样可以达到执简驭繁这一语法研究的根本目的;第二,不用主动宾、名动形这些术语,不等于就是没有语法(如果我们给语法下的定义是"语言的组织规律"的话)。如果有什么全人类的"普遍语法",那它一定不是在主动宾等这一层次,而是在更高的层面。

汉语的组织规律确实有与印欧语很不相同的地方。要理解为什么刘勰的体系比现代语法学家的一些体系对汉语更有解释力,我们要从汉语使用的实际情况去看。从汉语的实践看,我们注意到,在汉语语句组织中至少有三种现象,是汉语以外的语言中少见的:

第一,"句限"不清。几乎所有人写文章都有过这样的经验,即不知道句号放在哪里好。有的人是一逗到底,一个段落完了才来一个句号;受过西方语言训练的人仿照英语句子来点句号,结果句子往往显得太密,读起来一顿一顿,很不自然;还有的老手点来似乎恰到好处,自己满意,别人看了也舒服,但却说不出这样标点的原因。实际上,汉语句子的点断,是跟着心中的节奏走的,汉语老到的人,根据意义的需要,在行文时跟着心中的节奏(古人叫"文气")走,该逗则逗,该句则句,舒展流畅,如行云流水。这种说法,从"现代语言学"的眼光来看,似乎太过"玄虚"。但汉语句子的"句限"不清,有很大的主观性,却是个不争的事实。同样一段话给十个人点,很可能会点成十个样子(请注意,这里讲的是现代汉语,不是古文标点),不管理论上对此怎么不满的人,他自己下笔写起文章来,照样句限不清。看来重要的不是急于对之进行否定,而是想法对这现象进行解释。

第二,容纳不了长句。西方语言的句子可长可短,严复(1898)说是少则两三个词便是一句,多则几百个词才是一句。虽然有时代风尚的不同,例如现代英语喜欢短句,维多利亚时代的人却爱用长句,甚至长到一页才一句,也不是不可能的事。但汉语的句子却造不长,稍微长了一点,譬如说超过了一行,就觉得"气"有点接不上,要赶快在中间找个什么地方加个逗号,歇一口气。这讲的是"读"。"句"也是如此,要是四五行了还没有一个句号,读文章的人也会觉得坐不住。这是什么原因呢?

第三,语序的灵活性。人们都说语序与虚词是汉语最重要的语法手段。但是语序与虚词在汉语中的作用体现在哪里呢?或者说,是怎么起作用的呢?老实说,这个问题是经不起推敲的。讲语序在汉语中最重要,无非是汉语的语序更固定,更机械(丁声树的《现代汉语语法讲话》就主张以语序来确定句子成分),但我们发现事实并非如此,汉语的语序并不比英语更固定,许多情况下甚至更灵活。笔者(潘文国 1997:270—271)曾经举过一个例子,同样一句话,在英语中只有一种说法是最好的,如:

A man was killed by a bus on ×× Road yesterday evening.

换一种说法就比较少见:

A bus killed a man on ×× Road yesterday evening.

再换一种就更不自然了:

Yesterday evening on ×× Road a man was killed by a bus.

但同样的话到了汉语中,却可以有许多说法:

昨晚××路上一个人被汽车轧死了。

××路上昨晚汽车轧死了一个人。

汽车昨晚在××路上轧死了一个人。

一个人昨晚在××路上被汽车轧死了。

如果我们把"昨晚""××路上""一个人""轧死""汽车"看作 a、b、c、d、e 五个板块,上面四例分别是 abced、baedc、eabdc、cabed 四种排列,我们还可再颠来倒去,排成 bacde、aebdc 等,除了语义重点不同外,哪一种也不见得比别的说法更正式、更标准。至于汉语虚词的丰富程度与英语不可同日而语,前面已经说过了。因此,与英语相比,汉语的语序和虚词根本算不上什么重要规律。那么,汉语的组织规律体现在哪里呢?

这三个现象告诉我们,对汉语语法(语言组织规律)的解释,到目前为止的西方语言学理论、西方语法学理论是不够的,必须另辟蹊径。赵元任(1968)通过主要是对汉语的研究,提出节奏与停顿是语法手段,实际上已经指出了这条新的途径,但没有引起足够的重视,至少还很少有人把它当作汉语主要语法规律来研究。其根本原因在于,在词本位的基础上,是不可能把节奏与停顿真正作为语法规律来研究的,因为汉语的词不可能作为节奏的基本或者起始的单位。只有在字本位的基础上,我们才有可能充分研究节奏和停顿在汉语语句组织中的核心作用。同时,对汉语来说,也只有节律的研究才能真正打通古代的"文法"(作文之法)和现代的"语法"(语言组织之法),改变那种古今汉语研究各自为战、而现代语法研究没有实用价值的局面。

因为,只有从节律出发,我们才能真正解释古代似乎很玄虚的"文气"说。"文气"是什么? 说穿了,就是节奏,就是人的呼吸造成的抑扬起伏。凡人类都有呼吸,因此"节奏"问题其实也是个语言共性问题。但是,"共性"不等于在各种语言中都平均分配,或者都有一样的表现形式;各语言对属于人类共有的东西吸取得有多有少,吸取的方法不同,这就形成了各自的"个性"。语言研究应该兼顾共性与个性,但必须更注意个性。

拿节奏来说,英语也有节奏,而且也十分重要。英语节奏的基本单位,以前一般叫"意群"(Sense Group)、"呼吸群"(Breath Group),现在倾向于叫"语调单位"(Tone Unit)(参见 Crystal 1969:204—205)。"呼吸群"的名称使我们想到,节奏确实是语言组织适应呼吸的结果。从韵律的角度看,英语的组织也可以说成是"积意群以成句",每个句子都可以分解为几个意群,在朗读时这种感觉分外明显,写得地道的英语句子,意群分配得好,朗读起来是一种享受。但是英语的"积意群以成句",与汉语的"积顿以成句"在重要性上并不一样。英语句子的首要规律不是"积意群",而是形态,或者具体地说是"主谓一致"原则;"意群"是句子的下位划分,是在句子内部的韵律调节。从某种角度看,英语的句法和节律走的是"双轨制";而汉语的"积顿以成句"是汉语句子组织的首要规律,因为没有临驾在它之上的什么更重要的句法规则,汉语的"积顿以成句",和在语义的基础上组句,走的是"一线制"(就是我们讲的音义互动)。

有一点是英语的意群和汉语的顿相似的,即由于呼吸的关系,每个顿或意群的长度是有一定限制的,大致来说,一个顿或一个意群就是一口气发出的音节。英语的每个意群一般只包含两到三个重音,由于每个意群后都有潜在的停顿,因此英语句子再长,读起来也不会吃力。它的句子就完全可按语法的要求来组织。汉语的顿,在诗歌中,每句的理想长度是四拍,散行可能会允许多一些,但估计也多不到哪里去,因为太长的"读"汉语会感到受不了,这个"受不了",其实就是呼吸接不上。这是汉语的"短句"特别多的原因。如果不考虑这一点,光凭语义,甚至光凭从西方引进的周密的语法来组织句子,造出的句子就会拗断人的嗓子。在长句中,汉语尤其难以容忍的是长主语和长定语,从节律的角度看,就是因为汉语在主语结束前一般不允许有停顿(赵元任指出过汉语在主语后有一个潜在的停顿,可见在主语之前理论上是不应该有停顿的,见赵元任1968;又按传统句读理论,主语后往往是第一个"读"之所在,此前也不可能有停顿);而定语作为修饰语要紧贴中心语,与之联在一起,也不可能因停顿而搞得支离破碎。批评文言文的人往往讲文言是"目治"的语言,白话文才是口说的语言,但很多文言散文读起来抑扬顿挫,声韵铿锵,一些蹩脚的白话文,特别是深受西洋句法影响的欧化文却上不了口。其原因何在呢?岂不是以字为本位的文言反而注意到了语言的音义结合的本质,而以词为本位的欧化文反而忘掉了这一基本原理,把白话文变成了目治的语言?

汉语章句组织中的节律因素,还有一点可以提及的,就是骈偶的问题,也就是刘勰所谓的"支体必双"。这说明汉语的组织与呼吸的配合更紧密:一呼一吸就是"双",再呼再吸就是"四",所谓汉语组织中追求的"四平八稳",其实就是节律调整的结果。

上面讲的也许有点抽象,下面我们举个翻译的例子来说明。

Rocket research has confirmed a strange fact which had already been suspected there is a "high temperature belt" in the atmosphere with its center roughly thirty miles above the ground.

译文一:用火箭进行研究已证实了人们早就有过怀疑的大气层的一个中心在距地面约30英里高空的"高温带"的这种奇怪的事实。

译文二:人们早就怀疑,大气层中有一个高温带,其中心在距地面约 30 英里的高空。利用火箭进行研究后,这一奇异的事已得到证实。

原文是一句,中间没有停顿,译文一也是如此,语法上正确无误,语义上字字对应,语用上也是目前科技翻译论著中并不罕见的。译文二译成了两个句或五个"读",中间有四个停顿,与原文已不对应;语法上前一句"应该"进一步断成两句(因为从"其……"开始主语变了),而后一句从理论上说是"病句"(因为主句的主语"事"不可能做前一分句中动词"进行研究"的主语)。然而人人都会同意,译文二符合汉族人的语感,而译文一是个"翻译腔"极重的句子,根本无法卒读。其原因就在于译文二符合"积顿以成句"的音义互动组织句子规律,而译文一只符合西方语言的"语法"。

这个例子从深层去看,会提出更发人深省的问题:究竟什么是语法?音义互动究竟应看作是修辞现象还是语法规律?如果我们承认"翻译腔"符合西方语言的语法而不符合汉语的语法,这个问题的解决就要顺畅得多。这也正是我们提出音义互动律是汉语最重要的组织规律的根本原因所在。

四 音义互动律对一些汉语现象的解释

运用音义互动理论,我们可以对汉语中很多习焉不察的现象作出解释。这里试举一些例子。

1. "双音化"

几十年来,有许多人在谈论汉语词汇的所谓"双音化"的规律问题。我们认为,汉语双音词的增多是一个事实,但"双音化"不是一个规律。真正的规律是单双音节的配合使用。"双音化"是这条规律的结果,而不是原因。更重要的是,"双音词"由于其相对凝固性,可以收入辞典等工具书,但绝不能认为在使用中也必须定型。在使用中,单音词也好,双音词也好,服从的仍然只是单双音节调配的规律,双音词重新拆单使用可说是非常正常的现象。另外,从意义上不能解释为什么是"双音化"而不是多音化,因为随着时代发展、意义愈趋精密复杂,其合理推论应该是多音词不断增多,但汉语却总是设法控制在双音以内。可见音义互动律对于汉语之重要。

2. 离合词

与"双音化"有关的是汉语中所谓的"离合词",这是近一二十年汉语研究的又一热点。人们正确地指出了这是汉语中一个特殊的现象,但这现象用现行的词汇、语法学说来解释是颇为勉强的,甚至"离合词"这个名称都有问题:一种语言里的词应该有相对的稳定性,如果"合"着是词,"离"了也是词,那词还有什么稳定性可言?而从上面我们对"双音化"的分析可知,"双音化"本来就不是什么规律,"离合词"也未必是词,它们都是在音义互动过程中产生的一些阶段性结果。由于音义互动的基本表现之一是单双音节的调配,因而双音词的拆单使用,和离合词的或离或合都是汉语中极为正常的现象。就好像汉语的"词"和"语"永远难以划清界线一样,"离合词"也永远不可能编出一部完备的词典。现在有许多人在作这样的尝试,搜集了许多这样的事例,汇编成书,但我们希望编写者和使用者都有这样的认识,即这种工作是不可能穷尽的,也没有必要穷尽;尤其不能用僵化的、固定的模式去看待这样编出来的词典,认为就是这些词是离合词,必须死记硬背了才会运用。其实,了解了这不过是汉语语言组织规律的反映,人人都可以在一定条件下大胆地使用,根本不必依赖什么词典。

3. 成语

提起成语,很多人马上会联想起两样东西,一是这必定是在古书上出现过的,二是四字的整齐形式,而且其组成部分是定型的,不能随意更改的。《辞源》上对"成语"的定义就是这样下的:"习用的古语,以及表示完整意思的定型词组或短句。"(《辞源》第二册,1186页)但这个定义经不起推敲,很多问题由此而生。例如,(1)"古语",那"今语"算不算?"鼓足干劲"、"力争上游"、"百花齐放"、"百家争鸣"是不是成语?(2)什么叫"习用",使用到多大比例才叫"习用"?对此理解不一,就造成了各种成语词典收条不一的情况。(3)什么叫"表示完整意思"?在语法中,"表示完整意思"的起码是句子,成语中如"愚公移山"、"精卫填海"也许符合这个要求,但绝大多数成语只相当于一般说的一个词,如"克勤克俭""井底之蛙"等。(4)"定型",但我们又知道,"成语的活用",是成语使用中的一个常见现象。我们提出以上这些疑问,目的不在于否定这个定义,而是想透过它来探讨汉语成语的真正性质。事实上,成语不一定非要古书上出现过的,不一定非要经过"习用"的阶段(试问第一个使用者用的叫什么?),不一定非常"定型",不一定是短句,也不一定是四个字。上述定义中剩下的,只有个"词组"。问题在于,这是个什么样的词组呢?凭直感,我们觉得汉语的成语与英语的所谓"idiom"或"proverb"不一样,其不一样又在哪里呢?如果运用音义互动的理论,就可以知道,成语是在"因字而生句(读),积句(读)而成章(句)"的过程中形成的,实际上是一"读",是语音停顿的产物,正因为如此,它与音节、节奏有密切关系,这是它常用四音节形式的主要原因。而成语之"成",其实是"现成",在组语造句过程中,运用一个现成的说法或格式(后者是成语"活用"或"新创"的基础),往往可以收到言简意赅的效果。由于"因字而生句(读),积句(读)而成章(句)"的造句过程只发生在没有形态的汉语里,在依靠形态造句的英语里不可能有,因此我们找不到汉语成语在其他语言中的对等物。

4. "说文解字"式的释义方式

打开任何一本汉语词典,我们都可能发现一种在别的语言里不大可能有的释义方式,即"说文解字"式。一个双音词,可以通过分别解释其组成部分的意义变成一个四字词组。更有意思的是,这个四字词组中的两个组成部分还可用此法进一步转相引申,从而形成一个有趣的序列(有时会回到出发点,成为一个循环圈)。例如:"骄横——骄傲专横,专横——专断强横,强横——强硬蛮横";"娇柔——娇媚温柔,温柔——温和柔顺,柔顺——温柔和顺";等等。这种拆二为四、拆四为八的过程可以一直进行下去;反过来,我们也可把汉语的双音词看作是四音词组的浓缩。可见前文郭绍虞提到的一些现象在现代汉语中同样存在。复合词与词组之间的这种弹性是非常中国式的,同样以复合词丰富著称的语言如德语,就不可能有这种弹性的方式;反过来,汉语也无法容忍德语中那种长长的,甚至长达一行的复合词。任何根据意义需要组合的词语一超过四个音节,只要有可能,在使用时几乎肯定会缩略成两个音节。在这种情况下,双音词中的一个组成部分与其说是代表了一个"语素",不如说是代表了另一个词或者更大的成分(例如"政协"的"协"代表的是"协商会议",而"协商会议"不可能是"协"这个"语素"的意义)。

5. 四音组合的重要性

四音组合在汉语中的重要性在固定结构中表现得最明显,汉语中存在着大量凝固的四音节结构,有的是成语,有的是不是成语很难说,例如"颠三倒四、横七竖八、糊里糊涂、乱七八糟"等;还有一些从临时组合到日趋固定,如中共中央拟作为三个干部教育培训基地的办学方针是如下 20 个字:"艰苦奋斗、执政为民、与时俱进、开拓创新、实事求是";中国申博过程中催生的"申博精神"主要表现为:"胸怀祖国、不负使命"的信念;"万众一心、顽强拼搏"的作风;"顾全大局、团结协作"的风格;"精益求精、追求卓越"的品质;"自信从容、博采众长"的风范。这中间很多并非成语,但无一例外用了四字形式。对于这些结构究竟是看作词还是短语是有不同看法的,用过的一些称呼有"固定词组、固定短语、固定结构、四字词组、四字短语、四字格、四字语"等等。之所以会有这种种说法,原因就在于对这种结构的性质没有把握。从用法上看吧,好像是一个词;但从结构上看,却又比通常理解的词复杂得多。例如"天高地厚、花好月圆"就像并列的复句,"亡羊补牢、人云亦云"像偏正复句,而"优哉游哉"只能算是词,"逃之夭夭"简直说不上是什么。而从汉族人的语感看,正如吕叔湘所说,双音节的多少像"词",四音节的多少像短语。

我们觉得这个问题固然可以从结构上去看,从语义上去看,但更重要的恐怕还是从音义互动的角度去看。前面我们已经看到,汉语的构词造语,不完全是出于意义上的需要,有的时候,甚至可说更多的时候,节律上的考虑更加重要。双音节、三音节、四音节都是如此。汉语的所谓"词"、"语"(成语、惯用语),其构成与西方语言很少共同之处,大多是在使用过程中凝固而成的,是"积字成读"的结果。只要翻看一下《辞源》,就可见此言不虚。同样的"读",用的人多了,就慢慢固定了,其中最多的是双音节和四音节,前者就被看作"词",后者就被看作"语"。用现代的语法术语去分析,会把这些"词"、"语"搞得非常复杂。

但四音组合的重要性不仅在此,还在于它在整个汉语组织中的枢纽地位。

第一,如果说双音节是汉语节奏的基本单位,那么四音节可以说是汉语节奏运行的最简单形式。我们不妨回顾一下近体诗与骈文的格律。近体诗的例子如:(一表平声,丨表仄声,加点的表示节奏点)

无边落木萧萧下,一 一̣ 丨 丨̣ 一 一̣ 丨
不尽长江滚滚来。丨 丨̣ 一 一̣ 丨 丨̣ 一

骈文的例子如:

关山难越,谁悲失路之人;一 一̣ 丨 丨̣ ,一 一̣ 丨 丨̣ 一
萍水相逢,尽是他乡之客。丨 丨̣ 一 一̣ ,丨 丨̣ 一 一̣ 丨

我们看到,它们并不是以一个单音节的声调作为基本单位去进行变化的,而是以一对双音作为基本单位去变化。这就与西方诗律以单音节为单位、以轻重或长短音节的交替去变化的情况不同。以双音为单位,最简单的变化当然就是一 一 丨 丨 或 丨 丨̣ 一 一 这种四字形式了。这种形式使人感到一种满足与稳定。

有人认为这种情况只存在于古诗文里,现代汉语并不如此。这种看法恐怕是简单化的。一种语言的"动力特点"(dynamic features,萨丕尔语,见 Sapir 1921:230)是不会轻易改变的。白话文与文言文固然在形式上已经有了很大区别(与骈文这种人为的文体相差更大),但即使在今天,四字结构仍是汉语最稳定的形式,特别是一句话的结尾,如果是四字结构,就给人一种稳定感;否则就给人一种不稳定感。我们把这个叫做"尾重心原则"。这可以说是现代汉语造句作文的秘诀之一。近年来,有些搞翻译的人竭力反对在译文中用四字格,认为用多了会使译文不像译文;这固然有一定道理,但是如果不懂得用四字格和四字尾,就会使中文不像中文。两者相比较,恐怕译文首先应该像中文,其次才是像译文,因此四字结构的重要性是不待言的。

第二,汉语以单音节的"字"为本位,带来的在语言组织上的另一个特点是对偶性(Parallelism)。双音节、三音节中已经有了对偶性(双音节的并列式其实就具有对偶性),但因为双音节本身只有一个节拍,三音节只存在在 2+1 的前一个节拍内部,也只是一个节拍,因而都引不起变化("东方红,太阳升"是在"读"以上的层面,而且有了六个音节)。只有四音节才是体现对偶性的最小最合适形式。对偶性是汉语节律的又一种表现形式,其中也是节律的需要胜过语义的需要。

第三,汉语的组织规律,四音节是条界线,语义组合、音节调整,以及音韵配合,都已得到了丰富的体现。古代语文教学教对对子,只到四字为止,以后的千变万化,不论多长的句子,都可以分解成双、三、四音节等的组合,再进行分析。对对子就是古代的语法教学,张志公先生说:"总起来看,属对练习是一种不讲语法理论而实际上相当严密的语法训练。"(张志公 1992:100)这是真正的执简驭繁。语法研究的根本目的是为了执简驭繁,如果说学习英语,可以从掌握七个基本句型着手的话;学习汉语,就可以从掌握四字结构的变化着手。现代汉语中长的语词、长的句子更多了,但其语言组织规律的基础还是如此。

五　要重视书面语语法的研究

前面我们说到,音义互动律的动因源于口语和书面语的矛盾。那么接下来的问题便是,这条规律究竟是属于口语的,还是属于书面语的? 这个问题恐怕很难回答。对于汉语这样一种既有成熟的口语、又有成熟的书面语的语言,这实际上已是个先有鸡还是先有蛋的问题。在书面语中,我们既能看到上古文献中便有"满招损,谦受益"、"昔我往矣,杨柳依依;今我来思,雨雪霏霏"这样的"千古对句之祖";在口语中,我们也能听到现代农村中一字不识的老太太也满口掉文,甚至说出"鉴貌辨色"这种一般大学生也未必能懂的大量的四字格。从刘勰说的"造物赋形,支体必双"、"奇偶适变,不劳经营"(周振甫1986:314)来看,他认为这种能力甚至是天赋的。但对于我们今天来说,恐怕更应重视的是书面语语法的研究以及它对口语语法的影响。

我们这样主张的原因有三条:

1. 比起口语来,书面语的语法更复杂;而且,语法的复杂化,往往是从书面开始,而流向于口语的。

这是美国语言学家佩伊的观点,而我们认为他说的是对的。佩伊说:"与文化程度高的相比,普通人的语法是最初步的;口语的句法通常不如书面语复杂。句法最终弄得这么复杂,是政治家、文学家、科学家需要精密的语言学上的区别来表达他们复杂的思想。当西塞罗和维吉尔在炮制他们那些转弯抹角的演说词和诗歌的时候,罗马大街上的老百姓恐怕说的是最简单的短句,不会用那些复杂的修饰语和冗长的从句。因而与音系和词法不同,在句法上更需要区别常识低的与学识高的、口语的和文学的。我们现在从拉丁语和英语语法中学来的那些复杂的句法并不是日常用的,而是书面上的、读书人用的,乃至诗歌上的。"(Pei 1965:141)汉语在历史发展过程中形成的这种音义互动律,最初可能是从自然的口语影响到书面语的,但后来书面语经过了穷凶极恶的发展,以至形成了四言、五言、七言各种诗体,辞赋、骈文、词曲、对联、八股这些汉语独特的文体,以及双音词、四字语这些独特的语言建筑材料,对口语组织的影响绝对不可小看。

2. 从实际的情况看,是书面语对口语的影响大于口语对书面语的影响。

这是当代著名学者张中行的观点,而我们也认为,他说的是对的。张中行先生曾经分析过现代汉语书面语不可能同口语一致的几个原因:①口和笔的不同。"口散漫,笔严密,口冗杂,笔简练,口率直,笔委曲,出于口的内容大多是家常的,出于笔的内容常常是专门的"。②执笔为文常经过修改或修润,"事实上总是越求好,文的气味越重"。③作文的人学文而不学语。"执笔为文,总是通文的人。通文,旧时代的,脑子里装满庄、骚、史、汉,新时代的,脑子里装满鲁迅、巴金,自己拿起笔,自然就不知不觉,甚至心摹手追"。④口语的地域、年岁、阶层等造成的方言土语的不同,"学用官话或普通话写,许多人是只能通过书面语……上者是鲁迅、朱自清等,下者是书刊上的流行文字"。⑤欧化句法本来不是口语所有。"执笔为文,表现新时代的新意,就不知不觉也会欧化,或不能不欧化"。⑥还有故意远离的。"有些人似乎坚信,既然是文,就不能不远离口语"。(张中行1988:167—170)一些"现代语言学"家把口语和书面语的关系想得过于简单,好像书面语只是口语的记录,仅此而已。而我们认为,口语诚然是第一性的,书面语来自于口语;但书面语一旦形成,就有了自身的发展规律,并不始终与口语的发展同步,甚至可说往往是不同步的。口语与书面语的分离,可说是各种语言的共同现象,只是程度不同而已。在一种成熟的、有悠久历史与文化的语言里,书面语与口语之间,是一种你中有我、我中有你、彼此渗透、彼此影响的错综复杂的关系。而且这种相互影响,比较起来,还是书面语影响口语的成分多一些。

3. 20世纪以来的"现代语言学"轻视书面语的偏见,已经影响了语言研究的深入。

这是英国当代著名语言学家、《剑桥语言百科全书》的编者克利斯托尔教授指出的,而我们也认为他说的是对的。克利斯托尔说:"从科学的角度看,我们对书面语的了解远不如我们对口语的了解,这主要是由于20世纪语言学对口语研究的偏向造成的。这种偏向直到最近才开始得到纠正。"(Crystal 1997:179)应该承认,20世纪以前,世界各国的语言研究,重点都在书面语上,忽视了口语,这是个不好的偏向;而在20世纪初"现代语言学"诞生之后,语言研究又一窝蜂地拥向了口语,书面语受到了极度的冷落,以至有人觉得似乎从事书面语的研究,就不能算语言学的研究似的。这是另一个不好的偏向。极度冷落书面语的结果是,在结构主义时期,人们只对没有文字,甚至濒临死亡的语言感兴趣;而在生成语言学时期,人们只想从身边几个最简单的例子入手,来"解释"全人类的语言。如果说20世纪以前的偏见造成的后果是规定主义、墨守陈规,则20世纪新的偏向带来的后果是不重视语言实践,以及全球性的阅读能力和写作能力的下降,在对书面语依赖比较严重的语言如汉语里,这种情况更加严重。幸而如克里斯托尔指出的,近一二十年以来,人们已经注意到了这一点,而且正在纠正这种偏向。可以期待今后的语言研究与教育将在这两者之间取得更好的平衡。

参考文献

冯胜利 (1997)《汉语的韵律、词法和句法》,北京大学出版社,北京。
—— (2000)《汉语韵律句法学》,上海教育出版社,上海。
郭绍虞 (1938/1985) 中国语词之弹性作用,郭绍虞《照隅室语言文字论集》,上海古籍出版社,73—111页,上海。
—— (1978/1985) 汉语词组对汉语语法研究的重要性,郭绍虞《照隅室语言文字论集》,上海古籍出版社,327—336页,上海。
—— (1979)《汉语语法修辞新探》,商务印书馆,北京。
吕叔湘 (1963/1984) 现代汉语单双音节问题初探,吕叔湘《汉语语法论文集》(增订本),商务印书馆,415—444页,北京。

潘文国（1997）《汉英语对比纲要》，北京语言文化大学出版社，北京。
———（2001）语言的定义，《华东师范大学学报》第 1 期，97—108 页，上海。
———（2002）《字本位与汉语研究》，华东师范大学出版社，上海。
吴洁敏、朱宏达（2001）《汉语节律学》，语文出版社，北京。
叶　军（2001）《汉语语句韵律的语法功能》，华东师范大学出版社，上海。
张志公（1992）《传统语文教育教材论》，上海教育出版社，上海。
张中行（1988）《文言和白话》，黑龙江人民出版社，哈尔滨。
赵元任（1975/1992）汉语词的概念及其结构和节奏，袁毓林主编《中国现代语言学的开拓和发展——赵元任语言学论文集》，清华大学出版社，231—248 页，北京。
周振甫（1988）《文心雕龙今译》，中华书局，北京。

Chao, Yuen Ren (1968) *A Grammar of Spoken Chinese*, Berkley, California: University of California Press.

Crystal, David (1969) *Prosodic Systems and Intonation in English*, Cambridge: Cambridge University Press.

——— (1997) *The Cambridge Encyclopedia of Language*, 2nd edition, Cambridge: Cambridge University Press.

Cruse, Alan (2000) *Meaning in Language: An Introduction to Semantics and Pragmatics*, Oxford: Oxford University Press.

Pei, Mario (1965) *The Story of Language*, New York and Scarborough, Ontario: Meridian.

Sapir, Edward (1921) *Language, An Introduction to the Study of Speech*, New York: Harcourt, Brace & World, Inc.

Sweet, Henry (1899) *The Practical Study of Languages*. London: Oxford University Press, 1964.

(200062　上海，华东师范大学对外汉语学院
E-mail: wgpan@ hanyu. ecnu. edu. cn)

汉语语义范畴的层级结构和构词的语义问题[*]

叶文曦

提要 以往的汉语构词研究偏重于语法角度,本文从语义角度研究汉语的并列式和偏正式两种构词方式,强调语义构词的系统性,结合汉语基本结构单位"字"的功能特性,提出汉语语义范畴的层级结构模式,把汉语的语义范畴分为"基本级"、"抽象级"和"具体级"等三个级别,并在此基础上讨论确定并列式的标准及其内部的语义组配条件。

关键词 语义范畴　层级结构　构词

一　汉语并列式构词研究和语义构词的系统性

关于并列式复合词的研究,以往的研究以陆志韦(1957)和赵元任(1968)为代表。陆(1957)专辟一章论述"并列格",角度虽是语法的,但参考了语义,陆认为:"构词法上,一个词的前后两部分的并列关系相当于造句法上两个词或词组的并列关系。造句的并列形式得凭意义来认识。"关于汉语并列式的特点,陆认为:"至少可以说,汉语的并列词的绝大多数只包含两个成分,并列词的多而内容复杂,实在是汉语构词法的一个特征。从又一方面说,两个单音成分假若真是并列起来的,差不多可以保证这结构是一个词。"不过陆关心的中心问题是"两个并列的成分合起来,究竟是不是词",从语义的角度看,陆的经典研究可供今天的语义构词研究参考的有以下几点:

---

[*] 本文的主要内容曾在1999年7月北京大学中文系的一次语言学讨论会上报告过,承蒙陆俭明、王洪君、白硕、沈阳、郭锐、詹卫东等先生提出重要的评论意见,在此谨致谢意。

(一)并列格和偏正格、后补格一般容易或需要凭意义区别开来,但是在动词性结构上,三者的区分有疑难。(二)陆留意了一种重要情形:"凡是甲:乙的结构,甲能联上好些乙,因而甲和乙能交叉替代的,在现代汉语绝无仅有。……一看就知道甲和乙的联系都是语言上的遗产,跟一般的造句格绝不相同"。(三)从并列复合词的构成成分的能否独立看,可分三种情况,即有一个成分不能独立,两个成分都不能独立,两个成分都能独立。与此相关的是,"甲和乙在意义上的关系有的比较紧凑,有的比较稀松"。(四)三个字以上的列举事物的并列格和构词格分别明显。(五)讨论了并列四字格。

赵元任(1968)参考陆志韦的研究,认为"并列复合词是它的直接成分有并列关系的结构。除去少数例外,它跟并列词组不同的地方是不能颠倒词序,跟主从复合词不同的地方,是每一个成分都是一个中心,而主从复合词只有第二个成分才是中心"。赵分别从语法和语义两个角度论述并列复合词,赵"从意义看并列复合词的成分"把并列式区分为以下(1)中 a、b、c 类,另外赵还列出了以下(1)中 d 类"聚合词":

(1) a. 同义复合词(成分是同义词的复合词):清楚、艰难、告示、声音、意思、多余

b. 反义复合词:大小、长短、高低、高矮、厚薄、粗细、软硬、冷热、咸淡、浓淡

c. 并联关系复合词(并联复合词的成分在文法上很相似,可以看成并列式,不是同义也不是反义):山水、风水、手脚、薪水、钱粮、板眼、皮毛、风雨

d. 聚合词:春夏秋冬、士农工商、东南西北、酒色财气、亭台楼阁、加减乘除、声光化电、金银铜铁锡、金木水火土、天地君亲师、唐宋元明清、甲乙丙丁戊己庚辛壬癸

在 1996 年(叶文曦 1996)的研究中,我们用"一个意义 = 一个特征×一个义类"这样的语义编码公式来解释汉语单字格局和双字格局的语义构造,考察了核心字,对两个格局语义上的一致性和承继性

以及传统构词名目所概括的各种二字组构词现象作出了统一的说明,在这项研究中,考察的重点是偏正式,虽然我们把并列式和偏正式一起纳入"核心字"框架,用"互注"说来解释并列式的语义结构,但是还不清楚并列式和偏正式在汉语语义构词体系中处于怎样的相互关系之中,也不清楚到底是怎样的语义结构机制在起作用。因此我们猜测还有与语义编码公式相关的更基本的语义机制在起作用。针对并列式构词,至少有以下几个重要问题需要解释:(一)并列式构词的语义功能是什么?它和偏正式构词的语义功能有什么区别和联系?它在汉语语义结构中处于怎样的地位?(二)确定并列式的标准是什么?并列式内部字与字组配的语义条件是什么?(三)为什么相对印欧语,汉语有特别多的并列式构词现象?

已有的语法构词理论和语义理论无法对上述问题作出满意的解释,需要作一些新的理论探索。

二 汉语语义范畴层级结构和三级语义范畴

就复合构词的研究方法而言,以往的研究主要是语法的,对语义的考虑是零散的,不成系统,这是以往研究的薄弱之处。其实,从语法角度看无关联或不成系统的现象,从语义角度看则是有关联或成系统的。语言中的构词现象是语言对现实进行语义编码的重要反映,对其中语义机制的探讨可以从语义对现实的范畴化这一基本理论问题及相关事实入手。具体到汉语,我们注意到,由同一个字参与构成的偏正式和并列式在语义上存在着的差异和关联,单字、并列二字组和偏正二字组各自既表达不同性质的语义范畴,又互相关联构成一个系统。例如下列(2)中的这样简单而常见的事实:

(2) a. 店:书店、粮店、饭店、鞋店
　　b. 铺:饭铺、肉铺、药铺、当铺
　　c. 店+铺→店铺:泛指商店。

上述事实引导我们去考察并列组配成立背后的语义系统机制以及与此相配的汉语单位,需要讨论在汉语语义范畴化过程中单字、并列式和偏正式各自起的不同作用。

关于范畴化和范畴层级的一般理论,中国先秦名学有墨子和荀子的理论;西方的理论,古典的有亚里士多德(Aristotle)的理论,现代的有维特根斯坦(Wittgenstein)和罗什(Rosch)的理论。古典理论不重视事物分类层级(taxonomic hierarchy)中的中级,而罗什的范畴化原型理论(Rosch & Mervis 1996:442—460;Lakoff 1987:46—47)提出基本层次范畴,认为在认知心理上人类概念层级中最重要的不是较高层的范畴如"动物、家具",也不是较低层范畴的如"拾猎、摇椅",而是位置居中的范畴如"狗、椅子",由于这个层次的范畴在人类认知中的基本地位,它们被称作基本层次范畴(basic-level categories)。罗什的范畴层级框架可以表示为:

(3) <u>TAXONOMIC HIERARCHY</u>(分类层级)
    SUPERORDINATE(上位级)
    BASIC LEVEL(基本级)
    SUBORDINATE(下位级)
    <u>EXAMPLE</u>(实例)
    ANIMAL(动物)   FURNITURE(家具)
    DOG(狗)   CHAIR(椅子)
    RETRIEVER(拾猎)   ROCKER(摇椅)

罗什是从认知心理学的角度来研究范畴的性质的,这种理论可供我们研究语言语义范畴参考。在语义学领域里,在研究方法上我们主张和语言单位结合起来以确定语义范畴及其层级。这里需要把语义特征和语义范畴区别开来,以"马"字为例,汉语的一个单字具有以下几种基本语义功能:(一)单字词,表示语义范畴;(二)做偏正式复合词的后字,表示语义范畴;(三)做偏正式复合词的前字,不表语义范畴,只表语义特征;(四)参与并列式复合构词,和其他字一起表示一个抽象级语义范畴;(五)其他。在汉语中利用字和字组我们

可以很自然地把汉语的语义范畴层级结构确定为以下(4):

(4) 汉语语义范畴的层级结构和语形实现

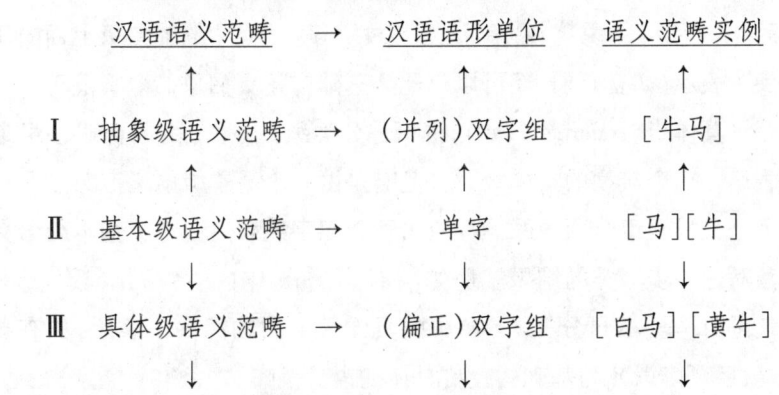

汉语语义范畴	→	汉语语形单位	语义范畴实例
↑		↑	↑
Ⅰ 抽象级语义范畴	→	(并列)双字组	[牛马]
↑		↑	↑
Ⅱ 基本级语义范畴	→	单字	[马][牛]
↓		↓	↓
Ⅲ 具体级语义范畴	→	(偏正)双字组	[白马][黄牛]
↓		↓	↓

上述框架中的三种语义范畴就是三种自然的语义单位,我们用方括号[ ]表示这种理论上的语义范畴或语义单位,例如[马]、[白马]和[牛马]等。

基本级(basic level),也可称原级,语形上由单字来表达,(4)中用→表示,其他两个层级的语形实现也如此表示,后面不再赘述。基本级是汉语语义层级结构中的最重要的一级。这一级的识别问题我们可以根据单字及相关双字组等语形来加以判别,一般说来,在现代汉语中常常单用,并且能参与构成多个偏正式和并列式双字组的单字表示的就是一个典型的基本级语义范畴,例如[马]、[山]、[走]、[笑]、[新]、[美]。不同的基本级语义范畴有重要和次要之分,越常单用,参与构成的字组越多,则该范畴越重要,反之,则比较次要。这也表明,同是单字,语义功能的强弱是不均衡的。(4)中基本级上面的箭头↑表示基本级语义范畴参与构建抽象级语义范畴,下面的箭头↓表示基本级语义范畴参与构建具体级语义范畴,语形单位"单字"、"并列双字组"和"偏正双字组"之间的关系及表示与此平行,后面不再赘述。

抽象级(abstract level),也可称集合级,语形上由并列双字组来表达。一个典型的抽象级语义范畴是由两个基本级语义范畴平列组合而成的,它的指称范围不仅涵盖参与组构的基本级范畴,而且在整体语义上具有抽象性,从这个意义上说,参与组构的两个基本级语义范畴表示的是抽象级语义范畴中的两个"原型",例如[牛马]、[山河]、[行走]、[说笑]、[新旧]、[美好]等。(4)中的抽象级上面的箭头↑表示,如有必要,还可以以此为基础构建更抽象的语义范畴。

具体级(concrete level),也可称分类级,语形上由偏正双字组来表达。一个典型的具体级语义范畴是由一个基本级语义范畴加上一个语义特征组合而成。现有的偏正双字组表达了一个基本级语义范畴进一步分类的结果。例如[白马]、[战马]、[劣马]、[野马]等就是对[马]的再分类。(4)中的具体级下面的箭头↓表示,如有必要,还可以以此为基础构建更具体的语义范畴。

那么为什么汉语用单字表示基本级范畴呢?按照罗什等学者的理论(Rosch & Mervis 1996:451—452;Lakoff 1987:46—47;张敏 1998:59—61),基本层次范畴之所以"基本",有以下四个方面的原因:(一)感知方面,在这个层次上的范畴成员具有感知上相似的整体外形,能形成反映整个类别的单个心灵意象,人们能够最快地辨认其类属。(二)功能方面,它是人们能运用相似的运动行为跟范畴各成员互动的最高层次。(三)言语交际方面,这个层次上的范畴往往用较短、较简单、比较常用、独立于特定语境、比较中性的语词表达,这些语词较早进入词库,也是儿童在语言习得时掌握得最早的。(四)知识组织方面,人类的大部分知识都是在这个层次上组织起来的。

在汉语系统中,常用单字最符合上述四个条件,最适宜用来表示基本级语义范畴。而基本语义范畴在汉语语义系统中有两个重要作用:(一)表示重要的、常用的、基本的语义;(二)能够以其为基础派生出其他的语义。反过来说,汉语很少用双字表示基本语义范畴,这跟汉语形式的长度和经济性有关。同一个基本级语义范畴可参与构建多个抽象级和具体级语义范畴。汉语如何解决字的多义性问题呢?上述语义范畴层级结构犹如一个语义校准器,进入则字义确定,汉语"字"的意义通过组配确定。

(4)和(3)貌似相同,其实存在着深刻差异。(4)和(3)之间的差异首先可以归因于汉语和印欧语在语言基本结构单位和语言结构上的分歧,汉语的"字"不同于印欧语的 word(词)。在语义范畴层级结构这一领域内,汉语围绕基本结构单位"字"建立语义系统,语形的自然关联映照语义的自然关联,而印欧语的基本结构单位 word(词)不具备这样的关联,围绕 word(词)建立的语形关联的价值表现在别的领域中,这里就不赘述了。

(4)和(3)之间的差异还表现在语言语义知识和百科知识之间的差别。语言语义知识是指和语言单位、语言结构相关联的语义知识。从框架(3)的角度看,汉语中像"家具、餐具"等可以表示较上位的语义范畴,而在(4)中,它们都表示具体级语义范畴(相应的基本级和抽象级范畴分别由"具"和"器具"表达),"桌椅、碗筷"却可以表示抽象级语义范畴。这反映的是语言语义知识和百科知识之间的差别,汉语的语义范畴层级结构对语义知识的表达具有一定的制约性。从这个角度看,以往语义分析中谈论较多的所谓"事物分类层级"以及前面的框架(3)虽然和语言语义知识密切相关,其实都偏重于从百科知识的角度进行分类。中国先秦名学中的"大别名"、"大共名"以及《尔雅》中"亲、宫、器、乐、天、地、丘、山、草、木、虫、鱼、鸟、兽、畜"等名目也都是百科分类。语言语义分类和百科分类都对语义分析有帮助,但各有各的价值和适用范围。

在早期的较纯粹的古汉语单字格局中,单字表示的只是具体级语义范畴,基本级和抽象级都是隐含的,都不能用单字表示。后来随着社会文明的进步与思维的精密化和抽象化,基本级和抽象级逐渐外显化,由单字或双字组等语形来表示。我们认为,语言语义发展和思维水平发展同步,三级语义范畴产生的历时次序是:具体级→基本级→抽象级。在汉语史上,先秦是汉语发展的重要阶段,基本级开始大规模外显化,由单字来表示,因此在先秦名学中有关于基本级语义范畴[马]的深入讨论。双音复合词大量产生也始于先秦,抽象级语义范畴也开始外显化的进程。这个时期汉语处于剧烈变化当中,多层次语言现象相互混杂。同是单字,语义功能可以有很大的差异。很多单字最初只能表示具体级语义范畴,"马"字也如此,按照《周礼·夏官》里的记载,"马"字本来表示"六尺以上的马","马八尺以上为龙,七尺以上为骒,六尺以上为马",这句话里"马"字同时表示具体级和基本级语义范畴,前一个"马"表示基本级语义范畴,后一个"马"表示具体级语义范畴。这是单字语义功能发展中的过渡现象。"马"字的语义功能发展的时间层次应该是:(一)先表示具体级;(二)在表示具体级的同时,兼表基本级;(三)主要用来表示基本级,可以单用,或做偏正二字组的后字或前字,例如"良马、马力",参与构建抽象级语义范畴,例如"牛马、车马"。

从古代汉语向现代汉语发展,三级语义范畴在历时演变过程中可以随相关语形变化及功能的扩大和萎缩而上下浮动,这种动态演变的趋向在语义范畴层级结构中有以下几个主要表现:(一)许多表基本级的单字例如"马"可向上走也可向下走,组词能力最强,也因此在现代汉语中的字频最高。有些表基本级但意义较抽象的单字如"禽、兽、器、具"等虽然可以往上走构成如"牲畜、器具、禽兽"等,也可以向下走,构成如"家禽、家畜、盛器、家具、野兽"等,但组词能力相对较弱,因此在现代汉语中的字频不高。因为基本级有常用单字占据着,所以具体级既很难向上走,也很难再向下走,因此在现代汉语中字频最低,例如"骏、鲤、槐"等。(二)双音词发展起来后,原来一些表具体级的单字被双字组替代,许多单字现在只作偏正式里的修饰成分,例如"骏(马)、鲤(鱼)、槐(树)"等。(三)具体级、基本级、抽象级都是大的层级,在每一个层级内部存在着不平衡现象,即同级的不同语义范畴,语义概括能力有强有弱,例如同在抽象级,"事物、东西"比"器具"抽象,而"器具"比"桌椅"抽象。又例如同在具体级,"动物"比"野兽"抽象,而"野兽"比"山猫"抽象。因此,大层级中都还可以再区分出若干小的层级。随着社会的发展,原来的抽象、具体级范畴不够用了;需要大量补充。而新产生的双音词多是填补大层级里面的较低的小层级。(四)对于社会新生事物,汉语没有采用新造词根(新的最小音义结合体)的方法,而是用原有的字复合的方法来补充。汉语倾向于把它们处理为原来某基本级范畴的下位具体级范畴,如"钢笔、圆珠笔、签字笔",同时原来的基本级范畴也重新分析为具体级范畴,如"笔→毛笔"。

三 抽象级语义范畴的鉴别标准和并列组配成立的语义条件

跟传统的构词理论相比,我们用汉语语义范畴层级结构的理论来解释汉语构词的要点在于:并列和偏正通过单字关联在一起,并列和偏正不在一个语义平面上,两者语义层次和语义价值不同。与此相关,需要注意以下四种功能情况不同的单字:

(一) 功能最活跃,常常单用,既可以参与并列式,又可以参与偏正式,例如:马 牛 高 快 吃 看

(二) 不能单用,可以参与并列式,也可以做偏正式的后字,例如:器 具 士 勋 齿

(三) 不能单用,多参与并列式,而少参与偏正式或只能做偏正式的前字,例如:谨 愉 惧 凄 逊 伟 婪 逸 婉 陋

(四) 不能单用,不参与或较少参与并列式,例如:骏 骢 驹 犊 橄 踵

上面(一)类表示的语义范畴是典型的基本级语义范畴。(二)类也可以表示基本级语义范畴,但不典型。(三)类和(四)类在现代汉语中都不能表示基本级语义范畴,也不能表示抽象级和具体级语义范畴,在三级范畴结构中没有独立的位置。

在现代汉语中,抽象级语义范畴由并列式复合词来表达。并列式复合词的数量庞大,根据周荐(1991)的统计,在《现代汉语词典》的全部双音节复合词 32346 个中有 8310 个并列式复合词,占 25.7%。沈怀兴(1998)从《现代汉语词典补编》的 19423 个双音词中统计出 5029 个并列式复合词,占 27.19%。两个统计相加说明并列

式复合词的数目在 13000 个以上。那么如何确定并列式复合词呢？这里需要明确鉴定并列式复合词的标准，我们根据《现代汉语词典》的释义方式及同字相关复合词，总结出以下五条标准：

（一）释义中用"和"、"而"、"并"、"或"，例如：

茶饭：茶和饭，泛指饮食。

尘芥：尘土和小草，比喻轻微的事物。

编遣：改编并遣散编余人员。

诧愕：吃惊而发愣。

成败：成功或失败。

（二）用并列短语释义或分别释义，例如：

查究：调查追究。

查禁：检查禁止。

超越：超出；越过。

撤离：撤退；离开。

（三）具有体现于同字相关复合词上的同义平行系联，例如：

诧异⇐惊诧/惊异

惫倦⇐疲惫/疲倦

安恬⇐安静/恬静

绑扎⇐捆绑/捆扎

快慰⇐愉快/欣慰；欢愉/欢欣

壮阔⇐宏壮/广阔；宏大/广大

（四）可颠倒，例如：

酬应：应酬

薄厚：厚薄

别离：离别

（五）出现在固定格式中，例如：

眉清目秀（眉目/清秀）

呼风唤雨（呼唤/风雨）

开天辟地（开辟/天地）

大街小巷(大小/街巷)

语义并列组配成立的必要条件是同级,即只有两个或多个语义范畴属于同一层级时,才有可能组配成抽象级语义范畴。同是用单字表示的语义范畴,也不一定在语义上同级。例如,[牛]和[羊]同级,属于基本级语义范畴,而[(羊)羔]和[(牛)犊]同级,但不属于基本级语义范畴,所以"牛"和"犊"、"羊"和"羔"的组配都不可能是并列组配。

同级问题牵涉到共时因素和历时因素之间的纠缠。并列式复合词是汉语历史发展的产物,在汉语史上许多原本可以自由单用的字,在现代汉语中已经变得不能自由单用了,例如"洗、浴、沐、盥(澡)、漱"一组字曾经都可以单用,意思分别是"洗足、洗身、洗发、洗手、洗口",但在现代汉语中只有"洗"和"漱"可以单用,表示基本级语义范畴,"浴"和"澡"虽有一定的构词能力,但不能单用,不是典型的基本级语义范畴。"沐"和"盥"构词能力很弱,又不能单用,在现代汉语语义范畴层级结构中没有独立的位置,不能表示三级范畴中的任何一级范畴,只在构词中起陪衬作用。上述几个字所表示的语义范畴在历史上某一时期曾同级,所以有"洗浴、洗沐、沐浴、盥洗、洗澡、洗漱"等并列组合。历史上曾同级的一组语义范畴,发展到现代汉语变得不同级了。因此这里"同级"严格说应该是"共时同级"。

同级只是并列组配的必要条件,组配完全成立还需要其他条件。这方面的问题现在还难以彻底解决,只能给出一个初步的解说。语义组配条件有二:(一)现实理据联想;(二)民族文化心理联想的习惯。下面以一个近似的"动物"语义场为例略作分析:

(5)动物[龙 牛 马 羊 驴 猪 狗 兔 猫/象 熊 狮 虎 豹 狼 狐 猴 鹿 獾 蛇 鼠/鸡 鸭 鹅 鸽/雀 鸦 鹰 燕 鱼 虾 蟹 龟 鳖 蛙 虫 蝇 蜂 蚊 蚁]

上面义场中的各个语义范畴之间的关联距离有近有疏,它们的并列组配关联有以下几种等级:

(一)一级关联:[牛马]、[牛羊]、[鱼虾]、[蚊蝇]等,语形表现为并列二字组复合词。

（二）二级关联：[龙马]、[虎狼]、[猫鼠]、[猪狗]、[虎豹]、[鸦雀]等，在四字格成语中可并列组配。

（三）三级关联：[猪]/[羊]、[鸡]/[狗]、[猫]/[狗]、[狼]/[狗]、[龙]/[虎]、[虾]/[蟹]、[虎]/[熊]、[虎]/[蛇]、[兔]/[狐]、[兔]/[狗]、[狐]/[虎]等，在四字格成语中有关联。

（四）特殊的关联：[鼠牛虎兔龙蛇马羊猴鸡狗猪]构成十二属相。

（五）无关联：例如[牛]和[鱼]、[虎]和[虾]、[羊]和[鼠]。

以上（一）至（四）中的组配既有现实的理据，又符合汉民族文化心理的联想习惯。一级关联和二级关联的结果都构成抽象级语义范畴。从能否参加并列组配这个角度看，语义场内部是不平衡的，有的语义范畴如[马]、[牛]、[羊]、[虎]、[狼]是核心的，可以参加并列组配，在汉文化中占有重要地位，符合汉民族文化心理的联想习惯。而有的语义范畴如[象]、[鹿]、[蚁]、[蛙]则是边缘的，在汉文化中占次要地位，不参与或较少参与并列组配。

其实上面义场里的语义范畴之间的组配的结果还有另外一种典型情况，即偏正组配构成具体级语义范畴，例如[狼狗]、[狗熊]、[马鹿]、[狐猴]、[牛蛙]等。关于动物义场内部语义范畴组配可参看王洪君的详尽研究（2003）。

四　余论

语言是对现实进行编码的体系，各种具体语言都需要用语言单位对现实进行范畴化，语言基本结构特征和基本单位的不同决定了汉语和印欧语在范畴化上的差异。从语义角度可以把汉语构词看成一个内在完备统一的系统，一个字可以同时参与并列式和偏正式两种构词格式，并列和偏正不但有区别而且有联系。汉语有以"字"为核心的基本语义关联，而印欧语没有。汉语具有大量的并列式复合词,这跟"汉语词根结构的整齐划一"有密切关系。在英语中只有极少量的并列式复合词,例如 bittersweet(白英),构词法里基本不讲。据我们看到的资料,在西方语言里,德语并列式较多,大概占全部复合词的 4%(陈越祖 1995)。西班牙语中也有一些并列式复合词(张维武 1978)。例如:

(6) 德语:

  süβ/sauer(酸甜)

  naβ/kalt(湿冷)

  taub/stumm(聋哑)

  Hemd/hose(连衫裤)

(7) 西班牙语:

  agrio/dulce(酸甜)

  corta/plumas(小刀)

  va/i/ven(来去,动荡)

我们猜测,印欧系语言缺乏或较少并列式复合词有两个原因:(一)词根不整齐;(二)形态变化导致前后形式不均衡。不过德语和西班牙语的情况很需要进一步研究。

较早关注汉语并列式构词现象的西方语言学家是洪堡特,他在《论人类语言结构的差异及其对人类精神发展的影响》(洪堡特 1903:354—365)中论述道:

  另一类双要素的词初看起来十分奇特,我指的是有些构自两个对立概念的词,这两个概念统一起来,却表达了包纳起二者的一般概念。例如,哥哥和弟弟合起来构成兄弟的总称,高山和小山合起来构成山的总称。在这类场合,欧洲语言是运用定冠词表达概念的普遍性,而在汉语里,这样的普遍性则无一例外地由两个对立的概念极端直观地予以表示。其实,这样的复合词也散见于所有其他的语言;在梵语里,与之类似的是经常出现在哲学诗中的 st-hawara—jangamam(不动—动,无生命—有生命)这种类型的词。但汉语的情况还有一个特点:在某些场合,汉语没有任何表示简单的一般概念的词,因此不得不采用上述迂回表达方式;例如,年龄差别的意义是无法跟表示兄弟一义的词分割开来的,只能说年长的兄弟(哥哥)和年少的兄弟(弟弟),却不能直接表达相当于德语的 Bruder(兄弟)一词的意思。这个特点可以归因于较早时期的未开化状态。那个时候,人们力图用词直观的表述事物及其特性,缺乏抽象的思考方式,这就导致人们忽略了概括起若干差异的一般表达,导致个别的、感性的认识领先于知性的普遍认识。在美洲语言里,这种现象也相当常见。此外,汉语还从另一完全不同的角度出发,通过人为的知性方法而突出了上述复合构词方式:人们把根据一定对立关系组合起来的概念所具有的对称性看作高雅语体的优点和装饰。这种看法显然跟汉字的特性,即用一个书写符号来表示一个概念有关。于是,人们在言语中往有意识地努力把对立的概念搭配成对;任何关系都比不上纯粹的对立关系那样明了确定。

　　洪堡特的论述很重要,值得我们参考。我们认为,就结构而言,汉语语义范畴和语义结构的表达无法摆脱汉语语形结构格局(字和单音节)的强力制约。于是,一个字表达不了的语义范畴用两个字表达,两个字表达不了的语义范畴用多个字表达。汉语史上汉语从单字格局向双字格局发展的趋势也说明,用并列双字组表示抽象级语义范畴是最佳方法,是汉语建立抽象级语义范畴的必由之路。

　　本文利用汉语事实建立的三级语义范畴模式是否也适用于其他语言?语义范畴的层级观念是否有助于汉语短语、句子和篇章等层面的语义研究?我们将继续探索。

参考文献

布龙菲尔德〔美〕(1933)《语言论》,袁家骅、赵世开、甘世福译,1985,商务印书馆,北京。
陈越祖(1995)《德语构词学》,商务印书馆,北京。
程湘清(1981/1994)先秦双音词研究,《先秦汉语研究》,山东教育出版社,济南。

崔希亮（1997）并列式双音词的结构模式,《词汇文字研究与对外汉语教学》,北京语言文化大学出版社,北京。
高辟天（1997）根据现代汉语词典词条拟测汉字语义场,《世界汉语教学》第1期,北京。
洪堡特〔德〕（1903）《论人类语言的结构差异及其对人类精神发展的影响》,姚小平译,1997,商务印书馆,北京。
胡　适（1922/1996）《先秦名学史》,学林出版社,北京。
蒋绍愚（1994）《蒋绍愚自选集》,河南教育出版社,郑州。
林杏光（1999）《词汇语义和计算语言学》,语文出版社,北京。
刘叔新（1990）《汉语描写词汇学》,商务印书馆,北京。
陆志韦（1957/1990）《汉语的构词法》,《陆志韦语言学著作集》(三),中华书局,北京。
吕叔湘（1964）现代汉语单双音节问题初探,《中国语文》第1期,北京。
沈怀兴（1998）汉语偏正式构词探微,《中国语文》第3期,北京。
苏新春（1997）《汉语词义学》,广东教育出版社,广州。
王洪君（1994）汉语常用的两种语音构词法,《语言研究》第1期,武汉。
——（2003）动物、身体两义场单字组构复合两字组的同与异,即刊稿。
王　力（1944—1945/1984）《中国语法理论》,《王力文集》第一卷,山东教育出版社,济南。
王绍新（1980/1994）甲骨刻辞时代的词汇,《先秦汉语研究》,山东教育出版社,济南。
徐通锵（1997）《语言论》,东北师范大学出版社,长春。
——（2001）《基础语言学教程》,北京大学出版社,北京。
叶文曦（1996）《汉语字组的语义结构》,北京大学博士论文。
张　敏（1998）《认知语言学与汉语名词短语》,中国社会科学出版社,北京。
张雄武（1978）《西班牙语语法》,商务印书馆,北京。
赵元任（1968/1996）《中国话的文法》,《中国现代学术经典——赵元任卷》,河北教育出版社,石家庄。
周法高（1962）《中国古代语法·构词编》,台北。
周　荐（1991）复合词词素间的意义结构关系,《语言研究论丛》第六辑,天津教育出版社,天津。
Lakoff, George (1987) *Women, fire, and Dangerous things: What Categories Reveal about the Mind.* Chicago and London: The University of Chicago Press.
Rosch, Eleanor & Mervis, Carolyn B. (1996) *Family Resemblances: Studies in the Internal Structure of Categories.* in *Readings in language and mind.* pp. 442—460, edited by Heimir Geirsson & Michael Losonsky, Oxford: Blackwell Publishers.

(100871　北京,北京大学中文系)

时空域、支点和句子[*]

张新华

提要 本文研究汉语表达空间义句子的结构规律。本文认为,句子是由话主通过一个固定支点框定起来的相对独立统一的时空域指示框架。在这个指示框架里,处所、参与者、静物、运动等各空间指示成分构成一个有机联系的语义脉络。支点是控制这个联系脉络的枢纽。同时,支点也是句子中各时间指示成分语义解释的参照点。指示成分是句子时空域参照指向关系在语言形式上的落实。时空域中各指示成分的指向和谐保证了句子合格。

关键词 句子 时空域 支点 指示成分

关于句子,各家有不同的看法,本文不予评析。本文姑且把汉语书面语篇中的一个句号单位看作一个句子,它是一个表达相对完整、独立意义的言语片段,其直接下级单位在书面上体现为逗号单位,本文称作"小句"。

本文具体考察汉语语篇中含有时间、空间成分的句子,主要考察空间方面。对时空域表达有意义的要素有:1.以单物自身为坐标的方位表达,如"黑板上、校园里、岸边";2.多物间的相互位置/距离,即物体与其他物体的静态空间关系,如"对岸"(与"此岸"相对)、"两米外"(与起点相对)、一个房间里的"门"和"窗前的办公桌"等,总之两个或多个物体的相互位置/距离可形成一个时空域;3.运动轨迹,即参与者与其他物体的动态空间关系,如运动的方向、路线,多与趋向动词有关。与本文相关的主要是后两方面。与时间参照有关的要素更复杂些,"了、着、过""还、正",表体貌的"起来、下去"等都可

---

[*] 本文基本思想出自本人北京大学博士论文。该论文是在王洪君教授的悉心指导下完成的。在此谨向王老师表示诚挚的谢意。

能相关。汉语句子体现了话主以某个聚焦点为支点框定的一个统一、相对独立的小的时空域。限于篇幅,本文先集中讨论句子时空域的空间参照方面。

所用语料主要来自《边城》及中学语文课本。句子标号在小括号"( )"内,小句直接用阿拉伯数字。

一　句子和时空域

1.1 一个句子一个时空域

物质世界存在于时空域中。一个语篇是话主从物质世界的大时空域中截取一部分来陈述,汉语句子则体现了由话主框定的一个相对独立的小的时空域。

单句或小句的活动进行在某一处所,这个处所虽然范围可以很大,但在小句的范围内这个处所往往只被作为一个点对待。如:"我在街上买了一些橘子"。"街上"虽然常识一般是个有一定面积的处所,但这里并不表达其范围特征,而是只被作为一个点。一个点不能形成时空域。虽然"买了一些橘子"是一种活动,但句子实际上表达的是静态位置:"我""买了一些橘子"的事件发生"在街上",相对于"街上","我"没有发生位置改变。

而在一个句子内,小句之间的参与者和静物在空间关系上是互相参照的,这种有相互参照关系的处所就构成了一个有机联系的时空域。一个句子只有一个统一的时空域,不管该句有几个小句。简单说,表达空间义句子的基本构造原则是:

原则1:一个句子只有一个时空域

这是句子构造的时空域原则。为了便于把握,我们先从空间入手。根据运动者对空间范围的关系,句子的时空域区分为静态时空域和动态时空域。静态时空域的空间范围是在运动者(mover)运动之前"事先"确定好了的。例如:

(1) 1 两人刚把新买的东西搬运到家中,2 对溪就有人喊过渡,3 祖父要翠翠看着肉菜免得被野猫拖去,4 争着下溪去做事,5 一会儿,便同那个过渡人嚷着到家中来了。

小句 1 中的"家中"是"两人"活动所在的处所,2"对溪"是"有人"的"人"所在的处所,这两个不同位置的处所构成了一个时空域。"祖父"运动之前这个时空域"事先"就已经确定下来了,"祖父"只是事后在这个时空域内来回运动。句子小句很多,并且有三个活动者:"祖父、翠翠、那个过渡人",但只有一个封闭而有机联系的时空域。这个封闭而有机联系的时空域是句子统一性的保证。又如:

(2) 1 祖父理葱,2 翠翠却摘了一根大葱吹着,3 有人在东岸喊过渡,4 翠翠不让祖父占先,5 便忙着跑下去,6 跳上了渡船,7 援着横溪缆子拉船过溪去接人。

小句 1、2 表层虽然都没有表达"祖父""翠翠"活动方位的词语出现,但小句 3 的"在东岸"要求参照某个处所——相对何处而言是"东岸"?这样,相对于"在东岸",小句 1、2 的"祖父"和"翠翠"不但一定有活动所在的位置,而且这一位置还是小句 3 中"东岸"得以成立的参照之处。1、2"祖父、翠翠"所在的方位和 3"东岸"事先确定了句子的时空域,句子中的"祖父""翠翠"以及"有人"的人就在这个时空域内活动着。

总的来看,以上例(1)末小句"同那个过渡人嚷着到家中来了",是离开家运动到另一端又返回家里,同样,例(2)末小句"过溪去接人",是从时空域的某一点运动到远离但参照这一点定位的另一端。就是说,句子中的参与者都没有转移到另一个时空域。也即,虽然具体运动方式不同,但句子都控制在一个时空域内。

可以看出,静态时空域虽然可以非常大,但句中各小句都基于一个统一固定的处所联系起来,表现了汉语句子开放性和封闭性的统一。

动态时空域的空间范围不是事先确定,而是通过运动者的运动建立起来的。例如:

(3) 1 老船夫把酒拿走,2 到了河街后,3 低头向河码头走去,

4 到了河边天宝前天上船处去看看。

　　小句1中的"把酒拿走"有离开义,表明了对另一个地点的参照,即暗示了一个参照点。下面的小句2的"到了",3的"向……走去",4的"到了……去看看",都承接前文,有一致的离开前面的参照点向他处转移的指向义。老船夫在从一个地点到另一个地点不停地流动,像电影的镜头在一直跟着他。但是如果我们把注意力只放在老船夫身上,那么他的流动就没有方向的根据——实际上注意力只在老船夫身上就成了所谓"飞矢不动"。只有统一地把握这种位移,基于对前文作为参照的处所的离开,老船夫的流动才有根据。这样,运动者"老船夫"的运动实现到不同处所,这些运动的轨迹、处所有一致的指向性,就构成了一个有机联系的时空域,从而确定了句子的范围。在更大的语篇范围,这种句子的作用是承上启下:离开前面的某处所,到达下面的处所。又如:

　　(4) 第二天,1 苏林教授乘早上第一班电车出发,2 根据报名单上的地址,好容易找到了那条偏僻的马路。

　　动态时空域突出表现了汉语句子开放性和封闭性统一的特点。逻辑上说,运动者可以走无限远,是开放的,但这种开放又有封闭性,这表现在两方面。一、动态时空域句子在语篇中的作用是承上启下:从时空域转移到时空域,而这两个时空域之间的距离是一定的,即封闭的。二、更重要的是,这个动态时空域处于一个统一联系的参照指向网络内。

　　不管是动态时空域还是静态时空域,汉语句子的统一性都不是建立在印欧语那样的主谓一致的基础上。如洪堡特所说,"在我们欧洲人的语言里,从屈折动词可以看出句子的统一性,有多少个屈折动词,就有多少个句子"。而"在汉语里,除了可能的语法联系外,所有的词都只表达意义的概念;即使在语词的联系中,词也都像梵语的根词(Wurzelwörter)一样,处于纯粹状态(in statu absoluto)"。这里洪堡特认识到了汉语句子不是"从屈折动词可以看出句子的统一性",不是"有多少个屈折动词,就有多少个句子",他看到了汉语句子与印欧语句子构造方式,即"句子的统一性"不同。这种见地是很准确的。但是洪堡特毕竟对汉语了解得不多,他认为,"汉语的语法之所以可能,完全是靠句子的短小和简单"。"汉语里复合长句的规模和构造方式毕竟受制于有限的手段。也就是说,汉语在此处停下了脚步,而其他语言则沿着自己的道路继续走了下去"(见姚小平译《洪堡特语言哲学文集》109 页、121 页)。

显然,"汉语的语法之所以可能",并不"完全是靠句子的短小和简单"。汉语的事实是,句子有"复合长句",并且非常普遍,但其结构方式不同于印欧语,而有自己的"句子的统一性",有自己的结构手段。吸收洪堡特对汉语的认识的精神,可以知道,印欧语句子基于"屈折动词",标记在词语身上的形式把这个词与另一个词明白地联系起来,因而句子的统一性由外显的形式手段直接表明,是形式框架明显,汉语没有表明句子框架的形式标记,因而句子的统一性由成分间的参照指向关系表达出来,是意义特征明显。本文讨论的时空域指示框架就是这种表现。

1.2 句子分界在时空域转换处

一个句子一个时空域原则的自然推论是:

推论:一个句子与另一个句子的分界在时空域的转换处

动态时空域句子是承上启下,"承上"是从一个静态时空域转换到以该时空域的某一处所为起点或终点的动态时空域,是一个静镜头与一个动态长镜头的转换。这种转换是通过句子内运动者的位移完成的。例如:

(5) 1 <u>到了家中一边溪岸后</u>,2 只见那个人还正在对溪小山上。(6) 翠翠<u>回转家中</u>,<u>到灶口边去</u>烧火,一面把带点湿气的草塞进灶里去,一面向正在把客人带回的那一葫芦酒试着的祖父询问:……

句(6)"翠翠"以上句的"家中一边溪岸"为起点,进入"回转家中""到灶口"的运动。"回转""到……去"等有指向义的语词显示了这种位移的承前连续性。以后的事件就发生在转换后的时空域中了。又如：

(7) 早上过渡时,为翠翠所注意的乡绅妻女,受顺顺的款待,占据了最好窗口,一见到翠翠,那女孩就说:"你来,你来!"(8) 翠翠带着点羞涩走去,坐到他们身边后,祖父便走开了。

句(8)是动态时空域句子,其运动者"翠翠"以上句处所"窗口"为终点位移至其时空域。

"启下"是从一个动态时空域转换到一个以该时空域的终点为参照点的静态时空域,是一个动态长镜头与一个静镜头的转换。例如:

(9) 五月端午,渡船头祖父找人作了代替,便带了黄狗同翠翠进城,过大河边去看划船。

(10) 河边站满了人,四只朱色长船在潭中滑着,龙船水刚刚涨过,河中水皆豆绿色,天气又那么明朗,……

(9)是动态时空域句子,"祖父、翠翠、黄狗"从"渡船头"转移到"大河边",(10)是以其终点"大河"为参照点的静态时空域句子。

句子分界在时空域转换处的推论应用于静态时空域指的是,当话主注意力从一个静态时空域转换到另一个静态时空域时,就另起一句。这是两个静镜头的转换。这种时空域的转换是通过话主注意力的转移完成的。例如:

(11) 1 翠翠不明白这陌生人的好意,2 不懂的为什么一定要到他家中去看船,3 抿着小嘴笑笑,4 就把船拉回去了。(12) 1 到了家中一边溪岸后,2 只见那个人还正在对溪小山上。

句(11)末小句4"把船拉回去了"是仍"回"在原来的时空域内。句(12)则是在"家中一边溪岸",是另一个时空域了,所以另起一句。句子时空域的转换不是通过句子内运动者的位移,而是根据话主视角的主观转换。

句子归根结底是按话主主观选择的视角来安排的,因此,一个长句的时空域,理论上也可以分割成两个,只要句子在参照指向关系上有所变动。当然语篇的韵味(话主与言语接受者的视角)也就随之改变。例如：

(13) 1 一堆过去的事情蜂拥而来,2 不能再睡下去了,3 一个人便<u>跑</u>出门外,4 <u>到那临溪高崖上去</u>,5 望天上的星辰,6 听河边纺织娘以及一切虫类如雨的声音,7 许久还不睡觉。

小句 1、2 虽然没有表处所,但小句 3 的"跑出门外"表明了它们是在"屋里",4、5、6、7 是在"那临溪高崖上"的活动。句子各小句的时空成分有一致的参照指向关系,句子处于一个时空域内。我们可以把这个句子分割成两个独立的句子：

(14) 1 一堆过去的事情蜂拥而来,2 不能再睡下去了。(15) 1 一个人便跑出门外,2 <u>到这临溪高崖上来</u>,3 望天上的星辰,4 听河边纺织娘以及一切虫类如雨的声音,5 许久还不睡觉。

另立一个句子则是另一个时空域了。这样就把原来一个连贯的时空域切割成各自独立的两个,好像镜头没有过渡地从聚焦于一个时空域转换到聚焦于另一个。两句之间时间、空间的距离都显得比原来在一个时空域内远得多。并且,一个句子框定一个独立、统一的时空域,其中事件事理上的联系自然也就连贯紧密些。现在框定为两个句子也就分别给了两个事件各自独立的重要性。这种表达效果的不同,说明了句子时空域形式框架独立存在的意义：作为一种物质存在,句子的形式框架也反作用于意义的表达。

二 时空域与支点

从上一节的讨论可以看到,句子时空域中各表达时间、空间意义的成分是互相参照的,有一致的参照指向关系,并且这种指向关系有一个统一的根据、参照点。我们把这个句子时空域统一的根据、参照点称为支点[①]。从这个角度分析,我们可以说汉语句子是由一个支点统一起来的时空域指示框架。在句子这一时空域内,话主以某个处所作为支点展开陈述,各参与者的活动轨迹、各静物的相对位置关系都以支点为坐标原点。

从认知关系看,话主与其所述内容处于观察、认知的关系中,支点则是话主截取外部客观世界的一个时空域片段进行观察、陈述的聚焦点。假如把话主组织语篇比喻为电影导演选取、安排画面,则话主构造一个一个的句子,就好比导演选取一个一个的镜头。每个镜头要有自己相对独立的小时空域和聚焦点,每个句子也要有自己的小时空域和支点。镜头的转换反映导演对世界经验的片段分割,句子的分界则反映话主对世界经验的片段分割。聚焦点反映导演在镜头中选择的视角,支点反映话主在句子时空域中选择的视角。镜头分割、聚焦点选择体现了导演的能动性,一定程度上决定了影片的高下;句子的分割、句子小时空域的框定及支点的选择体现了话主的能动性。语篇高下甚至句子是否合格都与句内时空域和支点密切相关。

Uspensky(1977:2)指出:"任何参与者面对世界时必定要从某一视点出发,他从这个视点感知构成其视域、经验的东西,并且,任何视点都是有限的。"把感知内容予以言语表达时,这个感知者就是话主。一个句子表现为话主的一个相对独立统一的视域。视点的"有限"表现为支点控制的句子时空域的封闭性。

支点和时空域是内在联系的。一个时空域有且只能有一个支点,不管该时空域有多大;反过来,基于一个支点相互参照也是各表达时、空义的语言成分处于一个有机联系时空域的保证。简单说,句子时空域的组织原则是:

原则2:一个时空域有且只有一个支点

这是句子时空域构造的支点原则。下面我们分别从空间和时间两方面予以分析。

2.1 时空域的空间支点

静态时空域,参与者是在一个事先确定好的时空域内运动,没有走出这个时空域,支点在句子内,例如前面的句(1):

(1) 1 两人刚把新买的东西搬运到家中,2 对溪就有人喊过渡,3 祖父要翠翠看着肉菜免得被野猫拖去,4 争着下溪去做事,5

一会儿,便同<u>那个过渡人</u>嚷着<u>到</u>家中<u>来了</u>。

小句 2 中的"对溪"为什么叫"对溪"而不叫"小溪"呢?这一指称方式本身就表明了它对另一个位置的参照性,即要与什么相"对",要有个参照点。不难看出,前一句的"家中"就是"对溪"的参照点,是整个句子空间参照关系的支点。在"对溪"的人由于远离这个参照点,所以 5 用"那个过渡人"的指称形式。4 的运动"下溪去"表明对这个参照点的离开,5 的"到家中来"表明是回到这个位置。可以看出,句子中有空间义的成分都参照、指向于某同一个位置,即支点。时空域因此构成一个有机联系的整体。

动态时空域是过渡性时空域,用于在两个时空域之间建立起联系,支点在前一个或后一个时空域,所以是句外支点。例如前面的句(3):

(3) 1 老船夫把酒拿走,2 <u>到</u>了河街后,3 低头向河码头<u>走去</u>,4 <u>到</u>了河边天宝前天上船处<u>去</u>看看。

这个句子的前文是"老船夫"在"顺顺家门前"。从画线部分的运动方式可以看出,本句参与者是以前文的处所为支点作远离的运动。可以看出,这种句子须置于更大的语篇范围理解。这是汉语句子的语篇原则,待另文专门讨论。

没有实现的运动同样有参照支点:

(18) 母亲问他,知道他家里事务忙,<u>明天便得回去</u>;又没有吃过午饭,便<u>叫</u>他自己<u>到</u>厨下炒饭<u>去</u>。

(19) 说了一阵,二老想走了,老船夫便站到门口去喊叫翠翠,<u>要她到屋里来</u>烧水煮饭,掉换他自己看船。

句中画线部分都是没有实现的运动,它们的参照指向方式与前文讨论的原则相同。

2.2 时空域的时间支点

支点不仅是整个句子空间关系的参照点,也是句子时间关系的参照点。例如:

(20) 一天中午,1 我赶<u>到</u>虹口公园去接班,2 天空<u>正飞着</u>牛毛细雨,3 六路车早班的最后一趟还没回来,4 还要等半个钟头的样子。

句首的"一天中午"指示了相对于话主说话时间的整个句子的大的时间范围。但是句子中各小句动词的时间并不参照它定位,它们的具体时间位置是根据支点位置("虹口公园")所发生的事件的时间而定。这个时刻就是句子时空域时间方面的支点。具体地说,小句2"正飞着(牛毛细雨)"是"我赶到虹口公园"的时候"正飞着",3"还没回来"也是如此,4"还要等半个钟头"同样是从"我赶到虹口公园"时计算的。它们都发生在句首时间状语"一天中午"的时间框架里。这样,句子各小句的事件在时间方面都以支点为参照,在时间上相关、统一,成为一个有机整体。

又如:

(21) 1 翻过了小山岨,2 望得见对溪家中火光时,3 那一面也看见了翠翠方面的火把,4 老船夫即刻把船拉过来,5 一面拉船一面哑声儿喊问:"翠翠,翠翠,是不是你?"

整个句子以小句1、2的事件发生的时间为支点。3、4画线部分的时间都是从支点的时间开始计算的。5 接4,从而与支点衔接。这样整个句子在时间方面就关联起来,形成一个有机联系的结构体。

可以看出,一个句子时空域的时、空支点在同一位置。这样,整个句子的时间、空间都统一在以支点为枢纽的关系网络中,有一致的参照指向性,句子因而结构成了一个整体。

另外,我们知道,汉语动词没有形态变化,不表达其所指动作相对于说话时间的绝对时间位置。从我们的分析可以看出,在句子中,动词由于处于一个时空域内,可以通过参照支点而确定其相对时间位置。同样的,像"正、还、也"这样的时间词,和空间指示成分一样,也有指向的性质,它们也要相对于支点才能确定自己的时间位置。在支点控制的时空域中认识汉语动词和时间指示成分是一个有效的途径。

总之,支点从其本性就是一个在关系中存在的概念,它跨小句,在句子层级,是句子内各小句时空参照关系统一的根据,也是句子统一的根据。

三 支点的表达与指示成分

从前面的讨论可以看到,句子时空域有一致的参照指向关系,这种关系把整个句子统一起来。支点是控制这个联系脉络的枢纽。基于此,我们考察由多个小句组成的句子,可以直接从句子的参照指向关系入手,来研究句子的语义联系脉络。对此,我们一方面需要研究支点是如何表达出来的,另一方面需要研究表达支点的语言成分有哪些,这样我们才可以把支点这个概念从形式上予以落实。本节我们就讨论这两方面的问题。

3.1 支点的表达

支点包括空间和时间两方面,从句子成分方面看,支点是句子所有有时空指向义的语言成分的坐标原点。限于篇幅这里只讨论空间方面。句子的时空域通过处所、参与者、静物、运动趋向等有空间指向义的语言成分的参照指向表达出来。

3.1.1 处所参照,例如:

(22)(翠翠)要祖父同她下了船,把船拉过家中<u>那边岸旁</u>去。

(23)"中寨人自己坐在高山上,却喜欢来到<u>这大河边</u>置产业……"

句子中的处所词"那边岸旁""这大河边"根据远离或靠近支点确定其指称形式。

有的词语一般理解并没有指向义,但在实际言语中,其方位要参照于支点才可以具体定位。如:

(24)1 时候既然是深冬;2 渐近故乡时,3 天气又阴晦了,4 冷气吹<u>进</u>船舱中,5 呜呜的响,6 <u>从篷隙向外</u>一望,7 苍黄的天底下,远近横着几个萧索的荒村,8 没有一些活气。

小句4"吹进",5"从篷隙向外"的所指方向显示了支点的位置,即"船舱中"。7"苍黄的天底下"是普通词语,单独看虽然没有指向义,但在句子中表达的并不是无限的"天底下",而是参照支点有其具体特定的空间范围(英语会加定冠词)。支点赋予普通词语指示意义,把其一般义转换为特定时空域指示框架内的个别义。这对准确揭示句义是必要的。这是汉语的所谓"意合法"。本文认为,"意合法"表达的意义既然可以确定地理解,必然有形式的根据,是可以说明的。

3.1.2 参与者、静物参照,例如:

(25) 等待众人上船稳定后,翠翠一面望着那个小女孩,一面把船拉过溪去。

(26) "爷爷说不去,去了无人守这个船!"

句(25)"那个小女孩"是远离支点的参与者。(26)"这个船"是靠近支点的静物。

3.1.3 趋向动词、位移动词的方向参照,例如:

(27) 我把帽沿往下拉了拉,出了石洞,下了山坡,顺着绝壁上开凿的运输便道,向前走去。

(28) 街道齐大妈拎着一篮子鸡蛋走进来,进门就挨个指着于观们撇着嗓门叫:"……"

(29) 走出了山,来到城里,我才知道我的渺小。

位移动词表达运动,运动就有方向的问题。趋向动词表达运动的方向,而方向的根据是支点,即,方向是相对于特定支点的运动指向。动词短语的动词核心、补语、状语,及它们的结合,都可以表达相对于支点的方向性,即对支点的参照关系。

句子中的处所、参与者、静物、运动趋向等有空间指向义的语言成分统一于支点,因而它们的语义联系脉络是和谐统一的。反过来说,支点就通过这些语言成分统一的参照所向表达了出来。

3.2 指示成分及其指向原则

基于参照指向的思想分析语言成分,我们会发现,像"渡船、小溪、在、跑、跳、接"这样的词语,其语义内容不参照于自身之外的另一个地方,也就是它们不管在什么场合,都有相同的所指内容。这样的语言成分是普通语言成分。而像"这、那、对(溪)、东、前、左、远、近"、"来、去、上、下、(拿)走"以及"正、还、已经"等,及它们与其他成分组合构成的词组,内在地要参照自身之外的另一个方位才能确定其所指,也就是它们在不同时空场合,参照于不同的支点,就有不同的所指内容。例如"这里、这时候"相对于不同的支点就指不同的时、空方位。也即,这样的语言成分词汇内容中有[＋空间]与[＋指向]或[＋时间]与[＋指向]的语义特征。这样的语言成分是指示成分②。指示成分是句子时空域表达在语言形式上的落实。这就是说,指示成分就可以作为我们研究句子时空域结构的形式工具。

除此之外,我们发现"有 NP ＋ VP"这样结构中的参与者在空间上总是相对于某个方位出现的,例如:

(2) 1 祖父理葱,2 翠翠却摘了一根大葱吹着,3 <u>有人</u>在东岸喊过渡,4 翠翠不让祖父占先,5 便忙着跑下去,6 跳上了渡船,7 援着横溪缆子拉船过溪去接人。

可以看出,小句 3 中的"有人"的"人"是相对于"祖父、翠翠"而出现的。又如:

(30) 1 又过了一阵,2 <u>有人</u>从河街拿了一个废缆做成的火炬,3 喊叫着翠翠的名字<u>来</u>找寻她,4 到身边时翠翠却不认识<u>那个人</u>。

小句 2"有人"的"人"是相对于"翠翠"出现的。他对翠翠是"来",后面用"那个人"的指称形式。这些都是一致的。在我们考察的语料范围内都是如此。这样我们似乎可以说,"有 NP ＋ VP"结构是有指示义的结构。那么语言中除了指示成分外,是否有指示性的结构,以及它们在句子组织中有什么样的作用,是值得进一步研究的问题。

指示成分因为总是要参照自身之外的另一个地方,所以可以说从其本性它们就是关系成分、功能成分,可以把其他成分联系起来。相应地,普通词语就是实体词、内容词。指示成分是表达内容词联系方式的形式词。同时,它们也就把普通词语的一般意义转换为特定时空域内的个别意义。指示成分在句子中越过小句,通过支点,直接把词组与句子的统一性建立起了联系。普通词语因置位于这个联系脉络而获得了统一性。这样就构成了句子的联系脉络。这种指示联系的方式不同于一般熟悉的动词与其论元成分间的联系。

这样看,上一小节讨论的表达处所、参与者、静物、运动趋向等的语言成分其实都是指示成分。我们知道,它们在句子中有基于支点统一的指向性。因此,指示成分在时空域内的参照指向的原则是:

原则3:一个时空域中的指示成分都指向同一支点

这个指向原则是指示成分在句子中的使用原则,也是句子结构时空域构造在句法分析上的实现。

分析地看,参与者、静物、处所都是名词性语言成分。根据对支点的关系,汉语正好有一对典型的名词性空间指示成分,即"这、那"。"这"表示靠近支点,是近指形式,"那"表示远离支点,是远指形式。从词组层级看,靠近支点的如"这大河边""这几个人""这只船"等都可称为"这"类指示,远离支点的指称形式如"溪那边""对溪""那一伙人""那一方面"等都可称为"那"类指示。那么,参与者、静物、处所的指向原则可以总结为:

分则1:参与者、静物、处所参照支点确定其指示方式,靠近支点的用"这"类指示,远离支点的用"那"类指示

相对于参与者、静物、处所,运动趋向是动词性空间指向。与名词性指向平行,根据对支点的关系,汉语有一对典型的动词性空间指示成分,即"来、去"。"来"表示靠近支点,是近指形式,"去"表示离开支点,是远指形式。从词组层级看,"搬到家里来""进来""回到"等表达式也都表示靠近支点的意义,都有"来"的含义,可称为"来"类指示。相反地,"爬上去""出发""走了""过溪去接人"等是离开支点的,都有"去"的含义,可称为"去"类指示。那么,运动指向的原则可以总结为:

分则2:运动参照支点确定其指示方式,靠近支点的运动用"来"类指示,离开支点的运动用"去"类指示

与本文相似的,在趋向补语研究中刘月华(1998)提出了"立足点"的问题:

> 趋向意义既然是指人或物体在空间位置移动的方向,就存在一个确定方向的点——立足点的问题。
>
> 在叙事性文字中,叙述者可以把"来、去"的立足点放在叙述中的人物所处的位置上(引者按,例句编号照刘文):
>
> (7) 老师傅把鲁班找来。 ("老师傅"是立足点)
>
> (8) 欧阳海受了重伤,车上的人都向他跑来。 ("欧阳海"是立足点)
>
> 也可以是正在叙述中的事物,处所所在的位置:
>
> (9) 去泰山的大路上,开来一辆卡车。 ("去泰山的大路上"是立足点)
>
> (10) 会场已经坐满了人,可是还不时有人进来。 ("会场"是立足点)
>
> 叙述者也可以"站"在"局外":
>
> (11) 开会的人从四面八方向会场走去。 (3—4页)

刘先生看到了"立足点"的概念在说明"来、去"用法时是必须的。这种讨论和我们有一致的地方,但有一点关键的区别:刘先生的立足点概念是为了说明"来、去"等"趋向意义"词自身的用法;我们的支点概念则是为了说明句子时空域的组织规律,即用支点控制句子,强调在一个句子中,包括"来、去"在内的各种指示成分都必须指向同一个支点。单个词语的用法服务于整个句子的组织。

3.3 指向和谐与句子合格

指示成分直接给空间定位,它们在句子中必须搭配和谐一致。"这"类与"来"类,"那"类与"去"类,分别对应,它们的组合必须对称。例如可以说:"走到那对溪去",不可以说"走到这对溪来"。可以说"向这边走来""往那对溪走去",不可以说"向那对溪走来""往这边走去"。这是在词组层级的组合和谐。在句子层级也是如此。指示成分在句子中搭配和谐是一个句子只能有一个时空域、一个时空域只能有一个支点原则的要求。

例如：

(1) 1 两人刚把新买的东西<u>搬运到家中</u>,2 <u>对溪</u>就有人喊过渡,3 祖父要翠翠看着肉菜免得被野猫拖去,4 争着<u>下溪去</u>做事,5 一会儿,便同<u>那个过渡人</u>嚷着<u>到家中来</u>了。

句子支点在小句1"两人"的位置。2处所"对溪"、5参与者"那个人"、4位移"下溪去"是离开支点,都用远指形式,搭配和谐。1"家中"、5"到家中来"是靠近支点,用近指,也相一致。这样就保证了它们都参照同一个固定的支点。如果搭配不和谐,句子的空间关系就会是混乱的,比如我们把这个句子的"来、去"调换：

*1 两人刚把新买的东西<u>搬运到家中</u>,2 对溪就有人喊过渡,3 祖父要翠翠看着肉菜免得被野猫拖去,4 争着<u>下溪来</u>做事,5 一会儿,便同<u>那个过渡人</u>嚷着<u>到家中去</u>了。

小句2、4是同一个"溪",前面用"对溪"表明是远指,后面却用"来",近指,搭配不和谐。"对溪"的指称形式表明"家中"是支点,而5的"到家中去"的"去"是远指,搭配也不和谐。句子不好。

这实际上是为句子确定了两个支点。一方面,2"对溪"的指称形式表明对另一个方位的参照,即暗示了一个支点,"家中"。5"到家中去"的"去"是参照这个支点的。另一方面,4"下溪来"的"来"表明"溪"在支点位置。这样句子就有"家中"和"溪"两个支点。句子各小句的指示成分有的参照这个支点,有的参照那个支点,一个支点决定一个时空域,整个句子无法建立一个统一的时空域。这是句子不好的根本原因。

当然话主也可以这面溪边为支点,而用"来"的形式。但是这个溪就不能用"对溪"的远指形式而要用近指形式,比如句子说成：

1 两人刚把新买的东西<u>搬运到家中</u>,2 <u>这面溪边</u>就有人喊过渡,3 祖父要翠翠看着肉菜免得被野猫拖去,4 争着<u>下溪来</u>做事,5 一会儿,便同<u>这个过渡人</u>嚷着<u>往家中去</u>了。

"这"与"来"和谐,保证了句子只有一个支点,句子就好了,反过来说明了句子时空域内指示成分和谐搭配的要求。并且细读句子，既然小句1的"两人"离支点"溪边"很远，似乎用"那两人"的指称形式更自然些。这就是说，话主可以把支点设在时空域的任何位置，但一旦设定了，就要保持不变，并以此统一安排句子中的所有指示成分。

四 结语

汉语句子这个结构体不同于印欧语。一方面，汉语动词没有严格意义的形态变化，也往往不是一个动词决定一个句子，成句的条件没有形式的标志，所以需要有新的鉴别标准。另一方面，汉语句子往往由多个小句构成，可以有多个参与者在一个句子内活动，如本文的例(1)(2)等，这样的句子用"主语—谓语"模式和"话题—说明"模式都不好描述，所以需要新的结构模式。但不管句子是一个还是多个参与者在活动，不管句子范围有多大，它们都处在话主从某个视角框定的一个统一的视域内。这是我们用时空域控制汉语句子的深层根据。通过句子框架的时空域构造，我们可以把握句子内各小句之间的关联，把握句子的结构。我们希望这种做法能够在"主语—谓语"模式和"话题—说明"模式之外，为认识汉语句子的结构方式提供一个新的思路。

句子是一个有机的结构体，其本质是成分之间彼此相关，且整体上有统一性。用主谓一致或话题统领说明来把握句子结构，其基本思想也是如此。用时空域的观点看，句子的成分分为指示成分和普通语词，指示成分构成句子的形式框架，普通语词通过挂靠指示成分而联系于这个框架；相关性指时空指向相关、一致，这种参照指向关系构成句子内的组织脉络；整体的统一性指一个支点控制的相对独立的时空域框架。

时空域、支点构造体现了汉语句子开放性和封闭性的统一。开放性表现在话主把多大范围的时空域视为一个独立的意义单元，是自由的、开放的。封闭性表现在虽然这个时空域可以非常大,但是只能有一个支点,时空域中指示成分的参照指向关系要统一在这个固定的支点上。

本文的意思合起来说就是:一个句子,一个时空域,一个支点。本文总结的三个原则(句子时空域原则、时空域的支点原则、指示成分的指向原则)揭示了句子组织中什么时候用句号,句子中及句际的指示成分如何选择。

许多学者的研究都表明,空间是人类的基础认知领域,是理解其他认知领域的源认知域。推广地说,汉语非空间义句子的结构也应该是由话主基于某个固定视角框定的一个统一的语义空间。用本文的基本精神去研究汉语句子的一般结构原则,是应该进一步思考的问题。

附 注

① "支点"的概念受 Peter, Sells (1987)启发。该文研究逻格照应(Logophoricity)现象。逻格照应主要出现在言语、思想、感情等动词的句子论元(sentential arguments)里,其先行词是这些动词的主语。逻格照应也指那些跨小句的反身代词的回指现象。Peter 把逻格照应分解为三个更初始的概念:"根源"(SOURCE),指"做报告的人(例如说话人)"。"自我"(SELF),指"被陈述其思想的人"。"支点"(PIVOT),指"从其视点进行报告的人"。Peter 引用 Sigurðsson(1986)说,支点在物理意义上指"指示的中心"(center of deixis)。本文吸收了其"跨小句""视点""指示的中心"的思想,用在时空域上,研究的内容与逻格照应现象没有什么关系,不进一步介绍。

② 指示(deixis)词和命名(naming)词的区分是 Bühler, Karl(1934)提出的。指示词要在语境中才能指示,在不同语境就有不同指示对象。命名词则有某种涵义(connotation),通过这个涵义描述其所指对象,可以脱离言语场景起作用。Bühler 讨论的指示词主要是"我""你""他""这""那"。Bühler 指出指示词用法的核心是说话人在言语情景现场,把某物"指"出来展"示"给对方。我们除此之外还进一步指出指示成分在时空域中参照指向而相互关联的特征,所以所说的指示成分含义比 Bühler 的范围要大得多。

参考文献

曹逢甫(1995)《主题在汉语中的功能研究——迈向语段分析的第一步》,谢天蔚译,语文出版社,北京。

刘月华（1998）《趋向补语通释》，北京语言文化大学出版社，北京。
吕叔湘（1985）《近代汉语指代词》，学林出版社，北京。
齐沪扬（1998）《现代汉语空间问题研究》，学林出版社，北京。
王洪君（2000）汉语语法的基本单位与研究策略，《语言教学与研究》第2期，北京。
威廉·冯·洪堡特（2001）论汉语的语法结构，见姚小平译《洪堡特语言哲学文集》，湖南教育出版社，长沙。
徐通锵（1998）《语言论》，东北师范大学出版社，长春。
Bloom, Paul et al. edited (1999) *Language and Space*. Cambridge, Mass. MIT Press.
Brown, Gillian (1995) *Speakers, Listeners, and Communication Explorations in Discourse Analysis*. Cambridge; New York, NY, USA: Cambridge University Press.
Bühler, Karl, translated by Donald Fraser Goodwin (1990) *Theory of Language: the Representational Function of Language*. John Benjamins Publishing Company.
Frawley, William (1992) *Linguistic Semantics*. Hillsdale, NY: Lawrence Erlbaum Associates.
Halliday, M. A. K. (1985) *An Introduction to Functional Grammar*. London: Edward Arnold.
Halliday, M. A. K. & Hassan, Ruqaiya (1976) *Cohesion in English*. Longman Group Ltd.
Hasan, R. (1989) The structure of a text. In M. A. K. Halliday and Hasan, R.: *Language, Context, and Text*. London: Oxford University Press.
Judith F. Duchan, Gail A. Bruder, Lynne E. Hewitt edited (1995) *Deixis in Narrative: A Cognitive Science Perspective*. Hillsdale, NJ: Lawrence Erlbaum Associates.
Levinson, Stephen C. (1983) *Pragmatics*. New York: Cambridge University Press.
Lyons, John: *Semantics*. (V1,2) (1977,1978) Cambridge; New York: Cambridge University Press.
Peirce, Charles Sanders, Charles Hartshorne and Paul Weiss edited (1974) *Collected Papers of Charles*. Cambridge, Mass.: The Belknap Press of Harvard University Press.
Peter, Sells (1987) *Aspect of Logophoricity*. Linguistic Inquiry, Volume18, Number3, Summer.
Robert, M. Harnish edited (1994) *Basic Topics in the Philosophy of Language*. Englewood Cliffs, N.J.: Prentice Hall.

（100871　北京，北京大学中文系）

《韵籁》声母演变的类化现象

竺家宁

提要 《韵籁》为清华长忠著。汉字的音变,有时候不是语音本身造成的,而是受到字形的影响,即所谓的"有边读边"。这种音变方式,我们称之为"受字形的类化",这是汉语音变特有的现象,不存在于西方的语音演变中,是经由语音和文字形体的互动中产生。现代国语(普通话)音读中充斥着这类音变的结果。这种音变方式不始于今日,早在宋代的《九经直音》就已经出现这样的现象。本文把《韵籁》这种状况一一摘出来讨论。由《韵籁》当中可以看出,有很多国语音读来源符合中古音的例子,《韵籁》却受到字形的类化而变读成另外一个念法。可知《韵籁》的时代"有边读边"的风气十分兴盛。这种情形多出现在罕用字,古人见到不会念的字往往采用类推的办法,由字形上找线索,用一个平常最熟悉的念法来念它,这种习惯自古以来一直存在着。这样造成的音变是西方语言所没有的现象。是汉语音变的一个特色,值得我们的注意。

关键词 类化音变 韵籁 汉语音史 声母演变

一 前言

《韵籁》为清华长忠著。长忠,天津人。书前有高阳李鸿藻序文一篇,时在光绪十五年(1889)。书首有"总图",上列声母各音,凡十四组,右列韵目,分十二韵。华氏此书,以声母为纲,分章五十,每章以一字为代表,而加一"衍"字,如"各衍章"、"客衍章"等皆是。耿振生《明清等韵学通论》(语文出版社,1992)认为其声母系统所体现的特点与现代天津方言基本一致。如尖团音不分;古日母字一部分变成齐齿呼的零声母;古喻母字有的归入弱母(如"雍邕庸勇用"

---

* 本文初稿曾在汉语音韵学第七届国际学术研讨会(2000.8.26,河北石家庄)上报告。

等);零声母开口呼产生出一个 ŋ-声母(额母)。

　　本书共有三十八个韵母,在卷首总表上列为十二行。华氏将介音的区别归于声母,韵母方面只从韵腹来区分,所以概括为十二类。李新魁《汉语等韵学》(中华书局,1983)认为这部韵图既反映了共同语的实际语音,也带有某些方音的特点。冯志白《〈韵籁〉作者考辨》认为《韵籁》目前只见到光绪五十年(1889)松竹斋的一种刊本。《韵籁》作者的问题,归纳起来,结论是:(一)《韵籁》的作者不是华长忠,而是华长卿。(二)《韵籁》撰著的年代不在光绪年间,而在道光四年到咸丰四年,即 1824—1854 年间。(三)《韵籁》原名作《韵类》,只有一卷;后来才易作今名,并分为四卷。

二　《韵籁》音读受字形的类化

　　汉字的音变,有时候不是语音本身造成的,而是受到字形的影响,即所谓的有边读边。这种音变方式,我们称之为"受字形的类化",这是汉语音变特有的现象,不存在于西方的语音演变中,是经由语音和文字形体的互动中产生。现代国语(普通话)音读中充斥着这类音变的结果(见拙著《汉语音变的特殊类型》)。这种音变方式不始于今日,早在宋代的《九经直音》就已经出现这样的现象(见拙著《宋代语音的类化现象》)。下面我们把《韵籁》这种状况一一摘出来讨论。每一条之下所列的资料依次是:韵籁声母/广韵声母/广韵反切/韵籁韵目/广韵韵目/韵籁韵字/韵籁调类。

1. "泓"字《韵籁》音"弘"

　　或/影/乌宏/庚/耕/泓/阴平

　　"泓"字国语与"弘"同音,中古音属于影母字,应该变为零声母,国语的念法显然是受到声符偏旁的影响,类化为"弘"音。这种有边读边的字形类化现象由这一条例子可知在《韵籁》时代就已经发生了。因为《韵籁》把"泓"字归入或母,而没有归入零声母。

2. "胘"字《韵籁》音"纮"

或/见/古弘/蒸/登/肱/阴平

国语肱音工，和《广韵》一致，但是《韵籁》归入或母，音"纮"，显然是受到"纮"字声符的影响。

3."怀"字《韵籁》音"还"

或/见/古县/先/襉/怀/阴平

国语怀音还，可是《广韵》是个见母字（音巜）。《韵籁》归入或母，表示已经变读为 h-声母，和国语相同。这是受到"還、環、寰、缳"等字的影响而变读的。

4."恢诙"字《韵籁》音"灰"

或/溪/苦回/灰/灰/恢诙/阴平

国语恢、诙音辉，原本应该读为"亏"音，从《韵籁》开始，其念法就受到声符"灰"的影响而发生了改变。

5."荟"字《韵籁》音"会"

或/影/乌外/泰/泰/荟/去声

国语荟音会，《广韵》"荟"是个影母字，理应读为零声母。从《韵籁》已经改归入或母，表示变读为 h-声母。这是受到声符"会"字的影响而变读的。

6."膗蠖"字《韵籁》音"彠"

或/影/乌郭/药/铎/膗蠖/入声二

国语膗、蠖音或，《广韵》"膗蠖"是影母字，理应读为零声母。从《韵籁》已经改归入或母，表示变读为 h-声母。这是受到字形相近的"獲、穫"等字的影响而变读的。

7."啾"字《韵籁》音"秋"

妾/精/即由/尤/尤/啾/阴平

国语啾音纠，由中古的精母字演变为不送气音。《韵籁》归入妾母，为送气音，不合于一般的演变规则，显然是受到声符"秋"字的影响，有边读边的结果。

8."湫"字《韵籁》音"秋"

妾/精/子了/篠/篠/湫/上

依据《增补国音字汇》(台湾开明书店)，国语湫音纠,《增补国音字汇》的注音又是依据民国二年全国读音统一会审定。而大陆的念法依据北大出版的《汉字古音手册》音"秋"。这个字的情况由《广韵》可知，实际上有四个来源，篠韵子了切、尤韵子攸切(见篠韵子了切下的又切，尤韵注为即由切)、小韵子小切(见尤韵即由切下的又切，小韵子小切下漏列"湫"字)、尤韵七由切(此音下注云："北人呼"，可知清母一读只限于北方的变读，前三读都是不送气的精母)。从《广韵》注音的分布看，和上例相同，正常的演变应当是不送气音，《韵籁》归入妻母，为送气音，显然和北方的变读一样，是受到声符"秋"字的影响，有边读边的结果。大陆的念法是由这条线下来的。台湾的念法则是直接承袭《广韵》精母的念法。

9. "挮"字《韵籁》音"帝"

狄/透/他计/霁/霁/挮/去

国语挮音替，为送气音，与《广韵》透母合。而《韵籁》归入狄母，为不送气音，不合于一般的演变规则，显然是受到声符"帝"字的影响，有边读边的结果。

10. "屟鞢"字《韵籁》音"碟"

狄/心/苏协/葉/怗/屟鞢鞢/入二

国语屟、鞢音谢，来自中古心母字。而《韵籁》归入狄母，不合于一般的演变规则，显然是受到塞音声母"碟、蝶、喋、谍、牒"等字的影响，有边读边的结果。

11. "袄"字《韵籁》音"天"

惕/晓/呼烟/先/先/袄/阴平

国语袄音先，来自中古晓母字。而《韵籁》归入惕母，不合于一般的演变规则，显然是受到声符"天"字的影响，有边读边的结果。

12. "铦"字《韵籁》音"恬"

惕/心/息廉/盐/盐/铦/阳平

国语铦音先，来自中古心母字。而《韵籁》归入惕母，不合于一般的演变规则，显然是受到塞音声母"甜、恬、湉"等字的影响，有边读边的结果。

13. "谑"字《韵籁》音"虐"

匿/晓/虚约/药/药/谑/入三

国语谑音虐,《韵籁》同。《广韵》属晓母字,不应该变读为"音虐"。显然是受到《广韵》疑母"虐、疟"等字的影响,变读为 n-母的"虐"(中古舌根鼻音后世变为零声母及 n-声母,前者如"鱼",后者如"牛")。

14. "庞"字《韵籁》音"龙"

鹿/並/薄江/东/江/庞/阳平

国语庞音旁,来自中古並母字。《韵籁》归入鹿母,不合于一般的演变规则,显然是受到声符"龙"字的影响,有边读边的结果。

15. "乿"字《韵籁》音"乱"

鹿/疑/五患/谏/谏/乿/去

国语乿音乱,《广韵》属疑母字,不应该变读为来母。《韵籁》归入鹿母,不合于一般的演变规则,显然是受到声符"乱"字的影响,有边读边的结果。

16. "捐"字《韵籁》音"涓"

角/以/与专/先/仙/捐/阴平

国语捐音涓,《韵籁》归入角母,读音与国语相同,《广韵》属以母字,应当演变为零声母。《韵籁》和国语都不合于一般的演变规则,显然是受到先韵见母古玄切"涓鹃焆"等字的影响,有边读边的结果。

17. "娟悁"字《韵籁》音"涓"

角/影/于缘/先/仙/娟悁濢/阴平

国语娟、悁音涓,《韵籁》归入角母,读音与国语相同,《广韵》属影母字,应当演变为零声母。《韵籁》和国语都不合于一般的演变规则,显然是受到先韵见母古玄切"涓鹃焆"等字的影响,有边读边的结果。

18. "睊锅"字《韵籁》音"涓"

角/晓/火玄/先/先/駽绢/阴平

国语駽、绢音宣,来自中古晓母字。《韵籁》归入角母,不合于一般的演变规则,显然是受到先韵见母古玄切"涓鹃狷"等字的影响,有边读边的结果。

19. "驈"字《韵籁》音"橘"

角/以/馀律/质/术/驈/入一

国语驈音欲,来自中古以母字,与《广韵》的念法符合。《韵籁》归入角母,不合于一般的演变规则,显然是受到术韵见母居聿切"橘、繘"等字的影响,有边读边的结果。

20. "獝"字《韵籁》音"橘"

角/晓/况必/质/质/獝/入一

国语獝音育,显然是受到"驈"字(馀律切)的类化。《韵籁》归入角母,则受居聿切"橘、繘"等字的类化。《广韵》属晓母字,正常演变应当念为ㄐㄑㄒ的ㄒ声母。

21. "阒"字《韵籁》音"臭"

角/溪/苦鶪/锡/锡/阒/入二

国语阒音去,读为送气音,与《广韵》溪母的念法符合,《韵籁》归入角母,读为不送气音,则受见母古阒切"鶪、臭"等字的类化。国语"鶪、臭"音局,完全和《广韵》见母的念法符合。

22. "狙苴"字《韵籁》音"雎"

角/清/七余/鱼/鱼/狙苴葅疽虘/阴平

国语狙、苴音居,《韵籁》归入角母,与国语一样读为不送气音。但是《广韵》属清母字,读为送气音。国语和《韵籁》的讹变是受到"且、趄、雎、砠"等字的类化。《广韵》"且、趄、雎、砠"等字属于精母子鱼切,为不送气音。国语"且、趄、雎、砠"等字音居,念不送气音。

23. "埆"字《韵籁》音"角"

角/溪/苦角/觉/觉/埆/入三

国语埆音却,读为送气音,与《广韵》溪母的念法符合,《韵籁》归入角母,读为不送气音,则受见母古岳切"角、桷、捔"等字的类化。

24."懳"字《韵籁》音"擭"

角/晓/许缚/药/药/懳/入三

国语懳音决,《韵籁》归入角母,声母的念法与国语一样。但是《广韵》属晓母字,不应演变为角母的念法。国语和《韵籁》的讹变是受到《广韵》见母居缚切"擭、躩、矍、彏、玃、躩"等字的类化。国语"擭、躩"音决。

25."銎"字《韵籁》音近"瞪"

阙/晓/许容/冬/钟/銎/阳平

国语銎音穹,《韵籁》归入阙母,声母的念法与国语一样。"銎"字《广韵》有二读:钟韵曲恭切,属溪母。钟韵许容切,属晓母字。二者意义相同,没有语音别义的现象。溪母一读很可能是受到"跫(江韵苦江切)、恐(肿韵丘陇切)"等字的影响而产生的。国语和《韵籁》的溪母一读(腭化为く)也许正是这条线演变下来的。

26."夐"字《韵籁》音"琼"

阙/晓/休正/敬/劲/夐/去

国语夐音兄去声,《广韵》属晓母字。国语和《广韵》声母相符合,但是《韵籁》归入阙母,"夐"字声母的念法显然受到群母渠营切"瓊、藑"等字的影响而类化成为塞擦音了。

27."畎"字《韵籁》音"犬"

阙/见/姑泫/铣/铣/畎/上

国语畎音犬,《韵籁》归入阙母,都念为送气音。但是《广韵》属见母字,本来是不送气音。国语和《韵籁》的溪母一读,显然受到溪母苦泫切"犬"字的影响而类化成为送气音了。

28."祛胠"字《韵籁》音"去"

阙/晓/许鱼/鱼/鱼/祛胠陆/阴平

国语祛、胠音区,《韵籁》归入阙母,念法与国语相同。但是《广韵》属晓母字,本来是擦音。国语和《韵籁》的塞擦音一读,显然受到声符"去"字的影响而类化成为塞擦音了。《韵籁》阙母鱼韵另外有"呿"字,属《广韵》溪母戈韵丘伽切,则是韵母方面受"去"字的类化。

29．"伛"字《韵籁》音"区"

阙/影/于武/麌/麌/伛/上

国语伛音与，符合《广韵》的影母一读。《韵籁》归入阙母，显然受到声符"区"字（溪母岂俱切）的影响而类化了。

30．"呕"字《韵籁》音"区"

阙/影/乌侯/虞/侯/呕/阴平

国语呕音偶又音欧，属零声母。符合《广韵》的影母一读。《韵籁》归入阙母，显然受到声符"区"字（溪母岂俱切）的影响而类化了。

31．"诹娵"字《韵籁》音"取"

阙/精/子于/虞/虞/诹娵/阴平

国语诹、娵音诹，属不送气音，符合《广韵》的精母一读。《韵籁》归入阙母，为送气音。显然受到声符"取"字（清母七庾切）的影响而类化了（《韵籁》归入阙母，为送气的腭化音，来自清母或溪母）。

32．"蹶厥"字《韵籁》音"阙"

阙/见/居月/月/月/蹶厥蕨劂鳜蹩撅/入二

国语蹶、厥音决，属不送气音，符合《广韵》的见母一读。《韵籁》归入阙母，为送气音。显然受到声符"阙"字（溪母去月切）的影响而类化了。

33．"吮"字《韵籁》音"允"

月/船/食尹/轸/準/吮/上

国语吮音顺上声，符合《广韵》的船母一读。《韵籁》归入月母，念成了零声母。这是受到声符"允"字（以母余准切）的影响而类化了。

34．"湲"字《韵籁》音"爱"

月/匣/獲頑/删/山/湲/阳平

国语湲音原，《韵籁》归入月母，念法与国语相同，都是零声母。但是《广韵》属匣母字，本来应该读为厂声母。国语和《韵籁》都受到"媛援爱"等字（云母雨元切）的影响而类化了。

35. "缘"字《韵籁》音"原"

月/清/七绢/霰/綫/缘/去

国语缘音全,符合《广韵》的清母一读。《韵籁》归入月母,念成了零声母。这是受到声符"原"字的影响而类化了。

36. "甤"字《韵籁》音"俞"

月/生/山刍/虞/虞/甤

国语甤音淤,《韵籁》归入月母,念法与国语相同,都是零声母。但是《广韵》属生母(审母二等)字,本来应该读为ㄕ声母。国语和《韵籁》都受到"瑜愉俞揄渝瑜"等字(以母羊朱切)的影响而类化了。

37. "阈"字《韵籁》音"域"

月/晓/况逼/职/职/阈/入一

国语阈音欲,《韵籁》归入月母,念法与国语相同,都是零声母。但是《广韵》属晓母字。国语和《韵籁》都受到"域緎棫淢"等字(云母雨逼切)的影响而类化了。

38. "烬荩"字《韵籁》音"尽"

节/邪/徐刃/震/震/烬荩贐/去

国语烬、荩音进,《韵籁》归入节母,念法与国语相同。但是《广韵》属邪母字,原本应该念为擦音。国语和《韵籁》都受到声符"尽"字(精母即忍切)的影响而类化了。

39. "婞"字《韵籁》音"经"

节/疑/五茎/庚/耕/婞/阴平

国语婞音形,显然国语是受到"陉"字(青韵户经切,音形)的类化。"婞"《广韵》属疑母字,原本应该变读为零声母。《韵籁》归入节母,念法既不同于国语,也不合于《广韵》。这是受到"经泾"等字(见母古灵切)的影响而类化了。《韵籁》"节"母是个腭化的塞擦音,由中古见母和精母的细音演变而成。

40. "胫"字《韵籁》音"经"

节/匣/胡顶/迥/迥/胫/上

国语胫音竟,《韵籁》归入节母,念法与国语相同。但是《广韵》属匣母字,原本应该念为擦音。国语和《韵籁》都受到"经泾"等字(见母古灵切)的影响而类化为塞擦音了。

41. "鬑"字《韵籁》音"蒹"

节/来/勒蒹/盐/添/鬑/阴平

国语鬑音连,符合《广韵》的来母一读。《韵籁》归入节母,这是受到声符"兼"字(见母古甜切)的影响而类化了。

42. "豏"字《韵籁》音"蒹"

节/匣/下斩/豏/豏/豏/上

国语豏音现,符合《广韵》的匣母一读。《韵籁》归入节母,这是受到声符"兼"字(见母古甜切)的影响而类化了。

43. "揖"字《韵籁》音"辑"

节/影/伊入/缉/缉/揖/入一

国语揖音一,符合《广韵》的影母一读。《韵籁》归入节母,这是受到"辑"字(从母秦入切)的影响而类化了。

44. "岌"字《韵籁》音"及"

节/疑/鱼及/缉/缉/岌/入一

国语岌音及,《韵籁》归入节母,念法与国语相同。但是《广韵》属疑母字,原本应该念为零声母。国语和《韵籁》都受到声符"及"字(群母其立切)的影响而类化了。

45. "诘"字《韵籁》音"吉"

节/溪/去吉/质/质/诘/入二

国语诘音节,《韵籁》归入节母,念法与国语相同,都是不送气音。但是《广韵》属溪母字,原本应该念为送气音。国语和《韵籁》都受到声符"吉"字(见母居质切)的影响而类化了。

46. "黠"字《韵籁》音"吉"

节/匣/胡入/黠/黠/黠/入二

国语黠音节,《韵籁》归入节母,念法与国语相同。但是《广韵》属匣母字,原本应该念为т声母。国语和《韵籁》都受到声符"吉"字

(见母居质切)的影响而类化了。

47."黠頡"字《韵籁》音"吉"

节/匣/胡结/屑/屑/缬襭頡襭/入二

国语襭、頡音节,《韵籁》归入节母,念法与国语相同。但是《广韵》属匣母字,原本应该念为T声母。国语和《韵籁》都受到声符"吉"字(见母居质切)的影响而类化了。

48."峡硤"字《韵籁》音"夹"

节/匣/侯夹/洽/洽/峡硤/入三

国语峡、硤音霞,符合《广韵》的匣母一读。《韵籁》归入节母,这是受到见母的"夹笑颊笑"字的影响而类化了。

49."垠龂"字《韵籁》音"根"

各/疑/语斤/文/欣/垠龂/阴平

国语垠、龂音银,符合《广韵》的疑母一读。《韵籁》归入各母,这是受到见母的"艮根跟"等字的影响而类化了。

50."槁"字《韵籁》音"缟"

各/溪/苦浩/皓/皓/槁/上

国语槁音搞,《韵籁》也归入各母。但是《广韵》属溪母字,原本应该念为送气声母。国语和《韵籁》都受到《广韵》古老切"暠缟杲"等字的影响而类化了。

51."坩"字《韵籁》音"甘"

各/溪/苦甘/覃/谈/坩/阴平

国语坩音干,《韵籁》也归入各母,都读为不送气音。但是《广韵》属溪母字,原本应该念为送气声母。国语和《韵籁》都受到见母的"甘柑"等字影响而类化了。

52."翮"字《韵籁》音"隔"

各/匣/下革/麦/翮/入

国语翮音和,符合《广韵》的匣母一读。《韵籁》归入各母,这是受到见母的"隔嗝膈"等字的影响而类化了。

53."蔻"字《韵籁》音"寇"

客/晓/呼漏/宥/候/蔻/去

国语蔻音扣,《韵籁》也归入客母,都读为送气塞音。但是《广韵》属晓母字,原本应该念为擦音声母。国语和《韵籁》都受到念塞音的"蔻簆"(溪母苦候切)等字影响而类化了。

54. "哿"字《韵籁》音"可"

客/见/古我/哿/哿/哿/上

国语哿音葛,又音可。后者显然是受到声符"可"的影响而类化的。《韵籁》"哿"字归入客母,读为送气塞音,正是声符"可"(溪母枯我切)类化的结果。

55. "劾"字《韵籁》音"刻"

客/匣/胡得/职/德/劾/入

国语劾音和,符合《广韵》的匣母一读。《韵籁》归入客母,这是受到溪母苦得切的"刻"字影响而类化了。

56. "绗"字《韵籁》音"卦"

国/匣/胡卦/卦/卦/绗/去

国语绗音挂,《韵籁》归入国母,都读为塞音。但是《广韵》属匣母字,原本应该念为擦音声母。国语和《韵籁》都受到见母古卖切的"卦挂"等字影响而类化了。

57. "鹄"字《韵籁》音"告"

国/匣/胡沃/沃/沃/鹄/入一

国语鹄音湖,符合《广韵》的匣母一读。《韵籁》归入国母,这是受到声符"告"字(见母古沃切)影响而类化了。

58. "搰榾鶻"字《韵籁》音"骨"

国/匣/户骨/月/没/搰榾鶻/入一

国语搰、榾、鶻音股,《韵籁》归入国母,都读为塞音。但是《广韵》属匣母字,原本应该念为擦音声母。国语和《韵籁》都受到声符"骨"字影响而类化了。

59. "犷"字《韵籁》音"旷"

廓/见/居往/养/养/犷/上

国语犷音况，《韵籁》归入廊母，都读为送气音。但是《广韵》属见母字，属不送气音声母。国语和《韵籁》都受到"旷犷圹"（溪母苦谤切）等字影响而类化了。

60．"聩"字《韵籁》音"溃"

廊/疑/五怪/卦/怪/聩/去

国语聩音溃，《韵籁》归入廊母，都读为送气塞音。但是《广韵》属疑母字，原本应该念为零声母。国语和《韵籁》都受到送气塞音的"溃匮篑聩馈喷蒉愦㦲横䁾锞"等字影响而类化了。《韵籁》"溃、愦"也是廊母，《广韵》则前者为匣母胡对切，后者为见母古对切。原本都不是廊母的读法，《韵籁》一律跟着整批字类化为廊母（ㄎ）了。见母的"愦"，国语音溃，也读成了ㄎ声母。

三　结　论

下面我们把讨论的结果列成一表：

编号	被类化的字（往往为罕用字）	原广韵声母	类化后声母的念法	受何字影响（往往为常用字或形近字，数量大）	发生类化之语言
01	浤	影	ㄏ	弘	国语、《韵籁》
02	肱	见	ㄏ	纮	《韵籁》
03	儇	见	ㄏ	還環寰缳	国语、《韵籁》
04	恢㷇	溪	ㄏ	灰	国语、《韵籁》
05	荟	影	ㄏ	会	国语、《韵籁》
06	矐䕶	影	ㄏ	獲穫	国语、《韵籁》
07	啾	精	ㄑ	秋	《韵籁》
08	湫	精	ㄑ	秋	《韵籁》（大陆的念法音"秋"）
09	捯	透	ㄉ	帝	《韵籁》
10	屟鞢	心	ㄉ	碟蝶喋谍牒	《韵籁》

续表

编号	被类化的字(往往为罕用字)	原广韵声母	类化后声母的念法	受何字影响(往往为常用字或形近字,数量大)	发生类化之语言
11	袄	晓	ㄊ	天	《韵籁》
12	舚	心	ㄊ	甜恬湉	《韵籁》
13	谑	晓	ㄋ	虐疟	国语、《韵籁》
14	庞	並	ㄌ	龙	《韵籁》
15	甈	疑	ㄌ	乱	国语、《韵籁》
16	捐	以	ㄐ	涓鹃焆	国语、《韵籁》
17	娟悁	影	ㄐ	涓鹃焆	国语、《韵籁》
18	駽鋗	晓	ㄐ	涓鹃焆	《韵籁》
19	驈	以	ㄐ	橘繘	《韵籁》
20	獝	晓	ㄐ	橘繘	《韵籁》(国语受"驈"的类化,音育)
21	闃	溪	ㄐ	䴅臭	《韵籁》
22	狙苴	清	ㄐ	且趄雎砠	国语、《韵籁》
23	埆	溪	ㄐ	角桷捔	《韵籁》
24	懹	晓	ㄐ	攘瀼儴禳瓤蘘	国语、《韵籁》
25	焌	晓	ㄑ	䞓恐	国语、《韵籁》
26	夐	晓	ㄑ	琼敻	《韵籁》
27	猋	见	ㄑ	犬	国语、《韵籁》
28	袪胠	晓	ㄑ	去	国语、《韵籁》
29	伛	影	ㄑ	区	《韵籁》
30	呕	影	ㄑ	区	《韵籁》
31	諏娵	精	ㄑ	取	《韵籁》
32	蹶厥	见	ㄑ	阙	《韵籁》
33	吮	船	○	允	《韵籁》
34	湲	匣	○	媛援爰	国语、《韵籁》
35	缘	清	○	原	《韵籁》
36	氉	生	○	瑜愉俞揄渝瑜	国语、《韵籁》

《韵籁》声母演变的类化现象　143

续表

编号	被类化的字(往往为罕用字)	原广韵声母	类化后声母的念法	受何字影响(往往为常用字或形近字,数量大)	发生类化之语言
37	阈	晓	○	域缄械减	国语、《韵籁》
38	烬荩	邪	ㄐ	尽	国语、《韵籁》
39	婞	疑	ㄐ	经泾	《韵籁》(国语受"陉"的类化,音形)
40	胫	匣	ㄐ	经泾	国语、《韵籁》
41	蠊	来	ㄐ	兼	《韵籁》
42	嗛	匣	ㄐ	兼	《韵籁》
43	揖	影	ㄐ	辑	《韵籁》
44	岌	疑	ㄐ	及	国语、《韵籁》
45	诘	溪	ㄐ	吉	国语、《韵籁》
46	黠	匣	ㄐ	吉	国语、《韵籁》
47	襭颉	匣	ㄐ	吉	国语、《韵籁》
48	峡硖	匣	ㄐ	夹筴颊笑	《韵籁》
49	垠龈	疑	ㄍ	艮根跟	《韵籁》
50	槁	溪	ㄍ	暠缟杲	国语、《韵籁》
51	坩	溪	ㄍ	甘柑	国语、《韵籁》
52	翮	匣	ㄍ	隔嗝膈	《韵籁》
53	蔻	晓	ㄎ	寇蔻	国语、《韵籁》
54	哿	见	ㄎ	可	《韵籁》
55	劾	匣	ㄎ	刻	《韵籁》
56	挂	匣	ㄍ	卦挂	国语、《韵籁》
57	鹄	匣	ㄍ	告	《韵籁》
58	搰榾搰	匣	ㄍ	骨	国语、《韵籁》
59	犷	见	ㄎ	旷扩扩	国语、《韵籁》
60	聩	疑	ㄎ	溃匮箦聩馈喷蒉愦㥑㥑瞆䙡	国语、《韵籁》

由这个表看起来,有很多国语符合中古音的例子,《韵籁》却受到字形的类化,而变读成另外一个念法。可知《韵籁》的时代"有边读边"的风气十分兴盛。这种情形多出现在罕用字,古人见到不会念的字往往采用类推的办法,由字形上找线索,用一个平常最熟悉的念法来念它,这种习惯自古以来一直存在着。这样造成的音变是西方语言所没有的现象。是汉语音变的一个特色,值得我们的注意。

参考文献

冯志白（1991）《韵籁》作者考辨,《语言研究论丛》第5辑,287—298页,南开大学中文系编。
——（1991）《韵籁》的音韵系统,《语言研究论丛》第6辑,南开大学中文系编。
张　旭（1991）《韵籁》语音考析,《语言研究论丛》第6辑,南开大学中文系编。
竺家宁（1974）汉语音变的特殊类型,《学粹》第16卷第1期,21—24页,台北。
——（1985）宋代语音的类化现象,《淡江学报》第22期,57—65页,台北。
——（1991）《声韵学》,国立编译馆,部编大学用书,五南图书公司印行,770页,台北。
——（1994）《近代音论集》,学生书局,269页,台北。
——（2002）《韵籁》的零声母和腭化现象,第一届中国语言文字国际学术研讨会,香港大学中文系。

（台北,国立政治大学中文系 E-mail：zjn@nccu.edu.tw）

明末官话调值小考

〔日〕高田時雄

　　金尼阁的《西儒耳目资》(1626)不仅是中国历史上第一部采用完整的罗马字标音汉字的字典，也是明末官话的一件重要材料。过去有些学者主张《西儒耳目资》所反映的语音是山西或西北的方言，但根据当时天主教传教士有关中国语言的记述，它的基础方言为通行于全国的官话是不容置疑的①。

　　罗明坚、利玛窦等早期耶稣会士于16世纪80年代开始在广东传教，当时为了学习汉语的方便起见已采用罗马字母拼写汉字。藏在罗马耶稣会档案馆的《葡汉辞典》②中，能看到他们的早期罗马字标音方式。这个标音方式基于意大利语的正字法，而不像后来结晶于《西儒耳目资》的葡萄牙式的罗马字。罗、利在肇庆时，肇庆知府王泮送给他们的教堂两块匾额，一块写着"迁花寺"，另一块写着"西来净土"③。罗明坚把这些匾额的字抄录下来而且附上罗马字注音。这个材料今天还藏在耶稣会档案馆中④。其注音是 sien cua si（迁花寺）、sci lai cin tu（西来净土）。这跟他与利玛窦合著《葡汉辞典》的注音基本一致。不仅如此，利玛窦晚年写成的《中国传教史》意大利文稿本也是采用类似的意大利式标音法。

　　《西儒耳目资》的罗马字母标音法已于1605年利玛窦在北京刊刻的《西字奇迹》⑤中使用，所以目前一般认为《西儒耳目资》的标音法不是金尼阁的创始而是沿袭利氏之旧的。那么，利玛窦从何时开始创制而使用这个标音法呢？关于这一点，利玛窦在《中国传教史》上有所交代。1598年，利玛窦等第一次赴北京，但形格势禁，先回南京，途中船上讨论语言问题。

　　（利玛窦等）神父们已经是传教团中最老练的人物而精通汉

语的钟鸣仁修士也在,编纂了一部很好的词汇(un bello vocabulario),并给这个语言的诸多问题加以整理。因此,其后能够两倍容易地学会汉语。他们提醒,这个语言由单音节的语音或文字构成,而每个语音带声调或气音时,发音上极其重要区别这些特点。用此发音的区别才可以分别而听懂多种文字与语音;否则,它们无法区别。学习这个语言的困难,正由于这个原因。他们一面准确区别带气音,一面也注意到五种不同的声调。对此,郭居静神父的贡献非常大。他有音乐的知识,用以非常正确地观察而进行区别。由此他们制定了五种声调(符号)与一种气音(符号)。⑥

此时,利玛窦与郭居静等讨论描写汉语的细致语音特点的符号问题,创制出一套新的标音符号系统。郭居静对音乐的造诣很深,特别是在声调的分析和声调符号的创制方面扮演了最重要的角色。如果没有郭居静的协助,新符号就必定不会实现⑦。我们可以想像这个新标音法已试用于这时所编的"词汇"。很遗憾,这个"词汇"至今尚未发现⑧。但毫无疑问,它是金尼阁编《西儒耳目资》时的基本材料之一。金尼阁于1610年来华,翌年与郭居静一起被李之藻邀请到杭州开教⑨。我们可以想像此时郭居静将他的标音符号传授给金尼阁。

现在只对声调符号而说,《西儒耳目资》的五声符号,即清平(-)、浊平(ˆ)、上声(ˋ)、去声(ˊ)与入声(ˇ)等,每一个符号很可能来自西方古典语言的补助符号,但其高低升降的形状也应该是模拟实际调值的。郭居静利用这些符号来记录汉语声调时,他的头脑里也许浮现了乐谱。如果现在能够看到这样的乐谱,那就对拟测明末官话调值很有价值。郭居静的乐谱当然已不存在,但天主教传教士材料中并非没有。小文介绍此材料而期望对明末官话调值的研究有所小补。

梵蒂冈教廷图书馆藏有一部手抄汉拉字典(Borgia Cinese 475),是意大利汉学家蒙突奇(Antonio Montucci, 1762—1829)旧藏书之一⑩。这部字典原来是拿玻里传信部红衣主教安得捏里(Cardinal Antonelli)收藏,后归英国著名外交家斯当东(Sir George Leonard

Staunton, 1737—1801)之手,蒙突奇购得此书是 1811 年。字典是从"一"至"钥"的部首排列,写在用红色刻印的格纸上[11],每页横排 10 行,行分 3 栏,左为汉字字头与其拉丁字母标音,中栏最宽,留给拉丁文注解,右栏横竖两分计作 4 栏填进同义字。后有附录几种。书前有导论称作《著作目的与使用法》(Operis ratio et usus)。其中谈到官话声韵,而特别对于声调调值加以很明确的说明,即用乐谱来描述五声[12]。"音乐(= 乐谱)可以大约记录这些声调如下(musica possit aliqualiter describere hos tonas sic)"。

iā iá ià iá iă

清平与浊平都用全音符来表现,而上去声则用连接四个十六分音符的,然则音长似有很大的差别。但按理说,除了短促的入声字以外,每个字的音长基本是平衡的,所以此处不应该照样理解。因为上去声有高低升降,所以为了表现平滑的音高推移,就采用十六分音符的连音符。至于入声用两个十六分音符,明显地表示其为短促的声调。总之,这可以说是一种易懂而令人信服的方法。如用五度标调法,五声各个调值可以定为:清平 33、浊平 11、上声 42、去声 24、入声 <u>12</u> 或 <u>23</u>。这部字典的导论何时由何人所写是无法得知,可能稍晚一点,但出于在华天主教传教士之手是不容置疑的。那么,即使不是一无所改地继承郭居静的乐谱,肯定是一脉相承有所根据的。

过去,研究明末官话调值[13],使用的材料尽限于《西儒耳目资》与万济国《官话语法》[14]而不及其他。现在,不妨介绍另外一种材料。这也是一部手抄汉拉字典的附录[15]。其注记之四亦有官话声调符号的说明,如下。

(一)符号(-)表示单纯第一声,所以(带此符号的字)应该将声音提高,而保持其音高稍微拉长。正如病人由于其痛苦发 ay 音扬其语调而拉长之。

（二）符号(ˆ)是为第二声设而降低音高而发的。例如以平静的声音庄重地回答时发出 oui。

（三）第三声用符号(ˋ)来表现。快速将声音降低而发音。例如生气的人不高兴地回答 non。

（四）第四声的符号是(ˊ)。表示此声调的字应该以相等于第三声的下降程度提高声音。如用乐谱而言，可以音阶的第四、第五、第六音(fa、sol、la)相当准确地表现。同样，第三声随着第六、第五、第四音而渐低就可以巧妙表现。

（五）符号(ˇ)表示第五声，短促而一口气地发音。接近于非常轻微地发音我们音乐中所用的第四音(fa)。

这个说明明显地受了万济国《官话语法》的影响，有的地方甚至于只抄了万济国的文本。但利用音阶说明的部分却是崭新的方案，也许遵守传教士用音乐记录汉字音传统的。即第三声(上声)为 la、sol、fa，而第四声(去声)为 fa、sol、la。上引之梵蒂冈音谱，如果假定第一线为 do，上声便为 si ra sol fa，而去声为 mi fa sol la，与此距离不大，也可以说是基本一致。至于第五声，此材料说音高是 fa 音，然则梵蒂冈的 re mi 稍微低一点，上面假定的 12 或 23，似为后者更合适。以往诸家拟测入声调值，分歧比较大，如鲁国尧 535/424，杨福绵 45，曾晓渝 34，王松木 24/35。一般拟测得高一点，想必被《西儒耳目资》的描述"最高曰去，次高曰入"所迷惑的。但这边《西儒耳目资》的说明全文如此："平声有二，曰清，曰浊。仄声有三，曰上，曰去，曰入。五者有上下之别，清平无低无昂。在四声之中，其上其下每有二。最高曰去，次高曰入。最低曰浊，次低曰上。"高低与升降稍有混乱，而先将浊平与上归属于"下"，去入归属于"上"。然则入声之次高是只对去声而言，并非对其他全部声调而言的。然则即使有"次高曰入"的说明，不用给入声过高的音高。

另外，浊平的调值，除鲁国尧外，各家一致拟测为 21，是以万济国的描写为根据的。万济国《官话语法》对浊平的说明是："第二声，如一个词具有两个音节,就稍微下降第二音节发音,而只有一个音节,例如 y,就应该稍微拉长声音,使其好像是两个音节。"这个说明容易受误解,"一个词具有两个音节"实际上意味着两个单元音组成的复元音音节,比如说 ai 是由 a 与 i 两个音组成的。据万济国的说明,复元音的第二音,就是说 ai 的 i 应该稍微下降。这正是各家将浊平调值拟测为 21 的原因。但是,万济国也说单元音的时候只有拉长声音而没有音高变化。既然是一个声调,这样的分歧是不会存在的。复元音的第二个音很容易就力尽而难以保持低音,所以万济国特别注意有意识地将第二音的音高保持其最低位置而稍有夸张地给予指示的。所以,浊平的调值还是以 11 为妥当。

各家对明末官话调值的拟测本来没有很大的差别,本文的意图只是介绍天主教传教士的零星材料而对已往的研究稍微有所补充。

附 注

① 参看鲁国尧《明代官话及其基础方言问题》,《南京大学学报(哲学社会科学)》1985 年第 4 期,47—52 页。

② 罗马耶稣会档案馆 ARSI, Jap.-Sin., I, 198, ff. 32r—169r。

③ 这是 1584 年的事件。德礼贤《中国传教史》(*Fonti Ricciane*)第 1 卷,第 199 页。

④ 参看《中国传教史》图版 12。原件为 ARSI, Jap.-Sin., I, 9, ff. 263—264。

⑤ 梵蒂冈图书馆藏本(Raccolta Generale Oriente III 231—12)是《西字奇迹》唯一现存的本子。利玛窦在北京与程大约结识,似给他送此书板片,而程氏将其收录在他的《程氏墨苑》中。参看王重民《罗马访书记》,《冷庐文薮》上海古籍出版社,1992,第 801 页。

⑥ 《中国传教史》第 2 卷,第 32 页。

⑦ 《西儒耳目资》译引首谱·问答云:"敝友利西泰,首至贵国,每以为苦,惟郭仰凤精于乐法,颇能觉之,因而发我之蒙耳。"

⑧ 中译本《利玛窦中国札记》的译者将此"中国词汇"误认为《平常问答词意》。这是由于误读德礼贤《利玛窦史料》(即本文的《中国传教史》)所致,应该纠正。《平常问答词意》是罗明坚、利玛窦合著《葡汉词典》草稿中放在词典正文之前的罗马字注音对话录,不是词汇。而且,根据杨福绵神父的意见,此 pin ciù ven tà ssì gnì 注音应是《宾主问答辞义》而并非如德礼贤所想象的《平常问答词意》。这个纠正是有说服力的。参看魏若望所编《葡汉辞典》(2001,澳

门·里斯本)所附之"罗明坚和利玛窦的《葡汉辞典》(历史语言导论)"106—107页。

⑨ 丁至麟《杨淇园先生超性事迹》云:"岁辛亥(1611)我存公(李之藻)官南都,与利先生同会郭仰凤(居静)、金四表(尼阁)交善,比告归,遂延郭金二先生入越。"(钟鸣旦等编《徐家汇藏书楼明清天主教文献》,台北,辅仁大学神学院,1996,第1册,218页)又参看方豪《中国天主教史人物传》上册,第118页,中华书局1988年版;方豪《李之藻研究》台湾商务印书馆1966年版,33—36页。

⑩ 蒙突奇于1829年将其全部藏书卖给罗马传信部(Propaganda Fide),现藏梵蒂冈图书馆。其全貌可见伯希和原著,高田時雄新编《梵蒂冈图书馆汉籍目录》(Inventaire sommaire des manuscripts et imprimés chinois de la Bibliothèque Vaticane),京都,1995。

⑪ 格纸尺寸为17.2cm×11.9cm。

⑫ 举例采用ia音,可能由《西儒耳目资》而来的。译引首谱·问答云"五声之殊,总本一音,如鸦、牙、雅、亚、鸭,此五字,总本乎一音,用西字可书,曰ia。欲分平仄,五声各有本号,则分之矣。"

⑬ 讨论明末官话调值的文章,除了上引鲁国尧《明代官话及其基础方言问题》和杨福绵《罗明坚和利玛窦的〈葡汉辞典〉(历史语言导论)》(此文初稿发表在中央研究院于1989年出版的《第二届国际汉学研讨会》论文集中)以外,尚有曾晓渝《〈西儒耳目资〉的调值拟测》,《语言研究》1992年第2期(总第23期)132—136页;王松木《〈西儒耳目资〉所反映的明末官话音系》(国立中正大学中国文学研究所硕士论文)1994年12月。

⑭ 最近出现英译本,很有参考价值。柯蔚南与烈维合著《万济国的官话语法》(W. South Coblin and Joseph A. Levi, *Francisco Varo's Grammaer of the Mandarin Language*, 2000, Amsterdam / Philadelphia, John Benjamin Publishing Company)。

⑮ 大英图书馆 Add. 23620, pp. 978ff. Annotationes quaedam gallicae cerca usum dictionarii hujusce duplicis, id est Sinico-latini, & mere sinici.

(日本国京都市左京区北白川东小仓町　京都大学人文科学研究所)

韵书残卷 P4871 考释

尉迟治平

提要 敦煌韵书残卷 P4871 除陆法言序和长孙讷言序外，原本还应该包括郭知玄题识、孙愐《唐韵序》和"论曰"部分，《广韵》所载序文是在这个系统的基础上，对用字加以规范而形成的。

关键词 敦煌韵书残卷　P4871　性质　源流

本文的写作，跟北京大学有很深的关系。

1990 年 10 月，中国音韵学研究会第 6 次学术讨论会在北京大学举行，我参加了会务组的工作并提交了题为《韵书三种跋》的学术论文，讨论了藏于巴黎的 P4871 和藏于列宁格勒的 DX1372 + DX3703、DX1466 三种韵书残卷。拙文认为前者是一种时代较晚的韵书，第二种属于长孙讷言笺注本，后一种属于《唐韵》系统。因为当时我据以讨论的，是日本上田正先生（1973：103—104、106—110）的转录本，并没有看到原卷的影印件，所以没有公开发表。

那篇论文是想给周祖谟先生的《唐五代韵书集成》续貂。周祖谟先生是北京大学著名学者，是我敬仰的师辈，由于师承和工作的关系，我常有幸亲炙教诲。《唐五代韵书集成》（周祖谟 1983）是先生的名著。现在能见到的唐五代韵书，约有 50 种，但是大部分都流失海外。百年来，我国学者为搜辑这一批珍贵的资料，作出了不懈的努力（尉迟治平 1998、1999）。其中尤以《唐五代韵书集成》最为完备，共收韵书 44 种，每种都详加考释，辨章学术，考镜源流，十分精审缜密。但是，原苏联科学院东方学研究所列宁格勒分所收藏的几种韵书残卷，却因为中苏长期讯息不通，所以没能收录。后来我在读上田正先生《切韵残卷诸本补正》时注意到这几种资料，曾向先生提起过,北京会议前在先生家,又因先生垂询谈起我的会议论文内容,先生俱笑而未论。

　　1994 年,《唐五代韵书集成》在台湾学生书局增补再版,根据上田正先生(1982)收录的照片影本和抄录本,在书首"补遗"增补了 DX1372 + DX3703、DX3109 + DX1267、DX1466 三种韵书残卷,每种前面,都用硬笔标明韵书的性质(周祖谟 1994:1—6),从笔迹看,应该是先生的手笔,遗憾的是没有考释,也没有收录 P4871。

　　令我高兴的是,周祖谟先生对列藏两种残卷性质的判定跟愚见大致相合,这增强了我的自信心,就将《韵书三种跋》根据新的材料重写,先后发表了两篇(尉迟治平 1998、1999)。本文是第三篇,专门讨论 P4871。这一种韵书残卷,在大陆不容易看到,所以本文的后面附上《敦煌宝藏》收录的原卷影印件。

　　以上所述,是本文跟北京大学的各种瓜葛,现在本文能在北京大学《语言学论丛》发表,也是一种学术缘分。

　　P4871 为法人伯希和于 1908 年从我国敦煌藏经洞劫掠去的韵书残卷,现藏法国巴黎国家图书馆。据上田正先生(1973:41)著录,该卷为写本残叶一叶,大小为 27.2cm×25cm。除上田正《切韵残卷诸本补正》(上田正 1973:103—104)的抄校本外,《敦煌掇琐》(刘复 1925)、《十韵汇编》(刘复等 1936)、《瀛涯敦煌韵辑》(姜亮夫 1955)、《瀛涯敦煌韵书卷子考释》(姜亮夫 1990)、《瀛涯敦煌韵辑新编》(潘重规 1972)、《唐五代韵书集存》(周祖谟 1983、1994)各家俱未收录。上田正(1973:41)在"解题"中仅指出本书存陆法言、长孙讷言序,没有对残卷内容、性质进行讨论。

　　本卷存陆法言序和长孙讷言序,起自"选精切",止于"畴兹得失",共 13 行,行 24 字左右(22—27 字),末 3 行上半已缺。在唐五代韵书中,现存陆序的还有 S2055(一般据《十韵汇编》通称"切二",序言部分称"切序乙",《唐五代韵书集存》称为"笺注本切韵二",本文简称"笺注切")、P2017(《唐五代韵书集存》称为"增字本切韵残卷",本文简称"增字切")、P2129(一般据《十韵汇编》通称"切序甲",《唐五代韵书集存》称为"刊谬补缺切韵序文",本文简称"王韵序")、宋跋本《王仁昫刊谬补缺切韵》(通称"王三",《唐五代韵书集存》称为"王仁昫刊谬补缺切韵二",本文简称"宋跋王")、P4879+P2019(《唐五代韵书集存》称为"切韵唐韵序一",本文简称"唐序一")、P2638(一般据《十韵汇编》通称"唐序乙",《唐五代韵书集存》称为"切韵唐韵序二",本文简称"唐序二");存长孙序的还有笺注切、唐序一、唐序二、项跋本《王仁昫刊谬补缺切韵》(一般据《十韵汇编》通称"王二",《唐五代韵书集存》称为"裴务齐正字本刊谬补缺切韵",本文简称"项跋王"),可以同 P4871 互相比勘,进行研究。

从整体上观察,跟 P4871 最相近的是唐序一和唐序二,文句和用字,甚至包括俗字的写法,几乎完全相同。

如果根据文句分析,这 8 种韵书可以分为两大类。甲类包括本卷和唐序一、唐序二,文句跟《广韵》相近。其他属于乙类。两类文句繁简不同(方围代表原卷已经残缺的字):

		陆法言序	
甲类	广韵	蕭顏多所決定	何不隨口記之
	本卷	蕭顏多所決定	何不隨口記之
	唐序一	同上	同上
	唐序二	同上	同上
乙类	笺注切	顏外史蕭國子多所決定	何為不隨口記之
	增字切	同上	同上
	王韵序	同上	同上
	宋跋王	顏外史蕭國子多所決定	何為不隨口記之

		陆法言序		
甲类	广韵	博問英辯	私訓諸弟子	未得縣金
	本卷	博問英辯	私訓諸弟子	未得懸金
	唐序一	同上	同上	同上
	唐序二	同上	同上	同上

续表

		陆法言序		
乙类	笺注切	後博問英辯	私訓諸弟	柒①可懸金
	增字切	文藻即湏問辯	同上	未可懸金
	王韵序	後博問辯士	私訓諸子弟	求②可縣金
	宋跋王	後博問辯	凡訓諸弟	未可懸金

		长孙讷言序	
甲类	廣韵	訥言曰此製酌古沿今	無以加也
	本卷	訥言曰此製酌古□□	同上
	唐序一	訥言曰此製酌古㳂今	同上
	唐序二	同上	同上
乙类	笺注切	訥言謂陸生□□□□古㳚今	權而言之無以加也
	項跋王	訥言謂陸生曰此製酌古沿今	同上

		长孙讷言序	
甲类	廣韵	差之一畫	見炙從肉
	本卷	同上	見□□□
	唐序一	差之一畫	見炙従肉
	唐序二	同上	同上
乙类	笺注切	□□□□	弱冠嘗覽顏公字樣見炙從肉
	項跋王	差之一點	弱冠常覽顏公字樣見炙從肉

另外,甲类陆法言序末句"于是歲次辛酉大隋仁壽元年",乙类句末有"也"字。

乙类年代较早,书都成于初唐,当然抄定的时代是比较晚的:笺注切即切二,王国维(1940:8)考定为长孙讷言笺注本,据书体应为唐代中叶写本,长孙笺注成于唐高宗仪凤二年(677),但周祖谟(1983:835、842)指出,此书是用王仁昫《刊谬补缺切韵》抄配的,不过宋跋本王韵没有长孙序,从我们的研究看,此书长孙序跟项跋本王韵的也不是一个系统,所以此书底本应该是比较早的,后人抄配的只是韵书正文后部从之韵末"鼒"至鱼韵"歔"的部分(周祖谟 1983:

835、842);增字切,周祖谟(1983:857—858)指出其年代在笺注切和项跋王之间;王韵序,《十韵汇编》称"切序甲",但它在陆法言序之前,还录有王仁昫的序,次序和宋跋王相同,二者都应该属于王韵系统,唐兰(1947)认为王书作于唐中宗神龙二年(706);项跋王即王二,书不录陆法言序,在王仁昫序之后有长孙讷言序,卷首题王仁昫撰、长孙讷言注、裴务齐正字,自厉鼎煃(1934)始,学者都认为此书乃杂抄王、长孙、裴三家书而成,据周祖谟(1983:899、905)考证,书成于中宗之后,但作者没有见到《唐韵》,那么又应在孙愐撰作《唐韵》的开元、天宝之前。甲类年代较晚,唐序一和唐序二在陆序和长孙序之后,还录有郭知玄题识和孙愐《唐韵序》,周祖谟(1983:731)认为属于五代本韵书。它们所录长孙序和孙愐《唐韵序》,多有删落,都和《广韵》相同,是《广韵》所载序文的底本。从以上材料看,P4871 也应该是一种五代本韵书,时代较晚。

值得注意的是,本卷跟唐序一、唐序二,都起自陆法言序"選精切"。三种卷子文句相同,但行款有差异。下面列出它们每行首字/末字以资观察(外加方框的是原卷已残而据上下文推定的字):

行数	1	2	3	4	5	6	7
本卷	選/難	疑/笔	略/數	年/屏	居/之	歟/字	書/何
唐序一	選/向	来/下	握/官	十/韻	屏/懷	可/字	書/煩
唐序二	選/悉	盡/記	經/十	數/湏	聲/死	路/取	諸/析

行数	8	9	10	11	12	13	14
本卷	煩/歟	揚/直	欲/古	淞/見	炙/斯	若/失	
唐序一	泣/雄	之/出	户/無	以/莫	究/焉	他/晉	
唐序二	毫/之	言/賢	遺/隋	仁/文③	多/形	聲/湏④	佩/豕

本卷起自"選精切"终至"疇茲得失",参照唐序一和唐序二,共314字,占13行,行均24.15字;唐序一止于13行多出"銀鉤剏閲晉"5字,行均24.54字;唐序二13行止于"他皆傚此湏","佩經之陳沐雨

之餘揩其訛繆疇茲得失"16 字溢出到第 14 行,行均 22.92 字。根据《广韵》计算,在"選精切"之前,陆法言序自"昔開皇初"至"欲更捃",应有 180 字⑤。依上面分析的行款,这段文字在本卷应占 7.45 行,即第 7 行约有 11 字;唐序一应占 7.33 行,第 7 行约有 8 字;唐序二应占 7.86 行,第 7 行约有 20 字。因此,不太可能这三种卷子都在第 7 行止于"欲更捃",然后从"選精切"另转一行。

最合理的解释是,这三种写本抄录的底本相同,底本原本就卷首残缺,从"選精切"起。这个底本很可能就如同唐序二。如果这个推断能够成立,那么本卷和唐序一可以利用唐序二补全,唐序一在孙愐《唐韵序》后还应该有"論曰"一段;本卷在陆序和长孙序之后,还应有郭知玄题识、孙愐《唐韵序》和"論曰"部分。在唐末五代时流行的《切韵》系韵书序言文本中,这是一个很重要的文本,为《广韵》的作者所采纳参用。

上文曾经提到,本卷跟唐序一、唐序二在俗字的写法上也完全相同,如果着眼于这些抄本使用正体俗字的不同,就会发现它们还可以分成另外两种类型,子类多用异体字和俗字,丑类则用正字。甲类中,P4871 和唐序一、唐序二属于子类,《广韵》属于丑类;乙类中,笺注切、增字切、王韵序属于子类,宋跋王、项跋王属于丑类:

			陆法言序			
		本卷	踈緩	疑殤	随口	我輩數人
子类	甲类	唐序一	同上	同上	同上	同上
		唐序二	同上	同上	同上	同上
	乙类	笺注切	同上	同上	同上	同上
		增字切	同上	同上	同上	同上
		王韵序	同上	同上	同上	同上
丑类	甲类	广韵	疏緩	疑處	隨口	我輩數人
		宋跋王	踈緩	同上	同上	同上

韵书残卷 P4871 考释　157

			陆法言序					
子类	甲类	本卷	握笔	經紀	博問	兼從薄官	十數年間
		唐序一	同上	□紀	同上	兼從薄□	同上
		唐序二	同上	經紀	同上	兼從薄官	同上
	乙类	箋注切	握筆	網⑥紀	博問	兼從薄宦	同上
		增字切	同上	綱紀	湏問	兼從薄宦	同上
		王韵序	同上	經紀	博問	兼從薄宦	十數年間
丑类	甲类	广韵	握筆	綱紀	博問	兼從薄宦	十數年間
		宋跋王	同上	同上	同上	同上	同上

			陆法言序					
子类	甲类	本卷	反初服	私訓	凡有	湏	交遊	無從
		唐序一	同上	同上	同上	同上	同上	同上
		唐序二	同上	同上	同上	同上	同上	同上
	乙类	箋注切	返□□	同上	同上	同上	同上	同上
		增字切	返初服	同上	同上	同上	同上	同上
		王韵序	同上	私訓	凡有	同上	同上	同上
丑类	甲类	广韵	返初服	私訓	凡有	須明	交游	無從
		宋跋王	同上	凡訓	有	須	交遊	同上

			陆法言序					
子类	甲类	本卷	絕交之盲	毫氂	忝累	懸金	藏之名山
		唐序一	同上	同上	同上	同上	同上
		唐序二	同上	同上	同上	同上	同上
	乙类	箋注切	同上	同上	黍累	同上	同上
		增字切	同上	同上	同上	同上	藏之名山
		王韵序	絕交之旨	同上	同上	縣金	藏之名山
丑类	甲类	广韵	絕交之旨	豪氂	黍累	縣金	藏之名山
		宋跋王	絕交之盲	毫氂	同上	懸金	同上

			陆法言序						
		本卷	恠馬遷	盖醤	専輙	群賢	寧敢	人廿⑦	歳次
子类	甲类	唐序一	同上	同上	同上	同上	同上	同上	同上
		唐序二	同上	同上	同上	同上	同上	同上	同上
	乙类	笺注切	同上	同上	同上	羣賢	同上	人世	歳次
		增字切	同上	同上	同上	同上	寧敢	同上	歳次
		王韵序	同上	同上	同上	同上	同上	世	歳次
丑类	甲类	广韵	怪馬遷	蓋醤	専輙	羣賢	寧敢	人世	歳次
		宋跋王	恠馬遷	同上	同上	同上	同上	人廿	同上

			长孙讷言序				
		本卷	□□	本原	詎唯	佩經之隙	揩其紕繆
子类	甲类	唐序一	沿今	同上	同上	佩經之隙	同上
		唐序二	同上	同上	同上	同上	同上
		笺注切	訟⑧今	夲□	同上	同上	揩其紕繆
丑类	乙类	广韵	沿今	本源	詎惟	佩經之隙	揩其紕繆
		项跋王	同上	夲源	詎唯	佩經之隙	揩其紕繆

以上表列诸字,情况虽然略有参差,但子类和丑类的分野还是很清楚的。看来,唐五代韵书的文本,可能存在两个不同的系统,一个在民间流通,多用俗字,一个是文人系统,用字趋于规范。

综上所述,韵书残卷 P4871 并非只是陆法言序和长孙讷言序,原本还应该包括郭知玄题识、孙愐《唐韵序》和"论曰"部分,《广韵》所载序文是在这个系统的基础上,对用字加以规范而形成的。从本文列举的材料看,《广韵》跟丑类两种王韵文本没有什么关系,《广韵》作者应该是独立完成这个文字规范工作的。

附 注

① 龙宇纯(1968:5)认为"柒"当是"求"字之误,而"求"当是"未"字之误。

② 此字难以辨识,似为"柒"字。《敦煌掇琐》作"來"(刘复 1925:414),《十韵汇编》从之(刘复等 1936:87);《瀛涯敦煌韵辑》、《瀛涯敦煌韵书卷子考

释》作"求"(姜亮夫 1955、1990:1),《瀛涯敦煌韵辑新编》(潘重规 1972:2)、《切韵残卷诸本补正》(上田正 1973:185)从之;龙宇纯(1968:5)认为《掇琐》"來"疑误,"求"当是"未"字之误。

③ "文"应为"久"字之形讹。

④ "湏"应为"頃"字之形讹。

⑤ "支脂魚虞先仙尤侯"8 字下分别有双行夹注切语 3 字,各按实际占据版面计为 2 个字符。

⑥ "網"应为"綱"字之形讹。

⑦ "廿"应避"世"字之讳。

⑧ "訟"应为"淞"字之形讹。

参考文献

姜亮夫（1955）《瀛涯敦煌韵辑》,上海出版公司,上海。

——（1990）《瀛涯敦煌韵书卷子考释》,浙江古籍出版社,杭州。

厉鼎煃（1934）敦煌唐写本王仁煦刊谬补阙切韵考,《金陵学报》第 4 卷第 2 期。

刘　复（1925）《敦煌掇琐》,《历史语言研究所专刊》之二。

刘复、魏建功、罗常培（1936）《十韵汇编》,《北京大学文史丛刊》第五种,北京大学出版组,北京。

龙宇纯（1968）《唐写全本王仁昫刊谬补缺切韵校笺》,香港中文大学,香港。

潘重规（1972）《瀛涯敦煌韵辑新编》,新亚研究所,香港。

上田正（1973）切韻殘卷諸本補正,《東洋學文獻センター叢刊》第 19 辑,東京大學東洋文化研究所附屬東洋学文獻センター,东京。

——（1982）ソ連にある切韻殘卷について,《東方學》第 62 辑。

唐　兰（1947）唐写全本王仁昫刊谬补缺切韵跋,《唐写全本王仁昫刊谬补缺切韵》(影印本),故宫博物院,北京。

王国维（1940）书巴黎国民图书馆所藏唐写本切韵后,《王国维遗书·观堂集林》卷八,商务印书馆,长沙。

尉迟治平（1998）韵书残卷 DX1372 + DX3703 考释,《李新魁教授纪念文集》,中华书局,北京。

——（1999）韵书残卷 DX1466 考释,《艺文述林·语言学卷》,上海文艺出版社,上海。

周祖谟（1983）《唐五代韵书集存》,中华书局,北京。

——（1994）《唐五代韵书集存》,台湾学生书局,台北。

(430074　武汉,华中科技大学中国语言研究所)

附录：

P4871 影印件

序韻切言法陸　號一七八四伯

（黄永武主编《敦煌宝藏》，新文丰出版社，1982—1986年）

赵与时《宾退录》射字诗声韵问题探讨*

张 民 权

提要 《宾退录》射字诗的声韵问题,前辈学者曾有研究,但其中一些问题仍未解决。本文结合宋元时期有关文献资料,着重对其中重出声韵字进行了研究,认为重出的牙喉音主要是舌根音的舌面化以及影母、喻母与疑母的重新分化组合而导致一些零声母的产生,同时韵母系统中产生了车遮韵和资思韵等等。而射字诗所反映的语音现象,大致能够说明宋代语音史方面的一些问题。

关键词 舌面音　半元音　车遮韵　资思韵

　　宋儒赵与时《宾退录》射字诗声韵问题,周祖谟先生曾有研究,《问学集》下册《射字法与音韵》即是。射字诗声韵字,较之唐宋三十六字母和《广韵》平声五十七韵,互有出入,或省缺,或犯重。其中省缺部分,周先生有精湛论述,而于重出声韵字,则未作阐释,阙而存疑。1975年,海外学者刘文献发表文章,认为重出声纽字为重组现象[①]。1999年,日本学者将邑剑平和平山久雄二位先生发表《〈宾退录〉射字诗的音韵分析》一文(载《中国语文》1999年第4期),重申刘说,除认为重出声纽字为重组现象外,还将其中一些不能自圆其说的重出声韵字解释为"讹字"和"改排"等[②]。故笔者在此不揣愚陋,想从宋代语音史材料出发,再作解释。于是敷衍成文,以请正知音。

---

*　本文初稿于1999年末,经多次修改后于2001年11月在扬州举行的中国语言学会第十一届年会上宣读,之后又请正于宁继福先生。宁先生在百忙之中赐阅拙作,多有教正,并对拙文中的一些看法予以充分支持,赐书曰:"赵氏射字诗中的'鸡机、溪欺、醯希'的重出,您分析解释的是对的。您的文章为 tɕ、tɕʻ、ɕ 的产生问题提供了很有价值的材料,很有分量的证据。"宁先生的是正与鼓励才使本文有勇气公开发表。在此谨向宁先生表示衷心的感谢。

一 射字诗的社会文化背景与赵氏生平行状

关于射字诗的社会文化背景与赵氏生平行状,周祖谟先生及其他学者均未谈及,本文在此有必要作些交代。为便于读者阅读分析,兹不烦再录《宾退录》原文如下。曰:

> 俗间有击鼓射字之技,莫知所始。盖全用切韵之法,该以两诗,诗皆七言。一篇六句四十二字,以代三十六字母,而全用五支至十二齐韵,取其声相近,便于诵习;一篇七句四十九字,以该平声五十七韵而无侧声。如一字字母在第三句第四字,则鼓节先三后四。叶韵亦如之。又以一、二、三、四为平上去入之别。亦有不击鼓而挥扇之类,其实一也。诗曰:西希低之机诗资,非卑妻欺痴梯归,披皮肥其辞移题,携持齐时依眉微,离为儿仪伊锄尼,醯鸡篦溪批毗迷。此字母也。罗家瓜蓝斜凌伦,思戈交劳皆来论,留连王郎龙南关,卢甘林峦雷聊邻,廉栊赢娄参辰阑,楞根弯离驴寒间,怀横荣鞋庚光颜。此叶韵也。

射字游戏,可能与当时社会文化背景和文人士子的心态有着密切的关系。所谓"俗间",不过是庙堂之下文士们不拘斯文礼节的燕乐场所,或市井勾肆。可以想见,参与射字游戏者皆为有"文化品味"之人而非樵夫竖牧之类。此天下太平,士大夫优游无事,谩以取一时之笑乐耳。无论发明射字游戏者为何方人氏,其声韵系统都必须为人们所接受和认可。由于是俗间之作而非场屋之制,因而射字诗的语音系统完全可以撇开礼部韵不管,而以"实实在在"的语音赋予其中。由于《礼部韵略》的语音体系与当时实际语音相左甚多,其"同用""独用"之限,往往使众多士子落韵而黜。洪迈言《礼部韵略》所分字,"有绝不近人情者"[3],杨万里则直言"今之礼部韵乃是限制士子程文"[4]。这些怨言多少反映了人们对礼部韵的不满。因此,这种游戏很可能是当时落第文士们对礼部韵不满的一种宣泄形式。

考《宋史·宗室世系表》，赵与时为宋太祖七世孙，《宋史》无传，其生平事迹略见于赵孟坚《彝斋文编》卷四《从伯故丽水丞赵公墓铭》中。兹录其中一段文字如下：

> 有宋通直赵君行之之墓，在安吉州归安县乡山之原。……君以敏悟之资秀出璇源。方弱冠，已荐取应举。宁考登宝位，补官右选，调管库之任于婺于泰于衢者三。又监御前军器所，司行在草料场，蹉跎西阶逾三十年，未尝一日忘科举业也。故自丁卯迄已卯，以锁厅举而试者亦三，春闱率不偶。积阶至忠翊。今上皇帝赍赐，予换文阶。旧比，宗姓换阶，视见服官品，忠翊则应得京秩。新制裁革，回视初荐，仅循从事丞，处之丽水。……夫君讳与时，年五十七，绍定四年十一月日终。

据此，则知赵与时生于南宋淳熙二年（1175），卒于绍定四年（1231）。其家室在浙江安吉，而官任于婺源、衢州、丽水等地。虽多次应试举业，然"春闱率不偶"，落第在下[⑤]，终身为下层官吏，能熟知俗间射字游戏亦是有以。

二 射字诗声韵字的重出与省缺

赵氏云：射字诗以"六句四十二字以代三十六字母"，以"七句四十九字以该平声五十七韵"，然而较之多有不符，或犯重，或省缺。排列如下，缺者以〇表示。

甲、字母诗声纽

重唇音：卑（帮）披批（滂）皮毗（并）眉迷（明）

轻唇音：非（非）〇（敷）肥（奉）微（微）

舌头音：低（端）梯（透）题（定）〇（泥）离（来）

舌上音：〇（知）痴（彻）持（澄）尼（娘）

齿头音：资（精）妻（清）齐（从）西（心）辞（邪）

正齿音：之（照）〇（穿）锄（床）诗（审）时（禅）儿（日）

牙　音：机鸡归（见）欺溪（溪）其（群）仪（疑）

喉　音：依伊(影)希醯(晓)携(匣)移为(喻)
乙、叶韵诗韵母
柣(东)○(冬)龙(钟)○(江)　离嬴(支)○(脂)思(之)○(微)
驴(鱼)○(虞)卢(模)　○(齐)鞋(佳)皆怀(皆)雷(灰)来(咍)　辰
邻(真)伦(谆)○(臻)○(文)○(欣)○(元)论(魂)根(痕)寒阑(寒)
峦(桓)关弯颜(删)间(山)○(先)连(仙)　聊(萧)○(宵)交(肴)劳
(豪)罗(歌)戈(戈)家瓜斜(麻)王(阳)郎光(唐)横荣庚(庚)○(耕)
○(青)○(清)凌(蒸)楞(登)　留(尤)娄(侯)○(幽)　林参(侵)
南(覃)甘蓝(谈)廉(盐)○(添)○(咸)○(衔)○(严)○(凡)

按情理，叶韵诗四十九字是不够对应五十七韵，然而其中却反有出入；而字母诗四十二字足够对应三十六字母，而其中却反有缺省。唯一的解释就是当时的语音如此，不能与三十六字母和五十七韵一一吻合。可知赵氏所言"三十六字母"和"五十七韵"者均为虚指。

三　射字诗重出声纽字的解释

赵彦卫《云麓漫钞》云："自唐人清浊之分，乃有三十六字母以归之，益繁碎而难晓。"(卷十四)此言道出了三十六字母与宋代语音上的参差。如果字母的省缺(诸如泥娘合并、非敷合并、知组与照组合并等)为宋代语音实际情况如此，则射字诗重出声纽字也应当与宋代实际语音有着密切的关系。

我们认为，这些重出的纽字既不是简单的重复，也不是什么重纽问题。第一，它与韵母的洪细开合有着密切的关系，虽为同一声类，但韵母不同，在听觉上就是另一类音，而古人分析声韵的方式可能与我们今人不一样；第二，产生了新的声母。我们认为，在宋金时代，牙喉音二四等韵的一部分字中，发音部位前移，由原来的舌根音腭化成舌面音[tɕ] [tɕ·] [ɕ]，同时原来的影母、喻母和疑母等重新分化组合，产生一些新的语音现象。对此，字母诗的本身难以直接说明，而当我们拿《韵会》系韵书作比照时，其中迷雾便一一廓清。

我们知道,黄公绍编撰《韵会》完全是以旧瓶装新酒的形式,对《礼部韵略》的语音体系进行修正。其依据就是当时一部叫《七音韵》的书,其音系则表现在《韵会》书前所附"《礼部韵略》七音三十六字母通考"中,所谓《通考》。在观察《通考》声韵表之后,我们就会发现,赵氏射字诗声母重出纽字与之有着惊人的相似之处,且这些纽字大多是它的小韵字。分类列之如下(后二字分别为它的声母和韵母):

甲 (1)篦帮羁 批滂羁 毗並羁 迷明羁 (2)卑帮羁 披滂妫 皮並妫 眉明妫

乙 (1)鸡见羁 溪溪羁 醯晓羁 (2)机见羁 欺溪羁 希晓羁

丙 (1)依影羁/伊幺羁 (2)移喻羁/为鱼妫

可以看出,甲组唇音字重出,区别在开合口上,而"卑"字韵母为"羁",开口,在此不好解释,暂阙疑。乙组两类字前者为《广韵》齐韵字,后者为支、之、微三韵字,各属两个字母韵。而丙组每一小组字的重出,声纽字皆不一样。

甲组唇音字的重出,我们现在还拿不出更多的事实来论证它。之所以开合并列,可能与古人审音方法有关。我们应该谅解古人的是,古人分析声韵结构时,不太可能会像我们现代人这样将"声母"成分与"韵母"成分截然分开。也就是说,古人在分析声母时,往往将声母后面的介音成分附在声母上。由于唇音字在开合口的区别上并不是非常明显,致使韵家在反切上往往相混。盖古人以为,具有合口的唇音字,它的声母是和一个撮唇的辅音性半元音构成,即[P^w]。我们不赞成"重纽"之说,由于重纽的语音性质至今讼而不决,故本文不取⑥。

下面我们着重讨论乙组和丙组的声纽字重出问题。

关于乙组两类声母字的重出,我们认为,它是舌根音的舌面化问题。乙组(1)类声母字即"鸡溪醯"三字,或为舌面音的代表字。早在《集韵》时代,二四等韵就已腭化为细音,《集韵》编者将反切上字由原来的洪音一律改为细音即是。在产生-i-介音之后,一部分舌根音便腭化成舌面音。而《韵会》系韵书的声韵系统完全可以说明这一点。首先是二等韵如江、麻（一部分），四等韵如齐、先等韵，变成了细音。"鸡溪醯"与"机欺希"的区别，主要在于舌面音与舌根音的不同。由于群母只有三等韵，与四等韵的发展并不同步，因此，舌根音的舌面化中没有浊音。由于腭化主要发生在开口韵中，因此"携"仍在匣母。

关于舌根音的舌面化问题，宁忌浮先生《古今韵会举要及相关韵书》已有揭示。本书《导言》第五节专门讨论此问题。他说："分析《韵会》一系韵书，可发现，舌根音的舌面化，早在宋金元间就发生了，虽然不是后来舌面化的舌根音的全部，但至少中古开口二等韵的见溪晓匣、四等韵见溪晓匣以及部分三等开口韵的牙喉音，确已舌面化。"[⑦]宁先生在研究中发现了这样几个基本的事实：一是二等韵中，"它们的见溪晓匣四母字跟疑影二母及舌齿唇音字不属同一个字母韵"；二是四等韵中（含假四等），"它们的见溪二母字均不与三等韵字混同"；三是"四等青韵开口舌根音与二等庚耕韵字同音"；四是"中古几个有重纽的三等韵，旧图列入四等位置上的见溪晓匣母字，在《韵会》时代也舌面化了"。[⑦]邵荣芬先生通过对《集韵》反切的研究，也同意宁先生的观点，"牙喉音舌面化这时也有一定的历史准备，二等开口和四等的牙喉音产生前腭介音至少在《集韵》的反切上字上就已有了明显的反映"（宁书序言）。

我们在研究吴棫《诗补音》和朱熹《诗集传》的协读音时，也能看出舌根音的舌面化信息。凡牙喉音二等及四等开口字协读为细音时，所用切上字大多为细音字。如：

韵字	诗篇	诗补音	集韵	广韵
艰	北门	居银	居闲	古闲
间	还	居贤	居闲	古闲
菅	泽陂	居贤	居闲	古闲
营	东门之池	居贤	居闲	古颜
坚	行苇	吉因	经天	古贤

闲	六月	虚焉	何甄	户闲
阶	巧言	居奚	居谐	古谐
解	韩奕	讫力	举蟹	佳买
届	节南山	居气	居拜	古拜
偕	陟岵	举里	居谐	古谐

现在我们再讨论丙组字的重出问题。

这一组重出字均属于中古时期的影、喻二母字。我们会注意到影母和喻母已经各自分化为两类声母，影母分出幺母，喻母与疑母重新分化组合，产生鱼母。

影母的一对重出纽字"依"和"伊"，实际上与《韵会》中的影母和幺母都是同一类性质。也就是说，中古时期，影母在发展过程中，一部分字逐渐脱落喉塞音而成为零声母，即所谓幺母。考察影幺两母分布的环境，我们会发现，幺母是从影母分离出去的二四等开口字，另外包括少数三等韵字，而合口字四声之中唯有先韵"渊"和仙韵"娟"两个小韵字。为什么二四等开口字在幺母？给我们的思考就是，二四等字的腭化。另外，《韵会》与《蒙古韵》和《通考》影幺两母字的异同，也给我们一个启发，那就是二四等韵牙喉音的腭化，北方更甚于南方，因为《蒙古韵》《通考》作幺母的而《韵会》往往作影母。而疑母字的分化也将说明这一点。下面是《韵会》影幺两母的平声小韵字[⑧]：

影母：依翁邕透威於乌蛙隈恩煴安剜弯焉妖阿倭汪英音谙淹

幺母：伊因烟娟要婴萦鹭憎/娃挨黳渊幺鸦坳罂幽

幺母斜线后皆为二、四等开口字（"渊"字例外），腭化后也变成细音了。由此看来，射字诗"伊"母代表着幺母一行脱落了喉塞音的开口细音零声母字，它应该是一个具有半元音性质的[y]。而"依"可以代表影母一行的字，因此它仍以喉塞音为主。

中古时期，喻母与疑母的重新分化组合，这是人们共知的事实。在《韵会》系韵书中，大致说来，原疑母二、四等字并入喻母（四等），如"倪尧"等字，而原疑母一、三等开口字仍在疑母，其中包括少数喻母开口三等字,如"尤炎"等字。故字母诗中"仪"不等于"移"。疑母腭化的轨迹与影母是一致的。虽然《韵会》中少数二等韵字仍为疑母,如"颜""岩"等,但《蒙古韵》已作喻母。而原疑母三等合口字包括一二等合口字(所占比例甚少)与喻母三等合口字组成鱼母。如《韵会》平声鱼母字:为帷韦于袁员王/鱼嵬危巍虞元。"为"本为喻母三等字,"鱼"为疑母字。可见疑母字在脱落声母的发展过程中,一部分与喻母合流,另一部分则独立为鱼母。鱼母则代表合口的零声母字,故射字诗以"为"作它的代表字。因此,我们倾向性认为,它应该是个具有半元音性质的[w]。

由此我们可以得出一个重要结论:射字诗中"伊""为"二母实际上代表着新的语音系统中一对零声母字的开合对立,从而维持着语音结构上的平衡性。

字母诗中"归""锄"二字的重出,是否与开合口有关,我们持谨慎态度,暂存疑于此。等到今后研究的深入,这个迷题或许能够解破。但我们不同意"讹误"之说,那是无可奈何的解脱。我们感兴趣的是"锄"字,它是鱼韵床母二等字,宋金时期,知组与照二、照三组处于并合趋势,而此处独多出一"锄"字,令人费思。而字母诗除"锄"字外,均为支脂之微齐韵字,而独出一鱼韵字,必有其用处所在。案之《韵会》支韵照二组字"菑差齹师榹"与精组字"咨雌私慈"皆同一韵母"赀",可以说明资思韵的产生。而资思韵在当时读如鱼虞韵(见吴棫《韵补》),则为[ɿ]。这个锄母是否为资思韵而设?献疑于此,以俟高明。

四 叶韵字的重出与缺省表明新的 韵母系统形成

从叶韵诗的重出韵字和缺省看,它在韵母系统上有下列特点。

第一,资思韵的产生。"离"和"思"应属于两个不同的韵部。《韵补》和《诗集传》于叶读音中屡屡辨正资思韵字,即可证明。周祖谟《宋代汴洛语音考》的研究也说明了这一点。但资思韵读如鱼韵，撮口圆唇，即[ч]。

第二，车遮韵的产生。韵母诗第一句连用三个麻韵字"家瓜斜"，其中"斜"字应属车遮韵。车遮韵的产生，毛晃、毛居正《增修互注礼部韵略》已有记载。兹录该书卷一平声八微韵后毛氏案语如下：

> 居正谨案：《礼部韵略》有独用当并为通用者，亦有一韵当析为二韵者。所谓独用当并为通用者，平声如微之与脂，鱼之与虞，欣之与谆，青之与清，覃之与咸……（下言上去入三声同）；所谓一韵当析为二者，如麻字韵自"奢"字下，马字韵自"写"字下，祃字韵自"藉"字下，皆当别为一韵；……以中原雅声求之，夐然不同矣。⑨

可见麻韵三等字在宋代已分离出来。由于《礼部韵略》的权威性，而毛氏想根据时音特点另立一韵，亦是"施用既久不敢改"，只是在编写中将车遮韵字全部置麻韵之末以区别之。

车遮韵的产生，实际上远在唐末就已露端倪，考敦煌变文中有通押麻韵三等者，如《伍子胥变文》"子胥被认相辞谢"以下十句，韵"谢写者野夜"即是。周祖谟先生认为，现代普通话的语音，"其演变远自唐代就已经开始"⑩。而车遮韵的产生正是如此。

第三，语音体系有所改变，原有的韵"等"关系已经打破，而大部分韵按等摄关系已重新分化组合，"同用""独用"仅为场屋之设。毛居正所言"有独用当并为通用者"，只是其中一部分。江韵省缺，说明它已并于阳唐韵中。梗摄曾摄分化组合，形成新的韵母 ing（凌）、əng（庚荣）、eng（楞横）。这种语音现象在《切韵指掌图》里亦可反映出来，如十四图江韵与阳唐合口字同图，十五、十六两图曾摄梗摄混编。闭口韵还保留着，但咸摄一二等韵及凡韵等正处于并合中。而整个语音系统在结构上形成了一种新的平衡关系。例如臻摄分出 in 后，原有的 iən 与 iuən 便失去对立，而 in 与深摄 im 和曾摄梗摄的 ing 又形成了新的平衡关系。

第四，以开合洪细分韵，是当时韵母系统的一个重要特点。如尤侯分韵，歌戈分韵等。而"庚荣""楞横"与"辰伦""根论"形成四对整齐的开合口韵。

下面，我们把这个韵母系统表排列如下：

	-i-离	-ɑ-	-a-家	-ə-(斜)	-e-斜	-u-卢	-o-罗	-ʯ-思
-0	iui 赢		ia(0)		ie(0)	iu 驴	uo 戈	
			ua 瓜					
-i		ɑi 来	ai 皆		ei 鞋			
		uɑi 雷	uai 怀		uei 雷			
-u		au 劳	au 交				ou 娄	
			iau 聊				iou 留	
-n	in 邻	ɑn 寒阑	an 颜间	ən 辰	en 根			
		uɑn 峦	uan 关弯	iuən 伦	uen 论			
			ian 连					
			iuan(0)					
-m	im 林	ɑm 南	am(0)	əm 参			om 甘蓝	
			iam 廉					
-ng	ing 凌	ang 郎	iang(0)	əng 庚	eng 楞	ung 椴		
		uang 光	iuang 王	iuəng 荣	ueng 横	iung 龙		

其中有些问题需要作些说明和讨论。

以上拟音仅为便于区别说明而已，其音值描写与当时实际语音仍有一定距离。射字诗受游戏规则和游戏环境等诸多因素的制约和限制，因而难以全面反映当时实际语音的情况，如入声韵的变化就很难表现出来。而其中有些语音以彼此照应而缺省，如"连"字(ian)应有相应的合口呼 iuan，"王"字(iuang)应有相应的开口呼 iang 等。

(1) 此韵母表与宋人诗词用韵仍有所差异，主要是因为诗词用韵求通叶，而审音须辨细微。如山摄一二等韵，在口语中仍有区别，至今在南方一些方言区中，般≠班，官≠关，但诗词用韵却可以不计较它。至于山摄一二等字的重出，不明其意，或许有游戏规则上的相关补充，不排除其中有同音互补的因素。

(2) 咸摄一等字的重出或许也是如此。但覃谈两韵中一些字至今在通泰方言、吴语及赣语一些地区，仍有读音上的差异(尽管-m 尾已经消失)[11],故作如此构拟。然而按照毛氏《增韵》所言,覃与咸不分,而射字诗咸衔严凡数韵均缺,说明它们已处于并合之中(《韵会》覃谈咸衔凡五韵,除咸衔二韵少数牙喉音外,均为"甘"字母韵)。而另一方面覃谈二韵的重出,说明其中一些字在某些地区仍有读音上的差异。

(3)蟹摄字据吴棫和朱熹所作《诗经》叶音,一二等开口字成合并趋势,而合口字有别。《韵会》也大致如此(二等开口牙音有别,字母韵为"佳"),但一等合口字与止摄合口字却同一个字母韵"妫",如"雷"字注曰:"音与羸同。"故"雷"更多情况下是 uei。又佳韵中牙喉音开口字如"佳崖"等字在唐五代及宋人诗词用韵中多与麻韵字同押,说明此数字已趋向于麻韵[12]。而"鞋"字为佳韵匣母字,当时是否转入麻韵不可知。有可能是个过渡音 iei,代表着佳韵转化为麻韵的那一部分字。

(4)韵母表与前辈时贤有关中古音研究的结论基本上一致。个别差异并非师心自用,有意求异,而是经过审慎的考虑。愚以为在构拟中古音时不能忽视如下因素:一是语音结构上的平衡性和系统性,例如,假如臻摄 iən 产生 in,则深摄 iəm 和曾摄、梗摄 iəng 就有相应的 im 和 ing,有此无彼均为结构上的残缺,而诸家构拟或有得失;二是诗词用韵与口语音的一致性和差异性,见上文讨论,不赘述。

五 关于射字诗声韵系统中几个结论性问题

根据以上讨论,我们再补充说明以下几点:

第一,射字诗虽记录在宋室南渡之后赵与时的《宾退录》中,流传于吴语区的浙中地区,但它产生的时代却远在南渡之前。1.全浊声母的保留,可以说明它的时代问题;2.车遮韵的产生可以说明它的地域问题,当时毛居正说了一句非常重要的话:"以中原雅声求之,复然不同矣。"毛氏浙江衢州人,可见当时吴语大部分地区白话中还没有车遮韵。因此,射字诗所反映出来的语音现象应该属于北宋时期所谓"中原雅音"。

　　第二，由于射字诗记录的主要是"说话音"，与后来的"韵书音"多有龃龉甚至超前，不足为怪。因为两者之间，毫不可同日而语。

　　第三，一般认为，《韵会》编写的主要依据是《七音韵》，而射字诗的声韵系统与《韵会》系韵书有着很大的一致性，它与《七音韵》的关系又该如何？令人深思。而本文研究，至少可以为《七音韵》这部书的存在，提供两个重要的参考证据：音系及时代问题（据《韵会》注文，司马光编写韵书和吴棫著述《韵补》时参照过《七音韵》）。

　　第四，《宾退录》射字诗的声韵问题，由于文献材料的不足，其中还有很多问题没有弄明白，今后还需要作进一步的研究。而本文研究期在抛砖引玉而已。

附　注

　　① 刘文献《宾退录所载射字法里的字母诗》，马来西亚《教师杂志》1975年第27期。按刘文内容见于将邑剑平、平山久雄《分析》一文介绍，笔者未见。

　　② 如原文认为字母诗重出纽字"资"应当是"赍"，"锄"是"倪"，"归"是"歧"等。叶韵诗"皆"为"咸"、"弯"是"挛"、"辰"是"良"、"参"是"江"之误等等。如解释"参"为"江"之讹字曰："我们怀疑咸摄一等一栏'参'可能是'江'字辗转讹误者，即'江'首先通过形似讹作'双'（两字草体当易混——原注）。然后'双'改写为繁体'雙'，'雙'又通过形似而讹作'参'了。"我们知道，宋代江韵已并入阳唐韵，再则一个"江"字也不会如此"辗转讹误"！

　　③ 参见洪迈《容斋随笔·五笔》卷八《礼部韵略非理》条，页十一。四库全书本。

　　④ 参见罗大经《鹤林玉露》丙编卷六《诗不拘韵》条，页八。四库全书本。

　　⑤ 《四库全书总目提要》据原文中"丙戌进士同登"一语，疑赵与时登宝庆二年进士。其实原文指赵孟瑢而已，故本文不取。

　　⑥ 在重纽问题上，本人信守王力先生之说，认为韵书中的"重纽"只是历史语音的遗留，在韵书编撰者的时代并无语音上的差别。这些重纽字在某个历史时期可能有时地上的语音差异，后来变化发展，遂趋于同音。而后来编撰韵书者，归并韵部时未能作切语上的统一，而是承袭旧切或存疑，因此造成了所谓的"重纽"现象。读者可以将《韵会》与《集韵》诸书的反切作个比较即可明白。既然重纽为历史语音的遗留，那么在宋金时期还存在着所谓重纽上的语音差别，就令人生疑了。李新魁先生也曾有过结论："从唐宋时期的大多数方言区及当时共同语的读音来看，重纽的区别大概消失。"（《中古音》，第109页）

　　⑦ 以上内容参见宁忌浮《古今韵会举要及相关韵书》第一章《导言》第五

节部分。

⑧ 例字选自《通考》。"娃挨韙"三字《韵会》反切与所注声类不一致,切上字为"幺",而注"羽清音"。宁忌浮先生认为是影母,可参。由于《通考》性质未明,为通俗起见,行文中多以《韵会》言之,必要时则加以注明。

⑨ 较早注意到这个语音事实的是赵荫棠先生,他在《中原音韵研究》中曾引用此段案语说明车遮韵在宋代的产生。

⑩ 《唐五代的北方语音》,《周祖谟学术论著自选集》第 326 页。北京师范学院出版社 1993 年 7 月。

⑪ 参见鲁国尧《"颜之推迷题"及其半解》(下),《中国语文》2003 年第 2 期。

⑫ 参见周祖谟《唐五代的北方语音》《宋代汴洛语音考》等文。

参考文献

丁　度（宋）《集韵》,钱氏述古堂景宋钞本,上海古籍出版社 1985 年影印。
——　《附释文互注礼部韵略》,清文渊阁四库全书本。
花登正宏（1986）《礼部韵略七音三十六字母通考》韵母考,《音韵学研究》第二辑。中华书局,北京。
黄公绍（宋）、熊忠（元）,《古今韵会举要》,中华书局影印明刻本(宁忌浮整理),2000 年 2 月。
将邑剑平、平山久雄（1999）《宾退录》射字诗的音韵分析,《中国语文》第 4 期。
李新魁（1991）《中古音》,商务印书馆,北京。
——　（1994）射字法声类考——元代吴语的声母系统,李新魁著,《李新魁语言学论集》,中华书局。
鲁国尧（1994）卢宗迈切韵法述评,鲁国尧著,《鲁国尧自选集》,河南教育出版社,郑州。
——　（1994）南村辍耕录与元代吴方言,同上。
毛晃、毛居正（宋）《增修互注礼部韵略》,四库全书本。
宁忌浮（1997）《古今韵会举要及相关韵书》,中华书局。
王　力（1987）《汉语语音史》,《王力文集》第十卷,山东教育出版社,济南。
王硕荃（2002）《古今韵会举要辨证》,河北教育出版社,石家庄。
吴　棫（宋）《韵补》,中华书局影印宋刻本,1987 年 7 月。
杨耐思（1997）《近代汉语音论》,商务印书馆,北京。
张民权（2002）《宋代古音学考论》,《首都师范大学学报》第 1 期。
——　（2002）《清代前期古音学研究》,北京广播学院出版社,北京。
张渭毅（1999）集韵研究概说,《语言研究》第 2 期。
赵元任（1956）《现代吴语的研究》,科学出版社,北京。
周祖谟（1966）射字法与音韵,宋代汴洛语音考,周祖谟著,《问学集》(下册),中华书局。

竺家宁 (1986)《古今韵会举要的语音系统》,台湾学生书局,台北。
宋人笔记若干种:诸如赵与时《宾退录》、洪迈《容斋随笔》、罗大经《鹤林玉露》、叶梦得《石林燕语》、赵彦卫《云麓漫钞》、岳珂《桯史》、庄绰《鸡肋篇》等,清文渊阁四库全书本。

(100024 北京,北京广播学院文学院
E-mail：ZhangMinQuan2002@sohu.com)

《山门新语》与清末宁国徽语音系

高 永 安

提要 本文通过与《广韵》和现代宁国徽语的比较,对反映清末徽语的韵书《山门新语》进行分析,认为这个音系具有如下特点:中古浊声母清化,塞音、塞擦音不分平仄一律送气,中古浊上声字清化不归去声,而归清上声。中古二等韵不跟一等或三四等对立。臻摄不跟深摄一同变归梗摄、曾摄。平声、去声都分阴阳。

关键词 清代方音 徽语 近代韵书 浊音清化

周赟,出身在清末安徽宁国(胡乐乡)的一个书香门第,素有家学,深通音乐和音韵,少年学业优秀,太平天国时期已经成人且参加乡试高中头名,曾经做泾县教习,曾经到过北方但不以北方话为语音之正,太平天国失败后因不为时用而隐居山门山。自幼能分辨其语音中去声有阴阳调。所著的《山门新语》,又名《周氏琴律切音》,成书于同治癸亥(1863年)。书中除了大量的音乐和语音理论以外,主要音韵资料保存在一个韵图《琴律三十韵母分经纬生声按序切音图》和一个同音字表《琴律四声分部合韵同声谱》中。

宁国县地处宁国府和徽州府之间,又跟浙江吴语区比邻,现在境内有大量河南人和湖北人,据说是太平天国以后移民而来的,他们说各自的河南、湖北方言。据《宣城地区志》介绍,周赟的出生地胡乐乡的现代方言是接近绩溪话的徽语。《山门新语》所反映的方言在韵母方面,山咸摄一等、二等合并,跟吴语、江淮官话都不同,而跟徽语、宁国的河南、湖北移民话一致;声母方面,浊声母清化,塞音、塞擦音不分平仄一律送气,跟徽语一致。此外,浊声母上声字清化后不变去声,而是变同清上声,这些特点也跟徽语一致。其方音基础应该是徽语。耿振生先生(1992:253)说:"其(《山门新语》)韵图音系是徽州音与官话音互相夹杂。"有一定道理,但主要是徽语。

本书的特点是去声分阴阳,共有阴平、阳平、上声、阴去、阳去、入声六声。韵图以六声排列,同音字表仍按旧四声排列。书中删去浊声母,仅用十九声母,分别是:呱枯乌、都菟弩、逋铺模、租粗苏、朱初疏、呼护敷濡。为了称说方便,我们大致根据他们的来源换成传统三十六字母的字,按韵图次序开列如下:见溪疑、端透泥、帮滂明、精清心、照穿审、晓来非日。韵母系统有三十个韵母,可以合并成十五个大韵部。

本文对《山门新语》的研究从韵图入手,参照同音字表。

一 声母系统

1.1 见系

见母:全部来自中古见母,没有例外字。只出现在阴平、上声、阴去、入声四个声调中,阳平、阳去无字。这是一个来源非常单纯的声母。

溪母:阴平、阴去、入声都以溪母字为主,阴平只有二十八玑"戢"来自庄母。阴去二十五巾韵"掀"来自元韵晓母,声韵都不合,应该是"揪"字之误;二十七圭"愧"来自见母,是例外。入声溪母下有十四个韵,只有二居韵"局"、二十一经韵"竭"两个字来自中古群母,其余都来自中古溪母。

阳平、阳去以来自群母为主,阳平里,来自溪母的有一呱韵"刉"、八加韵"嬰"、十七官韵"髋"、二十庚韵"硁";还有一个"衔(十六干韵)"字来自中古匣母。阳去里面来自溪母的有二十八玑"企"、十六交"敂"、二十六姬"掎";来自见母的有一呱韵"涸"、三江的"弶"、十五高的"炐";十九佳的"喝"来自晓母;十七官的"绾"来自影母。

上声二十九个音节,有一个来自见母(冎,九瓜韵),七个来自群母,其余二十一个音节全部来自溪母。参考同音字表,上声内的浊声母已经清化而跟相应送气清声母字同音。

疑母：阴平和阴去基本来自中古影母，只有阴去声有二十四君韵的"韵"字来自云母，二十六姬韵"易"、二十八玑的"异"来自以母，是例外。阳平来自疑母、云母、以母，例外是，二十五真韵有"人"字在疑母下，应该是鼻音；六昆韵有"文"来自微母。上声主要是影、以、云母，疑母字只有五个：一呱韵"五"，二居韵"语"，九瓜韵"瓦"，十一哥韵"我"，十二钩韵"耦"。阳去以疑母为主，有云母、以母若干字。这个情况跟阳平相似，但是疑母所占比例更大。另外还有两个微母字：五光韵"望"、六昆"问"；两个影母字：二十八玑"懿"、二十一经"映"。这样，组成疑母的字可以分为三类：影母为一类，是纯清声母，一般在阴平和阴去出现；疑母和少量微母为一类，一般在阳平、阳去出现；云母、以母为一类，既可以出现在阴声调，也可以出现在阳声调。但是它们出现的情况互补，可以归并为一个声母。

晓母：阴平全部来自晓母，阳平除了二十四君韵"獯"、二居韵"姁"来自晓母，二十九宫韵"雄"来自云母外，其余全部来自匣母；阳去主要是来自匣母，例外有：三江"珦"、二十五巾韵"衋"来自晓母，二十九宫韵"鞋"来自日母。上声、入声内晓母和匣母参半：上声（共25字）有晓母的"许火"等（9字），也有匣母的"亥祸"等（16字）；入声（14字）有晓母（7字）、匣母（7字），分布没有规律。参考同音字表，上声和入声的浊声母跟相应的送气清声母字同音，已经清化。阴去主要是晓母字，但是来自匣母的也不少，但是这些匣母字相应的阳去也都是匣母。这显示在阴去的匣母字的声母已经清化，变同晓母了。见表一。

表一

阴去	声	韵	开合	等	阳去	声	韵	开合	等
下	匣	祃	开	2	暇	匣	祃	开	2
胫	匣	径	开	4	衠	匣	映	开	2
恩	匣	恩	合	1	溷	匣	恩	合	1
溎	匣	笛	开	1	贺	匣	笛	开	1

续表

阴去	声	韵	开合	等	阳去	声	韵	开合	等
绘	匣	泰	合	1	会	匣	泰	合	1
苋	匣	裥	开	2	县	匣	霰	合	4
械	匣	怪	开	2	害	匣	泰	开	1

表中字都是来自中古去声。看来去声分阴阳的规律并不严格。

1.2 端组

端母：基本上来自中古端母。例外有：阴去二十一经"锭"、十戈"椴"、入声二十一经"叠"来自定母，入声二居"啄"来自知母。

透母：阳平、阳去全部来自定母。阴平、阴去主要来自透母。阴平二十九宫"佟"、十戈"詑"、十一哥"佗"来自定母。阴去二十庚"澄"来自澄母；十二钩"逗"、二十二坚"电"来自定母。上声(19音节)则定母(10音节)、透母(9音节)参半。入声(11音节)透母字多(8音节)、定母字少(3音节：六昆"突"、十七官"夺"、十三鸠"迪")。

泥母：全部来自中古泥、娘两声母，分布于六声之中。这些字在阴阳声调中是如何分别的，看不出规律。(见表三)

1.3 帮系

帮母：帮母来源比较单一，都来自中古帮母，阳平、阳去无字。例外有：阴平三十公"藣"、上声二十五巾"膑"、三十七圭"被"来自并母。

滂母：阴平、阴去以滂母字为主，阳平、阳去以并母字为主，上声和入声则滂母字、并母字都有。例外情况有：阴平中有三个并母字：三十公"芘"、十二钩"锫"、十三鸠"漉"；阴去中有三个并母字：二十六姬"奰"、二十庚"膨"、十二钩"焙"；阳平中有两个帮母字：十六干"般"、二十七圭"神"；阳去中有两个滂母字：十二钩"豠"、二十六姬"媲"。上声除了十六干"扳"、三十公"葟"来自帮母外，其余(15字)滂母(7字)、并母(8字)参半。入声只有七个字，其中三个是滂母字：二居"朴"、二十一经"擎"、二十五巾"匹"。

明母：来自中古明母，阴阳都有字。(见表三)

非母：阴平、阴去基本来自中古清声母非、敷母，阳平、阳去奉母为主，上声、入声清浊都有。例外有：阴平十六干"帆"、阴去二十一经"俸"来自奉母，阳去十二钩"富"、二十一经"堋"、二十七圭"沸"来自非母。其中，二十一经韵的阴去（俸，奉母）和阳去（堋，非母）字可能在韵图上放颠倒了位置。也就是说，"堋"应该是阴去，"俸"应该是阳去。这两个字都没有同音字。而"富沸"相对的阴去分别有非母字"缶芾"对立。上声中来自奉母的"奉父"显然已经清化了。

1.4 精组

精母：阳平和阳去无字，阴平、阴去、上声和入声都来自中古精母。上声四冈"驵"、二十五巾"尽"，入声一呱"族"，上来自从母；阴去十三鸠"皱"来自庄母。精母的来源比较单一。

清母：来自中古清、从两母：阴平、阴去主要来自清母；阳平阳去主要来自从母；上声以清母居多，也有从母字；从同音字表上看，这些清母、从母字出现在同一个同音字组。见表二：

表二

韵　部 ＼ 例　字	清母下的同音字组	
	清母	从母
觉韵	鹊皵碏	嚼
各韵	错厝	昨酢作筰凿
格韵	撮	贼鰂
结韵	切窃妾	捷截倢韯
决韵	膬	绝
葛韵	擦	杂
吉韵	七漆戚慼	疾嫉蒺

从上表可以看出，入声里的清浊声母字合并了。

心母：阳平和阳去以邪母为主，十二钩韵阳平有"涷"，三十公韵阳平有"娀"，二十七圭韵阳去"邃"，一呱韵阳去有"遬"来自心母；十二钩韵去声有"漱"来自山母；二十五巾韵去声"烬"来自从母。阴平、上声、阴去、入声以心母为主；阴平十二钩韵有"䤹"来自山母；上声二居韵"叙"来自邪母；阴去二十四君有"徇"，十二钩韵"瘦"来自山母；入声只有心母字。心母字主要有两部分来源：阴声调来自心母,阳声调来自邪母。

1.5 照组

照母:阳平无字,其余阴平、上声、去声、入声均来自中古知、庄、章母。二十五巾韵入声照母下"积"来自精母。同音字表中跟"绩(精母)帧(庄母)鹭(章母)"同音。看来精母可能也有字混入了照母。

穿母:阴平、阴去来自中古清声母彻、初、昌,阳平、阳去来自中古浊声母澄、崇和个别船母,上声、入声清浊参半。例外有:阳平十二钩"雏"来自昌母,阴去十二庚"鸼"、二十四君"懼"、二十六姬"滞"来自澄母,阳去十四交"召"来自章母,十五高"踔"来自彻母,十六干"儳"来自初母。

审母:阴平、阴去来自书母、山母,阴平只有二十三涓"揎"、阴去有二十五巾"信"来自心母。阳平、阳去来自禅母和少量穿母、澄母,阳平有二十四君"驯"来自邪母,二居"蜍"来自澄母,九瓜"蛇"、二十庚"绳"来自船母,二十九宫"鳙"来自以母;阳去八加"射",二十庚"乘",二十四君"顺",二十八玑"示",来自船母。上声有清声母书、山母和浊声母禅母、船母等,二十六姬"玺"来自心母,四冈"象"来自邪母。入声来自书、山、禅、船母,十三鸠"茜"来自心母。

1.6 来母、日母

日母:全部来自中古日母。但是分布在六声都有,如何区别阴平和阳平、阴去和阳去?从列字上找不到依据。请看例子:

表三

阴	声	韵	开合	等	阳	声	韵	开合	等
揉	日	尤	开	3	柔	日	尤	开	3
緌	日	脂	合	3	蕤	日	脂	合	3
驾	日	鱼	合	3	如	日	鱼	合	3

来母:来自中古来母。分布于六声,各声调的分布没有明显规律,但是阴平(15)、阴去(18)比阳平(25)、阳去(25)字数稍微少些。结合其他次浊声母的分布统计,大致可以认为次浊声母分布在阳声

调的比较多,在阴声调的稍微少些:

　　明母:阴平(11)——阳平(19)　　阴去(10)——阳去(21)
　　泥母:阴平(11)——阳平(21)　　阴去(10)——阳去(20)
　　日母:阴平(11)——阳平(15)　　阴去(9)——阳去(12)

1.7 讨论

声母的特点主要有二:

一是,全浊声母清化,塞音、塞擦音无论平仄都归送气清音,跟官话塞音、塞擦音清化后平声送气、仄声不送气不同。所以,不送气声母的字只有阴调,而没有阳调;送气声母和擦音声母的字都有阴阳调相配。上声中的浊声母字清化后没有归去声,而是跟上声中的清声母字合并了,也跟官话浊上变去不同。同时,入声里的浊声母字也清化同本声的清声母字。

二是,次浊声母分布在阴调、阳调都有,没有韵母方面的条件。但是相比而言,次浊声母字归阴调的字少,归阳调的字多。

二　韵母系统

2.1 阴声韵

一呱:一般来自《广韵》模韵系合口一等,非母、日母和照组来自鱼虞韵合口三等。

二居:来自鱼虞韵合口三等。只有来母下字有些特殊,"蒌"来自侯韵开口一等、"铲"来自模韵合口一等。

八加:全部来自麻韵系开口二三等。舌音下只有"爹哆"等字,唇音无字。

九瓜:来自麻韵合口二三等字,唇音来自开口二等。舌音下有"打拏"等字,应该是读合口。

十戈:除了透母下"詑"来自歌韵以外,其余都来自戈韵合口一等。

十一哥:来自歌韵开口一等。疑母下"涴"、心母下"蓑"、晓母下

"火"、来母下"砚"、来自戈韵。泥母下"奈"来自泰韵开口一等。

十二钩:来自侯韵开口一等。溪母下"蚯"来自幽韵,疑母下牛韵来自尤韵,明母、心母、非母、日母和照组下的字主要来自尤韵开口三等。

十三鸠:来自尤幽开口三四等。端透母多来自侯韵开口一等。来自侯韵一等还有"茂瘶篌漏"分别在明母、心母、穿母、来母下。

十四交:来自宵萧肴开口二三四等,其中肴韵开口二等跟萧宵韵三四等字混合出现,表明已经成为一体,而且,肴韵二等字不仅出现在见晓组,还出现在端组如"铙",帮组如"猫缈",这表明这些二等字已经变同三四等了。照组全部来自章组和知组三等。

十五高:来自豪开口一等、肴开口二等。其中照组均来自中古庄组和知组二等。肴韵二等在十四交和十五高的分布没有规律可循,都出现在见晓组、端组(如"闹")、帮组(如"猫卯")。但是肴韵照组字只出现在十五高韵内。

十八乖:主要来自灰韵合口一等,只有见组和晓母、非母有字,有部分皆佳夬韵合口二等字。

十九佳:主要来自咍泰开口一等,见组、照组和部分帮组下有佳皆夬韵开口二等字。帮组下主要来自灰韵合口一等。如"杯胚"等。

二十六姬:来自止摄、蟹摄开口三四等。非母下来自合口三等。"二"等字在此韵日母下,说明儿韵母还没有产生。

二十七圭:来自止摄、蟹摄合口三四等和部分灰韵合口一等。唇音来自开口三四等。

二十八玑:全部来自止摄开口三等。例外有:溪母下"戢"来自缉韵开口三等。

2.2 阳声韵

三江:来自江开口二等、阳开口三等,其中精、照组和晓、来、日母都来自阳韵开口三等。照组全部来自中古章组。

四冈:来自唐开口一等、江开口二等,照组来自阳开口三等中古知组,擦音审母内有书母、禅母字,还有邪母(象)、晓母(向)两字。

在同音字表中,"象"在"想"字下,不应该有独立的音韵地位,此处是误列。"想"在三江韵心母下。在同音字表中,"向"字旁边注了一个"姓"字,《广韵》漾韵"饷"小韵(式亮切)有"向",注明:"人姓,出河内。"则这个字应该是书母字。

五光:来自江合口二等、阳合口三等和唐合口一等。照组来自中古庄组江阳开口二三等。

六昆:来自魂合口一等,疑母下有来自中古微母三等的个别字,非母下字都来自中古三等唇音字。

七根:除了透母下有"吞"等字、精母下有"怎"以外,本韵只有见组、照组和晓母下有字。见组和晓母下的字来自痕韵开口一等,照组下的字来自真开口三等。

十六干:来自寒开口一等,照组来自山删韵,都是中古庄组字。来自咸摄的字不少:见母下"感绀",疑母下"庵",透母下"贪",泥母下"南湳",精母下"簪趱",清母下"惨",来母下"婪阑懒",来自覃韵系;心母下"三",照母下"斩"来自谈韵系;穿母下"谗"来自咸韵系、"忏儳"来自衔韵系;非母下"帆凡"来自凡韵。从以上山咸摄共现的情况看,山咸摄应该已经合并了。

十七官:来自桓韵合口一等、删韵合口二等,还有疑母下"宛"来自阮韵合口三等。来自咸摄的有:从母下"蚕錾"分别来自覃阚开口一等。照组下"辁蟤弄(照母)栓(审母)"来自仙韵合口三等。

二十庚来自庚耕开口二等、登开口一等,精组照组有部分字来自庚耕蒸开口三等。晓母下"胫"来自青韵开口四等,疑母下"婴荣永"来自清庚开口三等。这些字可能已经变成洪音了。

二十一经:来自耕庚清青蒸开口三四等,"琴(溪母)心(心母)沈(审母)任妊任衽(日母)"来自侵韵。这些说明梗摄、曾摄跟深摄混淆。

二十二坚:来自元先仙开口三四等。另外有些字来自咸摄:溪母下"俭"、泥母下"黏"、日母下"髯冉"来自盐韵,疑母下"舁"、来母下"敛"来自琰韵,端母下"玷"来自忝韵,透母下"忝"来自忝韵。

二十三涓：端组、帮组无字，其余来自先仙元合口三等。例外有"渐"来自盐韵开口四等。

二十四君：来自真谆文合口三等，只有晓母下"迥"字来自迥韵。端组、帮组无字。

二十五巾：来自真开口三等，部分字来自欣韵。心母下"巡迅"来自谆韵，但是，"迅"有真韵的又读。滂母下"冯"来自蒸开口三等，溪母下有"掀"是元韵字，如果是"撖"字之误，则应该在侵韵。端组无字。

二十九宫：端组来自冬合口一等，其余来自东钟合口三等。

三十公：来自东合口一等，精组、照组和明母、来母部分字来自钟合口三等。

2.3 入声韵

一呱（谷）：来自屋、沃、烛、物、没、铎合口一等，非、日母和照组来自三等。

二居（橘）：来自术、烛、屋合口三等和觉开口二等。

三江（觉）：来自觉药开口二三等。唇音和舌音下无字。

四冈（各）：来自铎开口一等，照组字来自觉韵开口二等，明母下"目"来自屋合口三等。

五光（国）：见组和晓母来自德没物合口一等，照组和非母来自薛术屋合口三等，审母下"舌"来自薛开口三等。

六昆（咄）：只有端组、帮组、精组和非母有字，除了非母下的"覆"字来自屋韵合口三等、帮母下"北"和明母下"墨"来自德韵开口一等外，其余精组、端组都分别来自末、没两韵合口一等。

七根（甲）：来自狎洽辖黠等韵的开口二等，只出现在见组、晓母和照组下，其中，照组下只有庄组字。

八加（牐）：只有精组、照组和来、日母下有字，来自黠开口二等。

九瓜（郭）：来自铎末合口一等，其中疑母下面"恶"、晓母下面"壑"来自铎开口一等，应该读同合口了；来母下面有"拉"来自合开口一等。

十三鸠(匊):来自屋烛合口三等,透母下面有"迪",来自锡韵开口四等。

十四交(辱):只有日母下面有一个"辱"字,来自烛合口三等。

十五高(葛):来自曷合盍开口一等,只有"末"来自合口一等。唇音只有两个字"八拔",来自黠开口二等。

十七官(阔):来自沃末陌铎等韵合口一二等。

十九佳(格):来自职德开口一等、陌麦开口二等。

二十庚只有日母下有"人"一个字,来自缉韵开口三等。

二十一经(结):来自屑月帖薛韵开口三四等,晓母下的"橄"来自锡韵,疑母下的"曳"来自祭韵。

二十三涓(决):只有见组、精组、照组和晓母、来母、日母下有字。端组、帮组无字。来自屑月薛觉黠等韵合口二三四等,清母下面的"臞"来自祭韵。

二十五巾(吉):来自质迄昔职等韵开口三等、锡开口四等。

二十八玑(质):只有照组下面有"质尺十"三个字,来自质昔缉开口三等。

2.4 讨论

根据以上的分析,我们可以看到本音系的韵母有如下特点:

(1) 二等韵不独立。肴韵二等字已经混同宵萧韵三四等,江韵二等字分别混同于唐韵一等和阳韵三等,删山韵二等字跟寒桓韵一等混同,庚耕韵二等字跟登韵一等混同。其余的二等字也分别混同于相应的一等或三四等。

(2) 干、官、坚、涓等主要由山摄字组成,内有少量咸摄字。由于本书没有单独由咸摄字组成的韵,我们认为本书中山咸摄已经合并了。

(3) 梗摄、曾摄、深摄已经合并,臻摄独立。由梗摄、曾摄字组成的有庚韵、经韵,其中,经韵中有"琴(溪母)心(心母)沈(审母)任妊饪衽(日母)"等字来自侵韵。由于本书没有单独由深摄字组成的韵,因此,可以认为深摄已经合并到梗摄、曾摄中去了。查同音字表,可以在此韵发现更多的深摄字:庚韵生小韵有"甥牲笙(梗摄)参森(深摄)",经韵经小韵有"经泾京肩惊竞荆(梗摄)金今衿禁襟(深摄)",琴小韵有"琼檠(梗摄)琴擒禽衾(深摄)",盈小韵有"盈楹赢瀛嬴迎(梗摄)凝(曾摄)淫霪吟(深摄)",清小韵有"清请(梗摄)侵浸(深摄)",心小韵有"心(深摄)星惺腥醒猩(梗摄)",情小韵有"情晴(梗摄)寻浔(深摄)",轻小韵有"轻鲸顷倾擎卿(梗摄)钦(深摄)",英小韵有"英瑛(梗摄)音阴(深摄)",征小韵有"征正怔症(梗摄)湛斟椹箴针(深摄)",声小韵有"声(梗摄)升胜(曾摄)深(深摄)",呈小韵有"呈程(梗摄)琛郴岑沈(深摄)",成小韵有"成城诚盛(梗摄)忱谌(深摄)",苓小韵有"苓令零伶龄聆翎铃玲灵(梗摄)林淋临(深摄)"。足证深摄已经合并到梗摄、曾摄了。

由臻摄字组成的巾韵跟深摄字无涉,只有一个"冯"字来自曾摄蒸韵。不足以证明臻摄跟曾摄有关。

(4)入声的塞音韵尾已经消失。一方面,入声同时跟阴声、阳声相配,另一方面,大部分入声韵内部来源不同,同一个韵里,来自中古-p、-t、-k韵尾的字都有。例如,二十八玑入声只有照组下面有"质尺十"三个字,来自质昔缉开口三等,这三个字中古分别带有-t、-k、-p韵尾,如今能放在一个韵内,说明原来的韵尾没有了。

(5)入声跟舒声的配合。

一呱	谷	三十公	
二居	橘	二十九宫	
三江	觉		
四冈	各	十一哥	十二钩
五光	国	二十七圭(北)	
六昆	咄(国)		
七根	甲		
八加	腊(加)		
九瓜	郭(卜)	十戈(仅"磔")	
十三鸠	匊	十四交(仅"辱")	

十五高	葛(札)	十六干(仅"伐")	
十七官	括(博)	十八乖	
十九佳	格	二十庚(仅"入")	
二十一经	结	二十二坚	二十八玑(质)
二十三涓	决	二十四君	
二十五巾	吉	二十六姬	

从中可以看到,同介音和主要元音的韵可以搭配。

(6) 儿化韵母没有产生

现代儿化韵音节代表字被归在二十六姬韵、日母下面,说明不是独立的儿韵母。

三　声调系统

入声是否分阴阳?

本书的声调系统是六声,但是,作者周赟在他的主要音韵理论部分《周氏琴律切音序》里说:"阴平与阴平同入,阳平与阳平同入,无阴阳两平同入之音。"入声可以跟两个声调相配,而且不能混淆,好像是说入声本身也分两类。但是,此处所谓"阴平"、"阳平"应该不是指声调,而是指阴声韵、阳声韵。

周氏提出"阴平与阴平同入,阳平与阳平同入",目的是为了对古音学中的"异平同入"提出疑义。作者还批评主张"两平同入"的人,"不知音有一平专一入者,有三平同一入者,且有一平可分两入者;至声之阴阳必同一上声,又不但入声之同。是第知音之有合,而不知音与声皆有合,且皆有分也"。这里所说的"专一入""同一入""分两入"都是就韵而言的,跟声调的配合不同。而从声调上看,平声跟入声相配的情况,与平声跟上声相配的情况是一样的。从韵母上看,因为上声跟相应的平声的韵母是完全相同的,因而是不可能配不同韵的平声的;入声却不同,由于他跟舒声韵母的配合是基于介音和主要元音相同的条件,韵尾可以不同,所以所谓的相配是近似的。

但是,作者为什么说平声配入声跟配上声的情况一样呢？只有一种解释,就是它们的声调是只有一类,不分阴阳。所以,作者把"声"和"音"分别开,"声"指声调,"音"指韵母。

从入声跟舒声的配合关系看,阴声韵跟阳声韵同一入声的很多。但总的来看,只有第一个竖行的舒声韵所配的入声是实际可以配合的,第三竖行及其以后的舒声韵并不真正跟其后边的入声韵相配,因为这些入声字外面都加了方框。在韵图首页,作者对给一些入声字外边加方框("圈")的用意有说明:"凡并合之字再见,字外加圈"。可见,这些字已经合并到其他韵中去了,如果除去这些加方框的入声韵,则所有入声韵都只跟一个舒声韵配合。这样就不是"异平同入"了。这是作者周氏利用当时方音跟古音学家争论古音,也是作者韵学史造诣不深的表现。

发现去声分阴阳是周氏引以为自豪的事情,作者还因此把自己的书斋叫"六声草堂"。如果入声也分阴阳,而他又发现了,他是不可能不大加渲染的。由此来看,《山门新语》的六个声调应该没有疑问。它们是阴平、阳平、上声、阴去、阳去、入声。

四 拟音

跟本书反映的语音比较接近的是徽语。由于作者的家乡已经不是徽语的中心地带,已有的调查资料不多。我们在对这个音系进行构拟的时候参考了距离宁国比较近的绩溪的方言材料。拟音根据赵元任(2002:578—581,绩溪岭北方言)和赵日新(绩溪县城华阳镇,参见平田昌司1998:32—49)的调查。

4.1 声母

见组、帮组、端组都比较简单,我们把疑母定为零声母,则这些声母的音值是:[k]、[kʰ]、[0]、[p]、[pʰ]、[m]、[t]、[tʰ]、[n]。

绩溪方言塞擦音有[ts]、[tɕ]两种。从来源上看,读 tɕ 的一组由中古章组、知组三等,精组细音也归这一组;岭北话见晓组细音也有读这个声母的。读[ts]的一组由中古精组洪音和章组、知组三等的蟹摄、通摄、止摄组成。其中还有部分端组字,是此地方言的特点。《山门新语》的塞擦音有照组和精组。照组基本来自中古照组和知组,精组基本来自中古精组。看起来跟现代方言的来源差别很大,但是,塞擦音都分两组的情况是一致的,所以,我们认为《山门新语》两组塞擦音的音值应该跟现代绩溪方言接近。

来自精组的一类由于没有腭化的痕迹,我们定为[ts]。

来自知照组的一类,内部来源上并没有什么分别。由于[tɕ]声母是精组、见组腭化以后产生的声母,宁国市内庄村、南极两点方言都有三类[ts]、[tɕ]、[tʂ]。其中[tɕ]组也包含有章组字,但是庄村话又有"江"等见组字。鉴于这组声母既能拼洪音,又能拼细音,我们不倾向于取卷舌音[tʂ],又不好直接取舌面前音,那就只好取舌叶音[tʃ]。

晓母来自中古晓母和匣母。绩溪方言分为两个:[ɕ]、[x]。由于《山门新语》只有一个,我们认为绩溪的[ɕ]是后起的,早期只有一个[x]。

非母来自中古非、敷、奉三个声母,没有来自微母的,非、敷已经完全合并,跟奉母字在分布上又是互补的,音值上可能是一样的,因此没有必要构拟出两个声母,我们认为[f]比较合适。

日母的来源很单一,就是中古日母,但是具体音值还要构拟。绩溪话"日母字今多数读[ȵ],少数读[ø]声母。部分有[ȵ]、[ø]两读的字,则[ȵ]声母为白读,[ø]声母为文读。"(赵日新,参见平田1998:35)绩溪话"人"有文白两读:ȵiã/iã。岭北方言的"人"读[z],宁国境内的吴语庄村、南极话,其日母音值是[ȵ]。由于《山门新语》日母跟来母排列在一起,而且基本不跟泥母混淆,我们定日母是[ʒ]。

来母依然是[l]。

这样我们为《山门新语》构拟的声母系统如下:

表四

塞音	舌根	见[k]	溪[kʰ]		疑[∅]
	双唇	帮[p]	滂[pʰ]		明[m]
	齿头	端[t]	透[tʰ]		泥[n]
塞擦音、擦音	舌尖	精[ts]	清[tsʰ]	心[s]	
	舌叶	照[tʃ]	穿[tʃʰ]	审[ʃ]	日[ʒ]
	喉、边			晓[x]	来[l]
	唇齿			非[f]	

4.2 韵母

绩溪方言有四十个韵母,其中舒声二十八个,入声十一个,还有两个声化韵 m、n。《山门新语》没有提到声化韵的问题,我们不拟声化韵。书中舒声韵母三十个,入声十九个,可以根据绩溪话比较构拟。

遇摄有一呱、二居两韵,都注明是"合音",是合口韵。绩溪话是[u]、[y],"租苏"等字韵母是[u],"书"等字韵母是[y],只有"朱"等字《山门新语》在一呱韵,绩溪话却音[y],是章母的归属两地不同。此处从绩溪话,定此二韵母为[u]、[y]。

宕摄和江摄《山门新语》有三江、四冈、五光三个韵,江、冈韵注明"开音",光韵注明"合音"。绩溪话只有两个韵母[ɔ̃]、[iɔ̃],冈韵跟光韵合并为[ɔ̃]了。岭北也是两个[õ]、[iõ]。查周围的庄村、南极两地,这三个韵母都分别为[iœ]、[œ]、[uœ]。为了跟哥韵相配,它的主要元音应该是[ɵ]。考虑到绩溪徽语的这两个韵母是鼻化韵,则其早期更可能是有鼻音韵尾的,所以,我们为《山门新语》的江摄、宕摄的三江、四冈、五光韵构拟的韵母是:[iɵŋ]、[ɵŋ]、[uɵŋ]。

臻摄有六昆、七根,分别注明是合音、开音。绩溪话臻摄根深摄、梗摄、曾摄以及通摄合并了,这是受吴语或者江淮官话影响的结果。合并后的韵母是[ã]、[iã]、[uã]、[yã]。庄村、南极话与绩溪基本一致,只是没有合并通摄,主要元音也不是低元音,而是央元音和高元音:[əŋ]、[iŋ]、[uŋ]、[ɥŋ]。由于《山门新语》臻摄根深摄、梗摄、曾摄没有合并,其主要差别很可能是韵尾,因此我们定主要元音为

ɑ,有前鼻音韵尾。这两个韵母是:[ɑn]、[uɑn]。

八加、九瓜来自假摄,分别是开音、合音。绩溪话瓜韵韵母是[o],加韵有两个韵母:假摄二等韵母是[io],三等是[iɔ]。由于三等声母已经腭化,可能主要元音因此而低化了。我们拟订假摄八加、九瓜的韵母是[io]、[o]。

十戈、十一哥来自果摄,分别是合音和开音。绩溪话果摄只有一个韵母[ɵ],哥、锅同音,庄村、南极也是一个韵母。我们据韵图的提示定为开合两类:[ɵ]、[uɵ]。

流摄的十二钩、十三鸠都是开音。绩溪话鸠韵见母和疑母字的韵母是[iɵ],钩韵和鸠韵的见母、疑母以外的字的韵母都是 i,跟止摄合流了。那么,绩溪话钩韵的早期很可能是[e],后来高化、前化,才跟止摄合并。《山门新语》的情况与此一致,故构拟为:[e]、[ie]。

效摄十四交、十五高也都是开音。绩溪话"效摄一二等和三四等主要元音不同,逢[tɕ]组声母读[ie]韵,逢其他声母多读[ɤ]韵。"《山门新语》周氏自序说:"急读哥干两音成高字。"可见,高字在他那里是复合韵母。绩溪山咸摄主要元音是[ɔ],哥韵元音是[ɵ]。那么,早期的形式应该是[ɵɔ],为方便起见,写作[əu]。两个韵分别是:[əu][iəu]。

山咸摄一二等十六干、十七官,分别是开音、合音。绩溪话分别是[ɔ]、[uɔ]。这跟《山门新语》完全一致:如上文所引"急读哥干两音成高字"。既然"哥干"可以合音成高,"干"和"高"的韵尾一定是相同的。在周氏的韵图中,干、官两韵并没有跟坚、涓放在一起,中间还隔着乖、佳两韵,也说明它们是阴声韵。我们定这两韵为:[ɔ]、[uɔ]。

来自蟹摄的十八乖、十九佳分别是合音、开音。绩溪话韵母是[ɑ]、[uɑ]。《山门新语》应该就是这样的音,故定这两韵为:[ɑ]、[uɑ]。

来自梗摄、曾摄、深摄的二十庚、二十一经都是开音。绩溪话韵母是[ã]、[iã]。今天已经跟臻摄合并了。我们定为相应的后鼻音韵尾[aŋ]、[iaŋ]。

来自山咸摄三四等的二十三坚、二十四涓分别是开音、合音。绩溪话韵母有四个：[ɛ̃i]、[iɛi]、[uɛi]、[yɛi]。由于[iɛi]、[yɛi]都只配舌面前音声母，显然是后起的，所以，我们定此两韵韵母为[en]、[yen]。

来自臻摄的二十四君、二十五巾分别是合音、开音。绩溪话分别是[iã]、[yã]。《山门新语》周氏自序说："急读居涓两字成君字。"则涓、君主要元音和韵尾应该相同、相近。涓韵既然是[yen]，君韵应该是[yn]，那么巾韵就是[in]了。

来自止摄、蟹摄的二十六姬、二十七圭、二十八玑分别是开音、合音、开音。绩溪话里，姬韵字都读[i]，圭韵除了跟[k]、[kʰ]配合的韵母是[ui]以外，其余声母配合的字已经全部合并到姬韵里去了。玑韵字基本上都读[ɿ]，比如：鸡[tsɿ]³¹，企[tsʰɿ]²¹³，喜[sɿ]³⁵。这样，这三个韵的韵母就很清楚了，我们定其早期形式分别是[i]、[ui]、[ɿ]。

来自通摄的二十九宫、三十公都是合音。绩溪话通摄已经合并到臻摄、梗摄等里面去了，公、宫同音，是[uã]，宫韵的穹等字韵母是[yã]。根据绩溪话的走势，这两个韵可能跟庚、经韵很近。我们干脆把它们配合到一块，以预示其后来的合并。故构拟宫、公分别为[yaŋ]、[uaŋ]。下面是韵母表：

表五

开	齐	合	撮	开	齐	合	撮
28 玑[ɿ]	26 姬[i]	1 呱[u]	2 居[y]			谷[uʔ]	橘[yʔ]
4 冈[eŋ]	3 江[ieŋ]	5 光[ueŋ]		各[eʔ]	觉[ieʔ]	国[ueʔ]	
20 庚[aŋ]	21 经[iaŋ]	30 公[uaŋ]	29 宫[yaŋ]		结[iaʔ]		
9 瓜[o]	8 加[io]			郭[oʔ]	脚[ioʔ]		
11 哥[ɵ]		12 戈[uɵ]					
12 钩[e]	13 鸠[ie]				匊[ieʔ]		
15 高[au]	14 交[iəu]			葛[ɣuʔ]			
16 干[ɔ]		17 官[uɔ]				括[uɔʔ]	
19 佳[a]		18 乖[ua]		格[aʔ]			

续表

开	齐	合	撮	开	齐	合	撮
		27 圭[ui]					
7 根[ɑn]		6 昆[uɑn]		甲[ɑʔ]		咄[uɑʔ]	
22 坚[en]				23 涓[yen]			决[yeʔ]
	25 巾[in]		24 君[yn]	吉[iʔ]			

4.3 声调

绩溪方言有六个声调：阴平、阳平、上声、阴去、阳去、入声。其中，上声和入声中的浊声母都变同本调的清声母了（见表六）。这跟《山门新语》完全一致。

表六

地点	声调	阴平	阳平	上声	阴去	阳去	入声
华阳镇	调值	31	44	213	35	22	32
岭北	调值	21	32	55	324	223	32

先看华阳镇的情况：

华阳镇阳去本来还要高些（赵日新，参见平田1998:34），我们可以把阳去写作33，又按调的长短把一个音分成三级：长、短、不长不短，把上声看作低调，不分阴阳的看作阴调。华阳镇声调可以改写如下：

表七

声调	阴平	阳平	上声	阴去	阳去	入声
调值	31	44	213	35	33	32
阳	−	+	−	−	+	−
一长、一短	+	+	−	+	+	−
中	+	−	−	−	+	+

表八 华阳镇连读变调表：

	阴平31	阳平44	上声213	阴去35	阳去22	入声32
阴平31	33＋31	33＋44	33＋213	33＋35	33＋22	33＋32
阳平44						
上声213	31＋31	31＋44	31＋213	31＋35	31＋22	31＋32
阴去35	53＋31	53＋44	53＋213	53＋35	53＋33	53＋32
阳去22	53＋31	53＋44	53＋213	53＋35	53＋33	53＋32
入声32						

华阳镇连读变调有两大类:前字变调和后字变调。前者见上表,后者主要涉及上声213(在上声后变44或者35)、阴平31(在阳平后变44)、入声32(在入声后35),但是变调的结果一般是44,少数是35。这种变调只涉及为数很少的亲属称谓,因此可以看作是社会因素的影响。我们不便把这种变调看作构拟早期声调的资料。可以作为重要参考的是前字变调。

除了阳平和入声不变调,前字变调有四种,都是在跟所有声调组合时都变化的,即都不以后字为条件:

阴平:31—33;上声:213—31;阴去:35—53;阳去:22—53。

由于绩溪方言的基础声调的调值从1到5,起始调值也是从2到4,跨度比较大;而变调不以后字为条件,正说明是早期调值的遗留。我们以此为构拟早期声调的基础,应该是恰当的。

阴平单字调是降调31,变调是平调33。变调跟阳平调型一样,调值相差不多,说明平分阴阳之前应该是平调。其分化过程如下:

古平声55 ↗ 阳平44
　　　　 ↘ 阴平33 → 31

阴去和阳去的情形与此相似:阴去、阳去的单字调不同,但变调却一致,这正是早期去声未分化之前的情形。鉴于今天的单字调分别是平调和升调,而变调却是降调,那么早期的声调很可能是曲折调。

古去声535 ↗ 阳去53 → 32 → 22
　　　　　 ↘ 阴去35 → 35

上声的单字调是曲折调,变调是降调。我们以变调为早期形式。

早期上声311 → 上声单字调213
　　　　　　 ↘ 上声的变调31

阳平和入声没有变调,我们就以单字调为早期形式。

这样,华阳镇的早期声调系统应该是:

表九

声调	阴平	阳平	上声	阴去	阳去	入声
调值	33	44	31	35	32	32

岭北声调可以改写如下：

表十

声调	阴平	阳平	上声	阴去	阳去	入声
调值	21	32	55	324	223	32
阴	+	−	−	+	−	−
一长、一短	+	+	+	−	−	−
降	+	+	−	−	−	+

岭北方言的变调都是前字变调。赵元任（2002:581）总结的变调规律有：

  阴平 21：凡遇降调变 23，其他变 22；

  阳平 32：在任何调前都不变；

  上声 55：除上声前不变外，其他变为 53；

  阴去 324：一律变为 35；

  阳去 223：在任何调前不变；

  入声 32：在上声、阴去前不变，其他变 35。

根据以上规律，变调的只有四个声调，都是阴调：阴平 21、上声 55、阴去 35、入声 32。有两种情况：有后字条件的和无后字条件的。

有后字条件的只有阴平 21，凡遇降调变 23。这是一种异化现象：两个降调相连时，前字异化为升调。

没有后字条件的首先看入声：单字调是短调，变调是长调。显然变调是后起的。

上声 55 一般变为降调 53，阴去 324 一律变为 35。但是变调的性质并不相同：从这两对调值的情况看，上声 53→55、55→53 两种方式都有可能，参考华阳镇上声是降调的情况，我们觉得后一种变化可能性更大些。阴去则以曲折调分裂的解释比较简单：324→35。加上入声的变调调值也是 35，这个调值很可能是一个浮游调，不具备作为早期调值的条件。早期：上声53、阴去324。

阴平21一般变成平调22，变调符合平调的意旨，我们把变调作为早期形式。

这样，岭北方音的早期声调是：

表十一

声调	阴平	阳平	上声	阴去	阳去	入声
调值	22	32	53	324	223	32

结合岭北和华阳镇的早期声调，我们构拟出《山门新语》的声调调值如下：

表十二

声调	阴平	阳平	上声	阴去	阳去	入声
调值	33	44	53	535	323	32

五 结论

比较《山门新语》音系和现代方言，《山门新语》跟吴语和江淮官话都相去甚远，而跟徽语的特点吻合，应该是反映清代后期宁国徽语的方音韵书。

参考文献

耿振生（1992）《明清等韵学通论》，语文出版社，北京。
赵日新（1998）绩溪方音，平田昌司等著，《徽州方言研究》，好文出版社，东京，32—49页。
赵元任（1962/2002）绩溪岭北音系，赵元任著，《赵元任语言学论文集》，商务印书馆，北京，578—581页。
周　赟（清）《山门新语》，六书堂原板，光绪癸亥新镌，藏北大图书馆。
竺家宁（1998）《山门新语》姬玑韵中反映的方言成分与类化音变，麦耘编，《李新魁教授纪念文集》，中华书局，北京，190—195页。

(100872　北京，中国人民大学对外语言文化学院)

先秦汉初汉语里动词的指向[*]

徐 丹

提要 先秦汉初时期汉语是如何表达动词指向的呢？我们认为上古汉语具有综合性语言的特征,语音手段,句法手段都可以表达语法关系。先秦汉初,语音手段衰微,句法手段兴起并占据了主导地位。传世文献及出土文献都表明,变动词序可以表达不同的施受关系。这些共存的手段显示出,先秦汉初时期,词序的调整是由于汉语类型上逐渐发生变化的结果。
关键词 动词的指向 词序调整 语音手段 句法手段 语言类型转变

0. 在上古汉语里,动词的语义指向可以通过几种手段表达:语音手段、句法手段与语义手段。语音手段指的是变调构词、清浊辅音交替、元音交替等形式。古人已注意到这一现象,今人研究更是异常活跃[①]。各家研究的对象和列出的词表虽然不完全相同,但在方法上是相通的。现在我们已经知道,许多动词通过改变声调(非去声与去声)表达施事与受事关系的变化。句法手段通过词序变换,选用介词表达句子的语法关系。语义手段则是通过上下文解读句子,辨别动词的指向。长期以来,汉语研究的重点一直放在句法手段与语义手段上。

本文力求运用综合的方法观察问题,并通过具体的案例探讨先秦、汉初汉语里动词指向的表达方式。本文不追求对先秦、汉初整个动词体系的全面描写,只是力图通过分析某些常见动词表明上古汉语是一个综合类型的语言,而不是纯分析型语言。先秦、两汉时期是汉语逐步变为分析型语言的转换时期。这种转换不是一种机械性的兴替。每一个动词都有基本的用法(即常态)。某一动词在某一个

---

[*] 本文曾在 2002 年 8 月日本名古屋第十一届国际中国语言学会议上宣读。

阶段都有其相对固定的用法,在汉语类型渐变的过程中,有些动词发生了变化,其演变有先、有后。语义手段在各个语言及各历史时期都是普遍存在的,而语音手段逐渐退出历史舞台与句法手段逐渐占据上风是先秦、两汉时期的重要特征。

在先秦时期,句法手段兴起、发展,语音手段逐渐衰微。许多句型处于萌芽阶段,不少介词短语处于调整阶段。因此,动词的指向经常不是由一种单一的形式承担,而是由多种形式表达的。两汉时期是汉语的过渡时期,许多手段并存。本文研究的就是在这种变更中某些动词的表现。总体看来,汉语里许多动词的用法在此时定型[②]。某一动词的基本用法,指其在及物、不及物[③]用法上的常态,因为每一个动词在一定的阶段都有一个大致的趋势。在先秦汉语里,许多动词在语义上都可以分成自动和使动的用法[④]。两汉以降,自动与使动关系日趋衰微。

到目前为止,人们对许多术语的内涵观点并不一致,本文只用为人们普遍接受的术语,如指语义关系的"施事与受事"、句法关系的"主语、谓语、宾语"等。施事与受事关系是人类语言的一个普遍特征,这种关系贯穿了汉语发展的各个时期。由于使动式的衰落打破了一些动词"自动—使动"关系的平衡,所以这对关系不再形成有规则的对立。

1. 在先秦汉语里,许多动词可以依赖变换声调、改变发音方式指明动词的指向[⑤]。很明显,这是有形态特征的语言所具有的特点。这些信息我们可以通过古文献里的注释、早期的谐声字,以及韵书等得到。当然确切的音值不易构拟得准确无误,但是在各家重建的古音音系里还是各有依据,不是任意的。我们都知道,在上古汉语里,自动与使动是动词里一对比较明显的语义特征。请看几个为大家所熟悉的例子:

(1) 七十者衣帛食肉,黎民不饥不寒,……(《孟子·梁惠王上》)

(2) 鱼馁而肉败,不食。(《论语·乡党》)

(3) 上农夫食九人……(《孟子·万章下》)⑥
(4) 治于人者食人……(《孟子·滕文公上》)

例(1)、(3)、(4)里的词序都是"食 NP",例(2)里的 NP 被省略了。但很显然,例(1)和例(2)中的"食"是"自己吃的意思",是自动词,而例(3)和例(4)中的食是"使人吃"即"养活"的意思,是使动词。这两个字不同的音在《经典释文》及《广韵》里都有记载,根据白一平(Baxter, 1992)的语音系统及沙加尔(Sagart, 1999)的构拟,这两个字的音大概是这样演变的:

食 *^{b}mlɨk > zyik > shi2 "吃"
食 *^{b}slɨks > ziH > si4 "养活"⑦

在先秦汉语里,通过变化声调,动词可以改变指向,这是人们很熟悉的,此处再举一例。

(5) 瞻望弗及,如泣如雨。(《国风·燕燕》)
(6) 宋有富人,天雨坏墙。(《韩非子·说难第十二》)
(7) 雨我公田,遂及我私。(《小雅·大田》)
(8) 雨蠡于宋。(《左传·文公三年》)

例(5)中的"雨"作名词用,例(6)里的"雨"字是自动词,读上声,例(7)、例(8)里的雨用如及物动词,读去声。关于这些动词的变调构词,已有不少研究,此处不再赘言。

上古汉语通过发音方法改变动词指向的例子不胜枚举,上面谈到的"食"就是一例。其他例子还有"败、解、折、见"等等⑧。

2. 先秦、汉初汉语里的一些动词有声调变化的记载。这些动词不仅利用声调变化,而且也利用词序变化。也许我们可以把这种并存的现象看成是汉语在过渡时期特有的现象,即语音手段正在逐渐衰退,句法手段正在起而代之。我们都知道,古汉语里的"败"字有两读,《广韵》记载:败,"自破曰败",薄迈切;"破他曰败",补迈切。请看白一平及沙加尔(Baxter and Sagart, 1998)的构拟:

败 *^{a}N-prats > bæjH > bai4 "自己被打败"
败 *^{a}prats > pæjH > bai4 "打败他人"

语音手段可以帮助人们释读句子里的语法关系,但应注意到,词序即句法手段也可以起同样的作用(也许是同时起作用)。请看几个从出土文献里看到的西汉初年的例子:

(9) 王必毋以竖之私怨败齐之德(《战国纵横家书·苏秦谓齐王章》)

(10) 功(攻)秦之事败……(同上)

例(9)和例(10)出自同一文献的同一章。从上面两个例子中,我们看到,例(9)的"败"字用如及物动词,是"使齐之德败",即"败他"的意思。例(10)里的"败"字用如不及物动词,是主语"事""坏败",意思是"自败"。这类动词的两种手段(即语音手段和句法手段)在先秦、汉初很可能并举。这类动词在先秦文献里还有一些,如"坏、断、折"等。

现在,我们再看一个例子,"伐"字:

(11) 二十八年伐者为客,伐者为主。(《公羊传·庄公二十八年》)

据我们看到的有限的材料,我们只见到陆德明的《经典释文》里有所记载,他也是转写《春秋公羊传》的注释者何休的说法。何休关于长读、短读的注释无助于后人对"伐"字读音的掌握,但却使后人明白了此字有两读。在1973年长沙马王堆出土的《战国纵横家书》里,我们可以看到西汉初年"伐"字的一些用法:

(12) 伐秦,秦伐。(《战国纵横家书·苏秦谓齐王章》)

(13) ……秦必取,齐必伐矣。夫取秦,上交也,伐齐,正利也。(《战国纵横家书·谓燕王章》)

在例(12)、例(13)里,"伐"字的句法位置很有意思,既有"伐NP",又有"NP伐"。根据上下文,"伐"在第一个句型里用如及物动词("伐"的及物用法是基本用法),是"征伐"某国、某人的意思,"伐"在第二个句型里用如不及物动词,是某国、某人被征伐的意思。显而易见,第一个句型表达的是主动态,主语是施动者,第二个句型表达的是被动态,主语是受动者。但是"伐"明显表现出与靠词序表

达施受关系的动词不同的地方,即"伐"在西汉初,词序不完全表明其施受指向。请看两个例子:

(14) 宋、中山数伐数割,而国隋(随)以亡。(《战国纵横家书·须贾说穰侯章》)

(15) 楚久伐,中山亡。(《战国纵横家书·苏秦献书赵王章》)

如果不看上下文,人们很难判断例(14)、(15)中"伐"的施受关系。根据上下文,在例(14)里,"伐"表达的是主动态,意思是说"宋国、中山国数次讨伐、分割别的国家,以致自己灭亡了",文物出版社于1976年出版的《战国纵横家书》里加注说:"此指齐灭宋与赵灭中山事"。例(15)中的"伐"表达的是被动态,意思是说"楚国一直被伐,中山国也被趁机灭了"。同一版本的注释抄录如下:"楚久伐,指楚国被伐很久,楚怀王末年,秦、齐、韩、魏合攻楚,赵国乘机伐中山,并于公元前二九五年灭中山(见《史记·六国表》)[9]。例(14)、(15)里"伐"的句法位置完全相同,却表达了截然不同的施受关系。

由此,我们认为,至少在西汉初年,"伐"字还应保留着两读,上述例子也许可以看成是"伐"字仍保有两读的间接证据。上述例子还表明,有两读的动词比无两读的动词词序更自由。从出自同一文献的例(12)、(13)来看,当时词序也可以明确施受关系,很可能在当时,句法手段已开始与语音手段争夺地盘了。

3. 从先秦至汉初时期的传世文献及出土文献,我们看到许多动词没有两读的记载,当时语音手段还未完全退位,也许有些动词有过不同的读音,但是没能传下来。若按现有的记载看,很多动词不依赖语音手段,只依靠词序就已表达了施受关系。如:杀、取、残、立、破、敝,等等。我们来看几个例子:

(16) 齐人攻燕,拔故国,杀子之……(《战国纵横家书·须贾说穰侯章》)

(17) 秦孝王死,公孙鞅杀。(《战国纵横家书·虞卿谓春申君章》)

在上古汉语里，"杀"是典型的及物动词，而"死"是典型的不及物动词。梅祖麟(1991)继太田辰夫(1958)和志村良治(1974)之后，进一步通过"V杀"与"V死"的句法分布互补到最终合流论证了动补结构形成的时期。"杀"与"死"在先秦汉语里确实是一对在句法表现上呈互补状态的动词。"杀"在绝大多数场合用作及物动词，"死"在绝大多数情况下用作不及物动词。在"死"用如及物动词的例子里，"死"后的名词词组只表示"死"的原因或目的。我们看到，这两个典型的、有代表意义的动词在先秦汉初仍有非典型的用法，施受关系仍需要语境来确定。例(16)里的动词"杀"是通常用法，即"杀"表达的是主动态；而例(17)里的动词"杀"是特殊用法，这里的"杀"不是"杀人"而是"被杀"，表达的是被动态。这除了上下文可以帮助理解外，前后两个句子的对称用法也是造成特例的关键因素。上句用自动词"死"结尾，下句用"杀"呼应，这里的"杀"只能也作自动词用。这样的例子很多，在对称的句子里，一个动词的通常用法常被打破。如"烹"这个动词，一般说来，"烹鱼肉"(甚至"烹人")在古汉语里很常见，但在《史记》里，谁都知道"狡兔死，良狗亨(烹)，高鸟尽，良弓藏，敌国破，谋臣亡"这一名句。同理，这里的"亨(烹)"与"死"并用，只能表示受事或被动，不能表示施事或主动。请再看几个例子：

(18) ……秦必取，齐必伐矣。夫取秦，上交也，伐齐，正利也。(《战国纵横家书·谓燕王章》)

(19) (薛公)欲以残宋，取貂〔淮〕北，宋不残，貂〔淮〕北不得。(《战国纵横家书·苏秦谓齐王章》)

(20) 立帝，帝立。(《战国纵横家书·苏秦谓齐王章》)

在上面几个例子里，"取、残、立"都没有两读的记载，而且也不像"死、杀"那样施受指向很固定。这些动词都可以出现在两个位置上："VNP"或"NPV"，在前一个句型里表主动态，在后一个句型里表被动态。在先秦汉语里，一个动词既可以用作及物动词又可以用作不及物动词是很常见的，通过词序的变化，同一个动词在不同的情况下可以表达施事或者受事,也是那个时期句法的一个重要特征。两汉时期是汉语句法的大变更时期,动补结构随着汉语双音节化的发展而发展,汉语的句法关系越来越需要显性的句法手段来表达了。值得注意的是,"取、残、立"等可两用(及物或不及物)的动词,在动补结构形成时也表现出同样的特点,他们都一度既可以作动补结构的上字,又可以作动补结构的下字。即便在现代汉语里,仍能看到一些痕迹:如"取得""获取","残害""打残"等。很明显,两汉以后,通过改变音调就能表达施受关系的动词越来越少了。使动用法在那个时期退出历史舞台不是一件孤立的事情,而是与整个汉语类型的变化有机地联系在一起的。

4. 很多学者已经注意到,先秦至两汉时期的汉语里的介词词组在词序上也有变化[10]。我们发现,这个时期的许多动词表现出不稳定的状态,即这些动词有时用作不及物动词,靠介词引出宾语,有时用作及物动词,直接带宾语。这些动词的及物用法和不及物用法表达的语义基本相同,直到两汉后期(中古汉语前期),他们的用法才固定下来;不少动词失去了使动用法后,逐渐脱离了动词范畴,成了可用如动词的形容词,如"大、小、远、近、善、广"等等。此处我们只举一个例子,"怒"字。请比较下面的几个例子:

(21) 晋魏锜求公族未得而怒,欲败晋师。(《左传·宣公十二年》)

(22) 若二子怒楚,楚人乘我,丧师无日矣!(同上)

(23) 楚王怒周。(《战国策·东周策》)

(24) 赵旃求卿未得,且怒于失楚之致师者,……(《左传·宣公十二年》)

(25) 王怒于犀首之泄也,乃逐之。(《战国策·秦策》)

在上述例子中,"怒"字既有及物用法,又有不及物用法,及物用法与不及物用法表达的意思可以相同(见例23、25),即都是主语发怒;都是及物用法也可以表达不同的意思(见例22、23),即不一定都是主语发怒。例(21)中的"怒"很显然是自动词的用法,这种用法是很常见的,毋庸赘述。例(22)及例(23)值得分析:表面上,他们词序相同,都是"怒NP",但是他们的意思很不相同。例(22)中的"怒"是使动用法,意思是"使楚国发怒"、"激怒楚国",而例(23)中的"怒"是自动词的用法,意思是"楚王对周很生气",是"自己发怒"。例(24)及(25)中的"怒于"都是对某件事不满,"于"引出发怒的原因。在出土文献《战国纵横家书》及传世文献里,"怒于"很常见。在《史记》里,"怒"直接带宾语成了常态,如"怒"+人名,"怒"+之,"怒"+句子等。"怒于"只见于几个句型,如"怒"作名词用(见例26、27),这与我们关心的"怒于"不同:

(26) 夫以秦王之暴而积怒于燕,足为寒心。(《史记·刺客列传》)

(27) ……而七国之乱,发怒于错。(《史记·酷吏列传》)

只有两例是动词"怒"带"于",其中一例和先秦文献里见到的一模一样:

(28) 我有积怨深怒于齐。(《史记·乐毅列传》)

(29) 楚、赵怒于魏之先己也,必争事秦。(《史记·穰侯列传》)

例(29)与出土文献《战国纵横家书·须贾说穰侯章》里的句子丝毫不差,这一章与《战国策·魏策三》的内容也大致相同。我们知道《史记》有些章节与先秦某些传世文献常常只字不差。我们也许可以用来解释例(29)的特殊性。除上述两句外,"怒"直接带宾已占绝对优势。如:

(30) (须贾)心怒雎,以告魏相。(《史记·范雎蔡泽列传》)

(31) 魏王怒公子盗其兵符。(《史记·魏公子列传》)

例(30)中的"怒"也是自动用法,而不是使动用法。例(31)中的"怒"没有用介词"于"引出发怒的原因。如限于比较《战国纵横家书》和《史记》的话,"怒"很明显地抛弃了介词"于"。

"怒"在现代汉语里,有不同的组合,"发怒"、"恼怒"保留了"怒"的自动用法,"激怒"、"惹怒"则保留了使动用法("怒"是补语成分)。在中古汉语里,"怒"已逐渐用在双音节动词中,随着使动用法的消失,动补结构的兴起,"怒"的用法固定了下来,介词"于"也随着整个汉语句法的调整被其他分工更专职化的介词取而代之了,具体点说,就是"怒于"发展成了用前置介词表达的句式,即"对某事、某人生气、感到愤怒"。在现代汉语里,"怒"几乎成了一个不自由的语素。从上面的例子及分析,我们看出,像许多动词一样,"怒"在先秦两汉时期处于调整过程,句法表现形式纷杂,但随着汉语的发展,逐渐简化了表达方式,用法日趋固定了。

当然,每一个动词都有自己的发展过程,并不完全同步,但大的趋势是一样的。如"善"和"善于"曾都可以表达"对某人友善",在《史记》里,"善"直接带宾却占了绝大多数,而"善于"带宾只有几例,其中包括字句完全相同的仿古片段。

5. 我们分析了先秦、汉初时期动词几种表达句法关系的方式,这些方式包括语音手段,语音兼词序的手段,词序结合语义的手段以及使用语法词。显而易见,这些手段融合了形态语言及分析型语言的特点,先秦、汉初的汉语表现出一种综合性语言类型的特点。两汉时期是过渡时期,因此动词表现出在使用句法手段上不够稳定的状态,可以利用语音手段的动词又日益减少,仅有的几个介词又不堪重负,语言就进行了自我调整,形态手段逐步被淘汰,利用词序及语法词成了大势所趋。因此某些实词的语法化就在所难免了,某些字常出现在某些句法位置上,成了语法词的首选。汉语里这一长、一消,一生、一灭,反映了汉语在语言类型转变时期的发展大势。

附 注

① 高本汉(1933)、周祖谟(1945)、王力(1958、1965)、Downer(1959)、周法高(1962)等明确地指出汉语里有变调构词。继他们的研究之后,梅祖麟(1989)、黄坤尧(1992)、Baxter and Sagart(1998)、孙玉文(2000)等又作了进一步的探讨。

② 徐丹(2001)《从动补结构的形成看语义对句法结构的影响》,《语文研究》,第二期,5—12页。

③ 人们对"(不)及物动词"有不同的定义和解释。为行文方便,本文采

取传统的定义,即带宾语的动词是及物动词或用如及物动词(如使动用法),不带宾语的动词是不及物动词或用如不及物动词。

④ 对"自动与使动"的描述,我们同意徐通锵(1998)先生的意见,即自动与使动关系只适用于汉语,是先秦、汉初汉语里的一个重要特征。由于"自动—使动"这对关系不能覆盖先秦时期所有动词的特征,所以本文在讨论时,仍借助于某些通行的术语。

⑤ 这些构词变化与上古早期词缀的变化是一种变体关系。即上古的形态变化(词缀变换)到了上古后期有的消失了,有的转换为声调或发音方式的变化了。

⑥ 在第十一届国际中国语言学会议上,有的学者提出异议,认为此句的断句不应是"上农夫,食九人"而是"上农,夫食九人"。在我们看到的几个不同的版本,如古人赵歧、今人杨伯峻所注的版本都把"农夫"连起来解读。"农夫"这一双音节词在《孟子》里共出现了五次。其实,此词在《诗经》里就已经出现了,如《豳风·七月》"采荼薪樗,食我农夫"。

⑦ 许多学者都已发现 *s-前缀可以表达使动。沙加尔(1999)发现 *m-前缀可以表示自动。我们(2002)认为,*s-前缀与 *m-前缀在一些词里可以互换,前者表使动,后者表自动。

⑧ 请参考前面提到的学者列的字表。

⑨ 大西克也(Onishi Katsuya)先生告诉笔者,何乐士先生在《左传·昭公十年》里也曾找到"NP 伐"表达被动的句式"君伐,焉归?"此处的"伐"也是表达被动意义。

⑩ 请参见何乐士(1992)。

参考文献

大西克也(Onishi Katsuya)(2001)施受同辞刍议——古汉语中的作格动词和中性动词, Paper read at the 4th International Conference on Classical Chinese Grammar, UBC, Vancouver, August, 2001。

何乐士(1992)《史记》语法特点研究——从《左传》与《史记》的比较看《史记》语法的若干特点,程湘清主编《两汉汉语研究》,山东教育出版社,1—261页,济南。

黄坤尧(1992)《经典释文动词异读新探》,台湾学生书局,台北。

李佐丰(1983)先秦汉语的自动词及其使动用法,《语言学论丛》第十辑,商务印书馆,117—144页,北京。

梅祖麟(1989)上古汉语 *s-前缀的构词功用,《中央研究院第二届国际汉学会议论文集》,33—51页,台北。

——(1991)从汉代的"动、杀"、"动、死"来看动补结构的发展——兼谈中古时期起词的施受关系的中立化,《语言学论丛》第十六辑,商务印书馆,北京。

孙玉文(2000)《汉语变调构词研究》,北京大学出版社,北京。

太田辰夫（1958）《中国語歴史文法》,江南书院,东京。
王　力（1958）《汉语史稿》,科学出版社,北京。
——（1965）古汉语自动词和使动词的配对,《中华文史论丛》第六辑,121—142 页,上海。
魏培泉（1993）古汉语介词"于"的演变略史,《中央研究院历史语言研究所集刊》,62—4,717—786 页,台北。
吴安其（1996）与亲属语相近的上古汉语的使动形态,《民族语文》第 6 期,29—35 页,北京。
徐　丹（2001）从动补结构的形成看语义对句法结构的影响,《语文研究》第 2 期,5—12 页,北京。
——（2002）上古汉语复辅音与前缀,《开篇》21 期,好文出版社,8—14 页,东京。
徐通锵（1998）自动和使动——汉语语义句法的两种基本句式及其历史演变,《世界汉语教学》第 1 期,11—21 页,北京。
雅洪托夫（1969）上古汉语的使动式,《汉语史论集》,北京大学出版社,104—114 页,北京。
志村良治（1974）汉语使成复合动词形成过程的探讨,《东北大学文学部研究年报》24 期,143—168 页。
周法高（1962）《中国古代语法·构词篇》,中央研究院历史语言研究所,台北。
周祖谟（1966）四声别义释例,《问学集》,中华书局,81—119 页, 北京。

Baxter, William H. (1992) *A Handbook of Old Chinese phonology*. Trends in Linguistics Studies and Monographs 64. Berlin: Mouton de Gruyter.

Baxter, William H. & L. Sagart (1998) Word formation in Old Chinese. *New Approaches to Chinese Word Formation: Morphology, phonology and the lexicon in modern and ancient Chinese*. ed. by Jerome L. Packard, 35—76. Berlin: Mouton de *Gruyter*.

Downer, G. B. (1959) Derivation by Tone-Change in classical Chinese. *Bulletin of the School of Oriental and African Studies*. University of London, Volume XXII, Part 2, 258—290.

Hopper, P. and Sandra A. Thompson (1980) Transitivity in grammar and discourse. *Language*, 56, 251—299.

Karlgren, B. (1957) *Grammata serica recensa*, Bulletin of the Museum of Far Eastern Antiquities, 29:1—332.

Maspéro, H. (1930) Préfixe de dérivation en chinois archaïque. *Mémoire de la Société de Linguistique de Paris*:23—5, 313—327.

Peyraube, A. (2000) Ordre des constituants en chinois archaïque. *Cahiers de Linguistique de l'INALCO* ed. by A. Donabédian & Xu Dan. 3, 99—110.

Sagart, L. (1999) *The Roots of Old Chinese*. Amsterdam/Philadelphia, John Benjamins Publishing Company.

Xu Dan (2001) About verb's marking by the preposition 于 *yu2*. Paper read at the 4th International Conference on Classical Chinese Grammar, UBC, Vancouver, August. (2004, *Journal of Chinese Linguistics*.)

(巴黎,法国巴黎东方语言文化学院/法国科学院东亚语言研究所)

关于《左传》动词"伤"的义项判定规则*

张 猛

提要 本文讨论关于古代汉语中的动词的义项判定规则。试图在有限范围内探讨下列可能性：当一个动词具有两个以上的用法时，如何通过分析该动词前后的名词的语义特征和它们之间的语义关系，来限定动词和相关介词的具体义项、同时也限定句子的主语或宾语、动词的主动或被动以及名词的施受关系。本文研究的对象是动词"伤"的两个用法，分析这个动词作为谓语动词在《左传》中所有的用例，概括出相应的规则。

关键词 古代汉语 动词 义项判定 语义规则

一

《左传》中有这样两个例子：
 （1）魏犫伤於胸。 （僖28·3）
 （2）郤克伤於矢。 （成2·3）
从词类和词序的角度分析，以上两个句子没有区别。都是如下格式：

   名词$_1$＋ 动词"伤"＋ 介词"於"＋ 名词$_2$

其中"名词$_1$"表示该名词出现在动词前面的位置上，"名词$_2$"表示该名词出现在动词后面的位置上。在此不考虑它们在句中充当的是什么句子成分。

用结构式表示的话，则是：

   $N_1 + V_{伤} + Prep_{於} + N_2$

---

 * 本文得到北京大学中文系王洪君、詹卫东和北京大学哲学系周北海等三位先生的大力帮助。谨在此对三位先生表示感谢。

有阅读经验的人都不难发现这两个句子虽然结构式相同,可是"意思"不同。为说明这两个句子的差异,传统的方法大致有五种:

1. 从虚词的角度——两个例句里的介词"於"的用法不同:例(1)里的介词"於"引进动作所处的部位,相当于现代汉语的"在";例(2)里的介词"於"引进导致动作发生的事物,可以翻译成现代汉语的"被"而和"矢"一起移到动词"伤"的前面去。

2. 从动词的角度——两个例句里的动词"伤"分属于不同的小类:例(1)的动词"伤"是不及物动词,例(2)的动词"伤"是及物动词且用作被动。

3. 从名词的角度——这两个例句中的名词$_2$在语义类别上存在一些差异。例如"矢"是表示一种人造的兵器,可以说是一种工具;而"胸"是表示人体某个部位的名词。

4. 从句法的角度——这两个例句的句式不同:例(1)是表示叙述的,例(2)是表示被动的。

5. 从训诂的角度——例句里的"伤"字说解不同,例(1)的表示"受伤",例(2)的表示"伤害"。

诸般说法不同,相同的只有一点,即面对的对象是人。一般的人都具有关于事物的经验、记忆力和推理能力,这些知识和能力作为不可或缺的前提条件,使得上述诸般说法得以成立。

假设对象是一台计算机,并试图将上述的五种解释转变为能够满足计算机需要的形式,这时候方才可以看出问题:计算机虽然有存储概念和数据运算的功能,而且这些功能经过巧妙利用,可以有和人类的经验、记忆力、推理能力相似的表现;但是现阶段的计算机在这些方面的功能和人类所具有的能力仍然不能等同。

对于计算机来说,前述两个例子所共有的结构式其实是这样的一个只有词项和词序的表达式(其中大写字母"W"是英文 word 的简写):

$$W_1 + W_2 + W_3 + W_4$$

第一个词项(W_1)在两个例句里词形不同,分别是"魏犨"和"郤克",但词性相同,都是特指某个人的名词,词形、词性以及意义都可以通过赋值到机读词典的方式直接指定给计算机,无须向计算机额外提供其他条件。

第二个词项(W_2)在两个例句里词形相同,都是"伤"。词性也相同,都是动词。根据现有的训诂知识可知,《左传》中动词"伤"有三个义项:伤$_1$＝受伤、伤$_2$＝伤害、伤$_3$＝难受[①],即:

$$V_{伤} = 伤_{1=受伤}, 伤_{2=伤害}, 伤_{3=难受}$$

如果要将它们的意义指定给计算机,必须附加有关的使用条件,否则计算机不能进行选择。

第三个词项(W_3)在两个例句里词形相同,都是"於";词性也相同,都是介词。根据现有的语法知识可知介词"於"有多种用法,如引进动作的时间、处所、对象等,因此它的意义也不能无条件地指定给计算机。在上述的两个例子里,"於"的用法不同,因此有:於$_1$＝引进受伤的部位、於$_2$＝引进施事。即:

$$Prep_{於} = 於_{1=引进受伤的部位}, 於_{2=引进施事}$$

第四个词项(W_4)词形不同,分别是"胸"和"矢",词性相同,都是名词,但语义类别有所不同。"胸"是关于人体部位的名词,"矢"是关于兵器的名词。它们的词形、词性以及意义都可以通过赋值的方式无条件地指定给计算机。

即:

$$W_1 + W_2 + W_3 + W_4 = N_1 + V_{伤} + Prep_{於} + N_2 (V_{伤} = 伤_{1=受伤}, 伤_{2=伤害}, 伤_{3=难受}; Prep_{於} = 於_{1=引进受伤的部位}, 於_{2=引进施事}。)$$

意义可以直接指定、不需要附加选择条件的词项(W_1和W_4),也就是无歧义的词项,可以视为一个常量。意义不能无条件指定的词项(W_2和W_3),也就是有歧义的词项,可以视为一个变量。

两个有歧义的词项(动词"伤"和介词"於")在意义及用法上有如下相应的关系:

1. 如果动词"伤"的意义表示"受伤","於"就是介词,其作用是引进受伤的部位。

2. 如果动词"伤"的意义表示"伤害","於"还是介词,但作用是引进伤害的施事。

也可以把这种相应关系的主次颠倒过来看:

1. 如果介词"於"引进的是处所,那么动词"伤"的意义就是"受伤"。

2. 如果介词"於"引进的是施事,那么动词"伤"的意义就是"伤害"。

这是一种互为条件的关系。为了恰当地处理这种现象,本文对《左传》中更多的用例进行了观察,发现:介词"於"有时候可以不出现在句中,而动词"伤"不能不出现。所以本文认为在动词"伤"和介词"於"之间,起主要作用的是动词"伤"。

因此,把动词"伤"的用法作为一个要解决的问题提出来,而把介词"於"的用法问题作为从属于动词"伤"的问题看待。考虑到介词"於"有时出现有时不出现的事实,以及它和动词"伤"之间的对应关系,将"於"作为一个参照因素而不是决定因素[②]。

二

下面讨论的问题是:如何让计算机来判定动词"伤"的用法呢?

基本的方法是:从已知求未知;利用无歧义的词去解读有歧义的词;从常量以及常量与常量、常量与变量之间的关系求变量。

要让计算机面对上述"$N_1 + V_{伤} + Prep_{於} + N_2$"形式的句子来确定$V_{伤}$的语义,所能借助的条件有以下三个:

1. N_1——动词"伤"前面的那个意义明确的名词。在上述两个例子里,动词前面的名词(N_1)都是指人物的名词,语义类别相同。

2. N_2——动词"伤"后面的意义明确的名词。在上述两个例子里,动词后面的名词(N_2)分别属于不同的语义类别。这正是有利的地方。如果这两个名词没有语义类别的差异,我们将一筹莫展;现在的情况是语义类别的差异确实存在,因此,这两个有差异的词和前面那个语义类别相同的名词之间,就应该会有不同的语义关系;利用这个关系,就有可能找到判定动词"伤"的语义的方法。

3. N_1 和 N_2——前后两个名词之间的语义关系。在考虑动词前后的名词的语义关系时,要从语义相对更为明确的那个词出发,分析另一个词对于这个语义明确的词之间的语义关系。

这里看到的动词后面的名词有两个,假设先做如下分析:

1. 动词前面的名词指的都是某个人物,是关于某一个人的名称。

2. 例(1)里动词后面的名词是"胸",本义指人体的一个部位,是关于一个事类的名称。它的特点是和人物有必然的隶属关系:任何一个人的胸都仅属于他自己,不会属于别人。

设1:关于人物的集合为 $A_{人物}$。

设2:关于某个人体部位或某个人体器官的集合为 B,这里是胸,记作 $B_{胸}$。

设3:关于 N_1 位置上的名词所指的对象的集合为 N_1。(按:标记语义所指的时候不用斜体字,以示有别于标记词性和词序的时候。下同。)

设4:关于 N_2 位置上的名词所指的对象的集合为 N_2。

在集合 $A_{人物}$ 中,包括郤克、魏錡等;在集合 $B_{胸}$ 中,包括郤克的胸、魏錡的胸等。于是有:

$$A_{人物} = \{郤克, 魏錡, \cdots\cdots, 每个人\}$$

$$B_{胸} = \{郤克的胸, 魏錡的胸, \cdots\cdots, 每个人的胸\}$$

对于集合 $A_{人物}$ 中的任何一个元素,在集合 $B_{胸}$ 中都有唯一的元素和它对应,这种对应(涉及集合 $A_{人物}$,$B_{胸}$ 以及从 $A_{人物}$ 到 $B_{胸}$ 的对应法则 f)构成了从集合 $A_{人物}$ 到集合 $B_{胸}$ 的映射:

$$f : A_{人物} \rightarrow B_{胸}$$

当 $N_1 \in A_{人物}$,且当 $N_2 \in B_{胸}$ 时,有:

$$A_{人物} \times B_{胸} = \{(N_1, N_2) | N_1 \in A_{人物}, N_2 \in B_{胸}\}$$

注意到集合 $A_{人物}$ 和集合 $B_{胸}$ 之间存在着这种满映射关系,所以,当例句中没有特别说明胸和哪个人物有关时,就只能认为这里所说的胸属于动词前面的名词所指的人物。③

3. 例(2)里动词后面的名词是"矢",本义指一种兵器,是关于一个物类的名称。由于矢是人造的工具之一,所以也可以说和人有关系;但是通常情况下,矢不能像胸那样,和每个人物都有必然的隶属关系。

设5:矢的集合为$C_矢$,其中包括郤克的矢、魏犫的矢等。于是有:

$$A_{人物} = \{郤克,魏犫,……,每个人\}$$

$$C_{胸} = \{郤克的矢,魏犫的矢,……,每个人的矢\}$$

对于集合$A_{人物}$中的任何一个元素,在集合$C_胸$中不一定有对应的元素,因为不是每个人都必定拥有矢的(如和平环境下的普通儿童或妇女等)。从集合$A_{人物}$到集合$C_矢$没有像从集合$A_{人物}$到集合$B_胸$那样的满映射关系。所以当例句的上下文里没有提供矢的所属的时候,并不能确定地认为这里所说的矢和动词前面的名词所指的人物有隶属关系。

根据上述分析,可以制定如下两个判定动词"伤"的语义的方法:

方法一:当动词前面的名词(N_1)指的是人物时,如果后面的名词(N_2)表示的语义和动词前面的名词所指的人物有必然的隶属关系,那么动词"伤"表示受伤。

方法二:当动词前面的名词(N_1)指的是人物时,如果后面的名词(N_2)表示的语义和动词前面的名词所指的人物没有必然的隶属关系,那么动词"伤"表示伤害。

这仅仅是建立在对两个例子的观察上的判定方法。这两个方法各自对应于一种情况,到目前为止,每种情况还只提出了一个例子,当然是远远不够的。必须考察更多的实例,以便检验上述方法的可行性。

三

在《左传》里，"伤"充当语段里的主要谓语动词的用例共有28例，但用法多样。其中符合"$N_1 + V_伤 + Prep_於 + N_2$"形式的句子一共3例。上面已经讨论了两例，另有1例是：

(3) 宋襄公卒，伤於泓故也。（僖23·2）

这一例使问题变得更有意思了。动词"伤"前面的名词（N_1）是"宋襄公"，指的是人，没有歧义；动词"伤"后面的名词（N_2）"泓"是个地名，也没有歧义，指宋襄公受伤时的处所，和人物没有必然的隶属关系。如果用上面的判定动词"伤"的语义的方法来分析，就应该依据方法二认为例(3)里"伤"的语义是伤害。但经验告诉我们这个解释不符合事实，因为宋襄公死了，他死的原因是"伤"，这个"伤"只能理解为受伤，不能理解为伤害。

显然，上述判定动词"伤"的语义的方法还不够完善，存在着导致误解的可能。上述的分析似乎已经把"胸"和"矢"的语义差异表达了出来；可是，我们需要的不仅仅是能够区别其差异，还需要一种在更普遍的范围里不会引起误解或迷惑的表述。

比较"伤於胸"、"伤於矢"和"伤於泓"，发现例(1)的"伤於胸"可以译作"伤在胸"，例(3)的"伤於泓"则不宜译作"伤在泓"，而应该译作"在泓受伤"。看起来介词"於"的用法有些差异，一个是引进受伤的部位，一个是引进受伤时的处所。不过在传统的语法里，通常并不区别部位和处所，统统认为是引进动作的处所。而例(2)里的介词"於"所引进的"矢"显然不是表示处所的。因此，上述两个判定动词"伤"的语义的方法也可以这样表述：

方法一（试修订）：当动词前面的名词（N_1）指的是人物时，如果后面的名词（N_2）表示的是处所（例如例1中的"胸"），那么动词"伤"表示受伤。

方法二（试修订）：当动词前面的名词（N_1）指的是人物时，如果后面的名词(N_2)表示的不是处所(例如例(2)中的"矢"),那么动词"伤"表示伤害。

修订后的表述看上去简明扼要,能够解决问题,其实不然。因为还有一点必须考虑:在给计算机使用的词典里,我们将如何给"胸"这样的词语定义呢? 如果说明它除了可以表示人体部位以外,还可以表示处所,即:"胸:1)人体部位;2)处所。"那么接下来的问题是:"胸"不再是一个无歧义的词了。其影响是不言而喻的——上述的义项判定方法将失去原有的基础而无法应用。同样的问题也将发生在名词"泓"上,它本来是地名,一个专用名词④,一个无歧义的词。如果定义为"1)地名;2)处所",应用起来也很麻烦。

当然,我们可以把"处所"作为语法功能而不是语义来处理;但是,如何能够确认名词"矢"就不具备表示"处所"的语法功能呢?

本文所探讨的方法是借助无歧义的词来确定有歧义的词的义项。一个句子里无歧义的词越少,对有歧义的词的义项判定难度越大⑤。

显然,作为变量的有歧义的词越多,需要给定的判定条件就越多,计算机的计算步骤也将会随条件的增多而增加;作为常量的无歧义的词越多,相应的需要给定的判定条件就少,计算机的计算步骤也将会相对减少。与其修改计算机用的词典,增加"胸"的义项或用法,从而增加计算机处理的难度,不如修改我们的方法。这样做,初看上去似乎会使义项判定的方法变得越来越复杂;但从全局来看,由于获得了尽可能多的作为常量的词,总的来说是有利的。

基于上述考虑,对《左传》中"伤"的义项判定的方法作如下处理:

1. 原拟订的方法一和方法二不做修订。
2. 补充一个"方法三":

方法三:当动词前面的名词(N_1)指的是人物时,如果后面的名词(N_2)表示的是地名,那么动词"伤"表示受伤。

四

在《左传》里,有这样几个动词"伤"的用例引起了笔者的注意:

(4) 公**伤股**。 (僖22·8)

(5) 阖庐**伤将指**。 (定14·5)

(6) 公惧,队于车,**伤足**,丧履。 (庄8·3)

(7) 齐侯还自晋,不入,遂袭莒,门于且于,**伤股**而退。 (襄23·7)

例(4)和例(5)中"伤"后面的名词"股"、"将指"、"足"跟"伤於胸"的"胸"性质一样,都是关于人体部位的名词;根据方法一可知动词"伤"都是"受伤"的意思,只是没有使用介词"於"。例(6)和例(7)的情况比较特殊,前面的名词(N_1)出现在上文里,但这并不妨碍它所能起到的判定动词"伤"的语义的作用⑥。

下面两例就不一样了:

(8) (潞子婴儿之夫人,晋景公之姊也。)**酆舒**为政而杀之,又**伤潞子之目**。 (宣15·3)

(9) **狄**有五罪,儁才虽多,何补焉?不祀,一也。耆酒,二也。弃仲章而夺黎氏地,三也。虐我伯姬,四也。**伤其君目**,五也。 (宣15·3)

例(8)中"伤"后面有两个名词"潞子"(N_2)和"目"(N_3),例(9)中"伤"后面也有两个名词"君"(N_2)和"目"(N_3)。

这时我们有以下两个选择:

其一,从词序方面考虑。"伤"后面的第一个名词(N_2)"潞子"或"君"都是指人物的;作为句中涉及的第二个人物,它们的出现,使动词"伤"有了对象;它们和动词前面的名词(N_1)只构成并立关系,不构成从属关系,因此"伤"是"伤害"的意思,不是"受伤"的意思。应该适用方法二。由此看来,在考虑N_1和N_2的关系时,除了要区分出它们之间是否在"人物"方面有隶属关系,还要区分出有关"人物"

的所指。也就是说,不但要区分有关的名词是不是指人,还要区分有关的名词是不是指同一人。

其二,从结构方面考虑。"伤"后面的两个名词是一个名词性词组(NP),"目"是中心词而"潞子"、"君"是修饰语。中心词所指的也是人体部位之一,根据前面对于人物和胸的映射关系,可知在没有限定词的情况下,它应当隶属于动词前面的名词所指的人物。不过这里有了修饰语,指明了"目"的所属人物,可以认为当"目"的所属人物不是动词前的名词所指的人物时,就必须通过修饰语或其他的什么途径加以指明,以避免引起误解。因此,这个名词性词组本身是一个语义整体。当然,在这种条件下,"目"和动词前面的名词所指的人物就没有隶属关系,根据方法二,动词"伤"表示伤害。

两种选择都可以解决问题,相比之下,第一种选择虽然简单,但忽略了第三个名词(这里是"目")。由于目前尚未进行更大范围的考察和分析,无法证明这种忽略是否具有普遍意义。

至于第二种选择,实际上是在句子的分析中引进了"层次"的概念,对于计算机来说这无疑增加了问题的复杂性。不过对于语法学家来说却是熟之又熟的。本着尽量符合学界的表达习惯的精神,本文认为第二种选择是可取的,即把"伤"后面的名词性词组作为 N_2 来看待,记作 NP_2。

《左传》里还有这样一个"伤"的用例:

(10) 盗贼之矢若伤君。 (哀 16·5)

"伤"的前面有两个名词。前一个是"盗贼",后一个是"矢",它们所指的人物和矢都和动词后面的名词所指的人物没有隶属关系,根据方法一,动词"伤"表示"伤害"。有意义的是,这个例子告诉我们,对于"N_1",其一般的标记方式也应该改记成"NP_1"。

因此,结构式

$$N_1 + V_{伤} + Prep_{于} + N_2$$

的形式应该改为:

$$NP_1 + V_{伤} + Prep_{于} + NP_2$$

更重要的是,这个例子告诉我们,NP$_1$ 的所指和 NP$_2$ 的所指在语序位置上可以互换:NP$_1$ 的位置上可以是不表示人物的名词,NP$_2$ 的位置上可以是表示人物的名词。不过它们仍然分处于动词的两端,它们之间的关系没有改变,它们的关系对动词语义的决定作用也没有改变。

五

这一节将在上述的考察和分析的基础上,对于方法一、方法二、方法三的性质分别做进一步的归纳。

设1:关于人物的集合为 A$_{人物}$。

设2:关于某个人体部位或某个人体器官的集合为 B$_{某人体部位或器官}$。

设3:关于 NP_1 位置上的名词所指的对象的集合为 NP$_1$。(按:标记语义所指的时候不用斜体字,以示有别于标记词性和词序的时候。下同。)

设4:关于 NP_2 位置上的名词所指的对象的集合为 NP$_2$。

定义一:当 NP$_1 \in$ A$_{人物}$时,命题 P(NP$_1$)的值为真,记作 P(NP$_1$)=1;当 NP$_1 \notin$ A$_{人物}$时,命题 P(NP$_1$)的值为假,记作 P(NP$_1$)=0。

定义二:当 NP$_2 \in$ B$_{某人体部位或器官}$时,命题 P(NP$_2$)的值为真,记作 P(NP$_2$)=1;当 NP$_2 \notin$ B$_{某人体部位或器官}$时,命题 P(NP$_2$)的值为假,记作 P(NP$_2$)=0。

定义三:当 NP$_1 \in$ A$_{人物}$,且 NP$_2 \in$ B$_{某人体部位或器官}$,如果 NP$_2$ 没有受到集合 A$_{人物}$中的其他元素的限定,那么有:

A$_{人物}$ × B$_{某人体部位或器官}$ = {(NP$_1$,NP$_2$)|NP$_1 \in$ A$_{人物}$,NP$_2 \in$ B$_{某人体部位或器官}$}

这时 NP$_2$ 隶属于 NP$_1$,命题 P $_{NP1}$(NP$_2$)的值为真,记作 P $_{NP1}$(NP$_2$)=1;如果 NP_2 受到集合 A$_{人物}$中的其他元素的限定,这时关于 NP$_2$ 的

所指的集合不隶属于关于 NP_1 的所指的集合（D_{NP2}的所指 $\notin C_{NP1}$的所指），命题$P_{NP1}(NP_2)$的值为假，记作$P_{NP1}(NP_2)=0$。

关于动词"伤"的语义判定的形式化规则有以下三条：

语义规则一：当 NP_1 指人物，且当 NP_2 指某人体部位或器官，并隶属 NP_1 所指的人物时，NP_2 对 NP_1 的关系是满映射型隶属关系。这时，动词"伤"表示受伤。即：

当 $P(NP_1)=1$，且当 $P(NP_2)=1$，$P_{NP1}(NP_2)=1$

那么：$P(NP_2) \wedge P_{NP1}(NP_2)=1$，$P(NP_1) \wedge [P(NP_2) \wedge P_{NP1}(NP_2)]=1$

那么：$V_{伤}=$ 受伤

语义规则二：当 NP_1 指人物，且当 NP_2 与人体有关，但不隶属于 NP_1 所指的人物时，NP_2 对 NP_1 的关系是满映射型非隶属关系。这时，动词"伤"表示伤害。即：

当$P(NP_1)=1$，且当 $P(NP_2)=1$，$P_{NP1}(NP_2)=0$

那么：$P(NP_2) \wedge P_{NP1}(NP_2)=0$，$P(NP_1) \wedge [P(NP_2) \wedge P_{NP1}(NP_2)]=0$

那么：$V_{伤}=$ 伤害

语义规则三：当 NP_1 指人物，但 NP_2 所表示的事物与人体无关，NP_2 对 NP_1 的关系是非满映射型关系。这时，动词"伤"表示受伤。即：

当 $P(NP_1)=1$，且当$\neg P(NP_2)=1$，$\neg P_{NP1}(NP_2)=1$

那么：$\neg P(NP_2) \wedge \neg P_{NP1}(NP_2)=1$，$P(NP_1) \wedge [\neg P(NP_2) \wedge \neg P_{NP1}(NP_2)]=1$

那么：$V_{伤}=$ 受伤

注意到规则一和规则三虽然在语义判定结果上相同，但根据逻辑上的排中律可知，这两条规则是不可能同时并用的。

六

根据以上三条语义规则进一步归纳，可以得出一个简便判定方

法:

> 当 $P(NP_1) = 1$ 时,
> 如果: $P(NP_2) = P_{NP1}(NP_2)$
> 那么: $V_{伤}$ = 受伤
> 否则: $V_{伤}$ = 伤害。

这个方法如果不用形式化的方式表达,则可以表述为:

简便判定方法:当 NP_1 指人物时,如果 NP_2 与人物有关、且为 NP_1 所指的人物所拥有,或者 NP_2 与人物无关、且不为 NP_1 所指的人物所拥有,那么动词"伤"表示受伤;否则,动词"伤"表示伤害。

利用上述方法分析下面的用例:

(11) 子皙伤而归。（昭1·7）

(12) 栾鲂伤。（襄23·3）

(13) 伯国伤。（襄26·2）

(14) 国蹙、王伤,不败何待？（成16·5）

动词"伤"的后面没有"於", NP_2 则为空值。在这种情况下,可以认为 $P(NP_2)$ 和 $P_{NP1}(NP_2)$ 的值都是 0。根据简便判定方法,这些用例里的动词"伤"的语义都表示受伤。以下例子都属于此类情况:

(15) 明耻、教战,求杀敌也。伤未及死,如何勿重？（僖22·8）

(16) 丑父寝於轏中,蛇出於其下,以肱击之,伤而匿之。（成2·3）

(17) 方事之殷也,有韎韦之跗注,君子也。识见不谷而趋,无乃伤乎？（成16·5）杜预注:"恐其伤。"

(18) （子皙伤而归）告大夫曰:"我好见之,不知其有异志也,故伤。"（昭1·7）

(19) 左司马戌及息而还,败吴师于雍澨,伤。（定4·3）

下面的例子更有意思一些:

(20) 据于蒺梨,所恃伤也。（襄25·2）

NP_1 为"所恃",指的是蒺梨,一种植物;NP_2 则为空值。能否根据简便判定方法认定"伤"的语义就是表示受伤?

——不能。因为简便判定方法是有前提的:NP_1是一个指人物的名词,即$P(NP_1)=1$。

在这个例子里,NP_1不是一个指人物的名词,即$P(NP_1)=0$。但是NP_2指的是"恃"者、即"据于蒺梨"者,是人。于是有:

$$P(NP_1)=0,且 P(NP_2)=1, P_{NP1}(NP_2)=0$$

所以:$P(NP_2) \wedge P_{NP1}(NP_2)=0$

所以:$P(NP_1) \wedge [P(NP_2) \wedge P_{NP1}(NP_2)]=0$

根据规则二,那么:$V_{伤}$ = 伤害

现在我们发现:根据NP_1和NP_2的关系,不仅可以判定结构式为"NP_1 + V + 於 + NP_2"里的动词"伤"的语义,而且可以判定结构式为"NP_1 + V + NP_2"和"NP_1 + V"里的动词"伤"的语义。

根据NP_1和NP_2的关系来判定动词"伤"的语义,是一种不需要对结构式进行精确描写的、具有较好的应用性的方法。

七

进一步分析例2:

郤克伤於矢。 (成2·3)

NP_2是"矢",所指是兵器。有两种分析的可能:

1. 如果考虑到兵器是一种工具,而工具是人体某种功能的延伸,因此可以视其为不属于NP_1所指的人物、但属于发射者。根据规则二,"伤"表示"伤害",用作被动,"於"是介词,引进的是造成伤害的施事。

2. 如果考虑到"矢"作为兵器是无生物,本体和人物无关,那么"伤"是"受伤","於"是介词,引进致伤的物体,其语法意义是表示致伤的原因。

注意到例(9)里出现的"盗贼之矢",有理由认为上述两种可能里,前一种更符合《左传》的语言实际情况。

由此发现:在基本了解有关名词的语义的前提下,不需要判定主语和宾语、不需要判定动作的施事和受事,也不需要判定动词是他动词还是自动词,只要根据构造出这个句子的 NP_1 和 NP_2 的语义关系,参考"於"的有无,就可以判定动词"伤"是不是被动用法。

用法规则一:如果"伤"表示伤害,当"伤"和 NP_2 之间有介词"於",那么"伤"就是被动用法;若是没有介词"於", NP_2 直接出现在动词"伤$_{伤害}$"的后面,"伤"就不是被动用法。即:

设:被动用法的集合为 PASSIVE,词序的集合为 ORDER。

定义:当 $V \in$ PASSIVE,则命题 $P_{PASSIVE}(V)$ 的值为真。

定义:当任意两个词 x 和 y 相连接时,命题 $P_{ORDER}(x+y)$ 的值为真。

如果 $V_{伤} = 伤害$,当 $P_{ORDER}("於"+NP_2) = 1$

那么, $P_{PASSIVE}(V_{伤} = 伤害) = 1$

如果 $V_{伤} = 伤害$,且 $P_{ORDER}("於" + NP_2) = 0$

那么: $P_{PASSIVE}(V_{伤} = 伤害) = 0$

用法规则二:如果"伤"表示受伤,将没有被动用法。这时的 NP_2 可以直接出现在动词"伤"的后面,也可以通过介词"於"进入句子。介词"於"的应用只起强调作用。即:

如果 $V_{伤} = 受伤$,无论 $P_{ORDER}("於" + NP_2) = 0$ 或 $P_{ORDER}("於" + NP_2) = 1$

均有 $P_{PASSIVE}(V_{伤} = 受伤) = 0$

以上两条用法规则和第五节里论述的三条语义规则便是关于《左传》动词"伤"的义项判定规则。其中用法规则必须在先应用了语义规则之后才能使用。

依据上述规则,下面各个句子中的动词"伤"的用法都不难分辨:

(21) 郤至从郑伯,其右茀翰胡曰:"谍辂之,余从之乘,而俘以下。"郤至曰:"**伤国君**有刑。"（成 16·5）

(22) **大决**所犯,**伤人**必多,吾不克救也。（襄 31·11）

(23) **子**之爱人,**伤之**而已,其谁敢求爱於子? （襄 31·12）

NP_2 和 NP_1 所指的不是同一个人物,根据语义规则二,上面三例中的"伤"都是"伤害"的意思。因为没有"於",根据用法规则一,可以判定不是被动用法。

八

在讨论《左传》动词"伤"的义项确定问题的时候,下面的例子总是能引起我们的兴趣:

(24) 公曰:"君子不重伤,不禽二毛。……" （僖 22·8）

根据简便判定方法,这个例子里的"伤"应该是"受伤",但是句子的原意显然不是说君子自己受伤不受伤的问题。如果用"使动用法"来解释("君子不使对方再次受伤"),可通,不过解释的根据需要进一步加以说明。注意到否定副词"不"的存在,以及即使在使动用法里,"君子"也不是"伤"的对象,则可以认为"伤"表示"伤害"("君子不重复伤害[对手]")。那就意味着承认这里有一个没有出现的 NP_2。关于否定词"不"与不出现的 NP_2 之间的关系,是一个有待于在更广泛的考察基础上进行研究的问题。

否定句中动词"伤"的语义判定问题,在《左传》中只有两个例子,除了上例以外,还有一个用"无"否定的用例:

(25) 敢告无绝筋,无折骨,无面伤,以集大事,无作三祖羞。（哀 2·3）

这也是一个十分有启发的例子。从词序来看,在"无绝筋,无折骨,无面伤"这三件事情里,前两件都是动词(绝、折)在前,唯独最后这件是动词(伤)在后。看上去这里的"伤"应该是表示受伤。如果把有关"伤"的义项判定规则应用到这三件事的动词上,可以发现 NP_2(筋、骨、面)和我们已经讨论过的"胸"一样,与 NP_1 之间都是满映射型隶属关系,只不过在第三件事的表述上,宾语前置了。

至于为什么语义关系相同,而有的不前置,有的前置?因为修辞的需要？还是因为"绝"、"折"这两个动词的性质和"伤"有所不同？也都是有待进一步研究的问题。

附 注

① 表示"难受"的"伤",在《左传》里共有3例:
(1) 歜曰:"人夺女妻而不怒,一抶女,庸何伤?"（文18·2）
(2) 阜曰:"数月於外,一旦於是,庸何伤? 贾而欲赢,而恶嚣乎?"（昭1·6）
(3) 昭子曰:"人谁不死? 子以逐君成名,子孙不忘,不亦伤乎? 将若子何?"（昭25·6）
这3例的"伤"都和表示"受伤"的"伤"相关联。有一种不准确的说法认为这一用法的"伤"是"妨害"的意思,笔者认为这种说法没有充分考虑"伤"的词义引申关系。

② 过去我们很重视对虚词的研究,并且相信如果解决了虚词的问题,就可以解决汉语语法的大多数问题。现在看来,这样的观点很有必要重新评价。

③ 只有当"胸"这个词的前面没有任何表示人物的名词时,它才是一个关于人体部位的通名,指所有人的胸。如"胸外科"、"心胸狭隘"等。其他表示人体部位或人体器官的名词也都具有这样的特点。

④ 作为形容词或量词的"泓"都不能独立出现在"於"的后面。

⑤ 如果一个句子里的每一个词都是有歧义的,那就必须先借助上下文来确定句中某个词的义项,然后逐步确定句中其他词的义项。这或许会动摇所有以"句子"为基本单位的语法理论的根基。

⑥ 有关这种形式的 N_1 的特点和作用,有必要另文讨论。

参考文献

刘应明、任平（2000）《模糊性——精确性的另一半》,清华大学出版社、暨南大学出版社,北京、暨南。
张 猛（2003）《〈左传〉谓语动词研究》,语文出版社,北京。

（日本,京都女子大学）

近代汉语中表自指的结构助词"的"*

刘 敏 芝

提要 近代汉语中存在独用的表自指的"底/的"字短语,是谓词性成分指称化的标记。它产生于五代时期,是一种新兴的用法。本文考察"的$_s$"从五代到清代的发展演变,描写各个时期的用法的特点,并探讨它的来源。

关键词 近代汉语 自指 底/的 名词化

1. 引言

1.1 朱德熙(1983)指出,从语义的角度看,谓词性成分的名词化有两种,一是自指,二是转指。前者单纯是词类的转化,语义保持不变,造成的名词性成分与原来的谓词性成分所指相同;后者除了词类的转化以外,词义也发生明显的变化,造成的名词性成分与原来的谓词性成分所指不同。名词化又有构词平面上的名词化和句法平面上的名词化之分。从构词平面来看,汉语缺乏表示自指意义的名词后缀,"-子"、"-儿"、"-头"加在谓词性词根上造成的名词绝大部分都是表示转指意义的,这很可能是因为汉语的动词和形容词本身就能充当主宾语,不像英语那样必须在形式上名词化之后才能在主宾语位置上出现。现代汉语句法平面上名词化的主要手段是在谓词性成分后头加"的"。"VP 的"可以表示转指意义,也可以表示自指意义。转指的"VP 的"可以单独使用,自指的"VP 的"只能在定语位置上出现,不能离开后头的中心语独立。

1.2 李立成(1999)试图证明现代汉语中也存在不在定语位置上的自指的"的"字短语。他指出的现象有两种,一种是"取舍句",即

---

* 这篇文章是据作者的博士论文中的一部分修改而成的,导师蒋绍愚教授对文章提出了很多有益的意见和建议,在此表示深切的感谢。

下面这种句子:

(1) 你还是去一趟的好。

(2) 下岗后,有人建议我做点儿小买卖,比如卖鱼啦,卖菜啦什么的,经过了解,我觉得还是卖菜的好。

这种取舍句的谓语形容词只限于简单形式(绝大部分是"好"),不能用复杂形式。

另一种是"动 de 形"描写句。他认为不表可能的"动 de 形"结构是主谓关系,de 就是名词化标记"的"。如:

(3) 你骑 de 太靠外了。

(4) 我们合作 de 很愉快。

(5) 如果叫他去当经理,一定会当得不错。

他所说的"动 de 形"描写句是大家一般认为的述补结构,其中的"de"是否自指的名词化标记,还值得进一步探讨,而第一种"取舍句",我们认为其中的"的"应该是表自指的"的",当然这个"的"不一定是名词化的标记,但一定是指称化的标记。

1.3 结构助词"的"的前身是"底",一般认为是唐代开始产生的,那么"的(底)"产生之后,有没有不在定语位置上的用法呢?本文的研究试图说明近代汉语中有不做定语的自指的"的$_s$"字短语,描写其发展演变过程,并探讨它的来源。

2. 五代时期的"底$_s$"

2.1 我们目前可见最早的"底$_s$"字短语是成书于五代时期的禅宗语录《祖堂集》中的例子,都是"VP 底$_s$"。如:

(6) 师曰:"默底是? 说底是?"对曰:"默底是。"(卷5·云岩和尚)

(7) 因道吾卧次,师问:"作什摩?"吾云:"盖覆。"师云:"卧底是,不卧底是?"吾云:"不在两处。"(卷5·椑树和尚)

(8) 悟底是,不悟底是? 若便悟去,亦不分外;若便不悟去,亦不分外。(卷11·保福和尚)

这些句子中的"VP 底"中都有句法空位,主语都没有出现,但是

"VP 底"都不是转指主语,而是指动作本身。唯一的区别是 VP 后头加上"的"之后,原来表示陈述的 VP 就转化为表示指称的"VP 底"了。这种"底"显然是表示自指的"底$_S$"。"VP 底$_S$"在句中都做主语,谓语都是形容词"是",即都用作形容词谓语句的主语。句子大都是疑问句,也有作为回答的陈述句。用于疑问句中时,都是正反两项对举的选择问句,表示二者相比,哪项更为可取;用于陈述句中时,是表示二者相比,这样比较可取,也就是取舍句。

2.2 汉语中的谓词性成分一直可以不用加任何名词化标记而直接做主宾语,《祖堂集》有这样的例子:

(9) 时有人便问:"承师有言:大家识取混崙,莫识取劈破。如何是<u>混崙</u>?"师良久。问:"如何是<u>劈破底</u>?"师云:"只这个是。"(卷13·福先招庆和尚)

"混崙"、"劈破"都是谓词性成分,做"是"的宾语时,前者没有标记,后者加上了"底",所指不变。《祖堂集》中的"VP 底$_S$"在句法上没有名词化,在语义上则指称化了,"底$_S$"是指称化的标记。

3. 宋代的"底$_S$"

宋代的"底$_S$"在继承五代时期用法的基础上有了很大的发展,不但可以用在谓词性成分之后,还可以用在体词性成分之后。"X 底$_S$"可以分为以下几种:

3.1 名词性成分 + 底$_S$

3.1.1 形容词谓语句

谓语都是"是",如:

(10) 如今人多去作情解道,遍身<u>底</u>不是,通身<u>底</u>是,只管咬他古人言句,于古人言下死了。(《碧岩录》)

(11) 既不击碎,必增瑕颣,便见漏逗,毕竟是作么生<u>得</u>是?(同上)

(12) 且道山僧<u>底</u>是,雪窦<u>底</u>是?(同上)

(13) 诸人且道,老汉<u>底</u>是,五云<u>底</u>是?"(《五灯会元卷 16·五云悟禅师》)

(14) 所谓心者,是指个潜天潜地底说,还只是中间一块肉底是? (《朱子语类》卷61)

3.1.2 非形容词谓语句

都出现在南戏中,如:

(15) 你交副末底取员梦先生来员这梦看。(《张协状元》第2出)

(16) (净)媳妇拜告相公知:这贫女底,(合)从幼来在庙中,旦夕里是我周济。(同上,第45出)

(17) (净出)看官底各人两贯酒钱。(同上,第52出)

汉语中的"NP 底"可以转指领有物或用某材料制成的物品等,但这里的"NP 底"并不是表示转指,而是指称 NP 本身。NP 做主语是其最主要的语法功能之一,没有再加上名词化或指称化的标记的必要。考其来源,古汉语中有用于名词性成分之后表示自指的"者",但是这种"NP 者$_S$"的出现有特定的语法位置,用于判断句的主语或者"有 NP 者$_S$"这样的格式中。朱德熙(1983)就指出了"者"的自指功能,如:

(18) 虎者戾虫,人者甘饵也。(《战国策·秦策二》)

(19) 有颜回者好学。(《论语·雍也》)

到唐代的笔记小说中,这种表自指的"NP 者"很常见,如:

(20) 景生者,河中猗氏人也,素精于经籍,授胄子数十人。(《玄怪录》)

(21) 元和中,江淮有唐山人者,涉猎史传,好道,常游名山。(《酉阳杂俎》)

同时,"NP 者$_S$"所能占据的语法位置范围扩大,不限于判断句的主语和"有 NP 者$_S$",而是可以较自由地出现在主语位置上。如:

(22) "噫"声未息,身坐故处,道士者亦在其前,初五更矣。(《玄怪录》)

(23) 姨夫者自宣阳走马来,则已苏矣,其仆不知觉也。(同上)

(24) 乃往扬州,入北邸,而王老者方当肆陈药。(《续玄怪录》)

(25) 郭缘生《述征记》云:"峄山在下邳西北,多生梧桐,则《禹贡》峄阳下邳者是也。"(《封氏闻见记》)

还可以出现在宾语位置上,如:

(26) 天后末,御史大夫李嗣真密求之不得,一旦秋爽,闻砧声者在今弩营,是当时英公宅。(《独异志》)

(27) 又指一从事王生者,曰:"此先忌马厄。"(同上)

(28) 今夕,乡人之女并为游宴者,到是,醉妾此室,共锁而去,以适于将军者也。(《玄怪录》)

我们认为,宋代表自指的"NP 底$_s$"应该是受到唐代以来的这种"NP 者$_s$"的用法的影响而产生的。

3.2 谓词性成分 + 底$_s$

3.2.1 谓词性成分 + 底$_s$ 做主语

3.2.1.1 形容词谓语句

这是直接继承了《祖堂集》的用法,但是谓词性成分较之《祖堂集》中的复杂化了,"VP"除了动词和动词性偏正结构,还出现了主谓结构、动宾结构、并列结构等,谓语也不限于"是"。如:

(29) 有老宿问:"月中断井索,时人唤作蛇。未审七师见佛唤作什么?"师曰:"若有佛见,即同众生。"法眼别云:"此是什么时节问?"法灯别云:"唤底不是。"(《景德传灯录卷 11·京兆米和尚》)

(30) "遍身是通身是",若道背手摸枕子底便是,以手摸身底便是,若作恁么见解,尽向鬼窟里作活计,毕竟遍身通身都不是,若要以情识去见他大悲话,直是犹较十万里。(《碧岩录》)

(31) 且道遍身是底是,通身是底是?(《碧岩录》)

(32) 曰:"以琮观之,不如观己底稳贴。"(《朱子语类》卷 26)

3.2.1.2 判断句

"X 底$_s$"作判断句的主语,与"底$_s$"组合的有谓词性成分,还有

引语。从语义上来看,"X 底$_s$"多数是作为一个整体的概念,谓语多数是解释性的。如:

(33)便做九分九厘九毫要为善,只那一毫不要为底,便是自欺,便是意不实矣。(《朱子语类》卷18)

(34)如"敛时五福,用敷锡厥庶民",敛底,即是尽得这五事。(《朱子语类》卷79)

(35)"克伐怨欲不行"底,则是忍著在内,但不放出耳。(《朱子语类》卷44)

这种"底"显然也是替换了文言中的"者"。《朱子语类》中的这个例子很能说明问题:

(36)观此,可见"克己"者是从根源上一刀两断,便斩绝了,更不复萌;"不行"底只是禁制它不要出来,它那欲为之心未尝忘也。(《朱子语类》卷44)

同样的位置前者用"者",后者用"底",可见"底"的这种用法与"者"相同。

也有谓语不是解释性的判断句,如:

(37)闻左右迩来亦忙,只遮著忙底,便是腊月三十日消息也。(《大慧普觉禅师书》)

(38)学问,就自家身己上切要处理会方是,那读书底已是第二义。(《朱子语类》卷10)

(39)如迁善远罪,真个是远罪,有勉强做底便是不至。(《朱子语类》卷23)

(40)鲁是质朴浑厚意思,只是钝;不及底恰似一个物事欠了些子。(同上,卷39)

(41)只改底便是善了。(同上,卷63)

3.2.2 谓词性成分 + 底$_s$ 做宾语

大多是做判断句中"是"的宾语,解释主语所指的内涵。如:

(42)自暴,是非毁道理底,自弃,是自放弃底。(《朱子语类》卷56)

(43)"穷神知化",化,是逐些子挨将去底。(同上,卷76)

(44)思,是硬要自去做底;学是依这本子去做,便要小着心,随顺个事理去做。(同上,卷45)

(45)明德在人,非是从外面请人来底。(同上,卷14)

(46)曰:"只是一个道理,发出来偏于爱底些子,便是仁;偏于严底些子,便是义。"(同上,卷56)

3.3 "X底$_S$"单独成句

这种例子很少,我们只在《景德传灯录》和《五灯会元》中发现了两个类似的例子,前者的例子是:

(47)又曰:"吾教意犹如毒涂鼓,击一声远近闻者皆丧,亦云俱死,此是第三段义。"时小严上坐问:"如何是毒涂鼓?"师以两手按膝亚身曰:"韩信临朝底。"(《景德传灯录卷16·岩头全豁禅师》)

这里与"底"组合的是一个主谓短语,没有句法空位,"底"也不可能表示转指意义。从上下文语义来看,"韩信临朝底"是指"韩信临朝"的这样一种情形,"底"表示自指。

4. 元代的"的$_S$"

宋代的"底$_S$"的用法到了元代有的继承下来了,有的消失了,而且又出现了宋代没有的用法。

4.1 名词性成分+的$_S$

这也是前代用法的延续。而且除了名词之外,代词之后也可以加"的$_S$","NP的$_S$"可以做主语,也可以做宾语。出现了特定的句式"……(便是)……的(便是)",用于介绍人物名字、身份,这种句式应该是和蒙古语SOV语序的影响有关。此外宋代的"名词性成分+的$_S$"作主语时谓语是形容词的现象消失了。如:

(48)您是大唐皇帝的,他日做我的外孙,善保富贵,他时异日休得相忘。(《新编五代史·晋史平话卷上》)

(49)[金盏儿]您的呵敢荡翻那千里马,迎住那三停刀!(《新校元刊杂剧三十种·关大王单刀会》)

(50) 本家驱口小沈,因放马食践讫苏则毛等田禾,其一苏则毛,用枣棒,将小沈右手第二指的打折落讫一节,不见保辜体例。(《元典章·刑部》)

(51) 贫道是司马德操的便是了。(《新校元刊杂剧三十种·关大王单刀会》)

(52) 贫道陈抟先生的便是,能通阴阳妙理。(《新校元刊杂剧三十种·泰华山陈抟高卧》)

4.2 "谓词性成分+的$_s$"做主语

4.2.1 形容词谓语句

这是继承了前代的用法。如：

(53) (正末云:)他问我要休书,我问师父咱:与的是?不与的是?(《新校元刊杂剧三十种·马丹阳三度任风子》)

(54) 当原蔡伯喈教我休说的是,如今何颜见他?(《元本琵琶记》第30出)

4.2.2 "VP的$_s$"做主语,谓语非形容词。如：

(55) 〔贴〕相公,那不奔丧和那自刎的,那一个是孝道?〔生〕那不奔丧的是乱道。(《元本琵琶记》第37出)

(56) 〔贴〕相公,那不弃妻和那弃妻的,那一个是正道?〔生〕那弃了妻的是乱道。(同上)

"VP的$_s$"大多是作受事主语,如：

(57) 咱人今日死的,明日死的不理会得。(《原本老乞大》30左:10)

(58) "娘死了也"麽道说谎,家里去来的招了。(《元典章·刑部》)

(59) 他要了肚皮的明白有。(同上)

(60) 怎生般依他每呈来的行榜文、交立粉壁的省官人每识者。(同上)①

李崇兴(1999)认为,这类句子只出现于蒙古语直译体文件中,是翻译的产品。"看来这个'的'是把一个非体词性成分转变为体词性成分,使之能够出现在主语或宾语的位置上,其作用跟日本语里面的'形式体言'类似。"②这正是自指的"的"。我们认为李崇兴先生的观点很正确,这种句式的出现确实与它是从蒙古语直译来的有关,但非体词性成分加上"的"以后未必就体词化了。这种出现于主宾语位置上的 VP 加上自指的"底/的"使其指称化的用法也是早就有了的。

5. 明代的"的$_s$"

明代的"的$_s$"与元代比较,用法较为单纯,带有蒙古语直译体色彩的用法基本上消失了。

5.1 名词性成分 + 的$_s$

5.1.1 形容词谓语句

用例较少,如:

(61) 那举子惊得浑身汗出,满面通红,连声道:"都是娘子的是。"(《初刻拍案惊奇》卷 3)

5.1.2 非形容词谓语句

这也是继承前代的用法,但出现频率大大减少了。如:

(62) 权翰林还了一礼,笑道:"不敢瞒师父说,一来家姑相留,二来小生的形孤影只,岑寂不过,贪着骨肉相傍,懒向外边去了。"(《二刻拍案惊奇》卷 3)

(63) 指着宗仁道:"这不是他惧怕,还是你的惧怕。(同上)

(64) 伯爵道:"你两个财主的都去了,丢下俺们怎的!"(《金瓶梅》第 1 回)

(65) 到天晓三口儿起来,烧些面汤,娘的开后门泼那残汤,忽见雪地上有一贯钱,吃了一惊,忙捉了把去与员外看了,道:"不知谁人撒这贯钱在后面雪地上!"(《三遂平妖传》)

5.1.3 "……(便是)……的(便是)"句式

这种用法在《水浒传》中出现较多,在其他接近明代口语的语料中则基本没有发现用例,而《水浒传》虽在明代初年成书,但是在成书前民间早已流传,其中的语言可能反映不同的时代层次③。我们认为"……(便是)……的(便是)"句式可能反映的是宋元时期的语言,明代口语中已经没有这种用法了。

(66) 小人不姓张,俺是东京八十万禁军教头王进<u>的</u>便是,这枪棒终日搏弄。(《水浒传》第 2 回)

(67) 那杨志拍着胸道:"洒家行不更名,坐不改姓,青面兽杨志<u>的</u>便是。"(同上,第 17 回)

(68) 乐和道:"小人便是孙提辖妻弟乐和<u>的</u>便是。"(同上,第 49 回)

5.2 "谓词性成分 + 的$_s$"做主语

5.2.1 形容词谓语句

这种继承前代的用法成为"的$_s$"的用法的主体,出现频率较高。如:

(69) 我前日该听他们劝,置些货物来<u>的</u>是。(《初刻拍案惊奇》卷 1)

(70) 似此之人,乡里有了他怎如没有<u>的</u>安静。(《二刻拍案惊奇》卷 4)

(71) 我而今想来,只是睡<u>的</u>快活。(同上)

(72) 咱醉的要不的,倒是哥早早来家<u>的</u>便益些。(《金瓶梅》第 1 回)

(73) 旁人见你这般疼奴,在奴身边<u>的</u>多,都气不愤,背地里驾舌头,在你跟前唆调。(同上,第 12 回)

(74) 烟花寨再住上五载三年来,奴活命<u>的</u>少来死命<u>的</u>多。(同上,第 50 回)

5.2.2 判断句

"VP 的$_s$"作判断句的主语,这种用法也较少见。如:

(75) 娶来的未知心性如何,倘不与我同心合意,反又多了一个做眼的了,更是不便,只是除了他<u>的</u>是高见。(《初刻拍案惊奇》卷 17)

6. 清代的"的$_s$"

清代的"的$_s$"的用法较之前代更为单纯,而且到了晚清,基本上与现代汉语的情况相同了,只能用于谓词性成分之后。

6.1 "谓词性成分+的$_s$"做主语

6.1.1 形容词谓语句

这还是"的$_s$"的主要用法。如:

(76) 那边也离不得我,倒是天天来<u>的</u>好。(《红楼梦》第 13 回)

(77) 依小弟的意思,竟先看过脉再说<u>的</u>为是。(同上,第 10 回)

(78) 又有古人诗云:"柴门临水稻花香",何不就用"稻香村"<u>的</u>妙?(同上,第 17 回)

(79) 若是开着,保不住那起人图顺脚,抄近路从这里走,拦谁<u>的</u>是?(同上,第 62 回)

(80) 想了想,还是当强盗<u>的</u>好,因投奔山上落草。(《儿女英雄传》第 11 回)

(81) 又想到自己好好一个良家女子,怎样流落得这等下贱形状,倒不如死了<u>的</u>干净,眉宇间又泛出一种英毅的气色来。《老残游记》第 17 回)

6.1.2 "……(便是)……的(便是)"句式

如上所述,这种句式在明代的口语中已经趋于消失,在清代则更少见,而且作为人物介绍,有一种修辞的意味,表现出一种"江湖气息"或轻蔑的语气。如:

(82) 你听着:我也不是你的甚么大师傅,老爷是行不更名、坐不改姓、有名的赤面虎黑风大王<u>的</u>便是!(《儿女英雄传》第 5 回)

(83) 若问他夫妻姓甚名谁,便是上回贾琏所接见的多浑虫灯姑娘儿<u>的</u>便是了。(《红楼梦》第 77 回)

6.2 "谓词性成分+的$_s$"做宾语

"VP 的$_s$"用于取舍句、比较句和紧缩句,其共同点是都是表示

假设的一种情形。如:

(84) 正是呢,有叫人撵<u>的</u>,不如我先撵。(《红楼梦》第 75 回)

(85) 这可不是小事,真要丢了这个,比丢了宝二爷<u>的</u>还利害呢。(同上,第 94 回)

(86) 女子说:"有跑<u>的</u>不来了,等着请教。"(《儿女英雄传》第 6 回)

7. 结语

综上所述,近代汉语中存在独用的表自指的"底/的"字短语,是谓词性成分指称化的标记。它产生于五代时期,是一种新兴的用法,这一时期"底$_s$"的用法较为单纯,大多用于选择疑问句和取舍句。宋代"底$_s$"的用法大大膨胀,不但可以用于谓词性成分之后,也可以用于体词性成分之后,而后者是继承了文言中的"者",因此虽然改头换面,还是有较强的文言色彩。元代除了继承取舍句等用法之外,还受蒙古语的影响,产生了"VP 的$_s$"作受事主语的用法。而"……(便是)……的(便是)"句式也有蒙古语影响的成分。明、清时期的"的$_s$"渐渐消除了外来语和文言的影响,元代的上述两种用法和"NP 的$_s$"都在口语中消失了,从形式上来看基本上只保存了五代时期的取舍句。因此可以说,独用的表自指的"底/的"字短语在近代汉语中的发展呈现出一种"单纯——复杂——单纯"的趋势。

附　注

① 例(58)—(60)转引自李崇兴(1999)。
② 李崇兴(1999)。
③ 见蒋绍愚(1994):《近代汉语研究概况》,第 27 页,北京大学出版社。

参考文献

蒋绍愚 (1994)《近代汉语研究概况》,北京大学出版社,北京。
李崇兴 (1999)《元典章·刑部》中的结构助词,《语言研究》第 2 期,武汉。
李立成 (1999) 自指的"的"字短语,《语言教学与研究》第 3 期,北京。
宋绍年 (1998) 古代汉语谓词性成分的指称化与名词化,《古汉语语法论集》,

语文出版社,北京。
姚振武(1994)关于自指和转指,《古汉语研究》第 3 期,北京。
朱德熙(1983)自指和转指——汉语名词化标记"的、者、所、之"的语法功能和语义功能,《方言》第 1 期,北京。

(100871　北京,北京大学中文系)

近代汉语中副词连用的调查分析*

杨荣祥

提要 本文对《敦煌变文集》、《朱子语类》、《新编五代史平话》、《金瓶梅词话》中的副词连用现象作了全面的描写,在此基础上,对副词连用的"线性次序原则和特点"进行了归纳和总结。四种语料显示,近代汉语中副词连用的线性次序大致是:语气副词→类同副词→累加副词→总括副词→时间副词→(统计副词)→限定副词→否定副词→程度副词→(频率副词)→情状方式副词。("→"表示"先于",加括号的次类表示这一次类很少和别的副词连用)近代汉语中的副词连用有些"非常规"次序,但这些"非常规"都是可以解释的。制约副词连用次序的根本原则是"辖域原则"(scope principle):辖域大的副词位于线性次序的靠前(左端)的位置,辖域小的副词位于线性次序的靠后(右端)的位置。四种语料显示了近代汉语副词连用的以下特点:(一)对被饰成分的语法属性的选择越受限制的次类,在副词连用时位置越靠后,相反位置靠前;(二)语义指向可以前指的或可以指向句中动词的有关论元的副词,位置比较靠前;(三)能互为先后的不同次类的副词,往往是常规的副词连用线性次序中位置相邻近的次类;(四)"非常规"次序往往与话语表达时想要突出的语义限制重点有关;(五)少数副词在与别的副词连用时位置或先或后与虚化程度高低有关;(六)副词连用的线性次序原则是相对的,不是绝对的。

关键词 副词次类 副词连用 线性次序 辖域原则 非常规次序 句法结构 语义特征

一 引言

和现代汉语一样,近代汉语中一个谓词性成分之前也可以出现多个起修饰限定作用的副词,这种多个副词在同一个谓词性成分之

---

* 本文根据两位匿名审稿人的意见作了一定的修改。感谢两位审稿人对本文的肯定和指教,文中仍然存在的不妥之处概由作者负责,敬请专家学者赐教。

前同时相连出现的现象,我们称之为副词连用。多个副词连用时,各个副词在线性序列上的次序与其所属次类密切相关,即不同次类的副词在多个副词连用时所处的先后位置不同,我们把这种多个副词的先后位置称之为副词连用的线性次序。副词连用的线性次序反映了不同次类副词的特点,所以可以作为副词次类划分的验证标准之一。本文着重对近代汉语中的副词连用进行描写,分析其特点,并力争对其规律作出解释。

关于副词连用的研究,到目前为止笔者只见到两篇研究现代汉语的论文:黄河(1990)、袁毓林(2002)。这两篇论文都叫"副词同现",包括两个或几个副词在句法结构中相连出现和不相连出现。本文只研究副词相连出现的现象,所以称之为"副词连用"。另外,近代汉语中除了副词连用之外,还有"副词并用"(两个甚至三个同义或同类副词并列使用,笔者另有专文讨论),副词并用也属于副词同现,然而却是与副词连用性质完全不同的现象,所以本文以"副词连用"命名并以之与"副词并用"相区别。

副词连用本质上只是语法单位在线性结构上的一种表现。同一个谓词性成分之前出现的多个副词不是处在相同的结构层次上,它们只是在线性序列上一个连着一个。副词连用时,哪些副词可以出现在线性序列的靠前的位置,哪些只能出现在靠后的位置,这与副词所属次类有关,当然也就与不同副词的语义特征、功能特征以及在句法结构中的语义指向有关。因此,研究副词连用现象,对于认识汉语副词的特点和检验副词次类划分的合理性,对于研究句法结构中各种成分的组合关系都是很有意义的。黄河(1990)、袁毓林(2002)对现代汉语的副词连用已作了很好的研究,近代汉语和现代汉语是否完全一样呢?为了回答这个问题,笔者对几种具有代表性的近代汉语语料中的副词连用现象作了初步的调查[①],发现近代汉语中副词连用的线性次序大体和现代汉语相同,但也有不少"非常规"序列。这些"非常规"序列,是以现代汉语的眼光来看的,它正是近代汉语中副词连用的特点的反映。

本文先列举各类副词连用的实例,然后再归纳近代汉语中副词连用的线性次序,并对其加以解释,最后对近代汉语中副词连用的线性次序原则和特点进行总结。

黄河(1990)将现代汉语副词分为 11 类,袁毓林(2002)仍之。我们将近代汉语副词也分为 11 类,但类别与黄河有些不同(参见杨荣祥 1999、2002)。这 11 个次类是:

1. 语气副词:大概、毕竟、却、想必、自然、其实、必、不妨……;2. 类同副词:也、亦;3. 累加副词:又、更、再……;4. 总括副词:都、皆、尽……;5. 时间副词:忽然、次第、始终、常、从来、便、一向、刚才、既、渐渐、遂、还……;6. 统计副词:共、总、凡、通共……;7. 限定副词:只、徒、才、独……; 8. 否定副词:不、非、未、不曾、没、莫、休、别……; 9. 程度副词:甚、极、十分、最、较、大段、稍……;10. 频率副词:重、频、屡、再三、反复、一再、重新……;11. 情状方式副词:苦、亲、胡乱、好生、一味、齐、互相、一齐、连忙、极力、平白……。

二　近代汉语副词连用的线性次序

副词连用最常见的是两个副词连用,也有三个、四个副词连用的,在我们调查的语料中,连用的副词最多可以有四个。如:

(1) 且如这一件物事,我曾见来,它也曾见来。(语类,二四,568)

(2) 自一心之微,以至于四方之远,天下之大,也都只是这个。(语类,六五,1610)

(3) 及至长大,也更不大段学,便只理会穷理、致知工夫。(语类,七,125)

例(1)"也"和"曾"两个副词连用,例(2)"也"、"都"、"只"三个副词连用,例(3)"也"、"更"、"不"、"大段"四个副词连用。

连用的副词,其次序不是杂乱无章的,而是遵循着一定的原则。这个原则总的来说就是副词辖域(scope)大小决定连用副词的次序——辖域大的副词位置在前,辖域小的副词位置在后。根据对所调查的语料的分析,近代汉语中副词连用的线性次序大致是:语气副词→类同副词→累加副词→总括副词→时间副词→(统计副词)→限定副词→否定副词→程度副词→(频率副词)→情状方式副词。"→"表示"先于",加括号的次类表示这一次类很少和别的副词连用。另外,时间副词的位置比较灵活,一般情况下,时间副词位于语气副词、累加副词、类同副词、总括副词之后,限定副词等各次类副词之前,但除了所有的时间副词都一定位于语气副词之后外,少数时间副词可以位于累加副词、类同副词、总括副词之前,还有少数时间副词可以位于限定副词之后。否定副词也比较灵活,除了可以和程度副词互为先后外,有时还可以位于除语气副词以外的所有其他次类副词的前面,有时也可以位于情状方式副词的后面。

下面我们对近代汉语中副词连用的次序,按上面所述的先后顺序逐类进行描写说明。

1.1 语气副词

语气副词在连用的副词中通常位于最前面,因为语气副词主要是表示说话人的主观态度和情感,是对基本命题的主观评价,所以它总是统摄整个谓词性结构乃至整个句子。如:

(4) 游谢说乃推广"习"字,毕竟也在里面。(语类,二〇,457)/这房儿想必也住了几年,未免有些糟烂……(金,七一,2031)

(5) 若中道而立,无所偏倚,把捉不住,久后毕竟又靠取一偏处。(语类,六三,1530)/或曰:"如此,则安能动人?必更有玄妙处。"曰:"便只是这个。……"(语类,一二六,3036)

(6) 今公辈看文字,大概都有个生之病,所以说得来不透彻。(语类,一二一,2920)/先生《诗解》取程子之言,谓作诗未必皆圣贤,则其言岂免小疵?(语类,八一,2108)

(7) 不是忧念诸女身,汝等自然已成长(变文,四,350)/汉时如甚大射等礼,虽不行,却依旧令人习,人自传得一般。(语类,八

四,2182)

(8)"乘"字,大概只是譬喻。"御"字,龟山说做御马之"御",却恐伤于太巧。(语类,六八,1699)/西门庆刮刺上卖炊饼的武大老婆,每日只在紫石街王婆茶坊里坐的。这咱晚多定只在那里。(金,四,146)

(9)凡有辞避,必再三不允,直待章疏劾之,遂从罢黜。(语类,一二八,3078)/世间有鬼神冯依言语者,盖屡见之,未可全不信。(语类,九七,2498)

(10)看吕氏此处不特毫厘差,乃大段差。(语类,九七,2504)/如叶梦得宇文虚中二人所为,极是乱道,平日持论却甚正。(语类,一三○,3129)

(11)知道和尚现有妙术,若也得教(效),必不相负。(变文,二,196)/若宛转之说,则是理本非已有,乃强委曲牵合,使入来尔。(语类,一八,418)

(12)又孟子居齐许久,伐燕之事,必亲见之。(语类,五四,1303)/今欲作一事,若不立诚以致敬,说这事不妨胡乱做了,做不成又付之无可奈何,这便是不能敬。(语类,一一九,2878)

以上各例分别是语气→类同、语气→累加、语气→总括、语气→时间、语气→限定、语气→频率、语气→程度、语气→否定、语气→情状方式。

语气副词在和别的副词连用时,可以位于所有其他各次类副词的前面(左端),很少有在语气副词之前出现其他次类副词构成连用的情况,这说明语气副词是辖域最大的一个次类。在《语类》中,可以见到"又却、也却、亦必、又必、也必、也大概、只大概"等副词连用,这些个别现象并不影响语气副词通常位于连用副词最左端的基本规则,是可以解释的。"又却"是两个累加副词并用("却"在近代汉语中有相当于"又"的用法),《语类》中"又却"255例,都是表示"累加","却又"92例,27例表示"累加"("却又"属并用),65例是语气副词"却"和累加副词"又"连用。如:

(13) 敏底人,又却要做那钝底工夫,方得。(语类,一一六,2800)

(14) 如孟子说义重于生处,却又说急处有打得过时,如闲居时却有照管不到处,或失之。(语类,二六,650)

(15) 及去了《小序》,只玩味《诗》词,却又觉得道理贯彻。(语类,八〇,2078)

例(13)、(14)是"又却"、"却又"并用表累加,例(15)是语气副词"却"和累加副词"又"连用。类同副词"也"、"亦"虽然可以位于一些语气副词之前,但同样可以位于语气副词之后,如《语类》中"也却"8例,"却也"11例;"亦却"3例,"却亦"13例;"也必"3例,"必也"1例;"亦必"51例,"必亦"4例;"也大概"3例,"大概也"7例;"亦大概"5例,"大概亦"13例;"也毕竟"0例,"毕竟也"8例。"也""亦"位于语气副词之前,其辖域必定大于语气副词,因为类同副词必须关联两个或两个以上的类同项,而少数语气副词可以包含在类同项之内。如:

(16) 然伯夷之清,也却是个介僻底人,宜其恶恶直是恶之。(语类,二九,745)

(17) 使智者当以大事小时,也必以大事小;使仁者当以小事大处,也必以小事大。(语类,五一,1226)

(18) 且如一百件事,理会得五六十件了,这三四十件虽未理会,也大概可晓了。(语类,一一七,2822)

"大概"之前除了可以有类同副词外,还可以有限定副词"只",仔细体会语句的意思,我们可以明显地感觉到,"大概"位于前面时,完全只表示评估的语气,位于后面时,意义要实在一些,更接近"大致梗概"之义,有似情状方式副词。如:

(19) 不独是以数算,大概只是参合底意思。(语类,七五,1920)

(20) 这样处也难说。圣贤也只大概说在这里。(语类,三五,917)

在我们调查的语料中,没有搜集到语气副词和统计副词连用的用例,语气副词和频率副词、情状方式副词连用的也很少。

1.2 类同副词

除了语气副词一般位于类同副词之前外,其他次类的副词一般都位于类同副词之后,只有少数例外。

(21) 虽是不为,然心中也又有些便为也不妨底意思。(语类,一八,423)/不打紧处,你禀了你周爷,写个缘簿,别处也再化些,来我那著,我也资助你些布施。(金,四九,1296)

(22) 殿下位即尊高,病来相侵,亦皆如是。(变文,四,292)/所以后来诸王也都善弱,盖渐染使然。(语类,一〇八,2681)

(23) 佛在之日,有一善女,也曾供养罗汉,虽有布施之缘,心里便生轻贱。(变文,六,788)/我两个先起身,我去便使小厮拿灯笼来接你们,也就来罢。(金,一五,393)

(24) 凡为学,也不过是恁地涵养将去,初无异义。(语类,一〇三,2600)/名既不成,利又不遂,也只是收拾起些个盘费,离了长安。(平话,9)

(25) 看周公当初做这一事,也大段疏脱,他也看那兄弟不过。(语类,五四,1304)/原来金莲被经济鬼混了一场,也十分难熬。(金,五三,1419)

(26) 上来言语,总是共汝作剧,汝也莫生(颇)我之心,吾也不见汝过。(变文,二,187)/原来两个蝴蝶,也没曾捉得住。(金,一九,479)

(27) 后来不足,吕遂缴奏之,神宗亦胡乱藏掩了。(语类,一三〇,3101)/那刘太监是地主,也同来相迎。(金,五三,1417)

以上各例分别为类同→累加、类同→总括、类同→时间、类同→限定、类同→程度、类同→否定、类同→情状方式。

近代汉语中,类同副词一般不与统计副词、频率副词连用,与情状方式副词连用也很少见②。类同副词和别的副词连用,位置一般在语气副词之后,其他副词之前。但也有少数例外,如:

(28) 如有好底人无私意而过,只是理会事错了,便也见得仁在。(语类,二六,657)

(29) 如今打面做糊,中间自有成小块核不散底,久之渐渐也自会散。(语类,三,45)

(30) 又有是乍死后气未消尽,是他当初禀得气盛,故如此,然终久亦消了。(语类,六三,1551)

(31) 此事思量是难事,又也难说。(语类二五,631)

(32) 此一著固是失了,只也见得这人是旷阔底。(语类,三二,806)

这些例外不难解释。时间副词的位置比其他类副词本来都要自由一些,其中"便"经常起关联作用,表示两个陈述之间的顺承关系(参见杨荣祥2002),所以其位置往往靠前。《语类》中,"便也"连用66例,"也便"连用19例。"渐渐也"在《语类》中仅一例,没有"也渐渐"、"也渐"、"渐也"、"亦渐"、"渐亦",其他语料中也没发现"也"和"渐渐、渐"连用的例子,《语类》中的这一例可以看作偶然现象。"终久亦"在《语类》中2例,没有"亦/也终久",但有5例"也终"、6例"亦终",这说明表最终义的时间副词通常是位于类同副词之后。"又也"在《语类》中连用有18例(包括"也"后再接别的副词),"也又"只有2例,"又亦"2例,无"亦又",这是因为"又"在和类同副词连用时,意义已经更加虚化,并不表示实际上的累加,近似于语气副词,所以常居类同副词之前。"只也"连用是不合常规的,但只是个别现象,如《语类》中"也只"多达421例,"亦只"多达445例,而仅有2例"只也"(无"只亦")。

为什么类同副词在和别的副词连用时位置靠前?因为类同副词有句外关联功能,即类同副词总是表示其所在句子中的某个成分与另一个句子中的某个成分具有类同关系,而相关联的句子通常是先于用类同副词的句子存在(参见杨荣祥2000),为了凸显这种关联,类同副词必须位于连用副词的前端。

1.3 累加副词

累加副词一般位于语气副词、类同副词之后,其他副词之前。因为累加副词语义上是表示动作行为、性质状态或事物数量的累加,语义指向是其后的整个被饰成分,所以凡能够再加于其被饰成分之前的副词都自然位于累加副词之后。

累加→总括

(33) 且如《梓材》是君戒臣之辞,而后截又皆是臣戒君之辞。(语类,七九,2055)/若识得一个心了,万法流出,更都无许多事。(语类,一二四,2981)

累加副词和总括副词连用在《变文》、《平话》、《金》中都没有见到典型的用例,但《语类》中比较多。如"又都"18例,"又都不"5例,"又皆"19例,"又皆不"2例,"又皆不甚"1例,"又皆却"1例,没有"都又"和"皆又";《语类》中没有"再"和总括副词连用的用例(近代汉语中,"再"只能和有限的几个副词连用)。

累加→时间/时间→累加

(34) "浸"是渐渐恁地消去,又渐渐恁地长。(语类,七六,1940)/(武松)回到家中,那妇人又早齐齐整整安排下饭。(金,一,77)

(35) 若道齐之以刑政,则不能化其心,而但使之少革。到得政刑少弛,依旧又不知耻矣。(语类,二三,549)/此是斋戒之学一变,遂又说出这一般道理来。(语类,一二六,3009)/那胡僧接放口内,一吸而饮之。随即又是两样添换上来:一碟寸扎的骑马肠儿、一碟子腌腊鹅脖子。(金,四九,1302)

累加副词和时间副词可以互为先后,例(34)是累加→时间,例(35)是时间→累加。哪些时间副词居前,哪些时间副词居后,我们没有作全面的调查。从《语类》中和"又"连用的时间副词来看,"又"在前的有"又暂"1例,"又不曾"26例,"又曾"2例,"又尝"12例,"又忽然"6例,"又偶"1例,"又且"36例,"又未"33例、"又未尝"2[③]例,"又一向"2例;"又"在后的有"忽又"4例,"且又"1例,"时复又"1

例,"随即又"1例,"遂又"5例,"依旧又"3例。由此可见,累加副词和时间副词连用,还是以累加副词居前更多一些。

累加→限定

(36) 止缘某前日已入文字,今作出,又止此意思。(语类,一〇七,2668)/然他是当气之衰,禀得来薄了,但有许多名誉,所以终身栖栖为旅人,又仅得中寿。(语类,五九,1387)

累加副词和限定副词连用,我们只在《语类》中见到"又只"90例,"又止"2例,"又仅"1例,没有发现两个次类中的其他副词连用。

累加→频率

(37) 只说一句,则似缓而不切,故又反复推明,以至"忧道不忧贫"而止。(语类,四五,1167)/只是相将人无道极了,便一齐打合,混沌一番,人物都尽,又重新起。(语类,一,7)

如前所述,频率副词不大和别的副词连用,和累加副词连用的,《语类》中只见到"又反复"2例,"又重新"1例,"又自重新"1例。但又有"反复又"1例,"重新又"1例,如:

(38) 读书只要将理会得处,反复又看。(语类,一〇,172)/不成说今夜且如此厮杀,明日重新又杀一番!(语类,八〇,2088)

《金》中也只见到1例"又"与频率副词连用:

(39) 酒壶番晒又重斟,盘馔已无还去探。(金,一二,305)

累加→程度

《变文》中没有发现累加副词和程度副词连用的例子,《语类》中有"又极"2例,"又极其"2例,"又愈"2例,"又较"36例,"又甚"4例,"又不甚"2例,"又忒"4例,"又太"7例,"又忒煞"2例。《金》中有"又极"1例,"又大"1例,"又十分"1例。例如:

(40) 到这般处,又忒欠得几个秀才说话。(语类,一二七,3043)/士马又十分精强。(评话,168)/那水秀才又极好慈悲的人,便口软勾搭上了。(金,五六,1527)

累加→否定

累加副词和否定副词可互为先后,这取决于否定词的辖域大小。

但基本倾向是累加副词在前,否定副词在后。如:

(41) 且不是磨(摩)尼佛,又不是波斯佛,亦不是火祆佛,乃是清净法身,圆满报身,千百亿化身释迦牟尼佛。(变文,五,464)/从得饭已来,母子更不见。(变文,五,743)/而今若教公读《易》,只看古注,并近世数家注,又非某之本心。(语类,一二〇,2902)/晋军因霖雨不止,更不追击。(平话,141)/你那哥哥尸首又没了,又不曾捉得他奸。(金,九,251)

(42) 死生路今而已隔,一掩泉门不再开。(变文,六,719)/且只就身上理会,莫又引一句来问。(语类,一四,266)

例(41)是累加→否定,例(42)是否定→累加。累加副词和否定副词连用,孰先孰后,不同的副词有所不同。下面是《变文》、《语类》、《金》三种语料中这两类副词连用时先后位置的一些统计数据:

《变文》:又不20/不又0;更不28/不更0;再不0/不再3;复不0/不复4;又未0/未又0;又非0/非又0;更莫15/莫更3;又勿0/勿又0;更勿1/勿更2;更毋0/毋更0;又休0/休又0。

《语类》:又不456/不又1;更不200(约)/不更2;再不2/不再15;复不3/不复98;又未31/未又0;又不曾27/不曾又1;再未0/未再0;又非30/非又0;更莫3/莫更2;更勿0/勿更1;更毋0/毋更0;又莫0/莫又1;又勿0/勿又1,又毋0/毋又0。

《金》(前70回):又不128/不又0;再不15/不再1;又不曾11/不曾又0;再不曾0/不曾再0;又非0/非又0;又别0/别又0;又休0/休又0;再休0/休再2;更莫0/莫更0;再别0/别再0。

以上统计说明,累加副词和否定副词虽然可以互为先后,但不是任意的。首先,总的来说是遵循"累加→否定"的顺序;其次,表禁止的否定副词较多居于累加副词之前;第三,仅就与否定副词连用来看,"又"和"再"的分布有所不同,"又"多居前,"再"多居后,这可能与"再"是由表动量的数词发展而来有关,因为古代汉语中"再"作状语表动量总是直接用在VP的前面,这正是"语法化"的"词义滞留"原则的表现。

累加→情状方式

和情状方式副词连用的累加副词主要是"又",《语类》和《金》中用例较多一点,《变文》和《平话》很少。如:

(43) 见了只在心,心了净方现,莫更苦寻求,只此除方便。(变文,五,565)/如滕子京孙元规之徒,素无行节,范公皆罗致之幕下。后犯法,又极力救解之。(语类,一三三,3189)/伯爵刚才饮讫,那玳安在旁又连忙斟上一杯酒。(金,六〇,1649)/你这厮昨日虚告,如何不遵法度!今又平白打死人,有何理说?(金,一〇,258)

也有少数"情状方式→累加"的用例,如《金》中"又连忙"仅1例,而"连忙又"有3例。如:

(44) 妇人连忙又磕下头去,谢道:"……"(金,三七,971)

1.4 总括副词

总括副词总是位于语气副词、类同副词、累加副词之后,只有极个别例外。限定副词、程度副词、否定副词、频率副词都位于总括副词之后,几乎没有例外。情状方式副词通常位于总括副词之后,有少数几个情状方式可以位于总括副词之前。时间副词与总括副词可互为先后,基本倾向是总括副词在前。统计副词一般不与总括副词连用。

总括→时间/时间→总括

(45) 过去百千诸佛,皆曾止住其中。(变文,四,365)/那时诸侯皆已顺从,独蚩尤共着炎帝侵暴诸侯,不从王化。(平话,3)/原来花子虚死了,迎春、绣春都已被西门庆要了,以此凡事不避他。(金,一六,408)

(46) 只管养在这里,到春方发生,到夏一齐都长,秋渐成,渐藏,冬依旧都收藏了。(语类,五三,1290)/俺每如今便都往吴大妗子家去,连你每也带了去。(金,四五,1176)/因问平安儿:"对门房子都收拾了?"平安道:"这咱哩,从昨日爹看着就都打扫干净了。"(金,五八,1591)

例(45)是"总括→时间",例(46)是"时间→总括"。我们收集到的"时间→总括"副词连用的例子主要有《语类》中的"便都"161例("都便"仅1例),"即都"2例,"且都"1例("都且"3例),"已都"3例("都已"11例),"往往都"2例;"便皆"10例,"依旧皆"2例,"往往皆"7例,"忽皆"1例,"已皆"3例("皆已"11例)。《金》中"便都"1例,"就都"5例。从这些用例看,时间副词基本上只有"已、且"可与总括副词互为先后,而以总括副词居前者多。"即、便、就"是一组与语气副词有联系的时间副词,且具有关联功能,所以居前;"依旧、往往"具有表情态的作用,所以要居前。

总括→限定

现代汉语中,总括副词和限定副词连用,必定是"总括→限定",近代汉语中基本上是这样,但也有少数"限定→总括"。如《语类》中,"都只"85例/"只都"3例,"皆只"40例/"只皆"1例。《变文》、《平话》中没见到这两类副词连用,《金》也很少,只有1例"都只"。例如:

(47) 记得京师全盛时,百官皆只乘马,虽侍从亦乘马。(语类,一二七,3058)/大率江西人都是硬执他底横说,如王介甫陆子静都只是横说。(语类,一三九,3302)/这病症都只为火炎肝腑,土虚木旺,虚血妄行。(金,五五,1478)

(48) 某尝在新安见祭享,又不同。只都安排了,大男小女都不敢近。(语类,九〇,2321)/若是只皆百里而止,便是一千里地,只将三十同来封了,那七十同却空放那里,却绵亘数百里皆无国!(语类,九〇,2300)

"总括→限定"这种顺序与这两类副词的语义指向有关,总括副词一般是前指,所以居前;限定副词一定是后指,所以居后。这是临摹原则中的语义接近原则的反映。从语义表达来看,有了限定就不能再有总括,但有总括还可以有限定。袁毓林(2002)认为:"出于语序临摹的动机(motivation of iconicity),总括副词还受到其前面的词语的吸引,使得它一定要居于限定副词之前。"其实这仍然是辖域大小在起作用,即总括副词的辖域大于限定副词。《语类》中的少数"限定→总括",都是朱熹的语言,从上下文看,都是为了首先突出"限定"的意义。但是,现代汉语中即使要突出"限定"的意义,也只能是"总括→限定"的次序,所以我们认为"限定→总括"可能只是朱熹口语中的特殊现象。

总括→程度

总括副词一定位于程度副词之前。现代汉语中,总括副词与程度副词连用是比较常见的,特别是"都"与程度副词连用,但我们发现近代汉语中这两类副词却很少连用,《变文》、《平话》中一例也没有;《语类》中"都"不与程度副词连用,"皆"也只有"皆甚"1例,"皆极"3例,"皆略"1例,"皆略略"1例;《金》中"皆"不与程度副词连用,"都"也只有"都甚"1例。例如:

(49)陆务观说,汉中之民当春月,男女行哭,首戴白楮币,上诸葛公墓,其哭皆甚哀云。(语类,一三八,3284)/93 王侍郎普,礼学律历皆极精深。(语类,八四,2183)/众妇人站在一处,都甚是著恐,不知是那缘故。(金,一八,460)

总括→否定

否定副词一定在总括副词之后,只有反问句中,否定副词可以居前,不过近代汉语中很少见,我们只在《语类》中找到一例:

(50)圣人教人,何不都教他做颜曾底事业?(语类,一九,429)

"总括→否定"中最多的是总括副词后接表单纯否定的否定副词。《变文》"都不"22例,"皆不"11例;《语类》"都不"约450例,"皆不"359例;《平话》"皆不"5例,"都不"2例;《金》"都不"3例,"皆不"1例。其次是总括副词后接表对已然否定的否定副词。《变文》"都未"3例("皆未"0例);《语类》"都未"17例,"都不曾"58例,"都未曾"4例,"皆未"32例,"皆未尝"1例;《平话》"皆未"2例,"都未"1例;《金》"都没"1例。四种语料中只《语类》有"总括副词+非"的用例:"皆非"33例(有"非皆"3例),"都非"2例。总括副

词后接表禁止的否定副词也很少,只在《语类》中有7例"都莫"。下面选举数例:

(51)更有父母约束,都不信言,应对高声,所作违背。(变文,五,676)/适来虽烈(列)十恩名,义理差殊都未解。(变文,五,538)/若不仁底人,心常如睡底相似,都不曾见个事理。(语类,四二,1080)/故其言愈加谦让,皆非其自然,盖有所警也。(语类,四〇,1041)/今不须穷它,穷得它一边,它又有一边,都莫问它。(语类,九七,2500)/(炀帝)一向与妃子游荡忘返,便饥馑荐臻,盗贼蜂起,都不顾着。(平话,4)/亲眷一个都没请,恐怕费烦。(金,六八,1925)

总括→情状方式

情状方式副词只能修饰VP,其语义指向也就是其后的VP,语义上表示动作行为的方式或动作行为进行的情状,所以在语序上一般都是紧靠着其后的VP,现代汉语如此,近代汉语也大体如此。但近代汉语中,情状方式副词和总括副词连用时,也有少数"情状方式→总括"的语序,如"一齐都"、"一一都"之类。大概是因为"一齐"、"一一"这样的情状方式副词所表示的语义含有"全部"的意义,所以能够与总括副词互为先后。

(52)(某)等不是别人,是八大海龙王,知和尚看一部法华经义,□迴施功德,与我等水族眷属,例皆同沾福利。(变文,二,196)/仁义之良心,到战国时,君臣上下都一齐埋没了。(语类,五三,1295)/四人到监中,都互相抱怨,个个都怀鬼胎。(金,三四,882)/玳安道:"是王皇亲宅内叫,还没起身,小的要拿他鸹子墩锁,他慌了,才上轿,都一答儿来了。"(金,五八,1564)

从我们调查的语料来看,"总括→情状方式"并不多,《变文》中只有2例,《语类》中只有"都一齐"9例,"都一一"2例,"都逐一"1例,"皆一一、皆一齐、皆一例、皆一向、皆难于"各1例,《金》中只有"都互相"1例,"都平"2例,"都一齐"4例,"都一答(儿)"4例。而如前所述,《语类》却有"一齐都"27例,"一一都"12例,"一一皆"6

例。如:

(53)……历代之典章文物,一一都理会得了。(语类,二四,570)/看有甚放僻邪侈,一齐都涤荡得尽,不留些子。(语类,三五,931)/末后一表,其言如蓍龟,一一皆验。(语类,一三四,3207)

不过,这种语序《金》没有,也与现代汉语的常规语序不合。

总括→频率

(54)盖道释之教皆一再传而浸失其本真。(语类,一二六,3009)/夏火,殷藻,周龙章,皆重添去。(语类,八四,2179)

频率副词很少和别的副词连用,和总括副词连用仅收集到上2例。

1.5 时间副词

前面已经说到,时间副词在和别的副词连用时,位置的先后是比较自由的,这与汉语中时间副词是表示事件的相对时间位置关系有关。从总的趋势来说,时间副词位于语气副词、累加副词、类同副词、总括副词之后,其他各类副词之前。

时间→限定

现代汉语中,时间副词一般位于限定副词之前,个别可以与此相反,如"刚"、"偶尔"等。近代汉语中,总的倾向是"时间→限定",但也有不少相反的顺序。如:

(55)忽然只把这身心,自然不久抛生老。(变文,五,610)/次第只应如此也,争似修行得久长。(变文,五,652)/京四次入相,后至盲废,始终只用"不患无财,患不能理财"之说,其原自荆公。(语类,一三〇,3127)/我从来只听得人说武大娘子,不曾认得他。原来武大郎讨得这个老婆在屋里。(金,六,173)

(56)今诸道帅臣,只曾作一二任监司,即以除之。(语类,一一〇,2710)/这工夫忙不得。只常将上来思量,自能有见。(语类,一一五,2776)/我早起身,就往五娘屋里,只刚才出来。(金,二三,604)

例(55)是"时间→限定",例(56)是"限定→时间"。"限定→时间"在《语类》中比较多,但还是没有"时间→限定"多。抽查限定副词"只"与时间副词连用,得到的结果是:且只 63 例/只且 15 例,常只 7 例/只常 5 例,依旧只 14 例/只依旧 2 例,一向只 7 例/只一向 3 例;始终只 2 例、遂只 2 例、便只 191 例、还只 8 例、往往只 8 例、方只 2 例;只曾 2 例、只才 8 例、只纔 2 例、只常常 1 例、只渐 1 例。

时间→程度

程度副词只能位于时间副词之后。如:

(57) 形容日日衰羸,即渐转加憔悴。(变文,五,697)/旧尝见横渠《诗传》中说,周至太王辟国已甚大……。(语类,八一,2127)

时间→否定

除表否定判断的"非"偶有位于时间副词之前外,否定副词只能位于时间副词之后,这是因为被否定的表述是不存在时间问题的。如:

(58) 母既非罪,伏乞宽刑,在后不来,臣即甘心鼎镬。(变文,一,九三)/盖自本原而已然,非旋安排教如此也。(语类,一七,383)/气化有不可晓之事。但终未理会得透,不能无疑。(语类,四七,1179)/您会事之时,速为退军;若还不肯,就阵上生禽活捉,斩汝万段,悔之无及!(平话,111)/婆子道:"今日这咱还没来,叫老身半夜三更开门闭户等着他。"(金,二四,623)

时间→情状方式

情状方式副词只能位于时间副词之后。

(59) 当日一时齐赴会,在何处听说也唱将〔来〕。(变文,五,533)/他见得底只是如此,遂互相仿效,专为苟简灭裂底工夫!(语类,一二一,2925)/这个不打紧,明日教老冯替你看个十三四岁的丫头子,且胡乱替替手脚。(金,三七,980)

1.6 限定副词

限定副词除了可以与时间副词互为先后外,通常只能位于程度副词、否定副词、情状方式副词之前。

限定→程度

(60) 宣王南征蛮荆,想不甚费力,不曾大段战斗,故只极称其军容之盛而已。(语类,八一,2122)/慎独与这里何相关?只少有不慎,便断了。(语类,三六,977)/只略施小计,教那厮疾走无门。(金,一九,503)

位于限定副词后的程度副词一般只限于表程度低的,像上举"只极"连用,现代汉语是没有的,近代汉语中我们也只见到这一例。

限定→否定

限定副词和否定副词可以互为先后,其中,表示对判断否定的"非"一般只位于限定副词之前,表对已然的否定的"未、不曾"等只能位于限定副词之后,表单纯否定和表禁止的副词则可与限定副词互为先后。如我们对《语类》的调查得到的数据是:"只不53例/不只35例,止不0例/不止35例;只未3例/未只0例,只不曾2例/不曾只0例;只非0例/非只5例,止非0例/非止14例,专非0例/非专5例,特非2例/非特39例;只莫2例/莫只4例"。例如(《变文》中没有限定副词和否定副词连用的):

(61) 今登高而望,群山皆为波浪之状,便是水泛如此。只不知因甚么时凝了。(语类,一,7)/颜子便理会得,只未敢便领略,却问其目。(语类,四一,1055)/此有甚法?只莫骄莫吝,便是剖破藩篱也。(语类,三五,939)/武松有八九分焦燥,只不做声。(金,一,82)/奴凡事依你,只愿你休忘了心肠,随你前边和人好,只休抛闪了奴家!(金,一二,326)/说便如此说,这"财色"二字,从来只没有看得破的。(金,一,50)

(62) 公看文字有个病,不只就文字里面看,却要去别生闲意。(语类,四七,1176)/"斯",有所指而云,非只指诚意、正心之事。(语类,二八,712)/莫只将浑全底道理说,须看教那仁亲切始得。(语类,三一,782)

例(61)是"限定→否定",例(62)是"否定→限定"。

限定→情状方式

情状方式副词一般位于限定副词之后,但也有少数相反的用例,这些相反的用例都不合现代汉语的语感,应是近代汉语中副词连用次序的特点。当连用次序为"限定→情状方式"时,限定副词的语义指向是其后的整个"情状方式副词+VP",当连用次序为"情状方式→限定"时,情状方式副词的语义指向只是其后的 VP。先看"限定→情状方式"的例子(《变文》中无例):

(63)若道诗人只胡乱恁地说,也不可。(语类,八一,2127)/庄子文章只信口流出,煞高。(语类,一二五,2992)/我使一些唾沫也不是人养的,我只一味干粘。(金,五〇,1314)

再看"情状方式→限定"的例子,只见于《语类》:

(64)又一种人见如此,却欲矫之,一味只是说人短长,道人不是,全不反己。(语类,一二一,2945)/而今且说格物这个事理,当初甚处得来?如今如何安顿它?逐一只是虚心去看万物之理……(语类,一四,267)

《语类》中的这种连用次序比较特别,不过我们也就见到两例而已。

1.7 否定副词、程度副词、情状方式副词

程度副词除了能与否定副词互为先后外,其后面一般不接别的副词。否定副词的四个小类在与别的副词连用时先后位置不一样,这在上文中已经讨论过了。下面来看程度副词与否定副词互为先后的用例以及否定副词与情状方式副词连用的情况。

否定副词→程度副词/程度副词→否定副词

否定副词的四个小类中,表示对已然的否定、表示禁止的两小类不与程度副词连用,表对判断的否定的"非"与程度副词连用时都要位于前面,表单纯否定的"不"与程度副词连用则可前可后。总的倾向是否定副词居前的多。如《语类》(《变文》、《平话》、《金》中这两类副词连用都不多)中有:"非甚1例、非极其1例、非大段3例、非十分1例;不甚177例/甚不53例、不极1例/极不22例、不极其2例/极其不0例、不大段25例、大段不11例、不大故0例/大故不1例、不十分3例/十分不4例、不最0例/最不29例、不稍0例/稍不8

例"。例如(例(65)是"否定副词→程度副词",例(66)是"程度副词→否定副词"):

(65) 古之伶官,亦非甚贱;其所执者,犹是先王之正乐。(语类,八一,2105)/夫子告颜渊之言,非大段刚明者不足以当之。(语类,四一,1064)/齐自太公初封,已自做得不大段好。(语类,三三,828)/若得王镕与那独眼龙不甚通和,则可以专意攻讨矣。(平话,34)/妇人笑道:"奴自幼粗学一两句,不十分好,官人休要笑耻。"(金,六,180)

(66) 太子作偈已了,即便归宫,迷闷忧烦,极甚不悦。(变文,四,335)/大段不好底欲则灭却天理,如水之壅决,无所不害。(语类,五,94)/东坡解《易》,大体最不好。(语类,六七,1663)/如人很戾,固是暴;稍不温恭,亦是暴。(语类,三五,914)/他戴着小帽,与俺这官户怎生相处?甚不雅相。(金,四一,1086)

否定→情状方式

(67) 自还知,自要见,休苦贪求添爱羡,不论富贵与高低,皆似水中墨一片。(变文,五,586)/所以圣人不胡乱说,只说与曾子子贡二人晓得底。(语类,二七,685)/小的自知娘们吃不的咸,没曾好生加酱,胡乱罢了。(金,二三,592)

1.8 多项副词连用

上面所述副词连用基本上限于两项连用,目的是想能够比较清楚地看出不同次类的副词连用时的线性次序,描写分析常规次序和非常规次序。除了两项副词连用外,我们还收集到不少三项、四项副词连用的例子。三项、四项副词连用的线性次序都遵循上述两项副词连用的线性次序规则,除了位置比较灵活的时间副词、否定副词以及少数非常规次序,多项副词连用的线性次序基本倾向是:语气副词→类同副词→累加副词→总括副词→时间副词→(统计副词)→限定副词→否定副词→程度副词→(频率副词)→情状方式副词。下面只选举数例,详见全文后附录"副词连用例表"。

(68) 更经一日过街,亦乃不听打鼓。(变文,二,161) 类同

→时间→否定

(69)见了只在心,心了净方现,莫更苦寻求,只此除方便。(变文,五,565) 否定→累加→情状方式

(70)穷理只自十五至四十不惑时,已自不大段要穷了。(语类,二三,559) 时间→否定→程度

(71)如一碗水,圣人是全得水之用,学者是取一盏吃了,又取一盏吃,其实都只是水。(语类,二七,677) 语气→总括→限定

(72)岂有知"克己复礼"而不知仁者!谢氏这话都不甚稳。(语类,二〇,476) 总括→否定→程度

(73)圣人固生知,终不成更不用理会。(语类,二八,721) 语气→累加→否定

(74)今人知为学者,听人说一席好话,亦解开悟;到切己工夫,却全不曾做,所以悠悠岁月,无可理会。(语类,一一六,2791) 语气→总括→否定

(75)胡致堂之说虽未能无病,然大抵皆太过,不会不及,如今学者皆是不及。学蒙。(语类,一〇一,2581) 语气→总括→程度

(76)你也忒不长俊,要是我,怎教他把我房里丫头对众捯恁一顿捯子!(金,四四,1160) 类同→程度→否定

(77)应伯爵道:"李桂儿这小淫妇儿,原来还没去哩。"(金,四五,1177) 语气→时间→否定

(78)但得能拜在太师门下做个干生子,便也不枉了人生一世。(金,五五,1481) 时间→类同→否定

(79)又要这两个小淫妇做什么,还不趁早打发他去。(金,四二,1109) 时间→否定→情状方式

(80)说起来还小哩,恁怎么不知道,吃我说了他几句,从今改了,他也再不敢了。(金,四五,1178) 类同→累加→否定

(81)若谓已发后不当省察,不成便都不照管他。(语类,六二,1514) 语气→时间→总括→否定

(82) 不成谓是大路,便更都不管他,怎地自去之理!(语类,六二,1514) 时间→累加→总括→否定

(83) 盖此传不应是东晋方出,其文又皆不甚好,不似西汉时文。(语类,七九,2055) 累加→总括→否定→程度

(84)(李瓶儿)恰似风儿刮倒的一般,强打着精神陪西门庆坐,众人让他酒儿也不大好生吃。(金,六一,1681) 类同→否定→程度→情状方式

(85) 他(李瓶儿)又没大好生吃酒,谁知走到屋中就不好晕起来,一交跌倒在地,把脸都磕破了。(金,六一,1699) 累加→否定→程度→情状方式

四项副词连用的很少见,我们只收集到了 12 例(如上举例(81)—(85))。三项副词连用比较多,特别是《语类》较为常见。《变文》、《平话》、《金》中三项副词连用都不多见,这可能主要与文体有关,同时也因为《语类》的篇幅比这三种文献要大得多,各种语言现象出现的机会、概率也就要大得多。

三 近代汉语副词连用的线性次序原则、特点

黄河(1990)对现代汉语常用副词连用的线性次序作了描写,虽然黄河对现代汉语副词的分类与我们对近代汉语副词的分类不同,但二者是可以进行对比的。黄河对现代汉语副词"共现顺序"的解释主要是:(1)共现顺序要受语义的限制,语法意义的类跟共现顺序的类基本上是重合的;(2)有些副词的"共现顺序"可以先后变换,"变换的条件跟说话人语义着重点有关,位于前面的副词往往表示说话人强调的那层语义限制"(504 页)。黄河(1990)的重点是描写,袁毓林(2002)则力图对黄河描写的事实作出解释,他在黄河的基础上,对多项副词"共现顺序"从句法、语义、语用和认知的角度加以解释,得出制约多项副词共现的三条语序原则:(1)范围原则,即

语义统辖范围大的副词排在语义统辖范围小的副词前面;(2)接近原则,即语义上有述谓关系等语义联系紧密的成分尽可能靠近,特别是具有算子约束功能的副词尽可能地靠近受它约束的变量成分;(3)语篇原则,即在语篇上有衔接功能的副词尽可能排在最前面。袁毓林的解释与我们对近代汉语副词连用现象的分析结果多有不谋而合之处,其从认知的角度尤其是用功能语法的理论对这种现象的解释,对笔者启发良多。不过,由于黄河(1990)、袁毓林(2002)对副词的分类与我们的分类有所不同,近代汉语的副词连用与现代汉语的副词连用也有许多不同,所以我们还是愿意就近代汉语副词连用的线性次序原则和特点提出自己的看法。

3.1 近代汉语副词连用的线性次序原则

袁毓林(2002)用范围原则、接近原则、语篇原则来解释现代汉语副词同现时的先后排列次序,这个解释是很有说服力的,也很具有概括性,由此我们可以清楚为什么同样是副词,连用时有些副词总是位置在前,有些副词总是位置在后,有些副词却又可前可后。但我们认为,这三项原则不是同一个层次上的。首先,正如袁文引用功能语法的三大元功能(metafunction)来说明三项原则的深层理据所说的,范围原则、接近原则对应概念功能(ideational function),语篇原则对应语篇功能(textual function),"模态副词"位置比较靠前对应人际功能(interpersonal function)。可是,大体说来,概念功能属于语义句法范畴,人际功能属于语用范畴,语篇原则属于篇章结构范畴。虽然副词连用的线性次序确实既受语义句法的制约,也受到语用、篇章结构方面的制约,但三者毕竟不属于同一层次上的东西。其次,就这三项原则的关系来看,我们认为,范围原则是根本的原则,我们称之为"辖域原则"(scope principle),接近原则、语篇原则都应该说只是用来解释为什么有些副词的辖域(scope)大,有些副词的辖域小。

所谓辖域原则,即副词连用时,辖域大的副词位于线性次序的靠前(左端)的位置,辖域小的副词位于线性次序的靠后(右端)的位置。

从辖域的角度看,副词可以大致分为三大类:A 管辖句子的副词、B 管辖述语的副词、C 管辖谓词的副词。A、B、C 三类的辖域依次减小。A 类副词辖域最大,在和别的副词连用时一般位置居前,B 类副词辖域小于 A 类,大于 C 类,在连用的副词中一般居于 A 类副词之后,C 类副词之前。C 类副词的辖域最小,在连用的副词中一般居于靠后的位置,靠近被修饰的中心成分。

所谓管辖句子的副词,即对整个句子(包括复句中的分句)起约束作用的副词,包括许多语气副词(如"大概、本来、毕竟、果然、确实、恰、必"等)、具有关联功能的副词(如"遂、乃、方、始、才、即、便、就、却、倒、反、反而、固然、元来、也、又"等)④和部分时间副词。具有关联功能的副词主要是一些语气副词、时间副词、类同副词和累加副词,这些副词除了在句法结构中修饰谓词性成分外,往往起着关联其所在句子(一般为复句中的分句)与另外一个句子的作用,如"我也写小说","也"在修饰"写小说"的同时,还起着关联"他写小说"或"我读小说"或"我写散文"之类的句子,不管这个句子是否在上下文中出现,这就是所谓副词的句外关联功能。语气副词的语义特征就是表示某种语气,而语气通常是属于整个句子的,"往往表示说话人对句子所表达的基本命题的总体性态度和评价","是凌驾于基本命题之上的模态性成分"(袁毓林 2002:315、322),所以这类副词通常对整个句子起约束作用。具有关联功能的副词,因为关联着其所在的句子和另外的句子,所以这些副词自然对其所在的句子整个儿的起约束作用。时间副词具有表示事件相对时间位置关系的作用,其语义特征就是表示"时间观念"(王力 1943:134),事件的相对时间位置关系或"时间观念"往往是属于整个句子的,是包含在命题意义之中的,所以能对整个句子起约束作用。

所谓管辖述语的副词,即对句子中的整个述语部分起约束作用或能对谓语动词的有关论元起约束作用的副词,如类同副词、累加副词、总括副词、限定副词能对谓语动词的施事论元、受事论元起约束作用。如:

(86) 某乙本无父母,亦无宗枝。(变文,二,160)

(87) 而今说已前不曾做得,又怕迟晚,又怕做不及,又怕那个难,又怕性格迟钝,又怕记不起,都是闲说。(语类,一〇,164)

(88) 今看来,反把许多元气都耗却。(语类,一〇九,2701)

(89) 古今历家只推算得个阴阳消长界分耳。(语类,二,25)

以上四例中的"亦"、"又"、"都"、"只"都是约束谓语动词的一个论元。

所谓管辖谓词的副词,即只能对被修饰的谓词起约束作用的副词,如程度副词,表示性质状态或动作行为的程度,其所约束的往往就是其后的形容词或动词;情状方式副词表示动作行为进行时的情景状态,或动作行为进行的方式、形式、手段等,其所约束的一般就是被其修饰的动词。如:

(90) 昨日司天占奏状,三台八坐甚纷芸。(变文,一,64)

(91) 帝释忙忙挂宝衣,仙童各各离宫内。(变文,五,530)

程度副词"甚"约束其后的形容词"纷芸",情状方式副词"忙忙"约束其后的动词"挂"。

至于否定副词,特别是表单纯否定的"不",其在副词连用时的位置比较自由,那是与否定焦点有关,这一点沈开木(1985)、沈家煊(1999)都讨论过,袁毓林(2002)又从副词连用次序的角度作了很好的分析,故此不赘。

A、B、C 三类副词的界限是相对的,但一般来说,A 类可以降为 B、C 类,B 类可以降为 C 类,而 C 类不能升为 A、B 类。即 A、B 类副词可以只管辖一个谓词,而 C 类不能管辖一个句子或句子中的整个述语、谓语动词的相关论元。简单点说,副词连用的基本次序就是:

A 类(管辖句子的副词)→B 类(管辖述语的副词)→C 类(管辖谓词的副词)

用一个前面举过的四项副词连用的例子来说明:

(92) 及至长大,也更不大段学,便只理会穷理、致知工夫。(语类,七,125)

"也"是类同副词,且具有关联功能,位置最前,管辖着整个句子"更不大段学","更"管辖着"不大段学","不"管辖着"大段学","大段"只管辖谓词"学"。

3.2 近代汉语副词连用的特点

从前面的描写分析可以看出,近代汉语副词连用的线性次序是遵循着一定的原则的,但也有一些不合基本原则的地方。无论是符合基本原则还是不合基本原则的地方,都反映了近代汉语副词连用的特点。下面条析之。

(一)一般来说,对被饰成分的语法属性的选择越受限制的次类⑤,在副词连用时位置越靠后,相反位置靠前,特别是凡能修饰 S 的副词,其次序总是可以在靠前的位置。如许多语气副词可以修饰多种谓词性成分:VP、AP、S、NumP 以及充当谓语的 NP,所以语气副词在连用时位置往往靠前。情状方式副词只能修饰 VP,所以位置总是靠后。频率副词很少和别的副词连用,但连用时一般不位于别的副词之前,这也与这类副词只能修饰 VP 有关。程度副词对被饰成分的语法属性的选择也是比较受限制的,虽然可以修饰 VP 和 AP 两类,但被其修饰的 VP 有一定的条件限制,所以程度副词在和别的副词连用时也只能位于靠后的位置。类同副词可以修饰 VP、AP 和充当谓语的 NP,累加副词可以修饰 VP、AP 和 NumP,位置也比较靠前。总括副词可以修饰 VP、AP、NumP 和充当谓语的 NP,位置比较靠前,但为什么要排在类同副词和累加副词之后呢?那是因为类同副词和累加副词还同时具有句外关联功能。

(二)语义指向可以前指的或可以指向句中动词的有关论元的副词,位置比较靠前。如类同副词、总括副词既可前指,也可后指,既可指向谓语动词,也可以指向动词的有关论元,累加副词和限定副词都可以指向动词的有关论元,这几类副词都可以位于别的副词之前。

(三)能互为先后的不同次类的副词,往往是常规的副词连用线性次序中位置相邻近的次类,如类同副词和语气副词,累加副词和类同副词,程度副词和否定副词。除了时间副词、否定副词位置比较灵活,其他次类副词在常规的副词连用线性次序中远距离与别的次类互为先后是很少见的,只有几个情状方式副词比较特别,但在语义上也是可以解释的。

(四)非常规次序往往与话语表达时想要突出的语义限制重点有关。黄河(1990)分析现代汉语中有些副词的连用次序位置可以变换时指出,"位于前面的副词往往表示说话人强调的那层语义限制",这一点在近代汉语中也是一样的。如:

(93) 如"舜不告而娶",是个怪差底事。然以孟子观之,却也是常理。(语类,三七,993)

(94) 然伯夷之清,也却是个介僻底人,宜其恶恶直是恶之。(语类,二九,745)

前一例"却也",要突出的是"却"对非常规事理的确认,而"舜不告而娶"与别的事件具有类同关系是说话人要表达的次要的意思。后一例"也却",要突出的是"伯夷(之清)"与别的人的类同关系,对伯夷属于什么人的评判的确认强调是说话人要表达的次要的意思。

(95) 禀得昏浊者,这道理也只在里面,只被昏浊遮蔽了。(语类,四,78)

(96) 此一着固是失了,只也见得这人是旷阔底。(语类,三二,806)

前一例"也只",突出强调的是类同意义,然后才是限定的意义;后一例突出强调的是限定的意义,然后才是类同的意义。时间副词、否定副词在和别的副词连用时位置或先或后,从话语表达的策略上讲,也都是与说话人要突出的语义限制重点有关。而突出语义限制重点,说到底,还是辖域原则在起作用——用来突出语义限制重点的副词,其辖域自然大于连用中的其他副词,而辖域大的副词一定位置靠前。从语言类型学讲,汉语是中心语居后、修饰限定语居前的语言,当中心语前有多项修饰限定语时,位于最前端的那项修饰限定语一定是话语表达中要突出的语义限制重点,其辖域也最大,无论体词性结构(定中结构)还是谓词性结构(状中结构)都是如此,这是汉语多项修饰限定语连用的线性次序的通则,当然也适用于副词连用。

(五)少数副词在与别的副词连用时位置或先或后与虚化程度高低有关。有些副词在和别类副词连用时,常规位置在前,但有时居后,或常规位置在后,有时却居前,这是因为,这些副词在不同的句子中虚化的程度不同。据我们观察,同一个副词,虚化程度高,可以偏离其在副词连用的线性次序中的常规位置往前移,虚化程度低则可以偏离其在副词连用的线性次序中的常规位置往后移。下面以"大概、大约、又、便"几个副词为例略作分析。

"大概"是语气副词,常规位置是在连用副词中的最前端,但在《语类》中有"也大概"3例,"亦大概"4例,"且大概"1例,"也且大概"2例,"只大概"1例,"也只大概"2例,"也且大概"2例。有意思的是,这些副词连用都有相反的顺序,即"大概"位于前端:"大概也"6例,"大概亦"10例,"大概且"1例,"大概只"18例,"大概也只"3例。对比两种次序可以看出,"大概"居前时,表示的是对整个命题的一种不定、推测语气,其词汇意义是相当"虚灵"的,居后时,严格地讲主要不是表示语气,而是近于表示情状方式,与它的实词意义关系更密切,即更接近"大致梗概"之义⑥。请看例句:

(97)看他做来做去,亦只是王茂洪规摹。当时庙论大概亦主和议。(语类,一三一,3141)

(98)伊川说那禅让征伐,也未说到这个。大概都是那过低过小底。"飞鸟遗音",虽不见得遗音是如何,大概且恁地说。(语类,七三,1869)

(99)"苗而不秀,秀而不实",大概只说物有生而不到长养处,有长养而不到成就处。(语类,三六,979)

(100)心,大概似个官人;天命,便是君之命;性,便如职事一般。此亦大概如此,要自理会得。(语类,五,88)

(101)其余文字,且大概讽诵涵咏,未须大段着力考索也。(语类,一〇四,2618)

(102)这样处也难说。圣贤也只大概说在这里。(语类,三

五,917)

对比以上6个例句,显然前3例的"大概"虚化程度要高一些,后3例的"大概"虚化程度要低一些,意义相对于前3例要实在一些。

"大约"也是表示不定推测的语气副词,在《语类》中,与别的副词连用有9例:大约只1例、大约也只1例、亦大约2例、只大约1例、大约必1例、大约似乎1例、似乎大约1例。"大约必、大约似乎、似乎大约"是同次类副词连用,姑且不论。"大约"位于"只、也"之前,主要表示整个句子的语气,位于"只、亦"之后,则含有"大致"的意思,也近似于表示情状方式。例如:

(103) 子升问:"圣人称由也可使治赋,求也可使为宰。后来求乃为季氏聚敛,由不得其死。圣人容有不能尽知者。"曰:"大约也只称其材堪如此,未论到心德处。看'不知其仁'之语,里面却煞有说话。"(语类,二八,720)

(104) 三月,大约只是言其久,不是真个足头九十日,至九十一日便知肉味。(语类,三四,878)

(105) 问:"自古以日月之蚀为灾异。如今历家却自预先算得,是如何?"曰:"只大约可算,亦自有不合处。"(语类,二,21)

(106) 圣人亦大约将平生为学进德处分许多段说。(语类,二三,554)

累加副词和类同副词连用的常规次序是"类同→累加",如《语类》中只有"也更",没有"更也",《金》中有"也还",没有"还也"。但《语类》中"又"多出现在类同副词之前(又也18例/也又2例、又亦2例/亦又0例),怎么解释?我们认为这是累加副词"又"继续虚化的表现,即"又"位于类同副词之前时其虚化程度比其位于类同副词之后时高。作为累加副词,"又"在语义上表示动作行为、性质状态或事物数量的累加,但当其位于类同副词之前时,往往不再表示实际累加的意义,而是含有确认强调的意义,带有语气副词的性质。如:

(107) 然伏羲之卦,又也难理会,故文王从而为之辞于其间,

无非教人之意。(语类,六六,1621)

(108)据《图经》云,是古乐。然其乐器又亦用伏鼓之类,如此,则亦非古矣。(语类,九二,2341)

(109)问:"'慎独',莫只是'十目所视,十手所指'处,也与那阍室不欺时一般否?"先生是之。又云:"这独也又不是恁地独时,如与众人对坐,自心中发一念,或正或不正,此亦是独处。"(语类,六二,1504)

上举例(107)、(108)"又→也/亦",前面都有转折连词"然",说明"又"在表示累加的同时,也表示了一种确认强调的语气。而"也→又"时,"又"就只是表示累加。当然,如上文(四)所说,用"又→也/亦"或用"也→又",也与话语表达要突出的语义限制重点有关。

时间副词"便"可以位于许多别的副词之前,甚至可以位于语气副词之前,这首先是因为"便"作为时间副词具有关联功能,同时也是因为"便"位于副词连用的前端时其虚化程度要比它位于别的副词之后时更高一些。换句话说,由于时间副词"便"的虚化程度进一步增高,它在副词连用中的位置就往前移了,"便"在句子中起关联作用,实际上也是其虚化程度高的表现。如:

(110)今人只见鲁直说好,便却说好,如矮人看戏耳!(语类,一四〇,3326)

比较:哀矜,谓如有一般大奸大恶,方欲治之,被它哀鸣恳告,却便怒之。(同,一六,352)

(111)如我事亲,便也要使人皆得事亲;我敬长慈幼,便也要使人皆得敬长慈幼。(同,一八,427)

比较:且如人说一件事,明日得工夫时,也便去做了。(同,一八,401)

(112)如颜子三月不能不违,只是略暂出去,便又归在里面,是自家常做主。若日至者,一日一番至,是常在外为客,一日一番暂入里面来,又便出去。月至亦是常在外为客,一月一番入里面来,又便出去。(同,三一,783)

比较:同例中"便又"和"又便"
"便"用在语气副词、类同副词、累加副词之前时,重点是表示时间上的顺承关联,用在这几类副词之后时,重点是表示动作行为在短时间内进行或在短时间内出现、发生某种情况。所以我们说前者的虚化程度比后者高。用语法化的理论说,就是前者是后者的进一步语法化。

(六)副词连用的线性次序原则是相对的,不是绝对的。这主要表现在两个方面:

第一,有些副词在和别的副词连用时位置是可先可后的,这从上文的叙述和本文后的附录"副词连用例表"可以看出。

第二,同次类甚至同一次类中的同一小类的副词,在和别的副词连用时的表现也往往有所不同,这是因为每个副词都有很强的个性。副词次类的划分本身也只是相对的,不是绝对的,划分的各个次类不过是若干个典型范畴。如上文描述过的累加副词"又"和"再",在与否定副词连用时就不大一样,又如时间副词,有的可以位于相当靠前的位置,有的则总是位于比较靠后的位置。再如语气副词"即、本、元来、大概、毕竟"等,一般是位于连用副词的最前端,而"真、真个、必、未必"等,常常位于别的副词之后。

袁毓林(2002)指出:"事实上,像(25)(引者按:即"关联副词 > 模态副词 > 范围副词 > 状态副词")那种把副词归为四大类来描写其语序规律的办法,虽然有简洁明了的一面,但是失之粗疏和僵硬……这些副词的这种语义上的细微差别,有时直接会影响它们的语序位置。也就是说,副词的语序位置对副词本身包含的语义是极其敏感的。有鉴于此,我们尝试把类别改为特征,把多项副词共现时的语序规律重新表述如下:

副词[+关联] > 副词[+模态] > 副词[+范围] > 副词[+状态]

这样,某个副词的某种意义和用法就不一定要硬性地、一次性地归入某类副词,而是完全取决于该副词在特定语境中的意义特点,特别是跟相邻副词相比较而言的意义特点……"（334—335 页）这说明,现代汉语中,副词连用的线性次序也是相对的,即使从特征来归纳副词连用的语序规律,也不是绝对的。这就是因为,每个副词在进入句法结构后,其凸显的语义特征并非总是一样的,同时,虽然我们划分副词次类的最重要的依据是语义特征,但每个副词次类中的所有副词,并不是具有完全相同的语义特征,所以同一个副词在副词连用时位置可能会前后移动,同一类副词中不同成员在副词连用的线性次序中的位置也可能会有所不同。但无论是现代汉语还是近代汉语,副词连用的线性次序仍然是相当有规律的,本文所描述的副词连用的线性次序的基本倾向是很明显的,所以可以作为衡量划分副词次类的合理性的参考标准。

附 注

① 本文重点调查了晚唐五代、宋、元、明四个时代的四种语料:唐五代用《敦煌变文集》,人民文学出版社,1957 年。文中简称"变文",引例下注卷数、页码;宋代用《朱子语类》,中华书局,1994 年。文中简称"语类",引例下注卷数、页码;元代用《新编五代史平话》,中国古典文学出版社(上海),1954 年。文中简称"平话",引例下注页码。明代用《金瓶梅词话》,文学古籍刊行社,1955 年。文中简称"金",引例下注回数、页码。这四种语料的篇幅大小不同,分别约为 30 万字、220 万字、10 万字、70 万字;文体也颇不一样,这对全面、准确认识不同时期副词连用现象有一定的影响,好在本文的目的不是要对各个时期作对比研究,而只是对整个近代汉语的副词连用现象作取样性的调查分析。行文中为了方便,我们有时就以这四种语料反映的副词连用现象代表近代汉语副词连用现象。如果扩大语料调查范围,将会有更多的副词连用组合形式,但我们相信,那对本文所归纳的近代汉语中副词连用的线性次序及其原则、特点不会有太大的影响。

② 除了本文所用四种语料,我们还利用电子文本调查了大量的其他近代汉语语料,结果如此。

③ "不曾"、"未"、"未尝"都是对过去时间的否定。

④ 黄河(1990)将现代汉语副词分为 11 类,其中有一类为"关联副词",袁毓林(2002)完全采用黄河的分类。笔者在博士学位论文《近代汉语副词研究》(北京大学,1997 年)中曾将近代汉语副词分为 12 类,其中即有一类为"关联副词"。后来接受答辩委员会专家的意见,取消了"关联副词"这个次类,因为这个次类和其他次类不是在同一个层次上划分出来的,同时,关联作用只是部分副词的附带功能,不是其本质的语义特征和功能特征。笔者《现代汉语副

词次类及其特征描写》一文也没有"关联副词"这个次类。

　　⑤ 能够受副词修饰的成分从其语法属性看有五种：主谓结构或句子、动词性结构、形容词性结构、充当谓语的名词性结构、数量(名)结构。文中分别写作 S、VP、AP、NP、NumP。不同次类的副词对这五种被饰成分的选择是不同的。

　　⑥ "大概"在《语类》中共出现 271 次，多数是名词性结构，义为"大致梗概"；有些已经凝固为词，具有形容词性质，义为"不十分精确或不十分详尽"，如"千载而下，读圣人之书，只看得他个影象，大概路脉如此"。（语类，一〇，175）有约 90 例已经虚化为副词，如"这一个字，如何解包得许多意思？大概江西人好拗、人说臭，他须要说香"。（语类，二〇，455）（参见杨荣祥 2001）约 30 例应看作副词，其中，有些虚化程度高一些，用法和意义与现代汉语副词"大概"几乎没有什么不同，有的虚化程度低一些，近似于"大略、大致"之义，我们都将之看作语气副词。

参考文献

胡壮麟等（1989）《系统功能语法概论》，湖南教育出版社，长沙。
黄　河（1990）常用副词共现时的顺序，见《缀玉集》，北京大学出版社，北京。
沈家煊（1999）《不对称和标记论》，江西教育出版社，南昌。
沈开木（1985）"不"字的否定范围和否定中心的探索，《中国语文》第 5 期，北京。
王　力（1943/1985）中国现代语法，商务印书馆，北京。
杨荣祥（1999）现代汉语副词次类及其特征描写，《湛江师范学院学报》第 1 期，湛江。
──（1997）《近代汉语副词研究》北京大学博士学位论文，又 2002 年修订稿（待刊）。
──（2000）近代汉语中类同副词"亦"的衰落与"也"的兴起，《中国语文》第 1 期，北京。
──（2001）汉语副词形成刍议，《语言学论丛》第二十三辑，北京。
袁毓林（2002）多项副词共现的语序原则及其认知解释，《语言学论丛》第二十六辑，北京。

附录：副词连用例表

说明：

　　1. 本表所列四种语料中的副词连用例，是在作者阅读文献时所作摘录的基础上通过电子文本核实增补得来的，容或有遗漏。

　　2. 四种文献的篇幅大小不同，文体也颇不一样，所以从四种文献中收集到的副词连用例的数量悬殊很大。参照其他文献来看，一般来说,论说性文献中副词连用比较多,叙述性文献中副词连用要少一些,这也是四种文献中副词连用例数量悬殊的重要原因。

3. 光从出现的用例看,非常规次序连用不少,但非常规次序连用的频率一般远远低于常规次序连用的频率。因为在凡需要作频率统计以便说明问题的地方我们在正文的论述中已经举出数据,故此例表不附各种副词连用例的出现频率。

《变文》副词连用例

必莫、毕竟总、并乃具、并总乃、不复、不全、不遂再、不再、次第渐、登时遂即、端的忽然、非常不、非唯、复尽形、更不、更不复、更不再、更莫、更乃、更亦、更亦不、忽尔辄、忽即、忽然依旧、即非、即渐、即渐转加、即再、极甚不、既非、渐渐更、渐渐转加、皆曾、尽一时、尽亦咸、尽总乃苦、立地便、莫便、莫更、莫更苦、乃渐渐、频频更、亲自便、却且、仍自更、尚犹常、尚犹皆、时时更、时时往往、时时又、实即不、实甚、数数频、遂乃再、遂再、同时总、往往频、勿复重、勿更、休更、休苦、一齐便、一齐咸、一时齐、一时总、依旧却、亦非、亦皆、亦乃、亦乃不、亦曾、犹更、犹未、又复尽形、又乃、再三苦、早是分外、辄然方、终归难免却、终归难免也、终也不、自然已、总不曾、总还、总已。

《语类》副词连用例

本不、本不曾、本非、本亦未、本只、必不、必不更、必不曾、必不只、必不终竟、必不专、必非、必更、必还、必将、必将大、必皆、必尽、必竟只、必且、必稍、必十分、必未、必也、必已、必亦、必又、必再三、必再三不、必只、毕竟便、毕竟不过只、毕竟大概、毕竟都、毕竟更、毕竟还、毕竟却、毕竟也、毕竟也未、毕竟也只、毕竟又、毕竟只、便必、便不、便不必、便不复、便不全、便不曾、便常、便常不、便但、便都、便都不、便都一齐、便都已、便都只、便端的、便断然、便反到、便方始、便非、便更、便更不、便更都不、便更加、便忽然、便胡、便胡乱、便胡乱且、便即、便极、便渐、便渐渐、便较、便皆、便决、便莫、便且、便全、便全不、便全然、便却、便却不、便却旋旋、便却只、便稍、便未必、便旋旋、便也、便也不、便也自、便也自不、便一定、便一齐、便一向、便一一、便依旧、便依旧自、便已、便已必不、便已不、便亦、便亦都、便硬、便又、便愈、便越不、便只、便只都、便只管、便只管一向、便只且、便终始不、便着实、便自、便自不、便自然、便自然不、便自然常、便自然又、便最、不必便、不必更、不必皆、不必皆不、不必尽、不必太、不必又、不必又只管、不必只、不必专、不必自、不常、不常常、不成便、不成便都不、不成都、不成也、不成又、不成真个、不成只、不成只管、不大段、不大段更、不妨胡乱、不复更、不更、不过但、不过只、不胡乱、不皆、不甚、不再、不曾不、不曾大段、不曾更、不曾皆、不曾又、不曾真个、不曾直、不曾只管、不止、不只、不专、不足以、才略、才略略、纔常常、常不、常不曾、常常都、常反覆、常且、重新又、初不曾、初不曾真个、初岂实、初未、次第依旧又、次第依旧自、大抵纔、大抵皆、大抵皆太、大抵只、大段不、大概不过、大概都、大概皆、大概皆不、大概略、大概且、大概也、大概也只、大概已、大概亦、大概止、大概只、大故不、大率都、大率皆、大略也、大未、大约也只、大约只、但便、倒都不、倒犹、到底还、到底也不、定不复、定不再、都便、都不、都不必、都不甚、都不曾、都非、都即、都莫、都且、都未、都未曾、都一齐、都一一、都已、都曾、都只、都逐一、断然便、反不、反不曾、反复又、反复只、方更、方极力、方渐、方渐渐、方略、方略不、方稍、方始稍、方始旋、方再、方只、非必、非必尽、非便、非不、非大段、非但、非但不、非但只、非独、非极其、非皆、非皆不、非甚、非十分、非特、非特十分、非徒、非止、非只、非专、复渐相、盖必、盖不必、盖纔(才)、盖纔不、盖非不、盖皆不、盖实不曾、盖未必、盖一向、盖已、盖已都、盖已渐、盖亦、盖只、盖只管、更不、更不必、更不复、更不再、更不曾、更都、更都不、更共、更何必、更极、更莫、更且、更全、更时时、共只、固不、固不甚、固不曾、固非、固即、固皆尝、固甚、固未必、固未尝不、固无非、固已、固已非、固已渐、果然足以、果曾、何必便莫、何必常常、何必更、何必亦、何必又、何曾便时时、何曾只管、忽都、忽皆、忽然勿、忽然一旦、忽然自、忽又、胡乱便、还便、还不曾、还更、还尽、还亦、还又、还曾、还只、即便、即便不、即不妨、即不曾、即都、即非、即皆、即且、即自然、极不、极未、既不相、既不曾、既非、既皆、既未必、既一例、既已、渐渐便、渐渐不、渐渐较、渐渐也自、渐渐只管、渐已、渐亦、将渐、较不甚、皆不必、皆不亲、皆不甚、皆不曾、皆端的、皆非、皆互、皆极、皆渐渐、皆略、皆略略、皆难于、皆亲、皆甚、皆太、皆特、皆未、皆未尝、皆未免、皆一例、皆一齐、皆一向、皆一一、皆一再、皆已、皆曾、皆只、尽不曾、竟不曾、竟亦不曾、就都、俱已、决不分明、略已、略曾、每常亦、每常只、莫便、莫常常、莫更、莫煞、莫也、莫一向、莫亦未、莫又、莫只、莫只且、暮忽更、乃便、乃不曾、乃大、乃仍旧、偶未、怕不曾、怕也未必、其实初不曾、其实都、其实都只、其实却、其实也只、其实只、岂必、岂便、岂不、岂不大、岂不大段、岂不更、岂不益、岂非、岂复更、岂更、岂固、岂特、岂只、恰不曾、恰都、且不曾、且大、且更、且胡乱、且渐渐、且莫、且又、且只、且只大概、全不大段、全不曾、全一例、全又更、却便、却便不、却便反、却不、却不必、却不大故、却不全、却不甚、却不曾、却不只、却常、却大段、却都、却都不、却都不曾、却都未、却都只、却反、却非、却更、却忽然、却还、却极、却几乎、却渐、却渐渐、却较、却皆不曾、却略、却略不、却略曾、却且、却且莫、却全不、却全不曾、却全然、却煞、却煞不、却甚、却时时、却未、却未必、却未必不、却未便、却未尝、却未免、却未甚、却未曾、却无非、却旋、却旋旋、却也、却也不、却也未、却也只、却一齐、却一齐都、却一向只、却一向只管、却依旧、却依旧不曾、却已、却已自、却亦、却亦不、却亦自、却尤、却又、却又不、却又不十分、却又分外、却又复、却又较、却又皆、却又只管、却愈、却元不曾、却真个、却只、却只管、却只胡乱、却终始、却专、却转、却自然、却自甚、却最、仍且只、煞曾、尚胡乱、尚未、稍不、十分不、时复亦、时复又暂、实不曾、实皆、始终只、殊不曾、庶几忽然、素不曾、随即又、遂不复再、遂不曾、遂互相、遂渐渐、遂又、遂只、遂只管、往往毕竟不曾、往往都不曾、往往都非、往往皆、往往却不曾、往往只、未必便、未必便不、未必便都、未必非、未必果、未

近代汉语中副词连用的调查分析 275

必皆、未必尽、未必全、未便、未尝不、未大段、未都、未始不、相将只、也必、也必不、也便、也便未、也不、也不必、也不必长长、也不便、也不大段、也不过、也不过只、也不尽、也不甚、也不特、也不曾、也不曾便、也不只、也常、也大段、也大概、也大故、也都、也都不、也都不曾、也都未、也都只、也都自、也非、也非不、也更、也更不大段、也何尝、也胡乱、也还、也即、也即不、也极、也间或、也皆随即、也略、也略不、也莫、也怕、也恰、也且、也且大概、也且胡乱、也且只、也且自得、也却、也却只、也煞、也尚、也甚、也实、也太、也微、也未、也未必、也未必一一、也未便、也未甚、也未曾、也一齐、也依旧、也又、也又不、也约摸、也曾、也只、也只不、也只常常、也只大概、也只得、也只都、也只略略、也只且、也只自、也终、也终不、也自还、也自早不、也卒未、一旦忽然、一例皆、一面着实、一齐都、一齐都没、一齐即、一齐俱、一味只、一向都、一向胡、一向胡乱、一向只、一一都、一一皆、依旧不曾、依旧都、依旧又、依旧又不、依旧只、已不、已不复、已不甚、已尝、已都、已非、已极、已渐、已渐渐、已皆、已尽、已略、已略不、已略略、已甚、已甚不、已十分、已一一、已自不大段、已自大段、已自都、已自皆、已自甚、亦必、亦必不、亦必将、亦必尽、亦必曾、亦便、亦不、亦不必、亦不必专、亦不过、亦不亲、亦不甚、亦不曾、亦不曾不、亦不曾太、亦不专、亦尝、亦常、亦初、亦大、亦大概、亦大率、亦都、亦都不、亦非、亦非独只、亦非甚、亦非特、亦果非、亦何必、亦何必苦苦、亦胡乱、亦还、亦极、亦渐、亦较、亦皆、亦屡、亦岂、亦岂全、亦岂特、亦且、亦却、亦甚、亦甚不、亦太、亦往往、亦未必、亦未必便、亦未必非、亦未必皆、亦未必尽、亦未必一一、亦未必真、亦未便、亦未尝、亦未都、亦已、亦已略、亦已自、亦曾、亦只、亦只便、亦终、亦终不、亦自大段、亦自驀地、亦自然、亦自然不、亦足以、永不、犹更自、又必、又必皆、又便、又便只、又不、又不必、又不成只、又不大段、又不甚、又不相、又不曾、又不曾不、又不曾真个、又才、又尝、又大段、又都、又都不、又反复、又非、又更、又更不、更都、又何必、又何必非、又何尝、又何苦、又何曾、又忽然、又极、又极力、又极其、又渐渐、又较、又皆、又皆不、又皆不甚、又屡、又偶、又岂、又岂不、又岂复、又岂曾、又岂止、又恰、又且、又且不、又且不曾、又全然、又却、又却便、又却不、又却不曾、又却都、又却都不、又却反覆、又却极、又却较、又却亲自、又却煞、又却也、又却只、又却专一、又却转、又甚、又太、又忒、又忒不、又忒煞不、又往往只、又未、又未必、又未必皆、又未尝、又未甚、又也、又也不、又也皆、又也徒、又也未、又也只、又一齐、又一向、又已、又亦、又亦不、又愈、又曾、又止且、又只、又只管、又只苦、又重新、又逐旋、又逐一、又自渐渐、又自渐渐不、又自重新、元不曾、元来只、再不、再反覆、早渐渐、曾亲、真曾、正不必、只白地、只本、只不、只不必、只不过、只不曾、只纔、只才、只常、只大略、只大约、只都、只反覆、只更、只共、只管一向、只胡乱、只渐、只皆、只略略、只莫、只且、只未、只也、只一味、只一向、只一再、只依旧、只约摸、只再三、只曾、只逐一次第、只专、终不、终不成才、终不成更、终不成犹、终不成又、终不甚、终不曾、终不足以、终非、终久必、终久亦、终只、逐一便、逐一旋旋、逐一只、自不、自不曾、自渐渐、自较、自然便、自然不、自然常、自然都、自然渐次、自然皆、自然。

《平话》副词连用例

必不、必未、便且、不复、不甚、不专、不足以、初不、都不、复相、更不、果不、既不、皆已、竟不、莫也、乃稍、岂不、且固、全不、却不、却不曾、却只、尚不、尚未、遂已、未免且、勿复、悉已、也不、也好、也只、亦不、亦不甚、亦不足以、亦往往、亦未、永不、又不、只得索性、终不。

《金》副词连用例

便都、不好生、不十分、不再、从来只、从来只没有、从新复、单管只个、倒好、倒还没、倒尽、倒没、倒没的、倒也、倒只、到就不、登时就、都刚、都互相、都还、都平、都甚、都一答、都一答儿、都一齐、干净就、敢就、管定就、管情就、管情也、还不趁早、还不好生、还没、还没曾、还未、还只顾、几曾大好生、就不再、就都、就没、就没曾、就权、就一同、俱不必、连忙就、连忙又、连忙又早、没大好生、没曾好生、莫不都、莫不也、莫不又、怕不就、平白就、且别、且不、却休、却又百般、三不知就、尚未、甚不、十分不、庶不、随即就、随即又、无过只、休再、也不、也不必、也不大好生、也不没、也不曾、也常、也还、也还不、也就、也没、也没曾、也甚、也忒不、也休、也再不、也曾没、也只、也只顾、已定还、已都、已再三、又不、又不甚、又不曾、又没大好生、又亲、原来都、原来还没、再不、再三不、再三还、再三苦、再也不、只刚、只刚才、只雇死活、只休、专一只。

(100871 北京,北京大学中文系 E-mail:yangyy@pku.edu.cn)

"对着"的虚化过程及其语法地位

储泽祥

提要 通过历时考察,本文发现现代汉语里用为介词的"对着",是从动词"对"带"着/著"虚化而来的一个虚词。"对着"不是介词"对"带体标记"着",介词"对着"里的"着"是一个失去了原有功能的词内成分。现代汉语的"对着",处在多层次并存的局面,有用为动词性的,有用为介词的,也有半动半介的,说明"对着"没有彻底语法化。

关键词 介词 "对着" 虚化 语法地位

0. 研究现状及存在的问题

无论是某种语言的研究,还是语言类型学的研究,介词都是关注的焦点。但是,汉语介词的语法性质、介词的数量都还有进一步探讨的地方(金昌吉 1996,张谊生 2000,马贝加 2001)。赵元任先生在《中国话的文法》里讨论介词时,认为介词最主要的特性是通常没有体貌,并且不作谓语的中心,因此通常不能有尝试式重叠语,不用表始词尾"起来",不用表示过去式的词尾"过",很少用完成词尾"了",只在少数情况下用进行式词尾"着"(见《赵元任传》623页)。赵先生采用如下的方式列举跟"着、了"有关的介词:

冲(着) 朝(着) 对(着) 为(了) 为(着) 沿(着) 顺(着) 凭(着) 靠(着) 照(着) 按(着) 按照(着) 除(了)……(以外/之外)

这涉及以下几个问题:

第一,用为介词的"冲着"类现象,处在一个什么样的语法地位?现在通行的做法是把体标记"了、着、过"看作助词,是虚词的重要小类,那么,"冲"是介词,"冲着"就是"介词+助词"了。"走着"是"动词+助词",不是"动词",那么,"冲着"也不是"介词"了?

第二,介词后能不能带体标记?赵元任先生似乎持肯定态度,但有所保留,他指出:"有的情形,词尾可以看成是介词本身意义的一部分,比方'为着'、'为了'的'着'跟'了'。"(见《赵元任传》623页)石毓智(1995)也持肯定的态度。朱德熙(1982)未涉及含"着、了"的介词。邢福义(1997:215)认为"顺着、沿着、为了、为着"可以看作介词。俞士汶等(1998)把"本着、朝着、趁着、顺着、当着、为着、向着、照着、除了、为了"等列为介词词条,但把"就着、凭着、随着"里的"着"看成后照应词。张谊生(2000)认为介词后不能带体标记,他从构词角度把上述情形看成是带后缀"着、了"的派生式介词。

介词后边带体标记,理论上不是没有可能,事实上也可能存在。村语介词之后不能带表示时态的助词,但有个别介词,由于它来源于动词,当它用作介词时仍可以像动词一样,后面带着一个助词 tsa^{21}(着)。例如介词 vou^{13}(沿)后边带 tsa^{21}(着):

na^{21}　vou^{13}　tsa^{21}　ven^{13}　nam^{42}　foi^{35}.(他沿着河边走。)
他　　沿　　着　　边　　河　　走

村语的介词后边可以带体标记(欧阳觉亚1998:129),并不表示汉语也是如此。

第三,无论把"冲着"类看作介词,还是"介词+助词",都回避不了下面的问题:为什么主要带"着",较少带"了",而基本不带"过"?为什么其他一些介词不能带"着、了、过"?如"给",不带"了"可以用为介词,而带了"了"就是动词。关于第二个"为什么",马贝加(2003)做了一些说明:"以、与、从、在"等介词后面不能出现动态助词,是因为它们成为介词远远早于动态助词的产生。这种看法的前提是:介词不能带体标记。

第四,由于对"冲着"类的语法地位的认识存在分歧或不足,在列举介词成员时就呈现出不同的取舍情形。赵元任先生列出了"对着",而俞士汶等(1998)、张谊生(2000)均未列出"对着"。这意味着"对着"是否可用为介词看法不一。

我们选择"对着"作为考查对象,以期对上述某些问题做出一定程度上的回答,试图使人们对"对着"类现象重视起来。我们的讨论基于以下的假设:"对着"是与"对"有联系但不相同的另一个介词,表义上各有分工,它们虚化的时间不同,来源也同中有异,介词"对着"里的"着",是一个失去了原有功能的词内成分。这种假设将会在下文得到证实。

1. "对着"虚化的过程与机制

1.1 古代和近代汉语里动词"对"的三种用法

无论是介词"对",还是可用为介词的"对着",都与动词"对"的虚化密切相关。但这种说法过于简单。因为动词"对"在古代和近代汉语里至少有三种用法,词典里列为三个义项。三种用法我们分别用"对$_{v1}$"、"对$_{v2}$"、"对$_{v3}$"临时来加以区别。

先看"对$_{v1}$",表示"回答"的意思,是动词"对"比较原始的用法,在古代汉语里,多用于对上的回答或对话。例如:

(1) 听言则对,诵言如醉。(《诗经》)

(2) 孔子对曰:"政者,正也。子帅以正,孰敢不正?"(《论语》)

(3) 对上所问禽兽簿甚悉。(《史记·张释之传》)

其次看"对$_{v2}$",表示"朝着、向着"的意思。这种用法近代比古代更常见。例如:

(4) 归,对其母泣。(《论衡·福虚》)

(5) 对酒当歌,人生几何?(曹操《短歌行》)

(6) 当窗理云鬓,对镜帖花黄。(《木兰诗》)

(7) 采桑逢五马,停车对两童。(北齐·王褒诗)

(8) 五月入五洲,碧山对青楼。(李白《楚江黄龙矶南宴杨执戟治楼》)

(9) 传闻织女对牵牛,相望重河隔浅流。(骆宾王《艳情代郭氏答卢照邻》)

再看"对$_{v3}$",是"对立,对付;对待"的意思。如:

(10) 对敌六奇举,临戎八阵张。(李世民《宴中山》)

动词"对"的三种用法是相互联系的。"对$_{v1}$"是"回答"的意思，这个动作的常规联系是：甲、乙双方面；对面。这包括两种关系：a. 角色关系。甲说话必须有一个对象（即乙方），甲回答乙是一种"对立"。b. 空间关系。说话双方是面对面的。依据角色关系引申出"对$_{v3}$"的用法，而依据空间关系引申出"对$_{v2}$"的用法。近、现代汉语里，"对"还有表示核对意义的动词用法，因与介词"对"、"对着"的形成没有明显的联系，这里不做讨论。

那么，介词"对"是从"对$_{v1}$"、"对$_{v2}$"、"对$_{v3}$"哪种或哪些用法里虚化来的呢？这个问题我们到第2部分再讨论。我们首先关注"对着"的直接来源。现代汉语里用为介词的"对着"，表意上与"对$_{v2}$"最接近，更重要的是，近代汉语里，可以带体标记"着/著"的，一般只能是"对$_{v2}$"，因此，我们有理由相信：用为介词的"对着"是从"对$_{v2}$＋着"虚化来的。"对$_{v2}$＋着"在虚化的过程中"词化"了，"着"成了介词"对着"内的一个后缀语素。（参董秀芳2002）

1.2 形式与意义的依变

根据蒋冀骋、吴福祥（1997），石毓智（1995），马贝加（2003）的研究，汉语体标记在唐五代以后才得以定型，可以推测，"对着"的虚化应该在宋以后。因此，我们从宋元时期开始考察"对着"的虚化过程（"着"近代有写作"著"的，下文不再说明）。事实上，《全唐诗》没有发现"对着"，而《全宋词》也只有7例，如：

（11）候馆天寒灯半灭，对着灯儿泪咽，此恨难分说。（《惜分飞·客怀》）

（12）这些离恨，除非对著、说似明月。（《望春回》）

（13）棋具对著明窗近。（《品令·咏棋》）

《清平山堂话本》里"对着"只有两例：

（14）那杨员外对着杨三官人说不上数句，道是……

（15）半日，闲对着圣像，潸然挥泪。

如果把例（11）至（15）里的"对"都看作动词的话，那么，它们是"对$_{v2}$"的意义。也就是说，例中可以带体标记"着/著"的动词"对"，

是"对$_{V2}$",而不是"对$_{V1}$"与"对$_{V3}$"。下面的例子更能证明这一点:

(16a) 何九道:"小人是何等人,敢对大官人一处坐的!"(《金瓶梅》)

(16b) "新来乍到,就恁少条失教的,大剌剌对着主子坐着!"(同上)

(17a) 接过孩子抱在怀里,与他两个嘴对嘴亲嘴儿。(同上)

(17b) 嘴对着嘴,恣意亲咂。(《二刻拍案惊奇》)

(18a) 背后害他当面好,有心人对没心人。(《喻世名言》)

(18b) 谁知道无心人对着有心人。(《初刻拍案惊奇》)

例中a、b的用法形成对照。a用"对$_{V2}$",b用"对$_{V2}$+着"的形式。

宋元时期,"对着"的使用频率低,虚化的可能性就不大。本文的观察表明,明代的文献里"对着"的用例大量增加,如《金瓶梅》里有29例,《初刻拍案惊奇》、《二刻拍案惊奇》里有44例,《三言》里有36例。使用频率的升高,意味着虚化的可能性加大。因此,"对$_{V2}$+着"的虚化大约萌芽于宋元时期,但主要阶段应在明清时代。

在"对$_{V2}$+着"的虚化过程中,形式和意义是依变性的,即形式与意义的变化是相伴随的。大致情况如下:

阶段	形式	意义及用法
阶段一	可以成句:N_1+对着+N_2。	动词,"朝着,向着"义
阶段二	不成句,可停顿:N_1+对着+N_2,+VP。	半动半介,"在……面前;面对"义
阶段三	不成句,不停顿:N_1+对着+N_2+VP。	介词,表示动作的方向

各阶段分别举例说明如下:

阶段	例句	语义成分说明
阶段一	篱门外正对着一个大湖。(《醒世恒言》)	无生命物对着无生命物
	好个灯花儿,正对着嫂嫂,可知喜也!	无生命物对着有生命物
	(同上)	
	无心人对着有心人。(《初刻拍案惊奇》)	有生命物对着有生命物
阶段二	他对着家中大小,又骂爹和五娘。	有生命物对着有生命物
	(《金瓶梅》)	
	定哥对着月色,叹了一口气。(《醒世恒言》)	有生命物对着无生命物

阶段三　他又在外边对着人骂小的蛮奴才。　　　有生命物对着有生命物
　　　　　　（《金瓶梅》）
　　　　（他）对着墙里叹了一口气。　　　　　有生命物对着无生命物
　　　　　　（《初刻拍案惊奇》）

　　显然，阶段二是关键。在"N_1 + 对着 + N_2, + VP"格式里，"对着 + N_2"与 VP 共同陈述的对象都是 N_1，"N_1 + 对着 + N_2"失去了成句的能力，"对着"不再是句子的核心，它后边的 VP 才是句子的核心，这为结构的"重新分析"提供了基础：把"对着 + N_2"从 N_1 那里剥离出来，靠向 VP，成为 VP 的一个连带成分。但是，这个阶段的"对着 + N_2"后边还可以停顿，《金瓶梅》有 6 例，《初刻拍案惊奇》、《二刻拍案惊奇》有 4 例，《三言》有 3 例，因此，这种停顿绝不是偶现的，而是一种过渡情形。到阶段三，这种停顿不复存在了，"重新分析"才可能完全实现。

　　与阶段二的停顿相应的是，"对着"处于半动半介之间，语义上，"对着 + N_2"直接表示 N_1 面对着什么，或在什么的面前，间接表示 VP 的方向。例如：

　　（19）刘安住气倒在地多时，渐渐苏醒转来，对着父母的遗骸，放声大哭。（《初刻拍案惊奇》）

　　（20）（应伯爵与何官儿）对着来宝，当面只拿出九两用银来，二人分了。（《金瓶梅》）

　　例（19）里，刘安面对的是他父母的遗骸，例（20）里，应伯爵与何官儿二人是在来宝的面前分银子。只要"对着 + N_2"后边可以停顿，它所表示的意义都是直接指向 N_1，而不是直接指向 VP，"对着"也仍然处于半动半介之间，到现代仍是如此。例如：

　　（21）那黛玉对着镜子，只管呆呆的自看。（《红楼梦》）

　　（22）就是独自对着静静的流水，背靠着无人迹的城根，他也不敢抬头，仿佛有个鬼影老追随着他。（老舍《骆驼祥子》）

　　到阶段三，"对着 + N_2"后边不能停顿，它表示的意义直接指向 VP，表示动作的方向，"对着"已虚化为介词。如"对着亮处只管摇去"（《二刻拍案惊奇》），"对着亮处"直接表示的是"摇"的方向。

"对着"虚化成介词的句法表现是:"着"不能丢失或替换(词化表现);不能带"了、过"等体标记;不作谓语的中心;不能单独回答问题;不能省略宾语。动词性的"对着"宾语可以不出现,如"老尼出庵去了,就取出观玩,对着流泪"(《醒世恒言》),"对着"后承前文省略了宾语"那两只鞋子"。

"对着"的虚化,语义上也是有条件的。首先,"对着"是静态的、可延续的,可以伴随另一动作的始终,这样的动词性成分容易虚化(参石毓智1995)。其次,N_1与N_2是空间关系,而不是角色关系,这能为把"对着+N_2"理解成动作的方向提供方便。再次,"N_1+对着+N_2"的语义配置是"有生命物对着有生命物"或"有生命物对着无生命物"时,"N_1+对着+N_2"逐渐失去了成句的能力,"对着"才有虚化的可能。当语义配置是"无生命物对着无生命物"时,"N_1+对着+N_2"仍然能成句,"对着"是动词性成分,这种用法一直沿袭到当代,如"窗户对着花木扶疏的庭院地"(王朔《浮出海面》)、"龙头、宝珠正对着下面的宝座"(《语文》课本)。

2. "对"、"对着"的纠结与分工

2.1 "对"的虚化过程

要讨论"对"与"对着"的纠结与分工问题,首先需要简单介绍一下动词"对"的虚化过程。动词"对"大概在汉代以后虚化成介词。蒋冀骋、吴福祥(1997)举出的较早用例是在六朝时期:

(23) 若对他人称之,皆云族人。(《颜氏家训·风操》)

例中的"对"引介动作的对象。据蒋冀骋、吴福祥(1997)的统计,这样的用法《敦煌变文集》里有4例,《祖堂集》里有10例。

动词"对"比较原始的意义是"回答"(即"对$_{v1}$"),用在表示答话的场合,前文说过,说话总是有甲乙两方(角色关系),即甲方回答乙方,乙方是言说的对象(更准确的说法是与事)。古代汉语里,动词"对"的后边以不出现言说对象为常,"对曰"常常连用,"曰"担负了言说的意义,使"对"的言说义被削弱。当"对"后出现言说对象时,"对"的意义开始虚化,最终成为介词。最典型的格式是"对+某人

+曰/道/言道/说……",格式的中心是言说义动词,包括"称、骂、叫、喊"等。宋、元、明时期的文献里,"对"多数是这种用法。从意义联系上看,引介言说对象的介词"对",应直接源自"对$_{V1}$"。这种用法的介词"对",进一步泛化,就有了引介动作对象的作用,不再限于引介言说的对象,如"对海洋的幻想"、"对鱼类发声现象进行研究"。我们暂时把它记为"对a"。

晚唐五代时,介词"对"还可以引介关涉的对象,例如:

(24)对圣人不敢繁词,何者为道?(《祖堂集》)

例中的"对"有"对待"的意义,从意义联系上看,这种用法的介词"对",应直接源于"对$_{V3}$"。这种用法一直延续到现在,而且谓语中心不限于动词,可以是形容词,如"这妇人……到后边对众丫鬟媳妇词色之间未免轻露"(《金瓶梅》)、"他对球赛没兴趣"、"他对工作极端地负责任,对同志对人民极端地热忱"。我们暂时把它记为"对b"。

至此,我们可以把介词"对"及"对着"的虚化过程做个比较:

介词	直接来源	虚化的大致时期	本源关系	句法语义作用
对a	对$_{V1}$	汉代以后	角色关系	引介(言说)对象
对b	对$_{V3}$	晚唐五代以后	角色关系	引介关涉的对象
对着	对$_{V2}$	宋元以后	空间关系	引介动作的方向

"对a"与"对b"在本源关系、虚化时期、虚化后的句法语义作用方面比较接近,现代汉语语法著作里,它们被看作同一个介词"对",是合适的。那么,"对"与"对着"最大的共同点是都与动词"对"有渊源关系,但其直接来源、虚化时期、本源关系、虚化后的句法语义作用都不相同,因此,从历时角度观察,把它们看作两个介词更为合适。

2.2 用为谓词的纠结与用为介词的分工

近代汉语里,"对"与"对着"用为谓词,表示"朝着,向着"的意义时,常常可以相互代替,如例(16)至例(18)的a与b。当体标记"着/著"刚形成时,同样句法环境中的动词"对",有时带新兴的体标记,有时不带体标记,处于一种过渡状态,给人两种用法纠结在一起的感觉。这是历史变化过程中的正常现象(即:处在"A→A/B→B"过程中的"A/B"阶段)。

值得注意的是下面这些表达言说事件的句子:

(25a) 西门庆对吴月娘说:"韩伙计前日请我,一个唱的申二姐,生的人材有好,又会唱。"(《金瓶梅》)

(25b) 金莲对着月娘说:"大姐那日斗牌,赢了陈姐夫三钱银子。"(同上)

(26a) 于观扭脸对杨重说:"你要拐他们家孩子我可以跟她说说。"(王朔《顽主》)

(26b) 于观笑着转脸对着杨重说:"你们就在这儿耗了一上午?"(同上)

(27a) 于观瞪了他一眼,对话筒说:"跟她说尼采。"(同上)

(27b) 他回头飞快地对着听筒说了通话。(王朔《一点正经没有》)

这些例子中的a用介词"对",b用介词"对着",而且句法环境十分接近,似乎用为介词的"对"与"对着"可以互换。这是一种假象。无论近代汉语,还是现代汉语,表达对什么人说话的常用格式都是"对+某人+言说动词",而很少用"对着+某人+言说动词"这种格式,很少用,并不是完全不用。选择哪一个介词,句法、语义、语用上都有不同:

第一,用"对"是引介言说的对象,用"对着"是引介言说的方向。也就是说,"对"和"对着"是两个不同的介词,句法语义上各有各的分工。

第二,从语用价值上看,用"对着"明显地强调了言说活动的空间侧面。

第三,表示言说事件时,用"对着"的句子里,中心动词的体表现通常是现时性的,一般不说"对着他说了"、"对着他说过",用"对"没有这个限制。

第四,表示言说事件时,因为"对"引介的是言说的对象,所以它后边的宾语一般都是指人的名词或代词(《金瓶梅》、《三言二拍》里都是如此),而"对着"引介的是言说的方向,它后边的宾语既可以是指人的(如例(25b)、例(26b)),也可以是指物的,如"对着坟墓道:'我的儿!……'"(《二刻拍案惊奇》)。这里应该说明的是,例(27a)"对"后的宾语虽然是"话筒",但它是转喻用法,指通话的另一方,仍然是指人的。

在表示非言说事件的句子中,介词"对"与"对着"的分工也是不同的。比较:

(28) 他对小刘招了招手。→*他对小刘所在的方向招了招手。

(29) 他对着小刘招了招手。→他对着小刘所在的方向招了招手。

例(28)用"对"引介的是动作的对象,是招呼小刘的,不能转化成箭头后边的说法;例(29)用"对着"引介的是动作的方向,不一定是招呼小刘,可能是小刘后边或旁边的某个人,因此有可能转化为箭头后边的说法。如果确实是招呼小刘,那说话人关注的内容也不一样:用"对"关注的是动作的对象,用"对着"关注的是动作的方向。

"对着"形式上区别于"对"的地方就是"着"。"对着"与"对"的分工,从功能角度看,可以使"对着"词化得以维持,而最终成为一个词。

2.3 "对着"所带宾语的实体性

这里所说的实体,是指占据空间位置的有形体。介词"对着"的宾语,一般都是实体性的人或事物。除指人的名词或代词之外,多数是空间性很强的词语,例如"窗户、门、草棚、银子、镜子、灯、书、漳河、天都峰、日光灯、铜纽扣、壶嘴、死尸、坟墓、心窝儿、眼睛、圣像、亮处、上面、空中、云中、江面、船头、墙外"等,它们或者可以后加方位词,或者可以作"在、到、往"的宾语,都是空间性很强的实体事物名词。表示时间的名词、表示抽象事物的名词,一般不能充当介词"对着"的宾语。这与"对着"表示空间侧面、引介动作方向的功用是相协调的。

介词"对"表示角色关系,引介与中心动词或形容词相关的对象,宾语既可以是实体性的指人名词、指物名词或人称代词,也可以是虚体性的抽象事物名词、时间名词,甚至可以是表示某个活动的谓词性词语。例如:

比较抽象的体词性宾语:对这个消息,他说不上是应当喜欢,还是不喜欢/对这种行为持宽容态度/对他的病不重视/对这次胜利盼望很久/对电话铃无动于衷/他似乎对一切都有办法/对现实(事业、工作、生活、未来、前途)充满信心

谓词性宾语:祥子对挣钱不放松一步/对擅自外出的解释

上述各个"对"的宾语,都不能充当"对着"的宾语。也就是说,介词"对"宾语的范围比介词"对着"宾语的范围要大得多。这就表明,从宾语的构成看,"对"与"对着"也是两个不同的介词。

3. "对着"的语法地位

现代汉语里,"对着"呈现出多层次并存的局面。看下面的例子:

(30)书房的窗户正面对着塞纳河。(《语文》课本)

(31)她正对着镜子擦粉呢。(老舍《骆驼祥子》)

(32)她俯身对着我的眼睛研究地看了半天。(王朔《过把瘾就死》)

例(30)的"对着"是动词"对"带体标记"着";例(32)的"对着"是介词,引介动作"看"的方向。例(31)的"对着镜子",直接表示"她"面对的事物,与"擦粉"的空间关系并不十分密切,"对着"处于半动半介之间。事实上,汉语从动词虚化来的介词,大多还带有动词性,这与介词的位置有关。"介+宾"通常的位置是主语之后、谓语中心动词之前,语义上相应地与主语有关,与中心动词也有联系。与主语的语义联系越弱,虚化的程度就越高。例(31)"对着镜子"与主语的语义联系比较明显,说明"对着"的虚化程度并不高。

"对着"开始虚化的时间离我们并不十分遥远,至今还有半动半

介的过渡型用法。换句话说,"对着"并没有彻底语法化,有时还是虚实两重性的(参戴庆厦1998)。对于这种多层次并存的现象,如果只注重某一层次的情况,必然形成看法不一的局面。至于"对着"不是动词性成分就是介词的看法,明显地忽略了它半动半介的用法。

"对着"多层次并存的局面,启发我们要重新审视"冲/冲着"、"顺/顺着"、"为/为了/为着"等语言现象。它们是形式不同功能相同的一个介词,还是两个或三个不同的介词?是动词带体标记一起虚化成一个介词,还是动词虚化成介词以后仍然可以带体标记?这要等一组一组地研究清楚以后,才能下断言。

根据张晓勤(1998)的研究,湖南宁远官话里,"对倒"、"帮倒"、"靠倒"、"拿倒"可以用为介词("倒"放在动词后是体标记,与普通话的"着"相当),这说明我们的观察是可以得到旁证的。

值得重视的是,张晓勤(1998)两次强调指出,宁远官话的介词"拿倒"(相当于普通话的"把")是一个词,里面的"倒"不能丢失,即单独的"拿"不是介词而是动词,"拿倒"这个语表形式,包含两种情况:作为介词,是一个句法上不能分割的整体,作为动词性成分,是动词"拿"带助词"倒"的形式,"应注意区别二者,不可混为一谈"(见伍云姬1998:77、93)。这又为本文对"对着"的看法提供了一个有力的旁证。

参考文献

戴庆厦 (1998) 景颇语方位词"里、处"的虚实两重性,《民族语文》第6期,北京。
董秀芳 (2002) 《词汇化:汉语双音词的衍生和发展》,四川民族出版社,成都。
蒋冀骋、吴福祥 (1997) 《近代汉语纲要》,湖南教育出版社,长沙。
金昌吉 (1996) 《汉语介词和介词短语》,南开大学出版社,天津。
刘梦溪主编 (1996) 《赵元任传》,河北教育出版社,石家庄。
马贝加 (2001) 《近代汉语介词》,中华书局,北京。
—— (2003) 在汉语历时分析中如何区分动词和介词,《中国语文》第1期,北京,59—65页。
欧阳觉亚 (1998) 《村语》,上海远东出版社,上海。
石毓智 (1995) 时间的一维性对介词衍生的影响,《中国语文》第1期,北京,

1—10页。
邢福义（1997）《汉语语法学》，东北师范大学出版社，哈尔滨。
俞士汶等（1998）《现代汉语语法信息词典详解》，清华大学出版社，北京。
张晓勤（1998）宁远方言的介词，见伍云姬主编《湖南方言的介词》，74—97页，湖南师范大学出版社，长沙，1998年。
张谊生（2000）《现代汉语虚词》，华东师范大学出版社，上海。
朱德熙（1982）《语法讲义》，商务印书馆，北京。

(430079　武汉，华中师范大学语言与语言教育研究中心
E-mail：chuzx3808@hotmail.com)

趋向动词"来/去"的用法及其语法化[*]

李 明

提要 本文先讨论趋向动词"来/去"的用法:在涉及谈话双方的对话中,"来"指明行为者在说话时间或参照时间向说话人或听话人所在位置靠近,"去"指明行为者向背离说话人在说话时间的方位移动。这条规则至迟在六朝已经形成。在第三人称叙述中,通常情况下用"去"不用"来",但趋向中心人物、中心场景的行为用"来",补足语小句中也可用"来"。然后本文从语义滞留与语义消退两方面讨论了趋向动词"来/去"的语法化。在"来/去"语法化的初始阶段,语义的演变表现为语义的重新调配:趋向义虽然减弱,但表说话人主观观点、态度的语义得到加强。在语法化链的末端,"来/去"也出现了一些趋向义已经消退的用法。

关键词 趋向动词 语法化 语义滞留与消退 视角转换 主观性

0. 引言

趋向动词"来/去"有地点指示(place deixis)作用:一般来说,"来"指明动作者向说话人在说话时间的方位移动,"去"指明动作者向背离说话人在说话时间的方位移动。实际情况要复杂得多。趋向动词"来/去",尤其是"来"的运用到底遵从什么规则,同样的上下文,什么时候只能用"来"、什么时候只能用"去"、什么时候用"来""去"皆可,这方面的讨论较少,本文力图揭示这个规则。另一方面,"来/去"不表趋向时,可表时间,可表动作起始、持续,甚至可作语气词,等等。趋向义与这些用法有何关联,这是本文讨论的第二个问题。

本文先讨论趋向动词"来/去"的用法,再讨论其语法化。

---

[*] 在写作过程中,笔者先后请教过吴福祥、覃远雄、李蓝三位先生,谨此致谢。同时感谢匿名审稿人所提的修改意见。文中错谬不当由笔者自负。

1. 趋向动词"来/去"的用法

趋向动词"来/去"在涉及谈话双方的对话中与不涉及谈话双方的第三人称叙述(third-person narrative)中的运用不一样,下面分别讨论。

1.1 对话中"来/去"的运用

对话中用"来"还是用"去",主要涉及两个参项:一是说话人、听话人;二是说话时间、参照时间(指"来/去"这两个动作实际发生的时间)。可分五种情况:

型 A:行为者向说话人在说话时间的位置靠近,用"来"不用"去"。"去"的目的地不能是说话人现在的位置,比如不能说"下午去这儿"而只能说"下午来这儿"。

型 B:行为者向说话人在参照时间的位置靠近,用"来""去"皆可。用"去"例略,用"来"如:

(1) 佛告阿难:"……世尊昨日在林泽中,为天、世人、四辈之众敷演妙法。有五百群雁爱敬法声,心悦欣庆,即共飞来。欲至我所,堕猎师网中。……"(元魏·慧觉等译《贤愚经》,4/437c)

(2) 师初住庵时,有一僧到,师向僧云:"某甲入山去,一饷时为某送茶饭来。"(祖堂集,卷十六"南泉和尚")

例(1)"来"是五百群雁(行为者)向佛(说话人)在"昨日"的位置靠近,而非向佛现在的位置靠近。例(2)"来"是"僧"(行为者)向"师"(说话人)一晌之后的位置靠近。这时,用"来"是以说话人在参照时间的位置为视角。

型 C:行为者向听话人在说话时间的位置靠近,用"来""去"皆可。比较:

(3) 先遣一使白大王言:"臣等所领,三万六千诸小王辈。为当都去?将半来耶?"(吴·支谦译《撰集百缘经》,4/248b)

(4) 先遣一使白大王言:"臣所总秉,三万六千王。为当都去?将半去耶?"(贤愚经,4/398c)

例(3)前用"去",后用"来"。例(4)都用"去"。无论用"来"用

"去",都是指明行为者"臣"(也是说话人)向听话人"大王"在说话时间①的位置靠近。但用"来"时,说话人实际是从对方的角度来说的,也就是说,说话人的视角改变了。

型 D:行为者向听话人在参照时间的位置靠近,用"来""去"皆可。比较:

(5) 是时世尊告彼优娄频螺迦叶,作如是言:"仁者迦叶,汝于前去,我即随来。"(隋·阇那崛多译《佛本行集经》,3/846c)

(6) 尔时世尊告迦叶言:"迦叶,汝今且于先行,我随后去。"(同上,3/846c)

例(5)用"来",例(6)用"去",都是指明行为者佛(也是说话人)向听话人迦叶在未来某时的位置靠近。

用"来"又如:

(7) 汝从是去,前当有城,……城中当有五百天女,各赍宝珠,来用奉汝。(贤愚经,4/412b)

同型 C 一样,这种类型如用"来",也是从听话人的视角来说的。但与之不同的是,型 C 是以听话人在说话时间的位置为参照,而型 D 则是以听话人在参照时间的位置为参照。

家是人们常在的地方,有时听话人在参照时间的位置就是听话人的家,这时,用"来"比较常见。例如:

(8) 一来雪儿正下,二来身上查痕未好,好时自来叫取大公大婆。(宋代戏文《张协状元》,12 出)

上例是说话人"旦"说张协(戏文中的"生")身体好之后自去听话人家里请其父母"大公大婆"。

型 E:行为者如果不是在说话时间或参照时间向说话人或听话人的位置靠近,用"去"不用"来"。例如:

(9) 妇人问我:"欲何处去?"(东晋·佛陀跋陀罗共法显译《摩诃僧祇律》,22/381b)

上面的分析可以归结为:在对话中,"去"指明行为者向背离说话人在说话时间的方位移动,"来"指明行为者在说话时间或参照时间向说话人或听话人所在位置靠近②。从上文举例可以看出,这条规则至迟在六朝已经形成。

有几点需要说明:(一)"来"是行为者向某个参照对象靠近,一般说来,这个参照对象不能是行为者自己。但有例外,比如甲打电话给乙说:"我现在在办公室,明天还来",这个"来"属型 A,行为者(也是说话人)以自己为参照。(二)有时可以认为行为者是向说话人与听话人在说话时间共同所在的位置靠近,比如甲、乙二人在办公室,甲对乙说:"你明天来的话,我也来。"这种情况仍应视为型 A,只能用"来"。(三)向某个参照对象靠近,是靠近其所在范围,并不一定要接近参照对象。比如:

(10)(末)东畔李大公,有少事欲厮央靠。特遣我门来,你明日须早到。(旦白)……奴家知了:不是装绵,便是织绢。明早奴家自来。(张协状元,6 出)

此例加点的"来"是行为者(即"旦",也是说话人)向听话人(即"末")在参照时间("明早")的位置靠近,属型 D,但"旦"的目的地是李大公家而不是接近"末"。"末"与李大公在同一范围之内,故说话人用"来"。

1.2 对话中用"来"表视角转换的情况

从有无视角转换来看,上一小节所述五种类型区别如下:

型 A:无视角转换;

型 B:用"去"时无视角转换,用"来"时视角由说话时间的位置转换到参照时间的位置;

型 C:用"去"时无视角转换,用"来"时视角由说话人转换到听话人;

型 D:用"去"时无视角转换,用"来"时视角由说话人转换到听话人,且由说话时间的位置转换到参照时间的位置。

型 E:无视角转换。

型 B、C、D 用"来"时有视角转换。在对话中,这种"来"的用法是后起的,从我们的调查来看,这种现象较早见于三国(如例 3)。

型 B 的情况,汉语、英语、日语、韩语是一样的,都是既可用"来",又可用"去"。例如(参 Nakazawa1990):

汉语:我明天开车去芝加哥,

你来/去不?

英语:I am driving to Chicago tomorrow.

Would you like to come/go(来/去)(to Chicago)also?

日语:watashi-wa ashita kuruma-de shikago-ni ikimasu.

anata-mo kimasenka/ikimasenka?(来 – 否定 – 疑问/去 – 否定 – 疑问)

韩语:na-nun nayil cha-ro sikhago-ey kapnita.

tangsin-to osikessupnikka/kasikessupnikka?(来 – 想 – 疑问/去 – 想 – 疑问)

C、D 两种类型的共同点是:一、行为者向听话人靠近;二、用"来"时视角由说话人转换到听话人。视角由说话人转换到听话人,这种现象属于 Kuno(1987)所说的"移情(empathy)"。型 C、D 是否可以用"来",英语、汉语、日语、韩语不尽相同,这里需要引进另外一个参项——行为者的人称——来说明这种区别(参 Nakazawa1990):

(一)当行为者是说话人即第一人称时,英语多用"来",汉语可用"来/去",但日语、韩语只能用"去"。常举的例子是当母亲招呼孩子时,孩子的回答:

英语:我马上过来/*过去

汉语:我马上过来/过去

日语和韩语:我马上过去/*过来

(二)由于听话人已在终点,是参照对象,因此不必考虑行为者是听话人即第二人称这种情况。

(三)当行为者是第三人称时,英语仍倾向用"来";汉语可用"来/去";日语的情况大致是:行为者与说话人关系越近,越倾向用"去",关系越远,越倾向用"来";韩语一般仍用"去"。设想甲打电话给乙,询问乙明天是否需要帮助,比较四种语言的说法:

英语：Should I come/*go(来/*去)and help you tomorrow?
Or will John come/*go(来/*去)and help you?
汉语：我明天来/去帮你吧,
或者约翰来/去帮你?
日语：ashita *kite/itte(*来/去)tetsudaimashou-ka?
soretomo jon-ga tetsudai-ni kuru/ikuno(来/去)desu-ka?
韩语：nayil *wase/kase(*来/去)towaturyeya hana-yo?
animyen con-i ?wase/kase(?来/去)towulkenkayo?

此例前一句中的"来/去"行为者是第一人称,后一句中的"来/去"行为者是第三人称。值得注意的是,日语中,行为者约翰既可用"来",也可用"去",这与行为者是说话人的熟人、二者关系不远不近有关;如果行为者换作"我弟弟",则用"去"不用"来",因为行为者与说话人关系近。

综上所述,在用"来"表示视角由说话人转换到听话人这一点上,英语、汉语、日语、韩语构成一个等级:英语＞汉语＞日语＞韩语。越往右,视角转换所受的限制越多。

为什么会有说话人的视角转换到听话人的情况? Levinson(1983:83)提到是出于礼貌[③]。我们认为至少应该考虑下面这个原因:对方如果用"来",那么,说话人往往也顺应着用"来"而不换用"去";这种情况下,很容易产生视角的转换。例如:

(11) 云:"无魔来挠我。"云:"和尚为什摩无魔来挠?"(祖堂集,卷八"华严和尚")

此例后一个"无魔来挠"似是"回声"。第一个"来"是通常的用法,第二个"来"有视角转换。又如:

(12) (丑)明日坐厅,状元来时,教立到天明。……(外白)相公,它来时依旧莫与它相见。(张协状元,49出)

此例第一个"来"是"丑"说自己明日坐厅时,张协来后让他站到天明,这个"来"是行为者张协向说话人"丑"在参照时间的位置靠近;

"外"说话时仍用"来",这个"来"是行为者张协向听话人"丑"在参照时间的位置靠近,这时,视角就由说话人转换到听话人了。

1.3 第三人称叙述中"来/去"的运用

在第三人称叙述中,叙述者讲叙不涉及谈话双方的事件,谈话双方在事件中不充当任何角色;行为者的位移方向,与叙述者的当前位置无关,因此,通常情况下用"去"不用"来"。但下面两种情况用"来"不用"去":

(一)一个情节的中心人物、中心场景是"移情"对象,趋向中心人物、中心场景的行为,用"来"而不用"去"。以敦煌变文中的《伍子胥变文》为例,该文主角是伍子胥,因此,向他所在的方位靠近的行为,用"来"不用"去"。例如:

(13) 吴王闻子胥得胜,遂将从骑迎来。

(14) 吴王见子胥有大人之相,遂立子胥为国大相。后乃越王勾践,兴兵动众,来伐吴军。

例(13)是直接向伍子胥靠近;例(14)虽不是直接靠近他,却也是向他当时的所在地靠近。

(二)下面一类带补足语小句的句子用"来"不用"去":

(15) 武二见王婆过来,唱了个喏,问道……(金瓶梅,9回)

(16) (佛)遂唤阿难来近侧。(变文·降魔变文)

(17) 其吴王闻越来伐,见百姓饥虚,气力衰弱,无人可敌。
(同上,伍子胥变文)

这类句子中的"来"出现于补足语小句,表明小句主语向句子的大主语靠近。这类例子中,叙述者把自己移情为句子的大主语。以(15)为例,"来"表明小句主语"王婆"向句子的大主语"武二"靠近,叙述者把自己移情为"武二",取的是武二的视角。图示如下:

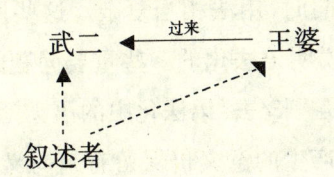

武二 ←——过来—— 王婆

↑

叙述者

从情理上说,叙述者也可以把自己放在中立角度,即与大主语、小句主语保持同等距离,或者取小句主语的视角,这时可以用"去"。以(15)为例,叙述者如果与武二、王婆保持同等距离(下图 a),或者取王婆的视角(下图 b),那么"武二见王婆过来"也可以说成"武二见王婆过去":

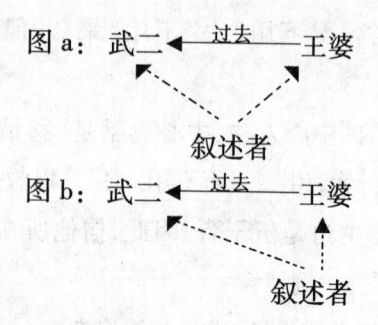

图 a： 武二 ←——过去——— 王婆
             ↖   ↗
              叙述者

图 b： 武二 ←——过去——— 王婆
             ↖   ↑
              叙述者

但实际上这种用"去"的用例少见。如果是"武二见王婆过去","过去"的目的地往往不是武二,而是其他地方。

还有两点需要说明:(一)一个复句只能有一个视点。比如"他来小张家后,然后来小王家"不通,因为这句话有两个视点:小张家、小王家。(二)反身代词的所指是移情对象,当"来/去"与反身代词出现于同一小句时,要保证"来/去"标明的移情对象与反身代词的所指一致。比如:

(18) 早已断了音讯的九阿姐,突然千里迢迢来看自己,荣鸿仁心里有说不出的高兴和惊喜。

反身代词"自己"标明这句话是从荣鸿仁的视角来说的,而非从"来"的主语九阿姐,荣鸿仁是移情对象。用"来"能与"自己"在移情对象上保持一致,用"去"则不行。

2. 趋向动词"来/去"的语法化

"来/去"不表趋向时,用法相当复杂。这些用法都同趋向义有直接或间接联系,是说明语法化的一些重要问题的很好的实例。下面从两方面讨论:一是"来/去"语法化中的语义"滞留"(persistence,或称 retention),即新产生的意义仍保留有趋向义的痕迹;二是"来/

去"语法化中的语义"消退"(bleaching),即新产生的意义已看不出趋向义的痕迹。

2.1 "来/去"语法化中的语义滞留

"来/去"表趋向时的特征决定了二者表示时间、体态、语气等用法时的一些特性,也就是说,虚化之后的用法,仍然保留着趋向义的痕迹。

2.1.1 "来/去"的两个方向

"来"表示朝向指示中心(deictic center)的运动,"来"的方向可以有两个。图示如下:

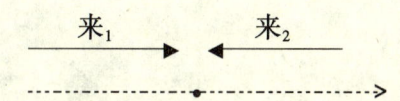

$$\xrightarrow{\quad 来_1 \quad} \quad \xleftarrow{\quad 来_2 \quad}$$

"去"表示背离指示中心的运动,"去"的方向同样有两个。图示如下:

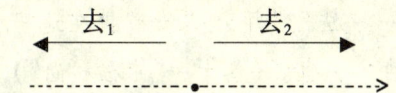

$$\xleftarrow{\quad 去_1 \quad} \quad \xrightarrow{\quad 去_2 \quad}$$

相应地,"来/去"由表趋向(空间)语法化为表时间、体态,也有两个方向。"向来、近来、新来、顷来、适来、比来、恰来;由来、从来、自来;先来、本来;素来"中的"来"是来$_1$,"来朝、来晨、来月、来岁、来年、来世、来生;未来、将来、当来;后来"中的"来"是来$_2$。宋词中的"从今去、此去、从此去"(义为"从今后、此后、从此后",张相 1955:331)以及崇明话"以后去往后、以后、朝后去往后、以后"(张惠英 1998)中的"去"是去$_1$;"去年、去岁、去载"中的"去"是"去$_2$"。

再看两个"来日"的例子:

(19) 来日一身,携粮负薪。道长日尽,苦口焦唇。今日醉饱,乐过千春。(李白诗《来日大难》)

(20) 於是相公与夫人令善庆西院内香汤沐浴,重换衣装,放善庆且归房中歇息,待来日侵晨,别有处分。(变文·庐山远公话)

对例(19),张相(1955:793)解释说:"来日一身,往日一身也;与下文今日字相应。"此例中的"来日"为来$_1$,而例(20)中的"来日"为来$_2$。

"譬如朝露,去日苦多"中的"去日"是去$_2$,"人生苦短,去日不多"中的"去日"是去$_1$。

在《祖堂集》中,"去"既可出现于将然语境,也可出现于已然语境(参李崇兴 1990、曹广顺 1995)。各举一例如下:

(21) 他时后日,魔魅人家男女去在!(卷七"岩头和尚")

(22) 庆放身作倒势,师云:"这个师僧患风去也。"(卷七"雪峰和尚")

例(21)为将然语境,"去"是"去$_1$";例(22)为已然语境,"去"是"去$_2$"。

再看两例:

(23) 与摩行脚,笑杀人去。(卷十六"黄蘖和尚")

(24) 问:"教中有言:'十方佛土中,唯有一乘法,无二亦无三。'如何是'一乘法'?"师云:"汝道我在这里为个什摩?"僧云:"与摩则不知古人去也。"(卷十一"永福和尚")

例(23)(24)分别表示某种假设条件下的将然和已然。例(23)中的"去"是"去$_1$",例(24)中的"去"是"去$_2$"。与例(21)(22)不同的是,这时候,参照中心不是现在,而是假设的一个时点。

现代闽语中,"去"仍可出现于已然语境(陈泽平 1992、陈垂民 1993、Lien 2002),如"天晴去天晴了、衣裳破去衣服破了";而在萍乡话中,"去"仍可出现于将然语境,如"反"发狠"的合音走,慢仔落雨去快走,一会儿要下雨"(魏钢强 1998)。

"来$_1$、去$_1$"由趋向引申为表时间、体态是基于时间未动而人在动的隐喻,"来$_2$、去$_2$"由趋向引申为表时间、体态则是基于人未动而时间在动的隐喻。

2.1.2 趋近指示中心与背离指示中心

"来"表趋向时,表示趋近指示中心的运动,是有目标、有限度的;可以凸显到达义,"我九点钟来火车站"一般指九点钟到火车站。"去"表趋向时,表示背离指示中心的运动,可以有目标、有限度,如

"他到北京去了",也可以无目标、无限度,如"他出去了";"去"凸显离开义,"我九点钟去火车站"一般指九点钟离开某地去火车站。事实上,趋向动词"去"正是由离开义引申而来(孙占林1991)。

请看下例:

(25) 两个因按在一处夺瓜子儿磕,不防火盆上坐着一锡瓶酒,推倒了,那火烘烘望上腾起来,溅了一地灰起去。(金瓶梅,46回)(引自钟兆华1988)

上面的"起来""起去"都表示由火盆向上升,但"起来"表示升高是有限度的,"起去"则没有限度。

上述特征决定了"来/去"以下几方面的引申:

(一)"来""去"连用,表示在中心附近游移,因此可引申为表约数。扬州话中,"五十岁来去"即"五十岁左右、五十岁上下"之义。"来"凸显到达义,因而也可单独表约数(参江蓝生1984)。

(二)"去""起去"表动作持续,一般无终结点;而"来""起来"重在表动作起始[④]:

(26) 也须从"克己复礼"上做来,方可及为邦之事。(朱子语类,2897[⑤])

(27) 某旧时看文字,一向看去,一看数卷,全不曾得子细。(同上,2611)

(28) 衡山方言:我人吃起来我们吃起来|讲唎好,讲起去说得好,说下去(引自彭泽润1999:267)

"下来、下去"都可表持续,但"下来"表示一个时间段,有起点和终点;"下去"则是有起点无终点:

(29) 她不仅嘴上这么说,心里也确信自己是能够坚持下去的。多少年来不就是这坚持下来的吗!(引自杉村博文1983:110)

(三)"以来"以及由"以来"省缩而成的"来"表从过去到现在的这段时间,例如:

(30) 自古以来,未之或失也。(左传·昭公十三年)

吾从是来,修治本心……(东汉·昙果共康孟详译《中本起经》,4/147c)

这类表时间段的"以来""来"也可表示过去的一段时间,义为"……之时、……期间"。"昨来""古来""初来""旧来""夜来""早来""朝来"中的"来",往往就是此义。("今来"不可能义为"……以来",而是义为"今时"。)此外,这类"以来""来"还可作"……以后"理解,表示以过去某一点为起点,而未设置终点。后二义应晚于第一义,其具体例证见王锳(1986)、江蓝生(1984)。

"以去""以往"则是义为"以后"。例如:"自今以去,听诸民众设诸肴膳……"(撰集百缘经,4/210b)、"自今以往,兵其少弭矣"(左传·襄公二十五年)。⑥

(四)由于"去"可以是无限度的,所以可用"好了去了""多了去了"一类结构表示程度高。成都话的语气词"去了"用于句末,表示程度高、数量多,如:"我们打的走嘛,好远去了"、"走路的话,要走一个钟头去了"(张一舟等2001:354—355);柳州方言"去"也可用在句子末尾,表示达到预想不到的程度(刘村汉1995),如:"看点小病敢竟然用二十块钱去"、"这条狗肥,莫看它小,三十斤去了"。

2.1.3 "来/去"的主观性用法

"来/去"可以显示说话人的主观情感、认识。趋向动词"来"表示靠近说话人,因而引申出表示说话人积极的情感;趋向动词"去"表示背离说话人,因而引申出表示说话人消极或中立的情感。

2.1.3.1 "来/去"单用表劝诱或厌烦

表趋向的"来/去"可单用于祈使,"来"是说话人让听话人靠近他,"去"是说话人让听话人离开他。由此引申,"来"可单用于表劝诱,"去"可单用于表厌烦。例如:

(31)尔时世尊为伊罗钵更复说法,令其欢喜,劝示教言:"来!汝龙王。归依佛、归依法、归依僧,受持五戒,而汝当得长夜利益,大得安乐。"(佛本行集经,3/829b)

此例"来"已没有趋向义。

现代汉语中,(售票员说)"来,打票""来,让一下"中的"来",以及"去去,谁要哭了,讨厌""去去,少跟我这儿聒噪"中的"去",都是主观性用法。口语中可连用三个"去"表厌烦。

2.1.3.2 动词前"来/去"的主观性用法

(一)动词前的"来"可表说话人的意愿。这里说的表愿意包括说话人希望听话人做某事,或说话人自己想做某事。例如:

(32) 于是有一众生语彼众生曰:"众生,汝来共行取米耶?"彼则答曰:"我已并取,汝自取去。"(东晋·僧伽提婆译《中阿含经》,1/675b)

上例"来"已无趋向义。

这种表意愿的"来"在现代一些闽方言及梅县话的"来去"一语中能看得很清楚。这类"来去"中的"去"是动词,但"来"已无实义,只表示说话人的意愿;其用法有一个限制:动作的行为者是说话人自己或是包括说话人在内的人(参林立芳 1997、Lien2002、黄伯荣 1996:287)。例如:

(33) 梅县话:佢来去学堂下我去学校。

你等人同佢来去上海你们跟我去上海。

闽南话:紧紧来去赶紧去。

建瓯话(闽北):俺齐齐来去觑佢咱一起去看他。

这种出现于祈使句(或第一人称表祈请的句子)的"来去",源于表趋向的"来 VP"。祈使句(或第一人称表祈请的句子)中有趋向义的"来 VP"结构(如"若诸受法比丘遣使语不受法比丘言:'汝来受是五法。'"(后秦·弗若多罗译《十诵律》,23/396a)),如果 VP 的范围扩展到"去",则"来"明显失去趋向义,只表示说话人的意愿。

(二)祈使句用"来",可由说话人让听话人靠近,引申为表示说话人主动拉近与听话人的距离,因此显得亲近;祈使句中的"去",可由说话人让听话人离开,引申为有意拉远与听话人的距离,因此显得疏远。下例一用"来",一用"去",意义有细微差别:

(34) 这件事你来处理一下 | 这件事你去处理一下

(三)动词前的"来"还可以标明说话人的同情对象。例如:

(35) 答曰:来病君子,所以为疟耳。(世说新语·言语)

(36) 这回不见了壶儿,你来赖我!(金瓶梅,31回)

例(35)表示对"来V"的宾语"君子"造成损害,"君子"是同情对象。例(36)"我"是同情对象。

上两例"来V"后带宾语,宾语是同情对象;"来V"也可能不带宾语,例如:

(37) 某只是说一个"涵泳",一人硬来安排,一人硬来解说。(朱子语类,2928)

(38) 烂了舌头的混帐老婆,谁叫你来多嘴多舌的!(红楼梦,25回)

上两例"来"表示对说话人造成损害,说话人自己是同情对象。

再看一例:

(39) 口里唱个嘀哒啰啰哒,把小二便来薄贱。(张协状元,12出)

与一般的动宾句式相比,"把"字句有主观性,"把"的宾语是移情对象(沈家煊2002)。例(39)"小二"指说话人自己,"把""来"同时标明"小二"是同情对象。

(40) 好小周儿,恁大胆,平白进来把哥哥头来剃了去了。剃的恁半落不合接,欺负我的哥哥。(金瓶梅,52回)

此例加点的"来"前已有"进来"表趋向,这个"来"表示同情对象是"把"的宾语"哥哥头"。

与"把"字句相反,"被"字句的主语是移情对象。"来"与"被"可同时标明主语是说话人的同情对象。例如:

(41) 若自家被文字来丛了,讨头不见,吏胥便来作弊。(朱子语类,2648)

(42) 张叶运蹇,被贼来惊吓,当山土地无可奈何,借此之处与它宿过一夜。(张协状元,10出)

2.1.3.3 动词后"来/去"的主观性用法

（一）动词后的"来"可以表示动作结果是可见、可感知的，"去"可以表示结果是不可见的、不可感知的。这里所说的结果，常常是说话人主观认定的，因此反映说话人的认识。比如"吃进去、钉进去、喝进去、捅进去、吸进去、扎进去"表示受事客体不可见了或不可感知了，"吐出来、说出来、送出来、表现出来、流露出来"则表示由不可感知到可以感知了。（参马庆株1997，汤廷池1979）这里再举两例：

（43）若稍自著意，便自见得，却不是自家无此理，他凿空撰来。（朱子语类，2753）

（44）凡事须看透背后去。（同上，2697）

（二）动词后的"下来/下去""过来/过去""起来/起去"还可以表示说话人企望与不企望。下例引自马庆株（1997：21）：

（45）可是，从此碧螺春姑娘却一天天瘦了下去，得了重病；没过多久就离开了人间。

马先生紧接着说："可是如果表示[＋企望]义，表示事物的变化向说话人的希望的方向发展，就要用'下来'，如减肥的理想结果是'瘦下来了'。""缓/活/明白/暖和/救/苏醒/醒/醒悟"等词后面加"过来"，有[＋企望]义。与此相反，"昏/昏迷/昏死/死/晕"后面加"过去"，有[－企望]义。张学东（2002）指出：带有明显主观价值取向、且有鲜明褒贬色彩的形容词与"起来"组合时有不平行性，积极义的形容词可以自由地与"起来"组合，消极义的形容词则不能与"起来"组合。如"认真（了）起来""成熟（了）起来""积极（了）起来""美（了）起来""好（了）起来"等可说，"马虎（了）起来""幼稚（了）起来""消极（了）起来""丑（了）起来""坏（了）起来"则不能或很少说。

在现代闽南语中，"去"表完成，经常用于表示说话人不企望或者表示动作结果不可见、不可感知，如"无去、死去、昏去、暗去、短去、冷去、臭去、焦去、否去"（Lien2002，Chen1997）。

（三）同动词前的"来"一样，动词后的"来"也可表示说话人自己的意愿或对对方的希望。如闽西连城客家话"碗洗净来把碗洗干净喽""水暖烧来把水烧热喽"中的语气词"来"(项梦冰1997:206)。这种语气词"来"元明时期常见,例如(参张月明1998):

(46) 咱两个去后花园内看一看来。(元曲选·墙头马上,一折)

这类"来"的意愿义在"去来"一语中很明显,例如(参朱庆之1990,俞光中1985,张月明1998):

(47) 有比丘尼呼言:"某甲,乞食去来。"答言……(摩诃僧祇律,22/527c)

(48) 大姐,你在家执料,我去请那一辈儿老姊妹去来。(元曲选·救风尘,一折)

这类"去来"中的"来"是语气词,"去"仍是趋向动词。陶渊明《归去来兮辞》"归去来兮,田园将芜胡不归"中的"去来",即是这种用法。

这种语气词"来"源于祈使句(或第一人称表祈请的句子)末表趋向的"来",看下例:

(49) 舅至水边,蹋地呼曰:"还吾宝来。"(吴·康僧会译《六度集经》,3/19b)

下面的"VP来"已无趋向义:

(50) 汝止有一手,那得遍笛?我为汝吹来。(幽明录,引自曹广顺1995:98)

上例"来"仍可视为动词,作趋向补语,表"动作结果可见、可感知"(比较例43"撰来");但由于表祈请,也可以分析为表说话人意愿的语气词。一旦这类句子中"VP来"扩大为"去来"一类组合,"来"的语气词的意味就明显了[7]。

(四)动词后的"去"可以表示说话人不关心。例如:

(51) 也只好凭他抱怨去。(红楼梦,55回)

(52) 我就不多说,让你说去。(同上,31回)

(53) 你吃你的去吧,吃死你!(王朔《过把瘾就死》)

2.1.3.4 以上几小节提到了"来/去"的多种主观性用法。这些用法之中,表动作结果是否可见、可感知是反映说话人的认识(因为结果是否可见、可感知,常常是说话人主观认定的),其余各种用法,都是表明说话人的情感。

"来"表示靠近说话人,"去"表示背离说话人。由于人们总是希望好的东西趋近自己,而对不太好或坏的东西采取排斥或中立的态度,因此,在"来/去"的主观性用法中,"来"表示说话人积极的情感,"去"表示说话人消极或中立的情感,而不会是相反。这其实是体现了人们以自我为中心认识、评价客观事物的倾向。

其他语言中"来/去"也有类似现象。下例英语的例子引自Clark(1974:327):

(54) The plane came down near the lake.
The plane went down near the lake.

这两句都义为"飞机降落在湖边",但前一句用"come(来)down",暗示结果好;后一句用"go(去)down",暗示飞机坠毁。

下例日语的例子引自 Kamio(1997:121):

(55) Syokuryoo   ga   dandan nakunatte kita.
     食物   主语标记   渐渐   没有-变成   来

    Syokuryoo   ga   dandan nakunatte itta.
    食物   主语标记   渐渐   没有-变成   去

这两句都义为"食物已经渐渐消耗完了",但前一句用"来",表示说话人对事情关心;第二句用"去",表示说话人是中立、平静地看待这一事件的。"来"表示说话人和信息的距离近,"去"表示说话人和信息有距离。(卢涛 2000:169—170 也举有日语中类似的例子)

2.2 "来/去"语法化中的语义消退

在语法化的初期,语义的演变并不就是语义消退,而往往是语义的重新调配(Hopper and Traugott1993:88)。以"来/去"为例,新产生的意义往往保留有趋向义的痕迹,趋向义制约着新产生的意义的特性;趋向义虽然减弱,但表说话人主观观点、态度的语义可能得到加强。不过,语法化的单向性决定其发展趋势总是越来越虚化,因此,在语法化的后期,意义的消退是可能的。一个鉴定标准是:在语法化链的末端,如果"来/去"都可以作某种语法成分,且语法意义区别不大,这时可以认为"来""去"的趋向义已经消退。

(一)两个 VP 之间或介词词组与 VP 之间的"来/去",有时仅起联接作用:

(56) 都只将《诗》来讽诵至四五十过(朱子语类,2613) | 将义理去浇灌胸腹(同上,2613)

(二)趋向动词"来/去"可虚化为表示动作实现或完成,作动相补语(江蓝生 1995、吴福祥 1996:309—312)。例如:

(57) 生计抛来诗是业,家园忘却酒为乡。(白居易诗《送萧处士游黔南》)

(58) 宦情薄去诗千首,世事闲来酒一尊。(李群玉诗《送于少监自广州还紫逻》)

动相补语的"来"可进一步虚化为状态补语标记、持续体标记(江蓝生 1995,吴福祥 2002),各举一例如下:

(59) 清泉洗得洁,翠霭侵来绿。(皮日休诗《樵担》)

(60) 铅粉坐相误,照来空凄然。(李白诗《代美人愁镜》)

在现代客家话及少数闽方言中,"去"可作状态补语标记,如台湾闽南话"煮去真好食煮得很好吃",状态补语标记"去"源于动相补语"去"(吴福祥 2001)。

动相补语"去",还可进一步虚化为"傀儡能性补语"(dummy potential complement),出现于"VP 得去""VP 不去"结构中,这时它失去了实现或完成义,只是为了构成可能式而虚设的充数补语(参赵元任 1968/1996:394)。"VP 得去""VP 不去"整个结构表示有能力做某事或客观条件可能。例如:

(61) 天理才胜,私欲便消;私欲才长,天理便被遮了。要紧最是胜得去,始得。(朱子语类,1063)

(62) 度量褊浅,是他容受不去了。容受不去,则富贵能淫之,贫贱能移之,威武能屈之矣。(同上,628)

例(61)"胜得去"义为能胜,例(62)"容受不去"义为不能包容。

现代汉语一些方言中有用"来"作傀儡补语的例子,整个述补结构多表示懂得做某事。如温州话"足球我踢来个""该只歌我还唱不来",广州话"唱唔来",银川话"念不来",福州话"做会来会做""做呛来不会做"⑧。

"来/去"由动相补语虚化为傀儡补语,同"了"的虚化路线是一致的。现代汉语中,"VP得了""VP不了"中的"了"可以表示完成、结束,如"这么些饭我三天也吃不了",这时它是动相补语;"了"也可以作傀儡补语,这时"VP得了""VP不了"表示有能力做某事或客观条件可能,如"这饭我吃不了,里头净是沙子"。同样,"香港去做洋服,一个月也做不来"中的"来"表完成,是动相补语;"我只会做中国衣裳,洋服我做不来"中的"来"是傀儡补语。(参赵元任:同上)

上述语法化路线如下:

趋向动词　→　动相补语　⇔　状态补语标记
　　　　　　　　　　　　持续体标记
　　　　　　　　　　　　傀儡补语

在后两个阶段,"来/去"都发展出了作动相补语、作状态补语标记以及作傀儡补语的用法,"来"还有作持续体标记的用法。动相补语与趋向动词义仍有关联,但作状态补语标记、持续体标记以及傀儡补语的用法,其趋向义已消退。

(三)表反问、感叹的语气词"来"。"来"可以协助表达反问或感叹。例如:

(63)见行底便是路,那里有别底路来?(朱子语类,2886)

(64)这里面又那得个里面做出来底说话来?(同上,2928)

(65)(旦)山高处个人,好似奴家张解元。(生)山脚下个人,似贫女衣恁单。(旦)天愿得儿夫厮撞见,问冤家心恁底偏。(生)是贫女来。(张协状元,41出)

这种语气词"来"源于表曾然的时体助词"来"。时体助词"来"在六朝已萌芽,例如:

(66)王得果已,即便食之,觉甚香美,即问夫人:"汝今何处

得是果来?"夫人即时如实对曰:"我从黄门得是果来。"(撰集百缘经,4/233a)

该例"来"虽然仍可视为趋向动词,理解为"汝今从何处得是果而来",但由于出现于已然语境,很容易被重新分析为表曾然的时体助词。时体助词"来"在唐五代多见,例如:"有行者问:'生死事大,请师一言!'师曰:'行者何时曾死来?'"(祖堂集,卷六"神山和尚")。

如果"V(NP)来"中的 V 是静态动词"有、得(义为'有',而非'获得')、是"等,表示恒常的状态,因而没有曾然非曾然的区别;而且又出现于反问句、感叹问之中,"来"表曾然的时体意义就弱化了,而语气词的意味得到加强。如例(63)—(65)。⑨

上述语法化过程是:

   趋向动词 → 时体助词 → 语气词

处于语法化链末端的语气词"来",与趋向义的联系微乎其微,基本可以认定其趋向义已消退。

附　注

① 由于有传话人的介入,这里的"说话时间"准确地说应是使臣传话的时间。

② 现代汉语中,"来"还可以表示在某个参照时间,说话人在听话人的陪伴下的运动。例如:"我明天去旅行,你能来吗?"(Fillmore1997:101)

③ Huang(1978:56)、汤廷池(1979:304)亦有类似观点。

④ "来""起来"为什么重在表起始,这一点不知如何解释。

⑤ 数字为中华书局 1994 年版的页码,下引《朱子语类》同。

⑥ 在先秦两汉,"自今以后"这个意思也可用"自今以来"表达(王海棻 1987、何九盈 1987),例如:"空雄之遇,秦、赵相与约,约曰:'自今以来,秦之所欲为,赵助之;赵之所欲为,秦助之。'"(吕氏春秋·淫辞)这种现象比较特殊。

⑦ 一般认为,句末表主观意愿的语气词"来"在先秦就已出现,如:"子其有以语我来"(庄子·人间世)、"虽然,若必有以也,尝以语我来"(同上)。(参王引之《经传释词》"来"字条)但我们在先秦文献中未发现例(49)一类有趋向义的"VP 来"的例子,因此不好推断先秦的这种"来"是否也源于表趋向的"来"。

⑧ "说得来/说不来、谈得来/谈不来、合得来/合不来"这几个固定短语义为能够不能够说到一块、能够不能够投合,而不是表示懂得不懂得。

⑨ 俞光中(1985)还提到:元明白话中,"来"可用于前一分句末,协助表

达停顿语气。如:"我待要说来,又打我。"(元曲选·勘头巾,二折)这类"来"仍然源于表曾然的事态助词"来"。

另外,"来着"与"来"有平行发展的现象,也是由时体助词发展为语气词(参宋玉柱 1981、张谊生 2000、陈前瑞 2002)。"来着"作时体助词,表最近过去,如:"我刚才听见你叔叔说你对的好对子,师父夸你来着。"(红楼梦,88 回)"来着"作语气词,如:"今儿个是什么日子来着?"后一种用法往往隐含有说话人"想不起来"等等意义。覃远雄先生告诉笔者:广西荔浦话"去"有类似现代汉语普通话"来着"的用法,如:"你喊什么去了?你叫什么来着?"

参考文献

曹广顺(1995)《近代汉语助词》,语文出版社,北京。
陈垂民(1993)闽南话的"去"字句,《暨南学报》15 卷 3 期,广州,138—142 页。
陈前瑞(2002)"来着"的发展与主观化,第十二次现代汉语学术讨论会论文,长沙。
陈泽平(1992)试论完成貌助词"去",《中国语文》第 2 期,北京,143—146 页。
何九盈(1987)词义商榷,《中国语文》第 2 期,北京,141—143 页。
黄伯荣主编(1996)《汉语方言语法类编》,青岛出版社,青岛。
江蓝生(1984/2000)概数词"来"的历史考察,江蓝生著《近代汉语探源》,商务印书馆,北京,1—18 页。
—— (1995/2000)吴语助词"来""得来"溯源,江蓝生著《近代汉语探源》,商务印书馆,北京,110—133 页。
李崇兴(1990)《祖堂集》中的助词"去",蒋绍愚、江蓝生编《近代汉语研究》(二),商务印书馆,北京,214—221 页。
李　荣主编《现代汉语方言大词典》以下各分卷(江苏教育出版社,南京):《崇明方言词典》(张惠英,1998)、《福州方言词典》(冯爱珍,1998)、《广州方言词典》(白宛如,1998)、《建瓯方言词典》(李如龙、潘渭水,1998)、《柳州方言词典》(刘村汉,1995)、《萍乡方言词典》(魏钢强,1998)、《温州方言词典》(游汝杰、杨乾明,1998)、《扬州方言词典》(王世华、黄继林,1996)、《银川方言词典》(李树俨、张安生,1996)。
梁银峰(2002)汉语事态助词"来"的产生时代及其来源,未刊。
林立芳(1997)梅县方言的"来",《语文研究》第 2 期,太原,43—47 页。
卢　涛(2000)《中国語におけゐ"空間動詞"の文法化の研究》,白帝社,东京。
陆俭明(1985)关于"去+VP"和"VP+去"句式,《语言教学与研究》第 4 期,北京,18—33 页。
马庆株(1997)"V 来/去"与现代汉语动词的主观范畴,《语文研究》第 3 期,太原,16—22,60 页。
彭泽润(1999)《衡山方言研究》,湖南教育出版社,长沙。
齐沪扬(1996)空间位移中主观参照"来/去"的语用含义,《世界汉语教学》第

4期,北京,54—63页。
杉村博文(1983)试论趋向补语". 下""．下来""．下去"的引申用法,《语言教学与研究》第4期,北京,102—116页。
沈家煊译(1987)语用学论题之五:指示现象(下),《国外语言学》第3期,北京,120—123页。
沈家煊(1999a)《不对称和标记论》,江西教育出版社,南昌。
——(1999b/2002)英汉方所概念的表达,《著名中年语言学家自选集·沈家煊卷》,安徽教育出版社,合肥,30—57页。
——(2002)如何处置"处置式"?——论把字句的主观性,《中国语文》第5期,北京,387—399页。
宋玉柱(1981)关于时间助词"的"和"来着",《中国语文》第4期,北京,271—276页。
孙占林(1991)"去"的"往"义的产生,《古汉语研究》第3期,长沙,27—29、15页。
汤廷池(1979)"来"与"去"的意义与用法,汤廷池著《国语语法研究论集》,学生书局,台北,301—320页。
王海棻(1987)"以(已)来"可以表示未来时间,《语文研究》第3期,太原,29—30页。
王　锳(1986)《诗词曲语辞例释》(增订本),中华书局,北京。
吴福祥(1996)《敦煌变文语法研究》,岳麓书社,长沙。
——(2001)南方方言几个状态补语标记的来源(一),《方言》第4期,北京,344—354页。
——(2002)南方方言几个状态补语标记的来源(二),《方言》第1期,北京,24—34页。
项梦冰(1997)《连城客家话语法研究》,语文出版社,北京。
俞光中(1985)元明白话里的助词"来",《中国语文》第4期,北京,289—291页。
张　相(1955)《诗词曲语辞汇释》,中华书局,北京。
张学东(2002)有关形容词加"起来"格式的一个考察,《北京大学研究生学志》第1—2期,北京,85—89页。
张一舟、张清源、邓英树(2001)《成都方言语法研究》,巴蜀书社,成都。
张谊生(2000)略论时制助词"来着"——兼论"来着^1"与"的^2"以及"来着^2"的区别,《大理师专学报》第4期,大理,61—67页。
张月明(1998)"去来"的性质及其"来"的演变,《广播电视大学学报》第1期,呼和浩特,57—61页。
赵元任(1968/1996)《中国话的文法》,丁邦新译,见《中国现代学术经典·赵元任卷》,河北教育出版社,石家庄。
钟兆华(1985)趋向动词"起来"在近代汉语中的发展,《中国语文》第5期,北京,359—366页。

—— (1988) 动词"起去"和它的消失,《中国语文》第 5 期,北京,380—385 页。

朱庆之(1990) 佛经翻译与中古汉语词汇二题,《中国语文》第 2 期,北京,151—154 页。

Chen, Lilly L. (1997) Metaphorical extention: The phenomenon of lâi 来/khì 去 'come/go' in Taiwanese.《中国境内语言暨语言学》第三辑,台北,103—137 页。

Clark, Eve V. (1974) Normal states and evaluative viewpoints. *Language* 50: 316—332.

Fillmore, Charles J. (1997) *Lectures on Deixis*. Stanford: CSLI.

Hopper, Paul J. , and Elizabeth Closs Traugott (1993) *Grammaticalization*. Cambridge: Cambridge University Press.

Huang, Shuan-fan(1978) Space, time and the semantics of *lai* and *qu*. In Robert L. Cheng, Ying-che Li and Ting-chi Tang (eds.), *Proceedings of Symposium on Chinese Linguistics*, 53 — 66. Taipei: Student Book Co. Ltd.

Kamio, Akio(1997) *Territory of Information*. Amsterdam/Philadelphia: John Benjamins.

Kuno, Susumu(1987) *Functional Syntax: Anaphora, discourse and empathy*. Chicago: University of Chicago Press.

Levinson, Stephen C. (1983) *Pragmatics*. Cambridge: Cambridge University Press.

Lichtenberk, Frantisek (1991) Semantic change and heterosemy in grammaticalization. *Language* 67:475—509.

Lien, Chinfa (2002) Grammaticalization of deictic verbs in Southern Min. 第三届海峡两岸语法史研讨会论文,台北。

Nakazawa, Tsuneko (1990) A pragmatic account of the distribution of *come* and *go* in English, Japanese and Korean. In Hajime Hoji (ed.), *Japanese/Korean Linguistics*, 97—110. Stanford: CSLI.

Zhou, Minglang, and Ping Fu (1996) Physical space and social space: How to *come* and *go* in Chinese. Paper presented at the Second International Colloquium on Deixis, Nancy.

(100732 北京,中国社会科学院语言研究所
E-mail:liming@ cass. org. cn)

广义配价模式与汉语"把"字句的句法语义规则*

詹 卫 东

提要 本文分为三个部分。第一部分扼要介绍一个词汇语义知识表达框架:广义配价模式。这个模式是对传统配价理论的扩充;第二部分以汉语的"把"字句为处理对象,尝试为计算机分析汉语的"把"字句提供句法语义规则,规则中有关"把"字句里动词短语(VP)的语义约束,就是在广义配价模式基础上进行的;第三部分分析了若干跟"把"字句有关的歧义实例,以说明本文所提出的形式规则的效果。

关键词 配价 广义配价模式 句法语义规则 "把"字句 歧义消解

1 一个增广的语义知识表达框架:广义配价模式

1.1 背景

句法分析的直接目标是要得到句子的直接组成成分以及成分间的句法关系;语义分析的直接目标是要说明句子中组成成分之间的语义关系。

对计算机分析而言,要达到上述两个目标,必须依赖一定的语言知识,语言学家的工作就是来发掘这样的语言知识,并以一定的形式化手段来表述这样的语言知识(而不是以自然语言的方式来表述),让计算机能像人一样掌握这些知识。

在依存语法(Dependency Grammar)中提出的配价理论(Valency

---

* 本文研究工作得到"高等学校全国优秀博士学位论文作者专项资金"(项目编号200110)资助。本文初稿曾在"新世纪第二届现代汉语语法国际研讨会"上宣读过,根据与会代表的意见做了一些修改。谨致谢意。

theory),就是一套比较有效的可以用来表达实词语义知识的模式。

举例来说,基于配价理论,我们可以这样描述汉语中的动词"搬"。这个动词要求两个配价成分(由名词性成分充当)出现在它周围,形成合法的句法结构,比如"张三搬石头",其中"张三"、"石头"就是动词"搬"的两个配价成分。更进一步,"张三"是施动者(发出"搬"这个动作的主体),"石头"是受动者(被"搬"这个动作影响的动作对象)。并且,"搬"要求施动者是人或动物类的名词,受动者是具体可感的实体。如果这样的知识以一定的方式记录在计算机中,计算机就可以理解(也可以生成)像"张三搬石头"这样合乎汉语语感的句子,同时排斥"*石头搬张三"、"*张三搬理想"这样的不合乎汉语语感的句子。

不过,仅有上述知识,计算机仍然不能处理下面的问题:

(1) "张三搬累了"、"屋子搬空了"是合乎汉语语感的,而"*张三搬薄了"、"*屋子搬真了"不合乎汉语语感。

(2) "张三搬光了所有的石头"是合乎汉语语感的,而"*张三搬累了所有的石头"不合乎汉语语感。

对此,就需要我们给计算机提供更多的知识,这包括两个方面:提供什么知识,以及如何提供。实际上,来自中文信息处理领域的应用需求促使我们对原有的配价理论作更多的思考并尝试构建表达力更丰富的模式。很明显,问题主要集中在两个方面:一方面,原有的配价理论对于动词的配价性质及其对句法结构造成的影响比较重视,对动词跟名词的配价关系研究比较充分,但对动词跟其他实词(比如形容词)的组配性质研究不多,比如上面所举例子中,动词"搬"跟形容词"累"、"空"等可以组配,但跟"真"、"薄"等无法组配;另一方面,传统的配价理论对动词变成动词短语过程中,配价性质的动态变化关注不够,比如上面例子中,"搬累"跟"搬"的配价性质相比,已经发生了变化,因而不能跟"所有的石头"组配。上述两方面的语言事实,都应该有一套方式去刻画它[①]。

下面介绍的广义配价模式(Generalized Valence Mode)就是为此

所做的一点探索和尝试。

1.2 广义配价模式

针对上面两方面的问题,广义配价模式尝试在两个方向上对原有的配价理论进行拓展:横向上,不仅描述动词跟名词的配价信息,还试图把形容词跟名词,动词跟形容词等的组配约束包括进来(这无疑对描述汉语中动词与形容词搭配构成述补结构的性质有支持作用)②;纵向上,从词拓宽到短语,比如应该描述动词短语(述补结构,述宾结构)的配价性质。

上述横向上的拓展可以反映在电子词典中。在词典中,除记录动词与名词的搭配约束外,还通过一定方式记录动词与形容词的搭配约束。纵向上的拓展则主要反映在分析规则中,比如在有关述补结构,述宾结构的规则中,可以一定的方式描述整个结构的配价性质的变化。

下面通过举例来说明。

(一) 在词典中记录动词跟形容词的组配约束信息

请看词典中对动词"洗"、"晾",形容词"干净"的广义配价语义属性表示③:

洗 (1) 配价数:2
  (2) 论元角色语义约束:主体:[语义类:人];客体:[语义类:衣物]
  (3) 配价成分变化:主体变化:[人性];客体变化:[物性]④

晾 (1) 配价数:2
  (2) 论元角色语义约束:主体:[语义类:人];客体:[语义类:衣物]
  (3) 配价成分变化:主体变化:[人性];客体变化:[物性|位置]⑤

干净 (1) 配价数:1
  (2) 语义类:物性
  (3) 论元角色语义约束:主体:[语义类:具体物]

对每个动词的描述都分三个方面,其中第(1)、第(2)两个方面,以往的汉语配价理论研究已做了不少的探讨和描述。而第(3)个方面,即标注动词配价成分的变化情况,则是以往的语义研究尚未涉及的。上面示例中,"晾"跟"洗"在"客体变化"的性质上显示出差别,我们认为,"晾"可以造成"客体"的位置变化(可以说"晾外边","晾阳台上"),"洗"则不造成这种变化(不能说"*洗外边","*洗阳台上")。"洗"仅仅造成"客体"的"物性"变化。这里"物性"是个语义范畴,对应着一组形容词,比如"干,湿,干净,脏,平,皱……",这组形容词是用来形容物体的性质的。在对形容词的语义属性描述中,通过"语义类"来反映这个特征值,比如"干净"的"语义类"取值就为:[物性]。另外,跟动词一样,形容词也记录其"主体"论元角色的语义选择限制,比如"干净"主要是用来修饰具体事物,它的"主体"就取值为:[语义类:具体物]。

可以补充说明的是,上面示例中"洗"和"晾"的"客体变化"取值都笼统地记为[物性],有时候根据实际需要,还可以进一步细化⑥,将典型情况标记出来,比如"洗"标记为:客体变化:[物性:脏→干净];而"晾"标记为:客体变化:[物性:湿→干]。有了这样的信息,虽然不能解决动词"洗","晾"跟形容词的全部组配问题,但至少有助于计算机判断"洗干净","晾干"是合乎语感的,而"*晾饱了","*洗低了","*洗短暂了"等是不合乎汉语语法的。显然,通过这种方式,可以实现(或者至少是部分地实现)刻画动词跟形容词的组配约束的目的。

(二)在规则中记录从动词到动词短语配价性质的变化

请看汉语动词短语述补结构规则的示例(下文 3.2.1 中也用到这条规则,可以参看):

vp→!v a :: $.内部结构 = 述补,
   IF %v.主体 = %a.主体 THEN $.配价数 = 1 ENDIF,
  $.客体变化 = ¯位置,…

说明:

（1）vp→!v a 是产生式规则,表示汉语中动词(v)跟形容词(a)可以结合成为一个动词短语(vp),其中 v 是中心词,用!标记;

（2）::后面部分是对这条产生式规则的属性特征描述。"＄.内部结构＝述补"表示这是一个内部构造为述补结构的 vp;

（3）第一条"IF…THEN…ENDIF"语句说明如果述补结构的补语跟动词的施动者共指的话,整个述补结构的配价数就置为 1。这样的话,像"搬累"这样的述补式 vp 就不能再带客体宾语了;

（4）第二条"＄.客体变化＝⁻位置"语句说明该述补式 vp 不能再带处所宾语了(不过这类 vp 还可以带其他 np 构成述宾结构,比如"晾干了全部的衣服")。根据这条约束,"晾"这个动词本来是有"客体位置变化"属性特征的,汉语中可以说"晾屋里","晾阳台上",但如果"晾"跟形容词组配成述补 vp 后,就不再具有这个特征了,不能说"＊晾干阳台上","＊晾干屋里"。

对人来说,也许上述规则约束显得多此一举[⑦],但对计算机分析汉语短语结构而言,这样的规则是必需的。比如有了上述规则的帮助,计算机就可能对"晾干阳台上的衣服"做出正确的分析:

[[晾 干][阳台上 的 衣服]] —— 整个结构被分析为动词短语(vp)

如果没有上述规则的帮助,就可能分析出错误的结构层次:

＊[[[[晾 干] 阳台上] 的] 衣服] —— 整个结构被分析为名词短语(np)

以上扼要介绍了广义配价模式的基本思想,并通过示例展示了基于广义配价模式形式化地组织语言知识的具体做法。值得指出的是,在实际的自然语言处理系统中,词典与规则作为语言知识的主要载体,是紧密结合,共同发挥作用的。有关广义配价模式及有关形式化方法的更为详细的阐述,可参考詹卫东(2000)的论述。

下面以"把"字句的分析为例,进一步说明广义配价模式的应用。

2 "把"字句的句法语义规则

2.1 汉语"把"字句可以概括为这样一个格式⑧：

(…) + 把 + NP + VP

这个格式中"把 + NP"部分,我们称之为"把"字结构。本文称"把"字句时,是指"把"字结构前加 NP,后加 VP 形成的构造⑨。

关于汉语中的"把"字句,有很多问题值得研究,比如:

(1) 哪些 VP 能跟"把"字结构组合,即能出现在"把"字句中?

(2) 如何概括"把"字句的整体语义特征,即给出"把"字句的语义解释?

(3) "把"字结构跟 VP 组合后形成的构造("把"字句),能有哪些相关的变换句式以及有何变换条件?

(4) 什么语境下适宜用"把"字句表达,什么语境下又排斥用"把"字句?

(5) "把"字句在汉语大规模真实语料中的分布情况如何?

……

事实上,有关这些问题,前人也已做过不少研究⑩,但以给出供计算机分析"把"字句的规则为研究目标的工作则还很少见到。

此外,对面向人的研究而言,"把"字句这个名称听起来似乎是划定了一个研究范围,但对计算机而言,研究"把"字句,实际上就等于研究全部汉语的句法结构,因为要给出计算机分析"把"字句的规则,就是要明确指出什么样的结构能出现在"把"字句中,什么样的结构不能出现在"把"字句中。这无疑就等于要把全部汉语短语结构梳理一遍,只不过,梳理时有个特定的角度,即以"把"字句为格式框架来进行梳理。这一点,也是面向计算机进行语法研究更面向人进行语法研究很不相同的一个方面。理解了这一差异,读者对下文中对"把"字句十分繁琐的规则描述会容易接受一些。

本文对"把"字句的分析探讨,就是尝试给出能对计算机分析

"把"字句有直接支持作用的句法语义规则,也即寻求上面第(1)个问题的答案。

2.2 下面对汉语"把"字句的分析分三步展开。

2.2.1 第一步首先从对"把"字句中的两大成分 NP 和 VP 的描写入手。

可以从两个方面看,一是句法上的,看 VP 可能有的结构类型;二是语义上的,看 NP 在 VP 的广义配价框架中可能充任的语义角色类型。

(一)能跟"把"字结构组合的 VP 的结构类型。

(1) 单个动词 V。如:"把秘密公开"、"把灯熄灭"。

(2) 单个动词加上"了"、"着"等组成的附加式 VP。如:"把药吃了"、"把弟弟抱着"。

(3) 单个动词的各种重叠形式。如:"把那本书看了又看"、"把脚抬抬"。

(4) 单个动词前加由"一"作状语形成的状中式 VP。如:"把手一松"、"把桌子一拍"。

(5) 动词后面带数量短语形成的 VP。如:"把他打了一顿"、"把书看了一遍"。

"V 了个遍"格式也可附在这里。如:"把北京逛了个遍"、"把北大食堂吃了个遍"。

(6) 一般的黏合述补式 VP。如:"把饭吃光了"、"把地扫干净"、"把车推进去"。

(7) 一般的组合述补式 VP。如:"把他跑得气喘吁吁"、"把话说得越干脆越好"。

(8) 介词结构做补语的述补式 VP。如:"把画挂在墙上"、"不把他放在眼里"。

(9) 述宾式 VP。如:"把炉子生了火"、"把黑板写满了字"、"把头撞了一个洞"、"把荒山变成绿林"、"把那些木头盖了房子"。

(10) 除(4)以外的状中式 VP。如:"把剩下的几页赶紧抄完"、

"把三百级台阶一口气走完"、"把他往死里打"。

(11) 连谓式 VP。如:"把衣服洗干净晾在院子里"、"把他捆起来带走了"。

(12) 联合式 VP。如:"同学们一定要把这道题理解并且消化了"。

(二) 再看 NP 在 VP 的广义配价框架中可能充任的语义角色类型的情况。

(1) NP 可以是客体成分。如:"把饭吃光了"、"把衣服送给了你弟弟"。

(2) NP 可以是主体成分。如:"想孩子把妈妈想得睡不着觉"、"把我累得进了医院"。

(3) NP 可以是工具成分。如:"把毛笔写秃了"、"吃桑葚把孩子的舌头都吃紫了"。

(4) NP 可以是处所成分。如:"把黑板画满了图案"、"把北京玩了个遍"。

(5) NP 可以是结果成分。如:"把文章写完"、"把小鸟儿叠得更大些"。

(6) NP 可以是目的成分。如:"他终于把驾驶证考到手了"、"把书稿催回来"。

"把"后 NP 在 VP 的配价框架中不能是与事、时间、空间等类型的语义角色。

(7) NP 不能是与事成分。如:*"把我送给了三本书"(送给了我三本书)*"把我吃了一个苹果"(吃了我一个苹果)。

(8) NP 不能是时间成分。如:*"把昨天买衣服了"(昨天买衣服了)。

(9) NP 不能是空间成分。如:*"把操场上踢足球"(在操场上踢足球)。

这里需要说明的是,NP 可以是"处所"类型的语义角色,但不能是"空间"类型的语义角色。汉语通常选择介词"在"为标记,在状语这个结构位置上(动词前)来标示动作发生的"空间"(比如"在舞台上唱歌"),而选择宾语位置标示动作所涉及的体词性成分所在的"处所"(比如"贴南墙上")。如果"把"字后面的宾语是处所性质的NP,它表示的就是VP的配价成分所在的"处所"(比如"把黑板写满了字"),而不能是动作发生所在的"空间"。比如可以说"大家在电影院里看电影",不能说"*大家把电影院里看电影"。因为这里的"电影院"只能是"空间",而不是"处所"。排斥用"把"[11]。

以上粗粗罗列了可以出现在"把"字句中的VP的结构类型和NP的语义角色类型。不难看出,涉及范围相当广泛,这也就意味着:从正面描述"把"字句的句法语义约束比较困难。下面再试试从反面来考察哪些成分不能出现在"把"字句中。

2.2.2 第二步考察绝对不能跟"把"字结构搭配组合的动词。

所谓绝对不能跟"把"字结构搭配,是指动词不能以上面2.2.1中提到的任何一种形式出现在"把"字句中。之所以要进行这一步考察,是因为VP跟"把"字结构搭配的条件是建立在单个动词跟"把"字结构的搭配性质基础上的。为了给出VP跟"把"字结构搭配的句法语义规则,我们首先就要把那些根本不会跟"把"字结构搭配的动词排除出去。

金立鑫(1997)给出了一个不能跟"把"字结构搭配的动词清单,共计181个动词。不过他没有交待他所考察的动词的范围。实际上在他的清单外,还有不少动词是不能跟"把"字结构组合的,比如"哀叹、爱好、遍及、濒临、搏击、企图、同意、姓……"。

此外,我们考察了北大计算语言学研究所编制的《现代汉语语法信息词典》(1997年版)的数据。该词典一共收有动词10283个。其中能带体词性宾语的动词共5933个。而这其中宾语语义类型是"受事"(对应于我们的"客体")的有3267个动词。该词典标记了这些动词中有1803个动词的受事宾语可以提前做"把"的宾语,换言之,也就是在3267个可以带受事宾语的动词中,有55%的动词能跟"把"字结构搭配。而45%的动词没有标记能跟"把"字结构组合。

我们抽样检查了词典中这45%没有标记的动词,发现有一部分动词也是可以跟"把"字结构组合的,比如"颁发、更动、干洗……",也就是说,该词典的标记跟实际情况也有偏离。不能跟"把"字结构搭配组合的动词数量应该不到45%,即能跟"把"字结构搭配组合的动词比率还应该再高一些。

  以上两方面的情况说明,判断具体的动词能否出现在"把"字句中,很难做到非常全面准确。本文也不奢望能做到这一点。就以往的研究而言,通常在论述到哪些动词不能出现在"把"字句中时,一般是泛泛地概括为"不及物动词、非自主动词……"。这样概括虽然能说明一些问题,但实际上只是转化了问题,还是没有得到明确的答案。因为汉语中哪些动词属于"不及物动词"或者"非自主动词",动词本身并没有显性的标记。仍然得根据别的形式或者意义条件来逐个甄别。金立鑫(1997)还提到可以用能否进入"V 得"框架来判断一个动词是否能进入"把"字句,实际上,这也只是发现了"把"字句跟"V 得"句之间的变换关系而已。我们曾经按照动词的语义分类,来描述某一语义类的动词能进入"把"字句,某一语义类的动词绝对不能进入"把"字句,比如表示关联意义的动词("是、属于、包括、等于……"),表示遭受意义的动词("受到、遭到、得到、遭遇……"),就都不能进入"把"字句。但由于分类本身的困难,从语义类的角度刻画动词进入"把"字句的能力,很难保证同类动词在跟"把"字结构搭配这个句法表现上都有共性。事实上,要回答哪些动词能跟"把"字结构搭配,哪些动词不能跟"把"字结构搭配,最直接的也可能是唯一的方法就是对每个动词逐一进行鉴别[12]。

  不过,自然语言的实际表现有其自身的复杂性。对动词逐一鉴别是否能进入"把"字句,最终得到的结果也只能是一个近似值,像金立鑫(1997)开出的清单和《现代汉语语法信息词典》的结果就都是如此。本文不再尝试给出新的近似答案。而是假定已经有了近似值基础,来进一步做下面的分析。

2.2.3 第三步尝试给出能跟"把"字结构组合的 VP 的约束条

件。

要给出跟"把"字结构组合的 VP 的约束条件,理想的情况应该是:

(1)"把"字句整体作为一种表达形式,应该对应着一个或若干个统一的,比较明确的,可形式化的语义特性。

(2)"把"字句中 VP 有明确的可归纳的类型或特征(句法的或语义的)作为标记。这样就可以用来检查一个 VP 是否跟"把"字结构的类型要求相吻合。

但目前的实际情况是,对(1)和(2)都还没有十分令人满意的答案。

以往的研究大多集中在第(1)个目标上,从早期的概括为所谓的"处置式"到现在比较占主流的看法,即认为"把"字句是表示"'把'后 NP 的变化或者结果状态",以及其他一些相近的认识,虽然有了一些进步,但仍然没有能够概括所有的"把"字句。对第(2)个目标,以往面向人的语法研究相对关注得少一些,直接以计算机处理为目标的分析就更少了。加上第(1)个目标还没有完全达到,对跟"把"字句搭配的 VP 的约束条件,也自然就很难形成比较系统的概括。

本文基本同意前人对"把"字句的总体语义特征的概括,不再在第(1)个目标上多做文章,而是在已有基础上来提炼能跟"把"字结构组合的 VP 的句法语义条件。这个基础也就是我们的已知信息,即词典中已经对每个动词标记了它能否用于"把"字句(以下提及的动词 V 都是指能用于"把"字句的动词)。

"把"字句句法语义规则可概括如下(为行文方便,规则以自然语言表述):

(1)总规则:无论 VP 为何种结构形式,都要求 VP 以"把"后 NP 为其配价成分。

(2)分规则:根据 VP 结构形式的不同,"把"字结构对 VP 还有不同的选择限制。

(2-i) 如果 VP 是 2.2.1 中提到的情况(1),则 V 不能是单音节的。

(2-ii) 如果 VP 是 2.2.1 中提到的情况(2),则检查词典中 V 的"着了过"属性[13],该属性值为真则可以跟"把"字结构组合,否则不能。

(2-iii) 如果 VP 是 2.2.1 中提到的情况(3),则检查 V 的"重叠"属性,该属性值为真则可以跟"把"字结构组合,否则不能。

(2-iv) 如果 VP 是 2.2.1 中提到的情况(4)、(5),则检查 V 的"后动量词"属性,该属性值为真,则可以跟"把"字结构组合,否则不能。

(2-v) 如果 VP 是 2.2.1 中提到的情况(6)、(7),则检查"把"后 NP 是否为 VP 中补语的配价成分,若不是,则不符合组合条件;若是,则检查补语的语义类型跟 VP 中心动词所标记的配价成分变化类型是否吻合,若是,则整体 VP 可以跟"把"字结构组合(这里的规则描述是简化了的,细节可参见下文 3.1.2 例句的分析),否则不能。

(2-vi) 如果 VP 是 2.2.1 中提到的情况(8),则检查 V 的配价成分变化项目中是否有"位置"变化,若是,则 VP 可以跟"把"字结构组合,否则不能。

(2-vii) 如果 VP 是 2.2.1 中提到的情况(9),则 V 的配价数必须为 2 或 3,若为 2,则 V 的配价成分必须有 3 个以上(含 3 个)的语义角色类型,或者 V 的配价成分变化中有[位置]变化特征;若为 3,则检查"把"后 NP 是否为 V 的客体配价成分,若是,则 VP 能跟"把"字结构组合,否则不能。

(2-viii) 如果 VP 是 2.2.1 中提到的情况(10),状中式 VP 中状语成分大致包括副词、形容词、"X+地"、时间词、处所词、介词结构、数量短语等类型。"把"字结构对这些状语成分的限制条件我们现在还难以全面准确的描述,已知的情况是:VP 状语成分不能是否定副词(如"不、没、未"等)[14],不能也是"把"字结构作状语,不能是某些频度副词(如"常常")和某些时间副词(如"曾经"),等等,更详细的约束条件有待进一步研究⑮;对状中式 VP 中心成分的约束条件则与上述规则第 2-ii 条到第 2-vii 条描述的条件相同。

(2-ix)如果 VP 是 2.2.1 中提到的情况(11)和(12),联合和连谓中各项 VP 的约束条件与上述第 2-ii 条到第 2-viii 条描述的条件相同。

下面举例对一些规则加以简要说明。

规则(2-v)可以用于分析"把桌子擦干净了"。"把"后的 NP "桌子"是动词"擦"的客体配价成分,并且也是形容词"干净"的配价成分。我们在形容词词典中标记了形容词"干净"为 1 价形容词,以及"干净"对主体的选择要求是"具体物"。这样"桌子"符合"干净"的配价要求。整个 VP"擦干净了"就可以跟"把桌子"组合。

如果把例中的中心动词"擦"换成"听",就是非法组合(*"把桌子听干净了"),因为"桌子"不是"听"的配价成分;如果把补语形容词"干净"换成"满",也是非法组合(*"把桌子擦满了"),因为"满"不符合动词"擦"的"客体配价成分的变化类型要求","擦"只能造成"客体"成分从"脏"到"干净"的变化,而没有"满""空"等"数量"变化。

规则(2-vii)则用来分析"把黑板写满了字"这样的例子。中心动词"写"的配价数为 2,"写"的配价成分除"主体"(如"人")外,还有"结果"(如"字")、"处所"(如"黑板")、"工具"(如"笔")等,角色类型在 3 个以上,符合条件。同样的,也可以解释"把字写满了黑板"等等。

规则(2-viii)用于说明汉语中不允许像"*把作业没做完"、"*把这本书曾经背得滚瓜烂熟"这样的表达。例中 VP 的状语成分"没"、"曾经"都应置于"把"前。

其余规则的解读可以类推。此不赘述。

3 "把"字句句法语义规则的效用

这一小节我们举例说明上一小节给出的关于"把"字句的句法语义规则在汉语的自动句法分析中能够发挥怎样的作用。主要谈两个方面。

3.1 多义词辨析

3.1.1 是谁"下去"？

趋向动词"下去"至少有两个意思,一个表示物体的位移方向,比如"他顺着楼梯走下去了";一个是表示动作行为的持续进行,比如"虽然很晚了,但他们还坚持要唱下去"。从语义指向的分析角度讲,前一个"下去"指向动词的"主体"配价成分("他"),后一个"下去"指向动词本身("唱")。在"把"字句中,这两种意思的"下去"都可能出现,依靠上节提出的规则,就有可能确定在具体的句子中,到底是"谁下去"⑯。请看例句:

a. 我们终于把敌人打下去了。

b. 我们无论如何要把这个官司打下去?

单独的"打下去"是有歧义的,但在 a 句的语境中,只有一种理解。"下去"指向"把"后 NP"敌人"。计算机利用上节的规则(2-v)可以对此加以判断。"打"的客体是"敌人",同时"敌人"也满足 VP 补语成分"下去"的配价成分选择要求:必须是"具体物"才可以有实际的位移。即"敌人下去(了)"。例 b 中"官司"是"打"的客体成分(也可以认为"打"跟"官司"一起构成现代汉语中的习用语"打官司",并且有相当于离合词的一些用法特征)。"官司"是抽象物,不符合"下去"的配价选择要求,因此"下去"不能指向"把"后 NP"官司",只能指向 V"打"。

3.1.2 是哪一个"清楚"？

"清楚"是兼类词,当我们说"我很清楚他的为人"时,是"我"清楚,这时"清楚"能带宾语,是动词;当我们说"这份复印件很清楚"

时,是指"复印件"本身清楚,这时"清楚"能受"很"修饰,不能带宾语,是形容词。在"把"字句中,这两个意思的"清楚"都可以出现。上节规则可以帮助我们确定在具体的上下文语境中是"哪一个清楚"。请看例句:

  a. 你最好把字写清楚了。

  b. 我终于把黑板上的字看清楚了。

  上两例中,a 句"清楚"指向"字";b 句"清楚"同时指向"我"和"黑板上的字"。判断依据在于两句中的 VP 中心动词不同。同样也可用上文规则(2-v)对此加以判断,只是这里还要把规则(2-v)进一步细化,即实际上要检查 VP 中心动词在词典中标记的第三层级的语义性质(动词配价成分的变化情况)。a 句中心动词"写"标记了"主体性状变化"和"客体性状变化";而 b 句中心动词"看"只标记了"主体性状变化"(比如"看累了"),没有标记"客体性状变化"[17]。这样,当分析 a 句时,"清楚"可以简单地指向 V 的客体,"把"后 NP"字"[18]。而分析 b 句时,由于"看"没有标记"客体性状变化"而是标记了"主体性状变化","清楚"就去跟"把"前的 VP 主体成分匹配,结果是"我"符合"清楚"的主体配价成分选择要求,即"我清楚黑板上的字"。从而使得"清楚"指向 VP 的主体"我"。

3.2 歧义格式消歧

  看两个有切分歧义的例子(这两例都是针对计算机分析而言的,人来理解时并不会感觉到有歧解)。

3.2.1 请看例句:"把床单晾干净铁丝上"。

  计算机分析这个短语结构会碰到一个困难,就是"干净"应该是作"晾"的补语呢,还是作"铁丝"的定语。

  尽管对人而言,"晾"通常会导致它的"客体"发生的性状变化是"干",而不是"干净",即"晾"跟"干净"不大能挨到一块儿,但颗粒度这样细的语义知识,目前记录起来还有困难,词典中可能并没有标记这样的信息,仅仅是标记了"晾"会造成客体[物性]变化,"干净"也是[物性]的一种,因此虽然对人而言,一般不选择"晾干净"这个述补结构,但对计算机而言,"晾干净"也是可接受的。

要对此做出准确判断,主要就是得考虑从动词到动词短语,配价性质的变化情况。上文 1.2 节"汉语动词短语述补结构规则示例"部分描述了动词带补语后配价性质的变化情况。根据词典中对动词的"晾"的广义配价语义属性描述,"晾"可以造成客体的两项变化:"物性"或者"位置",因此,分开来看,"晾干净"、"晾铁丝上"都是可以接受的组配。但根据规则,"晾"一旦带上"干净"做补语,构成述补式 VP,整个 VP 的配价性质就被赋值为:[客体变化 = ⁻位置]。这样的话,如果选择"晾"的客体变化为"物性",把"晾干净"捆绑在一起,则后面的处所短语(记作 SP)"铁丝上"无法跟"晾干净"组配,即得不到句法解释和语义解释,所以只能放弃这种分析:

*[把床单[[晾 干净][铁丝 上]]]

如果把"干净"跟"铁丝"捆绑在一起,再加上"上",形成一个整体的 SP"干净铁丝上",这个 SP 就可以满足"晾"的配价成分的"位置"变化要求。由规则(2-vii),就可以得到正确的分析结果:

[把床单[晾[[干净 铁丝]上]]]

3.2.2 请看例句:

a. (赶紧)把文章写完看电视。

b. 把猪肉剁烂包饺子。

这两个例句反映了"把"字结构参与句法组合常会碰到的另一个切分歧义问题[19]。这两例对应的抽象格式为:

把 + NP + VP$_1$ + VP$_2$

从结构层次上讲,很显然隐含了歧义可能性,即可能有两种切分结果:

A. [[把 NP VP$_1$]　VP$_2$]

B. [把 NP [VP$_1$ VP$_2$]]

前者是 VP$_1$ 先跟"把"字结构捆绑,再跟 VP$_2$ 组合;后者是 VP$_1$ 跟 VP$_2$ 先捆绑再跟"把"字结构组合。在实际用例中,一般要么是按 A 式切分,要么是按 B 式切分。问题是如何来帮助计算机做出正确的判断。

很显然,这主要取决于 VP_2 是否满足跟"把"字结构组合的条件。换句话说,根据上一小节我们归纳的关于"把"字句的句法语义规则,多数情况下应该能对这个问题做出回答。

先看 a 例,VP_2 是"看电视",动词"看"的配价数是 2,配价成分语义角色类型只有"主体"和"客体"两项,"电视"是"看"的"客体"配价成分,"把"后 NP"文章"也符合"看"的客体配价成分的选择限制要求。根据在最小句法结构内确定配价成分的竞争原则,结果是在这句中"看"的客体是"电视"而不是"文章"。这样根据上一节的规则(2-vii)和规则(2-ix),VP_2"看电视"不能跟前面的"把"字结构"把文章"组合,a 例只能按 A 式切分。

再看 b 例,VP_2 是"包饺子"。动词"包"的配价数也是 2,但其配价成分的语义角色类型有"主体"、"客体"、"结果"三项。"饺子"符合"包"的"结果"配项的选择限制要求,被确定为"包"的"结果"配项,这样"包"就还有一个"客体"配项空缺,向前搜索,"把"后 NP"猪肉"符合"包"的"客体"配项选择限制要求,这样"猪肉"就可以出任"包"的"客体"配项。根据规则(2-vii)和规则(2-ix),VP_2"包饺子"可以跟前面的"把"字结构"把猪肉"组合,b 例应该按 B 式切分。

4 结语

本文介绍的广义配价模式,目的是要把"名、动、形"三大类实词纳入统一的配价理论框架下进行语义性质的描述,并希望以此为基础能进行短语句法语义性质的动态描述。

本文的研究是面向计算机处理汉语的需要进行的初步探索,讨论时举到的都是比较普通的例子,没有刻意去追求对一些边缘用例的解释。因为本文的初衷是想给出一个"把"字句句法语义规则的形式化的描述框架,不求做到无例外,但求能够比较系统地概括跟

"把"字结构搭配的 VP 的约束条件,以支持计算机对汉语"把"字句的句法语义分析。

附 注

① 有关动词到动词短语,句法语义性质的变化的讨论,可参看詹卫东(2000)《语言成分的组合与功能传递》,载陆俭明主编《面临新世纪挑战的现代汉语语法研究》;有关述补结构配价性质的讨论,可参看郭锐(1995)《述结式的配价结构与成分的整合》的研究。

② 实际上除了动词跟形容词的组配约束外,还应该考虑动词跟动词的组配约束,比如有的动词能跟一些补语动词(如"成"、"光"、"掉"、"下去"、"上来"等)构成述补结构,有的不能,限于篇幅,本文暂不展开讨论这类动—动组配的情况,但本文关于动—形组配约束的基本思想,同样适用于动—动组配的刻画。

③ 一般语义学著作中通行的表示方法是以大括号来总括多项复杂特征,比如:

$$\begin{bmatrix} 词语:洗 \\ 词性:V \\ 配价数:2 \\ 主体:〔语义类:人〕 \\ 主体变化:〔……〕 \end{bmatrix}$$

这里为行文和表述方便起见,将各项特征(属性:值)分列出来。

④ 方括号里的变化项还可以进一步扩展。有的动词比如"举",它的客体配价成分要发生"位置"变化,并且这个变化是有方向的,只能"向上举",如果词典要标记"举"的这个性质,就可以在括号内的"位置"项内部进一步标明为"位置:向上"。

⑤ 符号"│"表示逻辑"或"的关系。

⑥ 可以通过形容词的语义细分类来达到约束目的,参见詹卫东(2003)的讨论。

⑦ 对外国学生学习汉语而言,也可能造出类似的错误句子,原因也可以归结为没有掌握这样的规则。

⑧ 汉语"把"字句中,"把"后还可以直接跟 VP 作为宾语,比如"(美国政府)……把付清欠款同联合国改革挂钩",其中"付清欠款"就是一个 VP。但实际语料中"把"后以紧跟 NP 占绝大多数,为简化问题的复杂度,也为讨论方便期间,本文不讨论"把"后直接跟 VP 的格式。

⑨ "把"字结构前面还可以有其他状语成分,比如"张三已经把作业做完了"中的"已经",为简化讨论,这里不涉及这种情况,另外,本文的讨论也主要是把重点放在"把"字后面的 NP 和 VP 上,没有涉及"把"前的 NP 成分。

⑩ 可参见石定栩(1999)《"把"字句和"被"字句研究》,载徐烈炯主编《共性与个性——汉语语言学中的争议》,北京语言文化大学出版社 1999 年版;以及薛凤生(1994)《"把"字句与"被"字句的结构意义》,载戴浩一、薛凤生主编《功能主义与汉语语法》,北京语言学院出版社 1994 年版。

⑪ "把"后带处所性 NP 似乎也有可以理解为"空间"的例子,比如,"把北京玩了个遍""把北京吃了个遍"等,其中"把"后的 NP"北京"似乎都可以看作是"空间"。例中的"把"也可以换成"在"。比如"在北京吃了个遍"。这类例子仅限于 VP 为"V 了个遍"格式。本文暂视作特例。

⑫ 笔者见到微软公司(Microsoft)正在研制的中文句法分析系统所用的词典中,就专门有一个属性项"把",来标记一个动词是否能出现在"把"字句中。微软公司词典的信息基本参考的是北大计算语言学研究所编的《现代汉语语法信息词典》。

⑬ "着了过"属性是《现代汉语语法信息词典》中动词、形容词的一项句法属性。标记一个动词或形容词后面带这三个助词的情况。下文的"重叠"、"后动量词"等也都是《现代汉语语法信息词典》的属性项,分别用来标记一个词是否能重叠(同时还标记了相应的重叠形式),以及动词后面能否接"一次、一趟"等动量成分。参见俞士汶等(1998)。

⑭ 也有个别情况下"把"字结构后的 VP 可以包含否定词状语,比如"把人不当人""把他不放在眼里"。本文暂且将这里视作特例(VP 中心动词似乎仅限于"当"、"放")。

⑮ 如果把研究目标限定为是对汉语的理解分析,约束条件暂时做不到很严密,也是可以接受的。如果是以汉语生成作为研究目标,还需进一步详细阐述"把"字结构对状中式 VP 的约束条件。

⑯ 实际上,这里所举的例子是部分能够处理的情况,但如果碰到"张三把这个案子压下去了"这样的例子,目前的词典知识还无法判定"下去"是指向"案子",还是指向"压"。这种情况已经涉及"比喻义"的问题了,本文不做展开讨论。

⑰ 为简化分析,这里没有考虑因"比喻"等修辞目的而转义的情况,比如"他把我看扁了","扁"语义指向"把"后 NP"我"。如何处理这类问题(参见附注⑮),有待将来的进一步研究。

⑱ VP 中的补语成分优先跟"把"后 NP 发生意义关系,其次才尝试跟"把"前 NP 建立关系。

⑲ 汉语"被"字句也有类似的歧义现象,可参看詹卫东(1997)的讨论。

参考文献

陈力为、袁琦(1995)主编,《中文信息处理应用平台工程》,电子工业出版社,北京。

金立鑫(1997)"把"字句的句法、语义、语境特征,《中国语文》第 6 期,北京。

李临定(1990)《现代汉语动词》,中国社会科学出版社,北京。

陆俭明（1990）汉语句法成分特有的套叠现象,《中国语文》第 2 期,北京。
—— （1996）关于语义指向分析,《中国语言学论丛》(第一辑),北京语言学院出版社,北京。
鲁　川（1995）《现代汉语的语义网络》,《中文信息处理应用平台工程》,电子工业出版社,北京。
沈　阳（1997）名词短语的多重移位形式及把字句的构造过程与语义解释,《中国语文》第 6 期,北京。
沈阳、郑定欧　（1995）主编《现代汉语配价语法研究》,北京大学出版社,北京。
王惠、詹卫东、刘群（1998）《现代汉语语义词典》的概要及设计,《1998 中文信息处理国际会议论文集》,清华大学出版社,北京。
袁毓林（1998）《汉语动词的配价研究》,江苏教育出版社,南京。
袁毓林、郭锐（1998）主编《现代汉语配价语法研究》(第 2 辑),北京大学出版社,北京。
俞士汶等（1998）《现代汉语语法信息词典详解》,清华大学出版社,北京。
朱德熙（1982）《语法讲义》,商务印书馆,北京。
詹卫东（1997）PP＜被＞＋VP1＋VP2 格式歧义的自动消解,《中国语文》第 6 期,北京。
—— （1998）基于词组本位语法的语义模型,《中文与东方语言信息处理学会学报》(Communications of COLIPS),Vol.8,No.1,1998,新加坡。
—— （2000）《面向中文信息处理的现代汉语短语结构规则研究》,清华大学出版社 2000 年版,北京。
—— （2003）汉语述结式的组配约束及"v＋a＋n"歧义格式分析,《语言暨语言学》Vol 4, No.3, 第 3 期,台北。
Fillmore, C. J. (1982) Frame semantics, In Linguistics in the morning calm, *The Linguistic Society of Korea ed.* Hanshin Publishing Co. Seoul.
Robert D. Borsley (1996) *Modern Phrase Structure Grammar*, Blackwell Publishers Inc..

(100871　北京,北京大学中文系　E-mail：zwd@pku.edu.cn)

台湾闽南话移动动词"走"的多义性及概念结构：语义延伸的途径[*]

刘秀莹　连金发

提要　本文章主要探讨台湾闽南话移动动词"走"的各种用法。除了找寻各个语义衍生的过程之外，我们也特别从概念结构(conceptual structure)与语义结构(semantic structure)着手，讨论"走"在人们的概念中如何体现。初看台湾闽南话移动动词"走"，我们发现它的语义不下十个；然而，以概念结构的分析方式可以将十几个义项精简至六个。为了整合所有相关的语义以求达到普遍性以及经济原则，我们以有限的义素(semantic features)建立一连串的概念结构。"走"的核心概念结构为"施事者借特定工具移动"，从这个基本核心语义扩展为几个延伸的语义。第一个延伸义的是"移动"的核心义加上不同的路径；第二个延伸义是在核心义上加上原因的成分；第三个延伸义是使动的用法，"走"可以化解为基本的使动意义。第四个及第五个延伸义是第一个延伸义中以 FROM/AWAY-FROM 为路径的进一步发展。第一到第四个延伸义基本上都保有空间移动的语义，但第五个延伸义空间位移的语义已经消失，起而代之的是表示状态的改变。除了当动词以外，"走"也有补语的用法。"走"当补语使用时大部分是保存其原本表达空间的概念，但也有少数指涉非空间的用法。语义延伸的途径很多。在分析闽南话移动动词"走"的多义性之后，我们发现一些语义延伸的方式。除了基本的核心义之外，多义词可经由推论、譬喻及会话隐含的方式产生更多的延伸义。

关键词　多义词　概念结构　语义延伸　语义结构

0　前言

多义词存在于每个语言当中且为数不少。将每个意义视为各自

---

[*] 本文的研究是连金发主持的国科会计划(NSC90－2411－H－007－32)研究成果之一部分。仅此向国科会的资助铭谢。此外，两位匿名评审不吝指正，在此特申谢忱。

独立的单位并不妥当,原因有二:(一)如何说明一个词有着完全不相干的意义;(二)完全不相干的意义为何选用同一个词代表。叶蜚声与徐通锵(1993:150)指出,让一个词兼表几个意义而不必另造新词,符合经济的原则。根据 Rosch(1973)的说法,一个词有个原型语义,也就是本义,以本义为基础可衍生出不同的衍生义。乍看之下衍生义各不相干;然而,若循着演变的脉络便可发现彼此之间微妙的关系。

本文主要探讨台湾闽南话移动动词{chau² 走}的各种用法。除了找寻各个语义衍生的过程之外,我们也特别从认知语言学(cognitive linguistics)与语义结构(semantic structures)着手,讨论{chau² 走}在人们的概念中如何体现。本文的架构如下:第一节介绍本研究所采用的理论背景——概念结构、原型理论与辐射结构,第二节为文献回顾,第三节讨论{chau² 走}的语义延伸与概念结构,是这篇文章最主要的部分,第四节将为整个研究做个总结。

一　理论背景

1.1 概念结构

概念结构(conceptual structure)是由一套元语言(metalanguage)所刻画的语义结构。它是由一系列有限的抽象的谓语和论元所组成:使动、客体移动、激活、存在、路径、方位、原因、结果等。概念结构由带论元的谓语所组成,每个论元都带有论旨角色。论旨角色是由动词和名词之间的共同组合关系所推断出的后者所承担的语义属性,如施事者(agent)、受事者(patient)、客体(theme)、受惠者(benefactive)、起点(source)、终点(goal)、方位(location)、时间(time)。

针对语义层次的论旨角色,Jackendoff(1990)提出双层分析法,将语义结构分成两层:动作层(action tier)与周边论旨层(themantic tier),前者处理施事者(agent)与受事者(patient),后者处理位移(motion)和位置(location)。因此,一个论元可能同时有好几个论旨角色。

a)	<u>Sue</u>	hit	<u>Fred</u>[①].	（阿兰打阿根。）
	客体		终点	（周边论旨层）
	施事者		受事者	（动作层）
b)	<u>Pete</u>	threw	<u>the ball</u>.	（阿旺丢球。）
	起点		客体	（周边论旨层）
	施事者		受事者	（动作层）
c)	<u>Bill</u>	entered	<u>the room</u>.	（阿宏进房间。）
	客体		终点	（周边论旨层）
	施事者		–	（动作层）
d)	<u>Bill</u>	received	<u>a letter</u>.	（阿宏收到一封信。）
	终点		客体	（周边论旨层）
	–		–	（动作层）

1.2 原型理论与辐射结构

对于多义词，传统的看法认为每一个语义一样重要，范畴与范畴之间划分得极为清楚。然而，原型理论（prototype theory）认为在众多语义当中，有一个是最突显，最基本且最常用的，这便是原型语义（prototypical meaning）。其他的意义则是以原型语义为中心引申出来的。

辐射结构（radial structure）讨论的是语义延伸的方向。Lakoff(1987:204—205)认为，原型语义是呈辐射状引申出其他的意义的，语义引申的模式并不是反映客观主义的世界而是透过认知的方式去建构。引申的模式如隐喻（metaphor）、转喻（metonymy）及意象基模关系（image-scheme relations）用以联系核心义与边缘义。语义引申的途径并不能预测，却是可以论证的。

二 文献回顾

蒋绍愚（2002）研究汉语从"走"到"跑"的历史更替，指出先秦时

"行走"语义场按速度从快到慢排列是{奔}—{走}—{趋}—{行}—{步},五个词的区别性义素如表1:

表1

		速度	方式
A	奔	5(很快)	两腿弯曲程度大,步子大
B	走	4(快)	两腿弯曲程度大,步子大
C	趋	3(较快)	两腿弯曲程度小,步子小
D	行	2(不快)	两腿弯曲程度小,步子小
E	步	1(慢)	两腿弯曲程度小,步子小

到现代汉语中,"行走"语义场中只剩下B、D两个位置,形成二元对立,分别由{跑}和{走}占据(见表2)。

表2

		速度	方式
B	跑	快	两腿弯曲程度大,步子大
D	走	不快	两腿弯曲程度小,步子小

从先秦到现代,"行走"语义场的变化是:(1)占据语义场的B位置的词,由先秦的{走}变为现代的{跑};(2){走}的词义,由先秦的[奔跑]变为现代的[行走]。

蒋绍愚在观察许多文学作品中{跑}与{走}的词义之后,认为从先秦的{走}到现代汉语的{跑}这个历史的替换是因为{走}的【速度快】和【两腿弯曲程度大,步子大】这两个义素被忽略,因而词义逐渐由[奔跑]向[行走]靠近。{走}用于[行走]义,若原有的[奔跑]义仍用{走}表达会使得信息不够清晰;因此,从明代开始人们用{跑}来表达[奔跑]义,到《红楼梦》时形成一种新的格局:{走}表示[行走]义,{跑}表示[奔跑]义,两者明确分工。

虽然蒋绍愚的研究对象是汉语的{走},却提供了我们很重要的历史证据。基本上闽南话是属于比较存古及保守的方言,多保存最原始的用法,闽南话的{chau^2 走}保存先秦时代[奔跑]的语义。底下,我们以自主音段(autosegmental)的观念来处理汉语官话与闽南话的历史演变。在汉语官话,{走}原与[奔跑 run]这个语义连结

(link)，{行}与[行走 walk]连结。后来{走}与[奔跑]的连结中断 (delink)而与[行走]的语义连结。这样的改变一方面推挤{行}与抽象语义连结(推链)，一方面拉进新词{跑}与[奔跑]连结(拉链)。

	汉语官话			闽南话	
词位②	行	走	跑	行	走
意位	抽象用法	walk	run	walk	run

针对闽南话的行走动词，Huang(1998)在其硕士论文《台湾闽南话移动动词的词汇多义性与语义延伸》中提到闽南话{chau² 走}的各项语义。③

Sense 1 = TO MOVE I¹ tih⁴ chau² 伊伫走

Sense 2 = TO BE GONE I¹ chau² a³ 伊走啊

Sense 3 = TO CAUSE TO MOVE chau² be² 走马、chau² phoe¹ 走批

Sense 4 = TO ESCAPE (FROM) chau² huan¹ 走反、chau² hui² 走匪、chau² chhat¹ 走贼、chau² che⁷ 走债、chau² soe³ kim¹ 走税金、chau² hoo⁷ 走雨、chau² loo⁷ 走路

Sense 5 = TO LOSE; TO DEVIATE FROM THE NORM chau² cheng¹ 走精、chau² bi⁷ 走味、chau² sek⁴ 走色、chau² heng⁵ 走形、chau² im¹ 走音、chau² khiu^{n1} 走腔

黄以上面五种义项为主，将{chau² 走}的语义衍生过程画成下列的辐射结构图(图1)。我们认为这样的分析有些值得商榷之处。首先，黄所提及到的语义并不周延。再者，是否各个语义都是在第一次衍生就已经呈不同的方向衍生出去？又，以 TO MOVE 来代表{chau² 走}可能会太过笼统，这样的一个属性基本上可以涵盖所有的移动动词。若要将{chau² 走}特别突显出来必须用更多的属性，如速度、两脚是否同时着地等。另外我们认为其归类也有可议之点，"走路"是[逃]的意思，但并非逃离路，我们对于"走路"一词将在 3.1.2.2 讨论。

图1

```
                    TO BE GONE
                     （推论）
                        ↑
  TO CAUSE TO MOVE  ← TO MOVE →  TO ESCAPE (FROM)
      （使动式）               （原因）
                        ↓
                   （譬喻或推论）
                  TO LOSE; TO DEVIATE
                    FROM THE NORM
```

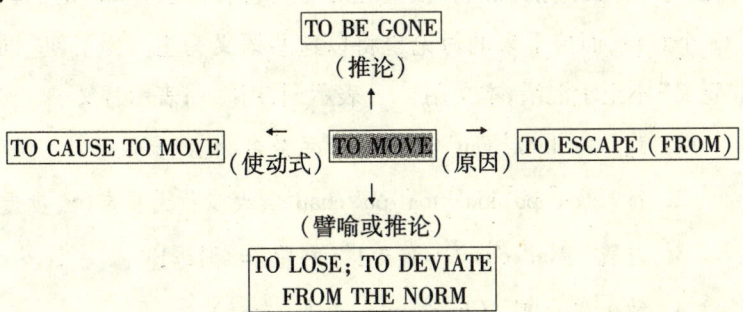

Levin and Rappaport Hovav（1995）将不及物动词分两类：非作格动词（unergative）与非宾格动词（unaccusative），两种动词的特征可归纳如表3：

表3

	非宾格动词	非作格动词
A	只有内在论元 Internal argument only	只有外在论元 External argument only
B	有底层的宾语 It has an underlying object.	有底层的主语 It has an underlying subject.
C	外在动因引起的 Externally caused verbs	内在动因引起的 Internally caused verb
D	非意志性/自主性 Non-volitional	意志性/自主性 Volitional
E	其论元与及物动词的宾语相同 Its argument is the same of the object of the transitive verb.	其论元与及物动词的宾语不同 Its argument is not coterminous with the object of the transitive verb.
F	具有相关联的及物使动动词 There is a transitive causative verb.	没有相关联的及物使动动词 No transitive causative verb.

连金发在探索台湾闽南话的动词隐性范畴一文（Lien 2003）中指出，{$chau^2$走}可以有非作格动词与非宾格动词的用法。我们将留到3.1.2详细分析。

三 {$chau^2$走}的语义延伸与概念结构

3.1 {$chau^2$走}当动词

{$chau^2$走}在现代台湾闽南话中出现频率高，用法也多，有些是辞典没有列举出来的义项。在整理之后,我们发现{chau² 走}有下列 13 个意位,而接下来的讨论也将以这些语义为主。为了使"词"和"意义"不至于混淆,本文用{ }表示词,用[ ]表示意义。

1. 跑　I¹ chiok⁴ gau⁵ chau²　伊足敖走(他跑步很行。)
2. 行　Toa⁷ po⁷ kiaⁿ⁵ toa⁷ po⁷ chau²　大步行大步走(大步走)
3. 逃脱　Mai³ chau²　莫走!(别跑 = 别逃!)
4. 散失或异常　Chau² im¹　走音(走音)
5. 躲/避难　Chau² khong¹ sip⁴　走空袭(躲空袭警报)
6. 从事　Chau² po² hiam²　走保险(从事保险工作)
7. 漏　Chau² tien⁷/chau² hong¹/chau² kng¹　走电、走风、走光(漏电、漏气、漏光)
8. 离开　I¹ cha² tio⁷ chau² a³　伊早就走啊!(他早就离开了!)
9. 赶　Chau² saⁿ¹ tiam² poaⁿ³　走 3 点半(赶 3 点半)
10. 迁徙　Chit⁴ e khe³ lang⁵ pai³, khe³ lang⁵ chau² khi³ tang¹-se³　这个客人败,客人走去东势。(客家人打败而迁移至东势。)
11. 运转　Chit⁴ e si⁵ cheng¹ boe⁷ chau²　这个时钟袂走啊!(这个钟不动了。)
12. 飙涨　Chit⁴ ki¹ koo² long² boe⁷ chau²　这支股拢袂走。(这支股票不会涨。)
13. 前往　Chit⁴ pan¹ chhia¹ si⁷ chau² tai² pak⁴ e　这班车是走台北的。(这班车前往台北。)

3.1.1 义素(semantic feature)分析

为了了解这些语义之间细部的差别,我们用义素将各个意位分解。蒋绍愚(2002)用三个基本的义素说明汉语官话{走}和{行}的不同,我们在此也采用这三个义素分析闽南话{chau² 走}的 13 个意位,详见表 4。

表4

意位＼义素	[脚]	[速度]	[步子]
跑	双脚在地面上移动	速度快	大
行	双脚在地面上移动	速度慢	小
逃脱	可有可无④	速度快	可大可小
离开	可有可无	不重要	可大可小
迁徙	可有可无	不重要	可大可小
躲/避难	可有可无	不重要	可大可小
赶	可有可无	速度快	可大可小
前往	可有可无	速度快	可大可小
从事	不适用	不适用	无关
漏	不适用	不适用	无关
散失或异常	不适用	不适用	无关
运转	不适用	不适用	无关
飙涨	不适用	速度快	无关

不同的意位选取不同的义素。最后五个意位几乎与三个基本义素，特别是脚完全无关，离原义比较远。我们之前提到 Huang(1998) 所收集到的语义不够完全；不过，我们所收集到的意位似乎太多了，不太符合经济原则，也造成记忆的负担。因此，在下节我们采以概念结构来分析 {chau² 走} 的各种意位，试图将众多意位精简为少数几个概念结构。

3.1.2 概念结构

Jackendoff(1990) 将几个基本的功能—论元结构 (function-argument structure) 列举如下：

a. [地方] → [_地方_ 地方—功能 ([物体])]

b. [路径] → $\begin{bmatrix} \begin{Bmatrix} 去 \\ 从 \\ 朝向 \\ 从\cdots离开 \\ 经由 \end{Bmatrix}_{路径} \left(\begin{bmatrix} \begin{Bmatrix} 物体 \\ 地方 \end{Bmatrix} \end{bmatrix} \right) \end{bmatrix}$

$$\text{c.}\,[_{事件}] \rightarrow \left\{ \begin{array}{l} [_{事件}去([物体],[路径])] \\ [_{事件}留([物体],[路径])] \end{array} \right\}$$

$$\text{d.}\,[状态] \rightarrow \left\{ \begin{array}{l} [_{状态}存在([物体],[地方])] \\ [_{状态}方位([物体],[路径])] \\ [_{状态}伸展([物体],[路径])] \end{array} \right\}$$

$$\text{e.}\,[事件] \rightarrow \left[_{事件} 使成\left(\left[\left\{\begin{array}{l}物体\\事件\end{array}\right\}\right],[事件]\right)\right]$$

其中，针对移动动词，他另外提出一个结构 $[_{事件}移动([物体])]$，强调位移的方式(manner of motion)。底下，我们尝试以这些基本的功能—论元结构将{chau² 走}的各个语义刻画出来。

建构概念结构之前得先对语词进行词汇分解(lexical decomposition)。词汇分解是将语义复杂的语词分解为若干基本的意位，如{phah⁴ 拍}可化解为"(施事者)以手或工具撞击对象的某部位(连2004)"。以下我们将{chau² 走}的概念结构用比较简约的方式建构。{chau² 走}的核心概念结构可以刻画为"施事者借特定工具移动"，核心概念结构还发展出其他的概念结构：

(1) "施事者以某种路径移动"

(2) "施事者为了某种原因移动"

(3) "施事者使客体移动"

(4) "客体从起点离开"

(5) "客体从原状态离开"

{chau² 走}的核心概念结构为"施事者借特定工具移动"，可以算是一种默认(default)的基本语义。从这个基本核心语义扩展为几个延伸的语义。第一个延伸义的是"移动"的核心义加上不同的路径；第二个延伸义是在核心义上加上原因的成分；第三个延伸义是使动的用法，{chau² 走}可以化解为基本的使动⑤意义。第四个及第五个延伸义是第一个延伸义中以 FROM/AWAY-FROM 为路径的进一步发展。第一到第四个延伸义基本上都保有空间移动的语义,但第五个延伸义空间位移的语义已经消失,起而代之的是表示状态的改变。上面所列五个延伸义为大方向,每个延伸义可能会有更细的语义衍生,如第一个延伸义因有四种不同的路径而有不同的用法。底下,我们将一一介绍每个延伸义。除了概念结构之外,我们也会将句型(以灰底标示)及论元结构一并说明。

3.1.2.1 施事者借特定工具移动(原义)

【时相】原始用法是行动(activity),没有起点终点
语义结构:施事者 + 走 + 方位(location)
论元结构:走(x,(y))
客体 = 施事者
方位可有可无[6]

(1) I^1 tih^4 chau^2　伊伫走。

功能—论元结构:[移动([伊])]　说明:移动的客体是"伊"
　　　　　　　　　　　　　　　⇒"伊"在移动

这样的结构太过笼统,因为它可以涵盖所有的移动动词。在此我们尝试加入工具将其描述得更详细。虽然在句中没有标示出明显的工具,但{chau^2 走}有个隐藏工具——脚。前面提到 Sue hit Fred 这个句子,Jackendoff 认为 hit 已将客体与工具(也就是 Sue's hand)并入,这种现象称为融合(conflation)。融合是处理语义时值得注意的一个现象,很多时候动词除了表现动作之外,也会将工具、方式、路径等语义涵括进去。我们认为{chau^2 走}便是将工具及速度并入的一个动词。速度的并入是必要的,否则会无法与{kia^{n5} 行}有所区别。若将工具与速度并入之后结构如下:

$$\begin{bmatrix} 移动([伊],[_{方位}]) \\ 影响^{+意志}([伊], \quad) \\ [借由 \begin{matrix} 使动^+([伊],[移动_{+速度}([脚])]) \\ 影响([伊],[\langle 脚 \rangle]) \end{matrix}] \end{bmatrix}$$

> 影响(AFF)主要是标示动作层,也就是施事者与受事者。
> 整个结构说明:1. 客体"伊"在某个未标示出的方位移动。
> 　　　　　2. 施事者为"伊",有自主性。
> 　　　　　3. 借由施事者"伊"使受事者(脚)快速移动的方式。
> 也就是说"伊"借由使自己的脚快速移动而在某个方位移动。

这样看似复杂的结构实际上可以清楚厘清复杂的论旨角色。从上面的结构,我们可以一目了然,清楚看出"伊"同时扮演施事者与客体的角色。

除了工具之外,也应该有方位,只是没有表现出来。我们认为这是 Fillmore(1986) 和 Goldberg(1995:58—59) 所说的非限定空补语 (indefinite null complement),所指 (referent) 的身份不明也无关联。如:

　　After the operation to rear her esophagus, Pat ate and drank all evening.

eat 与 drink 的受词并没有出现,而其所指,也就是所吃的或所喝是不明的,虽然默认的推论 (default inference) 认为 eat 的受词是 meal, drink 是 alcohol,但更明确的所指仍是未知的。在这种情况下,食物及饮料都是参与角色 (participant role),只是没有用词汇描绘出来。所以方位应该在概念结构中存在,但不是非得出现不可,若纯粹"伊仝走"方位则没有那么突显,而例(2)的"伊走运动场"则有明显的方位。

　　(2) I^1 chau^2 un^7 tong^7 tiu^{n5}　伊走运动场。(他在运动场上跑。)

　　　　功能—论元结构:[移动([伊],[运动场])]

> 说明:客体"伊"在方位"运动场"移动 ⇒ 伊在运动场上移动。

汉语官话的"跑堂"一词是属于这一类(在食堂里移动);不过,闽南话的"chau^2-to^4 走桌"并非是在桌子上移动,我们觉得它是属于动词 {chau^2 走} 加上路径(朝各个桌子移动)。我们将在下一个延伸义中讨论。

在3.1.1义素分析的部分我们提到脚是最重要的成分,是决定与中心义远近的依据。不过,由于工具格是隐藏在动词中,因此它的被忽略及之后的消失是可以预期的。之后的延伸义或隐喻用法基本上都忽略了工具格,强调的是"移动"的概念。{chau² 走}的主语除了施事者之外也可以是非施事者。非施事者当主语反映了隐喻的用法。

在下面三种因隐喻而衍生出的用法当中,{chau² 走}与{kia⁵ 行}是可以互换且不会影响句义。由此可见,"速度"不是重点,"移动"才是重要的特征。

甲、会移动的主语【车船等交通工具的运行】
客体 + 走

在主语方面,从具有移动能力的有生物扩展至无生命但有移动能力的事物,交通工具便是一个对象。我们可以说在人的概念中将交通工具比喻成动物,所以原本用于动物的{chau² 走}也可以应用于交通工具。这样的概念隐喻(conceptual metaphor)很普遍,在之后的几个延伸义中也会出现。主语变为交通工具,乍看之下与原始的结构一样;但从论旨角色来看,句子结构是不同的。在下面两句中,"伊"同时是施事者与客体,而"车"只有客体的论旨角色。

(3) I¹ tih⁴ chau²　伊伫走(他在跑。)
(4) Chhia¹ tih⁴ chau²　车伫走(车子在跑。)

乙、移动的是客体的一部分【机械、仪表等的运转】
客体 + 走

此用法与前一个类似,属于隐喻的用法。然而,与前面不同的是,移动的客体并非主语,而是主语的一部分,这是属于转喻的一类:用部分代指整体。根据语料,我们发现主语必须有个明显的会移动的东西呈循环式⑦移动,真正移动的那个东西被并入主语当中,而其作用是让整个主体运作的关键,因此才衍生出"运转"的语义。

(5) Goa² e chhiu² pio² boe⁷ chau²/kia^{n5} a　我的手表袂走/行啊。（我的手表不动了。）

(6) Chit⁴ e si⁵ cheng¹/ tien⁷ hong¹ e⁷ chau² boe⁷　这个时钟/电风会走袂？（这个时钟/电扇会动吗？）

(7) *Siu¹ im¹ ki¹/ tien⁷ hoe²/tien⁷ si⁷/ pit⁴/ toh⁴ a² boe⁷ chau² *收音机/电火/电视/笔/桌子 袂走。

丙、抽象

(8) Chit⁴ki¹ koo² phio⁴ long² boe⁷ chau²/kia^{n5}　这支股票拢袂走/行。（这支股票不会涨。）

(9) M⁷ko¹ Chu⁴Ta⁴ long² bo⁵ a³ na² teh⁴ chau²　不过巨大拢无按哪在走。⑧（巨大没怎么涨。）

例（9）的意思为股票的价钱没涨，属现代的用法。辞典未列出此用法，有些人没听过，但笔者热爱玩股票的妈妈却一天到晚讲。此句仍存在一个移动的客体，但已不是空间的移动，而是抽象的状态改变。

3.1.2.2 施事者以某种路径移动（第一个延伸义）

{chau² 走}后面若有介系词词组则会有去—功能（GO-function）加进来，也就是原本的移动—功能（MOVE-function）加上去—功能。处理去—功能我们必须用去—规则（GO-Adjunct Rule）。Jackendoff 的分析方式为：

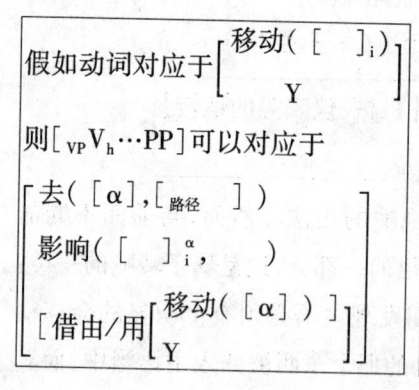

假如动词对应于 $\begin{bmatrix} 移动(\ [\ ]_i) \\ Y \end{bmatrix}$ 则 $[_{VP}V_h \cdots PP]$ 可以对应于 $\begin{bmatrix} 去([\alpha],[_{路径}\ ]) \\ 影响([\ ]_i^\alpha,\ ) \\ [借由/用\begin{matrix}移动([\alpha])\\Y\end{matrix}] \end{bmatrix}$	若动词为移动动词，则动词+介系词词组的结构则是： 1. 客体 α 经由路径去。 2. 施事者为 α。 3. 借由客体 α 的移动。 ⇒借由客体 α 的移动，施事者 α 经由某种路径去。

(10) I¹ chau² jip⁸ khi³ pang⁵ keng¹　伊走入去房间。

功能—论元结构：$\begin{bmatrix}去([伊],[_{路径}到([房间])])\\影响^{+意志}([伊],\quad)\\借由/用[移动([伊])]\\[借由\begin{matrix}使动^+([伊],[移动([脚])])\\影响([伊],[\langle脚\rangle])\end{matrix}]\end{bmatrix}$

> 自主性的施事者"伊"借由使受事者(脚)移动的方式让客体"伊"移动而经由某种路径(去)到方位(房间)。

底下,我们发现{chau² 走}可以有下列四种路径。

甲、到终点(到 TO)

> 【时相】达成(accomplishment),有终点/界
> 语义结构:施事者+走+趋向补语+终点
> 论元结构:走(x, y)
> 客体 = 施事者

(11) I¹ chau² khi³ tai² pak⁴　伊走去台北。(他去台北。)

功能—论元结构：$\begin{bmatrix}去([伊],[_{路径}到([台北])])\\影响^{+意志}([伊],\quad)\end{bmatrix}$

> 自主性的施事者"伊"经由到的路径使客体"伊"去目的地(台北)。⇒伊去台北。

(12) Chit⁴ e khe³ lang⁵ pai³, khe³ lang⁵ chau² khi³ tang¹ se³　这个客人败,客人走去东势。(客家人打败而迁移至东势。)

功能—论元结构：$\begin{bmatrix}去([客人],[_{路径}到([东势])])\\影响^{+意志}([客人],\quad)\end{bmatrix}$

> 自主性的施事者"客人"经由到的路径使客体"客人"去目的地(东势)。⇒客人去东势。

在句法的层次中将"台北"视为宾语是没有问题的。根据赵元任(1968:672),动词不管及物不及物都可以有宾语,而不及物动词的

宾语只限于几种,其中有表示移动的终点及表示移动的起点。在分析的过程中,我们应分句法层次与语义层次来将整个结构说明清楚。我们采用Jackendoff(1990)的方法来剖析下面的句子,得到的结果如下:

	伊	走 去	台北
句法层次	主语		宾语
语义层次 ｛(a)动作层	施事者		
(b)周边论旨层	客体		终点

从上面的结构,我们可以看出"伊"同时当主语、施事者及客体。这不是重迭,而是不同层次的角色。趋向补语除了"去"之外,"来"与"到"也常见。

(13) I^1 chau^2 lai^5 tai^5 oan^5 thak^8 chheh^4　伊走来台湾读册。(他来台湾念书。)

(14) I^1 chau^2 kau^3 loo^1 khau^2/chhiu^7 kha^1/hoe^1 heng^5　伊走到路口/树骹/花园。(他到巷口/树下/花园。)

(15) Sa^{n1} lang^5 chau^2 kau^3 chhiah^4 chui^2 khe^1 pi^{n1}　三人走到赤水溪边。(三个人到了赤水溪边。)

有趣的是,这样的用法有很多出现在前面所提到几种隐喻用法,也就是将其他事物比喻为人。针对一只蚊子,我们不会说"蚊子伫走",但有"门关没好,蚊子走入来"的说法。{chau^2 走}代替的是动词"飞"。除此之外,这里的{chau^2 走}还可以代替其他的移动动词。

(16) Chau^2 jip^8 lai^5 chit^8 chiah^4 choa^5　走入来一只蛇。【爬】(爬进了一条蛇。)

(17) I^1 chau^2 (siu^5/pe^1) jip^8 khi^3　伊走/游/飞入去。(他跑/游/飞)进去。)

根据情境的不同,例(17)的{chau^2 走}可替代许多移动动词,若看着鱼缸,"伊"可指水中动物,{chau^2 走}便有"游"的语义。

趋向补语的消失会使得{chau^2 走}有习惯性(habitual)的倾向而产生"负责"的用法。其句型为:施事者/客体[9] + 走 + 终点

(18) Chit⁴ pan¹ chhia¹ si⁷ chau² tai² pak⁴ e 这班车是走台北 e。(这班车前往台北。)

(19) Goa² chau² hiong¹ kang² e 我走香港 e。(我负责香港业务。)

趋向补语的消失虽然对于终点没有影响,但改变了单方向的特性。终点被突显,但没有一去不回的意思,反而是来回往同一个终点移动。由于来来回回很多次,因此有习惯性的意思存在,当一辆货车往返于台北与起点之间,我们就会说"伊是走台北 e",也因此有"专门负责"的衍生用法出现。其中,我们将"走桌"归在此类当中,因为它实际意思是前往客人的桌子,具有反复性。之前提到汉语官话"跑堂"的"堂"属于方位,而闽南话的"走桌"是将终点"桌"突显出来。由此可知,针对同一个事物,不同语言或方言切入的角度与看法会不尽相同。

乙、从特定起点离开(从…离开 AWAY-FROM)

```
【时相】行动(activity)
语义结构:施事者 + 走 + 起点
论元结构:走(x, y)
客体 = 施事者
```

(20) I¹ se³ han³ chhia^n7 chhia^n7 thau¹ chau² chu¹ / chau² oh⁸ 伊小汉常常偷走书/走学。(他小时候常逃学。)

(21) Lau⁷-peh⁸-se^n3 tih⁴ le chau² hoan¹-a² hoan² 老百姓伫咧走番仔反。(老百姓在躲洋鬼子。)

(22) Chau² too² hui² 走土匪(=走匪)(躲强盗)

(23) Chau²(sai¹ pak⁴)hoo⁷ 走(西北)雨(躲(西北)雨)

(24) Chau² keng² chhat⁴ 走警察(躲警察)

(25) Chau² loan⁷ 走乱(撇开战乱走往外地)

(26) Chau² chhat⁸ 走贼(闪贼)

(27) Chau² che³ koe³ au⁷ soa^n1 走债过后山(倒债而逃往东

台湾）

(28) Choe³ seng¹ li² bo⁵ put⁴ chau² soe³　做生理无不走税（=走饷）的。（生意人没有不逃税的。）

(29) I¹ cheng⁵ chhia^n⁷ chhia^n⁷ chau² khong¹ sip⁸　以前大家常常走空袭。（他以前常躲防空演习。）

功能—论元结构：$\begin{bmatrix} 去（[伊],_{路径}从…离开（[_{起点}空袭]））\\ 影响^{+意志}（[伊],　　　　　　　　　） \end{bmatrix}$

> 自主性的施事者"伊"经由从起点离开的路径使客体"伊"去。⇒伊离开空袭。

这里{chau² 走}的用法属于非作格动词,当主语的述语。在"老百姓仝咧走番仔反"一句当中,走的是主语"老百姓",宾语"番仔反"扮演的语义角色为起点(source),宾语的省略并不会影响主语与动词的语义关系。这类的{chau² 走}通常有"逃"、"躲"的语义,更有一些相关复合词的产生,如走兵、走犯。同样地,我们从动作层与周边论旨层来看{chau² 走}所带论元的语义角色：

	伊	走	西北雨
句法层次	主语		宾语
语义层次 (a)动作层	施事者		
(b)周边论旨层	客体		起点

丙、从起点离开（离开 AWAY）

基本上,丙的用法与乙有关,或者说丙是由乙删除起点而来的。有明显的起点时表示远离起点,因此有"躲"的意思；无明显的起点时则只有"离开"之意。根据语境、说者与听者的身份不同也会产生其他的意思。警察跟小偷说："mai³ chau² 莫走!"时,{chau² 走}经过会话隐含(conversational implicature)而有"逃脱"的意思。

> 【时相】瞬成（achievement）
> 语义结构：施事者 + 走 + 起点（implicit）
> 论元结构：走(x, (y))
> 客体 = 施事者

(30) I^1 cha^2 tioh^8 chau^2 a 伊早就走啊。(他早就离开了。)

功能—论元结构：$\begin{bmatrix} 去([伊],[_{路径}离开]) \\ 影响^{+意志}([伊], \quad) \end{bmatrix}$

自主性的施事者"伊"经由离开的路径使
客体"伊"去。⇒伊离开。

(31) Lan^2 lai^5 chau^2 咱来走。(咱们走!)

(32) Hit^4 pan^1 hoe^2 chhia^1 chau^2 a 彼班火车走啊。(那班火车开了。)

(33) Goa^2 tan^2 kau^3 chap^8 it^8 tiam^2 chiah^4 chau^2 我等到11点才走。(我等到11点才离开。)

值得一提的是，一旦后面有明显的地点时，{chau^2 走}不再具有"离开"之意。

丁、经由(VIA)

施事者/客体 + 走 + 路径
客体 = 施事者

(34) Si^5 kan^1 beh^4 boe^7 hu^3 a, li^2 chau^2 ko^1 sok^4 kong^1 loo^7 时间卜袂赴啊,你走高速公路。(时间快来不及了,你开高速公路。)

(35) Ko^1 sok^4 kong^1 loo^7 e^7 that^4 chhia^1, li^2 chau^2 seng^2 to^7 ho^2 a 高速公路会塞车,你走省道好啊!(高速公路会塞车,你开省道好了!)

(36) Chit^4 pan^1 hoe^2 chhia^1 si^7 chau^2 soa^{n1} soa^{n3}/hai^2 soa^{n3} 这班火车是走山线/海线。(这班火车是开山线/海线。)

(37) Chau^2 kok^4 lai^7/ kok^4 che^3 soa^{n3} 走国内/国际线(飞国内/际线)

(38) Chau^2 chit^4 tiau^5 loo^7 走这条路(开这条路)

(39) Chau^2 soa^{n1} loo^7 走山路(开山路)

Jackendoff 分析 We can get down there by climbing this route/way 这个句子时提到,this route/way 应分析为路径,虽然句法体现是名词组,

但其语义上是介词组。我们认为"走高速公路"的用法与 climb this route/way 相同,"高速公路"是路径。"走高速公路"实际上是经由高速公路到达终点,与"走运动场(跑运动场)"不一样。首先,"走高速公路"的移动客体是交通工具,施事者只是伴随在其中的一个成分。另外,"走运动场"是没有方向限制的,只要在一定的范围中移动即可,但"走高速公路"是单向,如下图所示。

走运动场　　　　　走高速公路

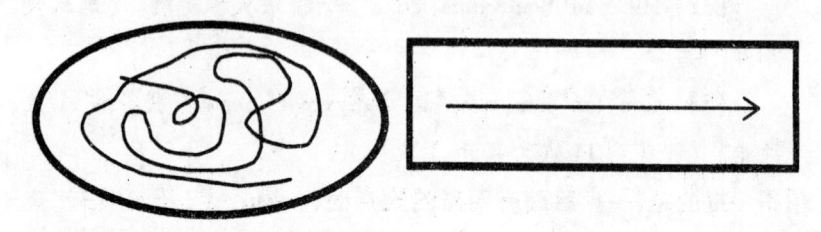

值得注意的是,在这类的用法中,{chau² 走}与{kia^{n5} 行}可以互换且不会造成语义上的不同。

(40) Si⁵ kan¹ beh⁴ boe⁷ hu³ a, li² chau²/kia^{n5} ko¹ sok⁴ kong¹ loo⁷
时间卜袂赴啊,你走/行高速公路。(时间快来不及了,你开高速公路。)

(41) Ko¹ sok⁴ kong¹ loo⁷ e⁷ that⁴ chhia¹, li² chau²/kia^{n5} seng² to⁷ ho² a　高速公路会塞车,你走/行省道好啊!(高速公路会塞车,你开省道好了!)

(42) Chit⁴ pan¹ hoe² chhia¹ si⁷ chau²/kia^{n5} soa^{n1} soa^{n3}/hai² soa^{n3}
这班火车是走/行山线/海线。(这班火车是开山线/海线。)

(43) Chau²/kia^{n5} kok⁴ lai⁷/ kok⁴ che³ soa^{n3}　走/行国内/际线(飞国内/际线)

(44) Chau²/kia^{n5} chit⁴ tiau⁵ loo⁷　走/行这条路(开这条路)

(45) Chau²/kia^{n5} soa^{n1} loo⁷　走/行山路(开山路)

跟汉语官话{跑}与{走}的对比相同,{chau² 走}与{kia^{n5} 行}两个移动动词原本是速度与方式的不同,速度是{chau² 走}比较快。在方式方面,{kia^{n5} 行}必须有一脚着地,而{chau² 走}可以同时不着地

(Nida & Taber 1972)。然而,这样的原始语义属性在衍生的用法当中变得不那么重要。

"走路 chau² loo⁷"一词常见,Huang(1998)将它归类于"逃"的意位,也就是将"路"视为起点,变成 escape from the road。我们相信{chau² 走}在此的语义是"逃离",但"路"的论旨角色有待商榷。我们认为"走路"与"走高速公路"的语义结构基本上是相同的,"路"是路径,也就是在路上跑。不过,"走路"已专用化,特殊的用法已经过约定俗成(conventionalized)而固定下来。"走路"不再是在路上跑,而是逃亡。经约定俗成而产生专用特殊用法的情形常见,"食饱未"也是其中一例。"食饱未 chiah⁸ pa² boe⁷(吃饱了没?)"原是问别人吃饱了没,现在这样的句子只是问候时使用,并没有预期对方给予答案。

3.1.2.3 施事者为了某种原因移动(第二个延伸义)

语义结构:施事者+走+原因
论元结构:走(x, y)
客体 = 施事者
方位:可有可无⑩

(46) I¹ chau² giap⁸ bu⁷ chau² kah⁴ chiok⁴ gin⁷ chin¹ 伊走业务走甲足认真。(他业务做得很认真。)

(47) I¹ kong² i¹ e gin⁷ chin¹ chau²(po² hiam²) 伊讲伊会认真走(保险)。(他说他会认真做(保险)。)

(48) I¹ hit⁴ cham⁷ long² teh⁴ chau² soan² ku² 伊彼站拢在走选举。(他那阵子都在忙选举。)

(49) Goa² tong¹ chho¹ tih⁴ tai⁵ tiong¹ chau² sin¹ bun⁵ si⁵, I¹ teh⁴ choe³ kin² chhat⁴ 我当初伫台中走新闻时,伊在做刑警。(当初我在台中当记者时,他在当刑警。)

原因通常是对施事者有利益的。由于施事者是为了某种事务或利益而奔走,因此有"从事、忙碌"之意。

3.1.2.4 施事者使客体移动(第三个延伸义)

> 【时相】行动(activity),没有起点终点
> 语义结构:施事者+走+受事者/客体
> 论元结构:走(x, y)

根据赵元任(1968:675)的说法,有的不及物动词要是作"使动"的意思用,也可以当作及物动词,如"跑马"、"跑狗"、"飞喷射机"[11]。这是一种作格(ergative)的用法:A 走 = 走 A。John Lyons(1968)以下面两个句子说明作格(ergative)的情形。

  a) The stone moved.

  b) John moved the stone.

b)句的 move 为及物动词,a)句为不及物动词。the stone 从不及物动词的主语变成及物用法的宾语,且另有一个作格主语(ergative subject)出现当施事者,这就是使动的用法。"伊走马"与"马走"便是这样的关系。{chau² 走}原为不及物动词,在"伊走马"一句中,"马"从主语变成宾语,"伊"是新出现的作格主语。不过,这类的用法在现代汉语并不普遍。

  (50) I¹ chau² be² 伊走马。(他骑马。)

功能—论元结构: 原[移动([马])] ⟶ [移动([马])
        马走。   影响$^{+意志}$([伊],[马])]
                 伊走马。

现代用法中的"走出租车"、"走车"、"走货车"可以归类于此。前面我们已看过不及物的情形,如:"车走啊!"。我们将"走出租车"归在此类,因为它与"开出租车"有共通之处,两者皆有使动的意思,使出租车走。不过,它们与"走马"有些许不同。辞典将"走马"解释为骑马,但"走出租车"似乎不完全可以与"开/驶出租车"替换。{chau² 走}与{sai² 驶}并不是完全对应,前者通常含有原因,完整的概念结构为施事者为了某种原因使客体移动,而这原因通常是生计。这点我们可以从"伊亻 走车"一句看出端倪,"走车"可以是一种职业。因

此，与"走马"不同的是，"走出租车"有个隐藏的原因，从例(51b)这个不合语法的句子可以看出端倪。"走车"已经有个隐藏的原因，因此再加上原因就不合法。

(51a) Lan² khui¹ chhia¹ chhut⁴ khi³ sng²　咱开车出去耍。(咱们开车去玩。)

(51b) *Lan² chau² chhia¹ chhut⁴ khi³ sng²　咱走车出去耍。

(52) I¹ chhut⁴ khi³ chau² ke³ teng⁵ chhia¹　伊出去走出租车。(他开出租车赚钱。)

≠I¹ chhut⁴ khi³ khui¹/sai² ke³ teng⁵ chhia¹　伊开/驶出租车。

(53) I¹ tak⁸ kang¹ chau² chhia¹　伊逐工走车。(他每天开车赚钱。)

≠I¹ tak⁸ kang¹ khui¹/sai² chhia¹　伊逐工开/驶车(去上班)。

(54) I¹ kho³ chau² chhia¹ than³ chiⁿ⁵　伊靠走车趁钱。(他开车赚钱。)

≠I¹ kho³ khui¹ chhia¹ than³ chiⁿ⁵　伊靠开车趁钱。(可能是当某人司机)

除了上述的例子，我们也将"走私"一词归类于此。"走私"出现在19世纪鸦片战争时，当时开始有运送私货的情形；因此，我们认为"走私"是"走私货"的省略，而{chau² 走}在此为运送的意思。虽然闽南话{chau² 走}单独用时没有运送之意，但汉语官话有这样的用法，如"走货"。"伊走私"的分析如下：

(55) I¹ chau² su¹　伊　走　私。(他走私。)
　　　　　　　　施事者　　客体

"走私"与"走马"、"走出租车"的结构大体上一样；然而，{chau² 走}的意思却不尽相同。针对"走私"，我们认为动词后的论元"私货"没有生命，没有移动的能力，因此，动词{chau² 走}作为运送用，"走批(送信)"也是如此。Huang(1998)将"走马"与"走批"直接放在"使

动"(CAUSE TO MOVE)之下,却没有将两者的不同多加解释。综合以上,施事者使客体移动的用法可以细分为三:

$$\begin{cases} 1)客体+生命+移动能力 & 走马 \\ 2)客体-生命+移动能力+生计 & 走出租车 \\ 3)客体-生命-移动能力 & 走批、走私(运送) \end{cases}$$

3.1.2.5 客体从起点离开(第四个延伸义)

与上述的用法不同,接下来的两种用法没有施事者,因此在概念结构中不会有动作层来处理施事者与受事者的问题。客体的移动基本上分二种:(a)客体到达终点;(b)客体从起点离开。

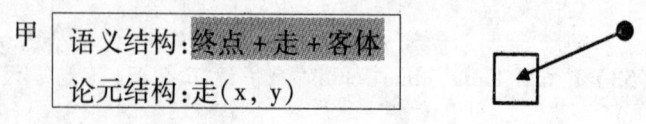

甲　语义结构:终点 + 走 + 客体
　　论元结构:走(x, y)

(56) Te^2 phi^{n3} chau^2 kng^1　底片走光。(底片曝光。)

(57) Hia^1 kong^2 chau^2 chui^2　靴管走水。(雨鞋跑水进去 = 水跑进了雨鞋)

	靴管	走	水
句法层次	主语		宾语
语义层次 (b)动作层	—		—
(b)周边论旨层	终点		客体

乙　语义结构:起点 + 走 + 客体
　　论元结构:走(x, y)

(58) Chhia^1 lien^2 chau^2 hong^1　车轮走风。(轮子漏气 = 气跑出了轮子)

	车轮	走	风
句法层次	主语		宾语
语义层次 (c)动作层	—		—
(b)周边论旨层	起点		客体

(59) Siong^7 se^2 liau^2 chau^2 kng^1 khi^3　相洗了走光去。(相片跑色。)

(60) Tien⁷ soa³ⁿ chau² tien⁷　电线走电。(电线漏电。)

(61) Chau² iu⁵　走油(漏油)

(62) Chau² the¹　走胎(流产)

我们将第一种用法的基本概念结构设定为"客体从起点离开",这样的概念结构是没有争议的。虽然{chau² 走}的情形只有两例,但闽南话确实有表达这种概念的动词,如:"淹"。

Chui² im¹ liong⁵ san¹ si⁷　水淹龙山寺(水淹进龙山寺)

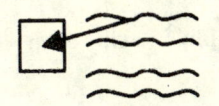

甲与乙两个概念结构基本上没有冲突,"靴管走水"是客体(水)从未知的起点离开到达终点(雨鞋)。乙的用法产生"漏"的延伸义。前面提到非宾格动词,这里的{chau² 走}为宾语的述语,"靴管走水"中{chau² 走}的是"水"而不是"靴管",这样的用法为上述非宾格动词,概念结构是 $X_{起点/终点} + V + Y_{客体}$。

3.1.2.6 客体从原状态离开(第五个延伸义)

【时相】瞬成(achievement)
语义结构:拥有者 + 走 + 客体
论元结构:走(x, y)
客体 = 拥有物

(63) Phang¹ chui² chau² khi³

　　　　　　芳水　走　气(香水失去香味)

句法层次　　　　　主语　　宾语

语义层次 { (a)动作层　　—　　—
         (b)周边论旨层　拥有者　拥有物=客体

由于主语与宾语是领属关系,因此有"散失"的意思。又,丧失原来的平衡状态则引申出偏离常态(norm)之义,也就是"异常",之后有"改变"之意。在此,空间位移的语义已经消失,起而代之的是表示状态的改变。我们可以将其视为空间意的隐喻用法,这类的例子为数不少。从下列的例子中我们可以发现这类的用法有很多后面是可以加表示终结状态的时相词"去",因此其本身带有终结的时相。

(64) Chit⁴ niaⁿ² saⁿ¹ chau² sek⁴ 这领衫走色。(这件衣服褪色。)

(65) I¹ chhiuⁿ³ koa¹ chhiuⁿ³ kah⁴ chau² tiau²/im¹ 伊唱歌唱甲走调/音。(他唱歌走音。)

(66) Li² e⁵ bun⁵ chiuⁿ¹ i² kin¹ chau² te⁵ 你的文章已经走题。(你的文章离题了。)

(67) Chit⁴ liap⁸ nng⁷ m ho² chia⁷, chau² lin⁵ a 这粒卵不好食,走仁啊!(这颗蛋的蛋黄破了,不好吃!)

(68) Chit⁴ khoan² poo³ bo⁵ ho², liam⁵ piⁿ¹ to⁷ chau² sek⁴ 这款布无好,连鞭就走色。(这种布料不好,马上就褪色。)

(69) Choe³ iuⁿ⁵ hok⁸ e⁵ chhiu² kang¹ bo⁵ ho², liam⁵ piⁿ¹ to⁷ chau² heng⁵ 做洋服的手工无好,连鞭就走形。(做洋装的技术不好,(洋装)马上就变形。)

(70) Goa² choe³ liau² khi³ chau² chhiu² khi³ 我做了去走手去。(我的手)(我失手了。)

(71) Te⁵ bi² chau² bi⁷ a 茶米走味啊。(茶的味道变质了。)

(72) Kong² liau² chau² im¹ khi³ 讲了走音去。(说话变调。)

(73) Chhiuⁿ³ chau² im¹ khi³ 唱走音去。(唱走调。)

(74) Ke¹ nng⁷ khng⁷ ku² e⁷ chau² hing⁵ 鸡卵放久会走雄。(鸡蛋放久了会无法孵出小鸡。)

(75) Chiau³ ki³ kong¹ chau² khiuⁿ¹ pien³ choe³ chiau³ khi² kang¹ 照纪纲走腔变做照起工。("照纪纲"念错成"照起工")

(76) Goa² khoaⁿ³ si¹ chheh⁴ liong⁵ liau² u⁷ siaⁿ² mih⁴ chau² cheng¹ khi³ 我看是测量了有什物走精去。(我认为是测量不准。)

(77) Pun² lai⁵ si⁷ chin¹ ho² e⁵ che³ too⁷, au⁷ lai⁵ long² chau² iu⁻³ khi³ 本来是真好的制度,后来都走样去。(本来是很好的制度,后来都变质了。)

(78) Chau² se¹ 走纱(跑针)

3.1.3 小结

从以上的讨论,我们发现语义的产生有许多途径。有些语义是词本身的意义,有些则是经由推论、隐喻或会话隐含而产生,后者则可能产生无限多的意思。我们用概念结构分析不但可以将看似繁多且复杂的语义简化为少数几个基本结构,也可以清楚地看到语义之间的关联性。我们将{chau² 走}的用法整理如表5。"施事者借特定工具移动"为最典型的概念结构,在并入的工具与速度消失后延伸出2—6的概念结构。表中的"二次延伸"指的是首次延伸后各个概念结构经由其他途径各自产生的语义,箭头→代表经由推论过程而得的语义。在隐喻方面,我们只列举出因隐喻过程而产生与原义不同的延伸义,如运转。事实上,有很多隐喻不会改变动词的意思,"那班车已经走啊"只是将交通工具比喻为人,{chau² 走}仍保有离开的意思,因此我们不特别列出这样的情形。从表5我们也可以清楚地看出3.1节中所列举出的13个意位与6个概念结构之间的关联。

表5

概念结构	二次延伸	释义	句型	论旨角色(主语)	论旨角色(宾语)	客体	例句
1.施事者借特定工具移动		跑	名词+走	施事者	-	施事者	伊伫运动场走。
	速度消失	走、行	名词+走	施事者	-	施事者	大步行大步走。
	工具消失	移动	名词+走	施事者	-	施事者	车伫走。
	隐喻	运转	名词+走	客体	-	客体	时钟袂走。
		飙涨	名词+走	客体	-	客体	这支股拢袂走。

续表

概念结构	二次延伸		释义	句型	论旨角色		客体	例句
					主语	宾语		
2.施事者以某种路径移动	到		前往/表	名词+走+趋向补语+名词	施事者	终点	施事者	伊走去美国。
		语境	迁徙	名词+走+趋向补语+名词	施事者	终点	施事者	客人走去东势
		趋向补语消失	惯性来回→负责	名词+走+名词	施事者	终点	施事者	伊是走台北e。
	从…离开		躲	名词+走+名词	施事者	起点	施事者	走雨走税
	离开		离开	名词+走	施事者	-	施事者	伊已经走啊。
		会话隐含	逃	名词+走	施事者	-	施事者	莫走!
	经由		经由	名词+走+名词	施事者	路径	施事者	你走高速公路。
3.施事者为了某种原因移动			从事→忙于	名词+走+名词	施事者	原因	施事者	伊出去走业务。
4.施事者使客体移动			使动	名词+走+名词	施事者	客体+生命	客体	走马
				名词+走+名词	施事者	客体-生命	客体	伊出去走车
5.客体从起点离开			运送	名词+走+名词	施事者	客体	客体	伊走私
			进	名词+走+名词	终点	客体	客体	靴管走水
			漏	名词+走+名词	起点	客体	客体	车轮走风
6.客体从原状态离开			散失→异常	名词+走+名词	拥有者	客体	拥有物	衫走色

3.2 {chau² 走}当补语

台湾闽南话的动词当补语使用的情形很多，{chau² 走}也是其中之一。{chau² 走}当补语使用时大部分是保存其原本表达空间的概念,但也有少数指涉非空间的用法。底下,我们就{chau² 走}当动词补语的各种情形详细讨论。

3.2.1 空间性

3.2.1.1 施事者从起点离开

移动动词+{chau² 走}

行、跳、搬(迁徙)、游、飞、溜、逃、退、爬、*站走、*坐走、*置走

(79) Hui¹ hing⁵ ki¹ poe¹ chau² a 飞行机飞走啊⑫!(飞机飞走了!)

(80) I¹ kia^{n5} chau² a　伊行走啊！（他走了！）

(81) I¹ khah⁴ kin² soan¹ chau²　伊较紧旋走。（他赶紧溜走。）

例(79)—(81)中的{chau² 走}当趋向补语,这样的用法局限于动态的移动动词,静态动词没有这样的用法。另外,动词是一元动词。在这类用法当中,主要的动作方式(manner)是由动词表现,补语{chau² 走}只是表达离开之意。在语义结构方面,主语同时是施事者与客体。补语{chau² 走}与{khi³ 去}有类似的用法,{khi³ 去}也是个趋向补语,如：

I¹ chau² khi³ a　伊走去啊！（他走了！）

Hui¹ hing⁵ ki¹ poe¹ khi³ a　飞行机飞去啊！（飞机飞走了！）

不过,两者的概念结构不同,{khi³ 去}有个隐藏的终点,而{chau² 走}强调的是起点。也因此,我们可以在{V 去}之后加目的地,但{V 走}不行。

I^{n1} a² pe⁵ khi³ chau³ kha¹　囡仔爬去灶骹。（小婴儿爬去厨房。）

* I^{n1} a² pe⁵ chau² chau³ kha¹　囡仔爬走灶骹。

另外,{khi³ 去}有表达状态的抽象用法,如"noa⁷ khi³ 烂去"表示变成负面的结果,不好的状态。相反地,{chau² 走}大部分还是保有空间移动的特性。

3.2.1.2 客体从起点离开

打走、赶走、推走、移走、骑走、拉走、拿走、收走、送走、买走、调走、惊走、拔走、端走、挤走、带走、捡走、骗走、骂走、拖走、搬走、踢走、喊走、骗走

3.2.1.2.1 论元结构

具有这类用法的动词,都是二元动词,也就是后面必须带宾语。根据所接宾语的论旨角色我们可以将上面的动词细分成两类:第一种动词本身就具有使宾语移动的动作,称为位移动词(locomotive);第二种动词没有使宾语移动的能力,为非位移动词(non-locomotive)。

位移动词

　　拔、抱、挖、拖、推、搬、捡、拿、收、牵、抢、驶、开、拉、移、带、吹、踢

非位移动词

　　喊、骂、放、挤、打、赶、送、调、惊、骗、踢、激

汉语官话有些动词组合成复合动词后论元结构会有所改变,如:

　　哭(x),湿(y) ⇒ 哭湿(x,y)　　如:她哭湿了手帕。

　　哭(x),红(y) ⇒ 哭红(x,y)　　如:她哭红了眼睛。

不过,与{chau² 走}结合所产生的动补结构复合动词在论元上并没有改变。

　　I¹ ban² chhai³　伊挽菜。(他拔菜。)　　挽(x, y)

　　I¹ chau²　伊走。(他离开。)　　　　　　走(z)

　　I¹ ban² chau² chit⁴ liap⁸ phong⁷-ko²

　　挽走(x, y)伊挽走一粒苹果。(他摘了一只苹果。)

虽然论元的数目不变,但加上{chau² 走}可能会造成论旨角色的不同。

3.2.1.2.2 论旨角色

　　两种动词所表现出的句法及语义现象不尽相同。位移动词后面所带论元多为无生命,非位移动词的论元为有生物。郑萦与曹逢甫(1994)研究闽南话{ ka⁷ 共}的用法,提到{ ka⁷ 共}有标示受事者(patient)的功能。不过 Hung(1995)和 Lien(2002)提到{ ka⁷ 共}作为宾语标记时,其后的名词可以带起点、终点、受惠者等语义角色,但当受事者的例子不多。如:

　　ka⁷ i¹　chio⁴ 共伊借(起点)

　　ka⁷ i¹　kong² 共伊讲(终点)

　　ka⁷ i¹　se² saⁿ¹ 共伊洗衫(受惠者)

反之,{chiong¹ 将}作为宾语标记,则只接带受事者语义角色的名词。我们以{ ka⁷ 共}与{ chiong¹ 将}来检视,发现位移的光杆(bare)动

词如果后面不加趋向补语（如:起来），就无法把宾语的论旨角色建构为受事者，因此不能用受事者标记{chiong¹ 将}把宾语提前。至于不能用{ka⁷共}是由于从动词的语义建构不出上述起点、终点、受惠者或受事者的论旨角色，如例(82)—(85)所示。这些句子中宾语为移动的客体(theme)，并非受事者，也就是说动词本身有"使…移动"的概念结构。

(82) *I¹ ka⁷/chiong¹ oa² phang⁵　*伊共/将碗捧。（伊捧碗）

(83) *I¹ ka⁷/chiong¹ pun³ so³ khioh⁴　*伊共/将垃圾拾。（伊拾垃圾）

(84) *I¹ ka⁷/chiong¹ chheh⁴ theh⁸　*伊共/将册提。（伊提册）

(85) *Goa² ka⁷/chiong¹ chheh⁴ boe²　*我共/将册买。（我买册）

至于非位移的光杆动词的宾语，只要是代名词，就可以用{ka⁷共}或{chiong¹将}提前，宾语的论旨角色可以是终点或受事者，如例(86)—(88)所示：

(86) I¹ ka⁷/chiong¹ goa² ma⁷　伊共/将我骂。（伊骂我）

(87) Li² ka⁷/chiong¹ goa² kheh⁴　你不要共/将我挤。（你挤我）

(88) A¹ Beng⁵ ka⁷/chiong¹ i¹ phien³　阿明共/将伊骗。（阿明骗伊）

总之，{ka⁷共}或{chiong¹将}同中有异，两者与汉语官话的{把}也不相同。我们可以从句法及语义层次分别来看位移与非位移动词。

	I¹	theh⁸	chheh⁴
	伊	提	册。（他拿书。）
句法层次		主语	宾语
语义层次	(a)动作层	施事者	
	(b)周边论旨层		客体

I^1　　 ma^7　　a^7Beng^5
伊　　　骂　　　阿明。（他骂阿明。）

句法层次		主语	宾语
语义层次	(a)动作层	施事者	受事者
	(b)周边论旨层	–	–

下面则是加入补语{chau² 走}的结构，我们可以清楚看到位移动词在加入补语{chau² 走}之后没有任何改变，只是多了 away 的语义。相较之下，补语{chau² 走}对于非位移动词作用很大，使得原本的句型变为使动式。

伊　　　提走　　册。

句法层次		主语	宾语
语义层次	(a)动作层	施事者	
	(b)周边论旨层		客体

伊　　　骂走　　阿明。

句法层次		主语	宾语
语义层次	(a)动作层	施事者	受事者
	(b)周边论旨层		客体

值得一提的是，"伊骂走阿明"并不完全等于"伊骂阿明，阿明走"，"骂走"在此还并入了"使…离开"之意。由此可知有些语义是由整个结构所给，而非词汇所决定。我们将两种动词的结构整理如下：

位移动词：

$$动词(x,y) \rightarrow 动词 + 走(x,y)$$
$$\quad\ \ 施事者\ 客体 \qquad\quad\ 施事者\ 客体$$

非位移动词：

$$动词(x,y) \rightarrow 动词 + 走(x,y)$$
$$\quad\ \ 施事者\ 受事者 \qquad\ 施事者\ 客体$$

3.2.1.2.3 客体移动的方向

以上的分析还不能将"拿走"与"骂走"的不同说得淋漓尽致。

虽然两者都是使客体移动,但客体的意愿(volition)是一大关键。针对使动式,Jackendoff(1990)引用 Michotte(1954)的看法。Michotte 提到使动式可以根据客体的移动方向分成两种。

两种使成式 {
entraining　Bill dragged the car down the road.　（移动方向一致）
launching　Bill threw the ball into the field.　（只有球移动）
}

底下,我们要看这两种动词是否与客体移动的方向有密切的关系。由于非位移动词宾语为受事者,为有生命之名词,因此加了 {chau² 走} 以后,受事者(客体)多为从主体离开。

(89) I¹ pang³ chau² chit⁴ e⁵ hoan⁷ lang⁵　伊放走一个犯侬。(他放走一个犯人。)

(90) I¹ chiok⁴ bai², kia^n1 chau² chiok⁴ che⁷ lang⁵　伊足丑,惊走足济侬。(他很丑,吓走很多人。)

相反地,位移动词中客体所移动的方向则多与施事者一致。前面已提过这些宾语多属无生命,移动的动作是被动的,因此移动方向是随着主语而走。

(91) I¹ khan¹ chau² chit⁴ tai⁵ chhia¹　伊牵走一台车。(他牵走一辆单车。)

(92) I¹ oo² chau² chit⁴ chang⁵ chhiu⁷ a²　伊挖走一丛树仔。(他挖走一棵树。)

不过,这样的分类并非绝对。在下面的例子中,移动方向可能两种都有。

(93) I¹ that⁴ chau² hit⁴ liap⁸ kiu⁵　伊踢走彼粒球。(他踢走那个球。)

　　a) 球走,伊在原地
　　b) 球走,伊也走(边踢边走)

基本上，受访者的直觉是(a)。不过，(b)的解释也是有可能的。我们发现"踢"这个动词有一个瞬间的推力，也就是在接触的那一刹那，移动的是受力者。这与其他位移动词不大相同，后者与客体有较长时间的接触。除此之外，非位移动词有一个例外的情形，即"骗走"。"伊骗走彼个囡仔"实际上是小孩跟着他走，"骗走伊全部的私房钱"也是如此。我们认为关键在于客体有没有自主性，没有生命的事物是绝对被动；然而，有生命的有些是主动，有些则是被动。在被动的状况下，移动方向则与施事者一样。

综合以上，我们将{chau² 走}当补语时客体移动方向的依据以下面的流程图(图2)说明。

图2

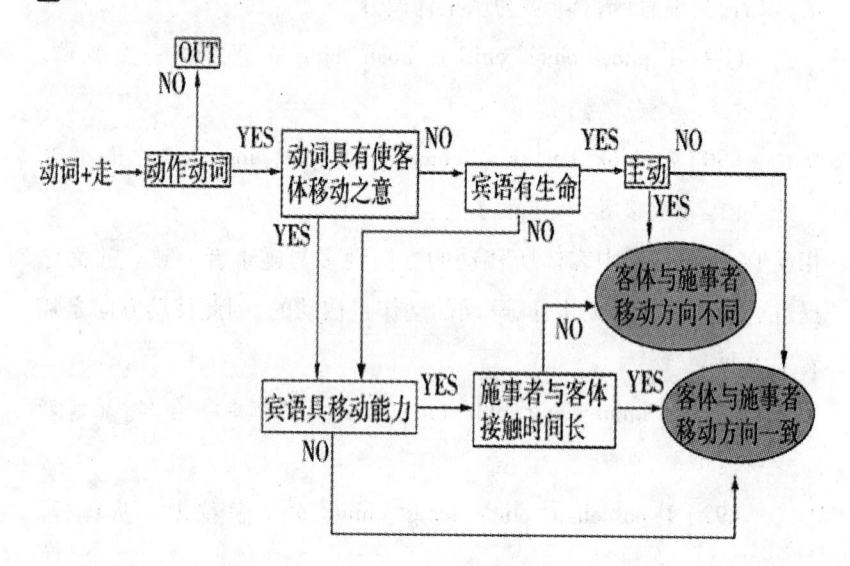

3.2.2 非空间性

上述{chau² 走}的用法是很典型的趋向补语，动作使得客体有方向性的移动。然而，下列 V + {chau² 走}的用法并没有移动的语义。

(94) Thia^{n1} chau² chit⁴ e⁵ im¹ 听走一个音(听错)(听错一个音)

(95) Thi^{n7} chau^2 chiam^1　缝走针（缝错）

"听"是感官动词，而"缝"是动作动词。不同于前面，这两个动词并没有表达空间移动的概念。我们认为这样的用法与动词{chau^2 走}第五个延伸义有关。{chau^2 走}当动词时可以表示"客体从原状态离开"，衍生出脱轨、异常的语义，补语{chau^2 走}非空间性的用法便是从此语义衍生而来的，从"走音"可以看出衍生的端倪。

伊唱歌唱甲（kah^4）走音 → 甲 kah^4 省略 → 伊唱走音。有趣的是，原本"走音"是不可分开的复合词用法，后来{chau^2 走}当补语而与动词关系较亲近，使得我们可以插入东西，如："伊唱走一个音。"

四　结　论

研究多义词的方法很多，本文主要从概念结构切入，以求将众多的语义精简至少数几个基本的概念结构。{chau^2 走}的核心概念结构为"施事者借特定工具移动"，从这个基本核心语义扩展为几个延伸的语义。第一个延伸义的是"移动"的核心义加上不同的路径；第二个延伸义是在核心义上加上原因的成分；第三个延伸义是使动的用法。第四个及第五个延伸义是第一个延伸义中以 FROM /AWAY-FROM 为路径的进一步发展。每个概念结构经由推论、譬喻及会话隐含而产生更细部的引申。不过，值得一提的是有些语义是由结构所给予的；因此，在观察词的同时也必须注意结构。最后，我们将整个语义延伸情形画成下面的流程图（图3[13]）。

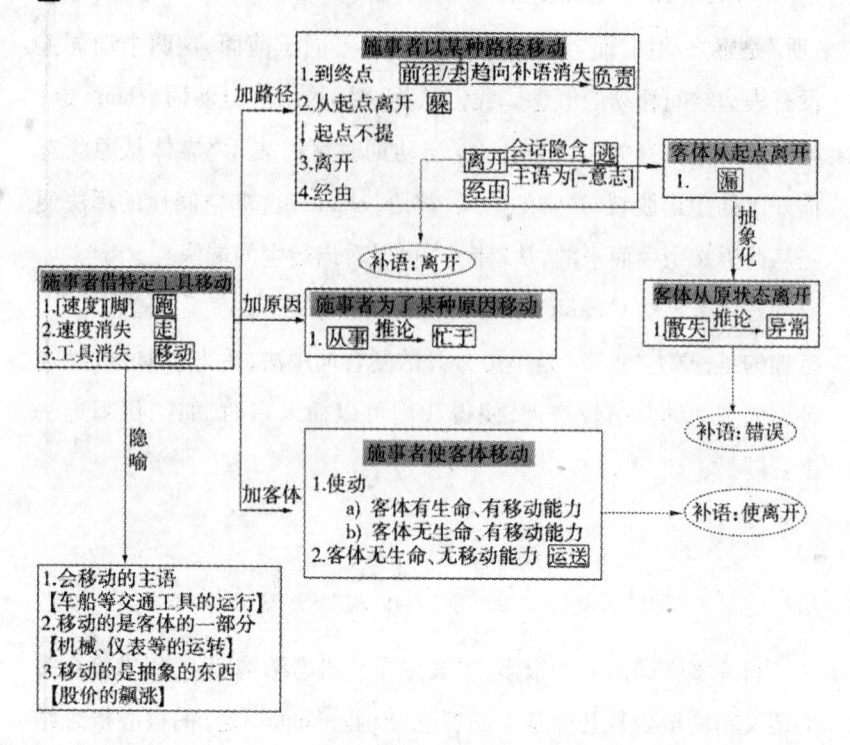

图 3

施事者以某种路径移动
1. 到终点 前往/去 趋向补语消失 负责
2. 从起点离开 堕
3. 起点不提
4. 离开 离开 会话隐含 主语为[-意志] 逃
5. 经由 经由

补语：离开

施事者借特定工具移动
1. [速度][脚] 跑
2. 速度消失 走
3. 工具消失 移动

加原因 → 施事者为了某种原因移动
1. 从事 推论 汇于

客体从起点离开
1. 漏

抽象化

客体从原状态离开
1. 散失 推论 异常

补语：错误

加客体 → 施事者使客体移动
1. 使动
   a) 客体有生命、有移动能力
   b) 客体无生命、有移动能力
2. 客体无生命、无移动能力 运送

补语：使离开

隐喻
1. 会移动的主语
【车船等交通工具的运行】
2. 移动的是客体的一部分
【机械、仪表等的运转】
3. 移动的是抽象的东西
【股价的飘涨】

附 注

① *Hit* 有两解：1. 撞到，2. 用手打。当 Sue 是客体，Fred 是终点时，整句意思为"阿兰撞到阿根"；当客体是阿兰的手时，整句意思为"阿兰用手打阿根"。Jackendoff 并没有特别指出这个歧义现象。他将"手"视为客体，所以句义为后者。

② Matthews（1991:24—41）认为词（word）可以做三种理解：(1)音韵词（phonological word），(2)词位（lexeme），(3)语法词（grammatical word）（略等于虚词）。词位（lexeme）是一个语言的词汇中的实词，详细的论述参看 Aronoff（1994:6—29）。意位（sememe）（参见 Lamb 1964）是指多义词中的意项（semantic entry）有别于义素（semantic features），后者是基本的语义元素。

③ 本文闽南话的例子是采用教会罗马字（Douglas 1873）标音。不过这里我们做了些调整。声调改以阿拉伯数字表示：阴平(1)，阴上(2)，阴去(3)，阴入(4)，阳平(5)，阳去(7)，阳入(8)。Ch 和 ts 由于没有音位的对立，两者一律做 ch。/o/和/o./的区分以/o/和/oo/表示。此外，本文闽南话例句主要收集自《台湾话大词典：闽南话漳泉二腔系部分》、《国台对照活用辞典》上下册以及《中国闽南语英语字典》（Amoy-English Dictionary），汉语官话例句则参考《汉语

大字典》及《大辞典》。

④ 指上述义素可有可无。

⑤ "使动"(causativity)基本上是一个事件引发另一个事件。

⑥ 不一定要在室外,如:莫在厝/房间/教室里底走(别在屋子/房间/教室里头跑)!

⑦ 辞典将"走马灯"一词译成"lantern adorned with a revolving circle of paper horses",由 circle 可看出移动的方式是循环式的。

⑧ 巨大为股票名称。

⑨ 加入客体是因为交通工具没有生命及自由意志,因此不能分析为施事者。前面已提过将交通工具比喻成人的概念隐喻,因此在此不多加解释,仅以施事者/客体来涵盖主语是人及交通工具的情形。

⑩ 可不出现,若出现则限室外,如"伊整天出去走业务/保险。""*伊整天在厝走业务/保险。"

⑪ "飞喷射机"与"飞巴黎"是不同的,后者中的"巴黎"是目的地,"飞"则是不及物动词。

⑫ 这是隐喻用法,将飞机比喻成飞禽。

⑬ 本图主要是受到 Bartsch (1984)的启发而制作。

参考文献

陈 修 (1991)《台湾话大词典:闽南话漳泉二腔系部分》,远流出版公司,台北。

高积焕等编 (1976)《中国闽南语英语字典》(Amoy-English Dictionary), Maryknoll,台中。

汉语大辞典编辑委员会编 (1986)《汉语大字典》,湖北辞书出版社,四川。

蒋绍愚 (2002) 从"走"到"跑"的历史更替,纪念李方桂先生诞辰一百周年汉语史国际学术研讨会,美国,华盛顿大学。

连金发 (2000) 台湾闽南语"放"的多重功能:探索语义和形式的关系,《第四届台湾语言及其教学国际研讨会论文集》,中山大学,15—35 页,高雄。

—— (2004) 台湾闽南话"放"的多重功能:探索语意和形式的关系,《汉语研究》第 1 期,393—419 页。

三民书局大辞典编纂委员会编 (1985)《大辞典》,三民书局,台北。

吴守礼 (2000)《国台对照活用辞典》上下册,远流出版公司,台北。

叶蜚声、徐通锵 (1993)《语言学纲要》,书林,台北。

赵元任 (1970)《中国话的文法》,丁邦新译,中文大学出版社,香港。

郑萦、曹逢甫 (1994) 台湾话"ka"用法之间的关系,《闽南语研讨会论文集》,清华大学,新竹。

Aronoff, Mark (1994) *Morphology by Itself: Stems and Inflectional Classes*. Cambridge, Massachusetts: MIT Press.

Bartsch, Renate (1984) The structure of word meaning: polysemy, metaphor, metonymy. In Fred, Landman & Frank Veltman (Eds.) *Varieities of Formal Semantics*, 25—54. Dordrecht: Foris Publications.

Douglas, Rev. Cartairs (1873) *Chinese-English Dictionary of the Vernacular or Spoken Language of Amoy with the Principal Variations of the Chang-chew and Chin-chew Dialect*. London: Trubner and Co.

Fillmore, Charles J. (1986) Pragmatically controlled zero anaphora. *Proceedings of the Twelfth Annual Meeting of the Berkeley Linguistics Society*, 95—197.

Goldberg, Adele E. (1995) *Constructions: a construction grammar approach to argument structure*. Chicago: University of Chicago Press.

Huang, Hanchun (1998) *Lexical Polysemy and Sense Extension in Verbs of Movement in Taiwanese Southern Min*《台湾闽南语移动动词的词汇多意性与语义延伸》. M. A. Thesis, Taiwan: National Tsing Hua University.

Hung, Sucheng (1995) *A Study of the Taiwanese Preposition KA and its Corresponding Mandarin Prepositions*. M. A. thesis, Taiwan: National Tsing Hua University.

Jackendoff, Ray S. (1990) *Semantic structures*. Cambridge, Massachusetts: MIT Press.

Lakoff, George (1987) *Women, Fire, and Dangerous Things: What Categories Reveal About the Mind*. Chicago: University of Chicago Press.

Lamb, Sydney M. (1964) The semantic approach to structural semantics. *American Anthropologist* 66, 57—78.

Levin, Beth and Hovav, Malka Rappaport (1995) *Unaccusativity: at the Syntax-Lexical Semantics Interface*. Cambridge, Massachusetts: The MIT Press.

Lien, Chinfa (2002) Grammatical function words 乞, 度, 共, 甲, 将 and 力 in Li^4 Jing^4 Ji^4 荔镜记 and their Development in Southern Min. In Dah-an Ho (Ed.) *Papers from the Third International Conference on Sinology: Linguistic Section. Dialect Variations in Chinese*. Institute of Lingusitcs, Preparatory Office. Academia Sinica, Taipei, Taiwan. 第三届国汉学会议论文集. 何大安（主编）语言组. 南北是非——方言的差异与变化. 179—216. 中央研究院语言学研究所筹备处.

—— (2003) In search of covert grammatical categories in Taiwanese Southern Min: a cognitive approach to verb semantics. *Language and Linguistics* 4: 379—402.

Lyons, John (1968) *Introduction to Theoretical Linguistics*. Cambridge: Cambridge University Press.

Matthews, P. H. (1991) *Morphology* (2nd edition). Cambridge: Cambridge University Press.

Michotte, A. (1954) *La Perceptioin de la Causalité* (2nd edition). Louvain: Publications Universitaires de Louvain.

Nida, Eugene A. and Taber, Charles R. (1972) *Semantic structures*. In M. Estellie Smith (Ed.) *Studies in linguistics in honor of George L. Trager*, 122—141. The Hague: Mouton.

Rosch, Eleanor H. (1973) Natural categories. *Cognitive Psychology* 4, 328—350.

Zhao, Yuenren (1968) *A Grammar of Spoken Chinese*. Berkeley: University of California Press, Ltd.

(刘秀莹 台中,台湾 台中健康暨管理学院应用外语系
(国立清华大学语言学研究所博士班)
E-mail:violet90@ms39.hinet.net
连金发 新竹,台湾 国立清华大学语言学研究所
E-mail:cflien@mx.nthu.edu.tw)

试论"虚假字义"*

杨宝忠　张新朋

提要　由于种种原因,字典辞书中有些字的意义是它们记录的词所不具备的.这种和词义脱节的字义,称作"虚假字义"。"虚假字义"影响汉字的正确识读,影响字典辞书的编写质量和使用价值,干扰、破坏汉语的词义系统。本文试图对"虚假字义"产生的原因作一初步探讨,并揭示"虚假字义"所产生的负面影响,以引起文字学、辞书学、词义学研究者对"虚假字义"的注意。

关键词　字典辞书　虚假字义　疑难字

汉字是记录汉语的书写符号,它通过自身的形体来表示汉语词的音和义,一个汉字之所以有某义,是因为它所记录的词有这个意义。比如"歪"这个字,它记录的是汉语中和"正"相对的"歪"这个词,"歪"这个词具有不正的意义,所以,"歪"字训不正;又如"元"这个字,它记录的是汉语中"元"这个词,在古汉语里,"元"这个词具有首的意义,又引申出初始的意义,《说文》"元"字训始,是因为"元"这个词具有初始的意义。如果一个词不具备某义,那么,记录这个词的字也不应当有某义,但是,由于种种原因,字典辞书中有些字的意义是它们记录的词所不具备的,这种和词义脱节的字义,称作"虚假字义"。"虚假字义"影响汉字的正确识读,影响字典辞书的编写质量,干扰、破坏汉语的词义系统,文字学、辞书学、词义学研究者对"虚假字义"应当给予足够的注意。本文试图对"虚假字义"产生的原因作一初步探讨。

---

* 本文为国家社科基金项目"大型字书疑难字考释"(03BYY042)的阶段性成果。

一 传抄失误

　　字典辞书具有工具书的性质,古代一部字书问世,往往"家家竞写,人人习传"①,经过展转传抄,难免出现文字讹误;后世字书几乎无一例外是在前出字书的基础上编纂而成的,由于字书编纂重编纂而轻考校,一方面,后世字书承袭了前出字书的种种失误,另一方面,后世字书在编纂及流传过程中又会出现一些新的失误。字书传抄失误递相增加,出现"晋豕成群"、"鲁鱼盈贯"②的情况便不足为怪。这些传抄失误不仅仅是存在于字头,注音、释义中也大量存在,而释义中存在传抄失误,便会直接导致虚假字义的产生。例如:

　　1.《字汇补·口部》:"圄,文甫切,音武。《集韵》,无矩也。"《汉语大字典·口部》:"圄,wǔ,《五音集韵》文甫切。无矩。《五音集韵·麌韵》:'圄,无矩也。'"(《中华字海·口部》略同)

　　按:"圄"训无矩,多有可疑:一、"无矩"之训费解;二、形义关系不明;三、训"无矩"音"文甫","无"、"文"双声,"矩"、"甫"叠韵。今以形考之,"圄"当是"圉"字俗讹。《说文》十篇下《幸部》:"圉,囹圉,所以拘罪人。从幸,从口。一曰圉,垂也;一曰圉人,掌马者。"大徐等引《唐韵》鱼举切。"圉"字所从之幸,篆作"𡴘",隶变作"幸"、或作"𢆉",俗书受篆、隶字形影响,变作"𥤛"(《龙龛》卷四《杂部》"报"字所从),"圄"字所从即"𥤛"之变也。《篇海》卷十四《口部》引《龙龛》:"圄,音宇。养马也,又姓。"(高丽本《龙龛》作"圉")"圄"字文甫切,"圉"字音宇,二字读音至近。"圄"为"圉"字之变,"圄"亦"圉"字之变也。"圉"训囹圉、训边垂、训养马者,又为姓氏之用字,而"圄"训无矩者,"无矩也"当是"无矩切"之误,成化本《五音集韵》正作"无矩切"③,《康熙字典·丑集备考·口部》引《五音集韵》亦作"无矩切",《字汇补》等引作"无矩也",当是转写之误(《字汇补》所引《集韵》为韩道昭《五音集韵》、非丁度《集韵》)。自《字汇补》"圄"字"无矩切"误作"无矩也"之后,"圄(圉)"字遂生"无矩也"之训,其实原字并无此义④。

2.《字汇补·水部》:"瀙,而宣切,音擩。傔也。"《康熙字典·水部》、《字海·氵部》从之。

按:《篇海》卷十二《水部》引《川篇》:"瀙,音口(此字漫漶,似是"擩"字),傔也。"此即《字汇补》所本。《篇海》"瀙"字有直音无反切,《字汇补》"而宣切"即据《篇海》直音所补作。《玉篇·水部》:"瀔,胡减切,又音傔。"《篇海》卷十二《水部》引同。俗书几、瓦二旁相乱,《篇海》卷二《几部》引《俗字背篇》:"凨,音瓯。"又:"靰,音攀。""凨"、"靰"即"瓯"、"瓯"俗写,"瀙"、"瀔"疑亦一字之变。《玉篇》"瀔"字有音无义,《篇海》"瀙"字训"傔","傔"当是《玉篇》"又音傔"之脱也。《集韵》上声《槛韵》户黤切:"瀔,悬水皃。"《五音集韵·豏韵》下斩切"瀔"字义同。《字汇·水部》:"瀔,形殿切,音现。悬水貌。又乞念切,音欠,义同。"《集韵》以下字书"瀔"字始有义训,然无"傔也"之义,《篇海》"瀙"字训"傔也",虚假字义也。

3.《篇海》卷十三《户部》引《川篇》:"屛,音杼。户~。"《康熙字典·卯集补遗·户部》:"屛,《五音篇海》:音杼,户屛。"《大字典》、《字海》亦据《篇海》收录"屛"字,音义同。

按:"屛"字构形理据、形义关系不明,"户屛"之义亦费解。《广雅·释诂二》:"㪻,抒也。"《万象名义·斗部》:"㪻,呼古反。抒水也。"《玉篇·斗部》:"㪻,抒水器也。"《农政全书·水利·灌溉图谱》:"㪻斗,挹水器也。""㪻"字本为抒水器,形似斗,故字从斗,户声,亦称㪻斗。古汉语中兼名、动两用之词甚多,"㪻"用作动词,因训抒。"屛"与"㪻"形近,疑即"㪻"字之变("㪻"字所从之斗横笔断裂因成"屛"字)。然而"㪻"字呼古反,"屛"字音杼;"㪻"字训抒水器、训抒,"屛"则训户屛。二字音义迥别者,"屛"下说解本作"屛,音户,杼(抒)也",传写"户"、"杼"二字互倒,又衍一"~(屛)"字也。"杼"即俗"抒"字,音shū,不读直吕切也。"屛"字音户,与"㪻"字呼古反音同;"屛"字训杼(抒),"㪻"亦训抒。二字音义皆同。王仁昫《刊谬补缺切韵》上声《姥韵》胡古反:"㪻,杼。"裴务齐正字本同。

《篇海》卷十三《户部》引《馀文》:"戽,音户,杼也。""杼"亦"抒"字俗写。"戽"、"戽"记录的都是汉语中"戽"这个词,"戽"用作名词,指戽斗,是一种抒水器;用作动词,指用戽斗抒水。由于传抄失误,注音字与释义字互倒,"戽"字因生"户戽"之训,虚假字义也。吴任臣不知"戽"即"戽"字之变,"音杼户~"为"音户抒也"之误倒,误以"杼(抒)"为机杼字而补作直吕切,《大字典》、《字海》拼读作 zhù,皆非是。《直音篇·户部》:"戽,音将。户戽。"所据本又误"杼"为"将",遂收入阳韵字中,误上加误也。

4.《篇海》卷十五《入部》引《川篇》:"赟,音制。挥也。"《字汇补·入部》:"赟,照细切,音制。辉也。"《康熙字典·入部》"赟"字说解引《字汇补》,同。《大字典·入部》:"赟,zhì,……挥。《改并四声篇海·入部》引《川篇》:'赟,音制。挥也。'《字海·入部》略同。

按:"赟"训挥,或训辉,形义关系不明。《汉书·王莽传下》:"事发觉,莽使中常侍䶒恽责问妨,并以责兴,皆自杀。"《广韵》去声《霁韵》都计切:"䶒,姓也。《汉书·王莽传》有中常侍䶒恽。"余迺永云:"[恽]《唐韵》及钜宋本、楝亭本作'恽',合《汉书·王莽传》文⑤。""䶒"又作"䶒",敦煌本王仁昫《切韵》去声《祭韵》职例反:"䶒,王莽时䶒恽。"故宫本王仁昫《切韵·祭韵》职例反:"䶒,王莽时Ɛ(代表字头)恽。"《广韵·祭韵》征例切:"䶒,古人姓。"字又作"䶒",《唐韵·霁韵》"䶒,姓,《汉书·王莽传》有中常侍䶒恽。""䶒"、"䶒"、"䶒"转写之异也。"赟"字音制,与"䶒"字职例反、征例切读音相同,殆即"䶒"字之变。然而"䶒"为古人姓氏用字,"赟"训挥、训辉者,"挥"当是"恽"字之误,"辉"又"挥"字之误也。《玉篇·疋部》:"䶒,之世切。姓也,王莽时有䶒恽。"《万象名义·疋部》:"䶒,之逝反。恽也。"此误以书证"王莽时有䶒恽"之"䶒"为被训释字,以"恽"为释义用字而又误为"惮"字也,因有"䶒,惮也"之训⑥。《川篇》"赟"字训挥,有似于此。皆虚假字义也。

5.《大字典·犬部》:"猰,yù……[独猰]古兽名。简称猰。《说文·犬部》:'猰,独猰,兽也。'《广韵·屋韵》:'猰,兽。如赤豹,五尾。'"《字海·犭部》："狳,yù,音遇。古代传说中的一种动物,似豹而红色,长着五条尾巴。又叫'独狳'。见《说文》和《广韵》。"

按:《山海经·北山经》:"[北嚻之山]有兽焉,其状如虎,而白身犬首,马尾彘鬣,名曰独㹱。"《说文》十篇上《犬部》:"独,一曰北嚻山有独㹱兽,如虎,白身,豕鬣,尾如马。"段玉裁注:"郭[璞]《图赞》亦云:虎状马尾,号曰独㹱。"是此兽合"独㹱"二字以为名。字书于双字为名者,往往拆散训释,单字之训即取双字为名之义⑦。《万象名义·犬部》:"狳(㹱),古斛反。如虎、白耳(身?)、马尾。"亦此病也。《大字典》以为"独㹱"又可简称为"㹱",《字海》谓"狳"又叫"独狳",皆非是。古汉语中只有"独㹱"这个词,而无"㹱"这个词,因此,"㹱"字单独不为义。又:"独㹱"之为兽,虎状马尾也。《广韵》"㹱"字则云"如赤豹五尾",形状迥异。余廼永曰:"'㹱,古禄切。兽如赤豹,五尾。又音欲。'《全王》同。按独㹱兽见《山海经·北山经》文,《集韵》引此作'马尾';故注文'五'乃马字之误。又'兽'前应冠独㹱二字。"考《集韵·屋韵》古禄切:"㹱,兽名。《山海经》北嚻之山有兽,状如虎,白身马尾彘鬣,名独㹱。"其释义与《广韵》不同者非止"五尾"作"马尾"也,余氏谓"五"乃"马"字之误,恐不足信。字书所载怪兽,多出《山海经》,因复检该书,《西山经》云:"[章莪之山]有兽焉,其状如赤豹,五尾一角,其音如击石,其名如狰⑧。"乃知"如赤豹五尾"者乃"狰"("狰"音与击石声相近,其得名盖以其"自讥"),非"㹱"也。盖《全王》误抄"狰"之释义于"㹱"下,《广韵》又承其误耳。

6.《大字典·口部》:"圅,xiá,《改并四声篇海》引《俗字背篇》音狎。穴。《改并四声篇海·口部》引《俗字背篇》:'圅,穴也。'"《字海·口部》:"圅,xiá,音狭。穴。见《字汇补》。"

按:成化本《篇海·口部》无此字,此字见《字汇补·口部》,吴任臣云:"圅,何夹切,音狎。穴也。香严读。"《龙龛》卷一《口部》:"圅、圅、圅,音押。~穴也。香严又音狎。"《篇海》卷十四《口部》引作:"圅、圅,二音狎。穴也。香严又音押字。"俗书"蓋"字作"盖",

《字汇补》"圖"字当是据《龙龛》"圖"字转写。《康熙字典·丑集备考·口部》:"圖,《篇海类编》与圖同。"《篇海类编》卷十九《口部》"圖、圖,二音狎。穴也。又音押。"(《详校篇海》同)《康熙字典》"圖"字亦据《篇海类编》"圖"字转写。"圖"字同"圖"、"圖"亦当同"圖"。《广韵》入声《洽韵》乌洽切:"圖,圖窊,声下。"《集韵·洽韵》乙洽切:"圖,窊圖,声下皃。""窊圖"出《文选·马季长·长笛赋》,文曰:"惆怅怨怼,窊(五臣本作"窊",乌瓜切)圖寘被。"李善注:"窊圖,声下皃。圖,於洽切。""窊(窊)圖"为双声连绵词,合二字为义,训声下貌。以古书罕用,字书收之,传抄者不得其解,故颇多讹误,《广韵》"圖,圖窊,声下","圖窊"当作"窊圖",二字互倒;宋本《玉篇·口部》:"圖,乌合切。窊,声下。""窊"上复脱"圖"字(古代字书释义中出现字头用字,常以"乙"、"〈"、"丨"等符号代之,而这些符号在后世传抄过程中又往往脱落)。《篇海·口部》引《玉篇》:"圖,乌合切。窊声。""声"下复脱"下"字。《龙龛》"圖、圖、圖,音押。~(原作短竖)穴也"。(朝鲜本《龙龛》同)"穴"当为"窊"字残误。《篇海》引之,复脱去代表字头用字的符号。几经讹误,"圖"、"圖"、"圖"遂生"穴也"之训。

以上 6 例中的释义均属虚假字义,除例 5 之外,其余 5 例字形均有变易。字经变易,再加上释义方面传抄失误,这是虚假字义产生的原因。例 1"圖"字为"圍"字之变,其释义"无矩也"乃是注音"无矩切"之误;例 2"瀰"字为"瀰"字之变,其释义"廉也"乃是注音"又音廉"之误;例 3"戽"字为"戽"字之变,其释义"户"当是"杼(抒)也"之误,"音杼"本作"音户",注音字与释义字互倒;例 4"費"字为"豐"字之变,其释义"挥也"当是"恽也"之误(后又训辉,"辉"又"挥"字之误),而"恽也"又当是"王莽时有豐恽也"之误;例 6"圖"字为"圖"字之变,"圖"又"圖"字之变,"圖(圖、圖)"单字无义,合"窊"字使用,构成"窊圖",训声下貌,字书"圖"、"圖"训穴,乃"窊~,声下皃"之脱落残误;例 5"犳"字亦单字不成词,合"独"字构成"独犳"训怪兽名,其兽则"虎状马尾",《广韵》云"兽,如赤豹五尾"乃误移"狰"

字训释于"狳"下也。

二 编纂失误

字书在编纂过程中产生虚假字义,其原因又可以分为妄补、妄改、误认、误解。举例说明如下:

(一)妄补

字经变易,有与正字失去联系因失其义者,《玉篇》、《龙龛》、《篇海》等字书多有此类俗字。后人编纂字书,不去考校这些缺义的俗字为何字所变,而是仅凭字形补作训释,这些训释多不可信。

7.《字汇补·山部》:"峜,古委切,音癸。山名。"《字海·艹部》从之。

按:《康熙字典·寅集备考·山部》:"峜,《海篇》:音癸。"是此字原本有音缺义。《篇海》卷十二《山部》引《川篇》:"蕊,音癸。""峜"、"蕊"音同,二字只差一点,显系一字之变,而"蕊"字亦有音缺义。《字汇补》训"峜"为山名,当是吴任臣所补,恐不足信。以音求之,并参考字形,"峜"、"蕊"殆即"癸"字之变。"癸"字篆书作"※",俗或楷定作"屮",《篇海》卷十二《山部》引《龙龛》:"屮,音癸。"或楷定作"屮",《篇海》卷首《杂部》:"屮,音癸字。"或作"莽",《篇海·山部》引《川篇》"莽,居木切。~也。"《详校篇海》卷四《山部》:"莽,居木切,音谷。~也。"《篇海类编》同。反切下字"木"当是"水"字之误,二字形近,古书多互误,水旁、木旁俗书亦相乱。"居水切"即音癸也,明代以后字书"音谷"者,乃据误本《篇海》补作直音。又《篇海》、《篇海类编》、《详校篇海》释义均作"~(原作短竖)也",短竖代表字头用字,当有脱误。《字汇补·山部》:"莽,居木切,音谷,山也。"吴任臣改训为"山也",后世字书多从之,亦非是。"蕊"、"峜"当亦即"癸"之篆书所楷定,上部所从之"艹",即"屮"之变,中部所从三点或四点,即两短横之变("屮"下两短横则据篆书癸字下部楷定,原作曲笔,伸直变作短横),下部从山与"莽"字所从之山皆"屮"

之变⑨,俗书中、山二旁亦相乱。《万象名义·癸部》载"癸"字重文所从四中变作四山。《篇海·山部》引《搜真玉镜》:"巣,音莫。"又:"糀,甾,二古文若字。"所从之"屾"亦"艹"之变,是其证。"癸"变作"苍"、"蕊",《海篇》(《康熙字典》引)、《川篇》(《篇海》引)失载其义,吴任臣补训"山也",盖据其从山而臆补,其实"癸(苍、蕊)"字并不训山。

8.《大字典·彡部》:"彭,cuò,《玉篇》七卧切。①形。《玉篇·彡部》:'彭,形也。'②芟。《改并四声篇海·彡部》引《并了部头》:'彭,芟。'"《字海·彡部》:"彭,cuò,音错。形。见《玉篇》。"

按:宋本《玉篇》始收"彭"字,说解但云七卧切,义阙。《篇海》卷十《彡部》并了部头:"彭,七卧切。形。"("形"字《大字典》引作"芟",不知所据何本)《五音集韵》去声《过韵》簏卧切:"彭,芟也。"《详校篇海·彡部》:"彭,千卧切,音剉。芟也,一曰形也。"《篇海类编》、《字汇》等"彭"字音义同。此字音义皆有可疑,《玉篇》列于《彡部》之末,且有音无义,当是陈彭年等所增,据原本《玉篇》编写而成的《万象名义·彡部》无此字。《篇海》"彭"字列于"并了部头"字中,是此字原本不在《彡部》也。《集韵》入声《质韵》戚悉切:"桼、彭、桼,《说文》:木可以髹物。象形,桼如水滴而下。古作彭,或作桼。"《篇海·彡部》引《馀文》:"彭,音七。木汁可以髹物。象形,桼如水滴而下也。通作漆。""坐"字俗书作"坐",《篇海》卷四《土部》引《奚韵》:"坐,祖卧切。被罪也。又藏果切。""坐"、"坐"音义相同。"彭"盖即"彭"字,亦即"桼"字、"漆"字之"古文"也。然而"桼"、"漆"、"彭"字戚悉切,音七,"彭"字千卧切、音剉;"桼"、"漆"、"彭"训木汁可以髹物,即油漆,"彭"训形、又训芟,音义了不相涉者,当是"彭"变作"彭",与正字失去联系,因失其音义。字书编纂者误以其从彡、坐声,因读作七卧切,训形(形影字从彡也);又或以其从彡得声,因注云"音芟"("彡"、"芟"二字《广韵》并音所衔切),"音芟"后又误为"芟也"也。《万象名义·水部》:"漆,且栗反。池也。木汁。彭,古文。"《古文四声韵》"漆"字引《汗简》作"彭"、引古《尚书》作"㭽"。此"㭽"为"㭽"字亦即古文"桼"、"漆"字之明证也。宋代以后字书"㭽"字不仅注音错误,并其训义亦皆虚假。

9.《集韵》平声《脂韵》延知切:"㹛,兽名。"《类篇·犬部》同。《大字典·犬部》:"㹛,yí《集韵》延知切,平脂以。①兽名。……②同"夷"。旧时对少数民族的泛称。"《字海·犭部》略同。

按:自《集韵》以下至《康熙字典》,"㹛"字均但训兽名;《大字典》训兽名之外,又谓用同"夷"。用同"夷"者,"㹛"字固有之义也;其训兽名,虚假之义。古代社会华夏民族与四方少数民族之间矛盾激烈,出于敌视、蔑视的心理,指称少数民族用字多从犬、豸、羊、虫,如"蛮"、"狄"、"貉"、"羌"诸字是也。夷、戎本不从犬,受上述心理及"狄"、"貉"等字的影响,亦添加犬旁作"狨"、"㹛"。《玉篇·犬部》:"狨,如充切。㹛,音夷。"有音无义,其实即"戎"("狨"又指金丝猴,与狨夷字同形)、"夷"二字也。《龙龛》卷二《犬部》:"㹛,音夷。㹛㹛也。""㹛㹛"读作戎夷,泛指少数民族。丁度等据《玉篇》收"㹛"字于《集韵》⑩,见其字从犬,因训为兽名,不知为"夷"之加旁字也。

10.《大字典·口部》:"吚,zhī,《龙龛手鉴》知、牟二音。拈物。《篇海类编·身体类·口部》:'吚,拈物也。'"《字海·口部》:"吚,zhī,音之。拈物。见《篇海类编》。"

按:《龙龛》卷二《口部》:"吚,俗。知、牟二音。"朝鲜本《龙龛》及《篇海》卷二《口部》引《龙龛》同。《龙龛》"吚"字有音无义,且明言为俗字,则其正字当考也。《五音集韵》平声《脂韵》陟离切:"吚,估物也。"宁忌浮云:"估,A本(指《崇庆新雕改并五音集韵》)、B本(指《至元己丑新雕改并五音集韵》)均作'拈',当从。"是"吚"训"拈物",始见于《五音集韵》,韩道昭所补也,明代以后字书多从之。韩氏不知"吚"为何字俗书,径补义训于下,不足信也。今实考之,"吚"字音知,当即"知"字俗书。《说文》五篇下《矢部》:"知,词也。从口矢。"字从矢者,隶变或从手,如"短"字从矢,汉《逢盛碑》从手作"挀",是其例。"矢"旁演变轨迹为:$\mathrm{乑}$(篆)—$\mathrm{夫}$(隶)—$\mathrm{夫}$(隶)—

才(隶)—扌(楷,在左)。"知"变从手,易位则成"挲"字。"挲"又音牟,殆即"牟"字俗书。《说文》二篇上《牛部》:"牟,牛鸣也。从牛,乙,象其声气从口出。"隶作"牟",俗书厶、口不分,牛、手相乱,顾蔼吉《隶辨》卷六:"牽作挲,变从手。"是从牛之字变从手之例,故"牟"又可写作"挲"也。《龙龛》"挲"字音知、牟,即以正字为俗字作音也[11]。"挲"既为"知"字俗书、又为"牟"字俗书,"知"、"牟"二字均无"拈物"之义,然则《五音集韵》以下字书"挲"训拈物,虚假字义也。

11.《大字典·辵部》:"迁,qiān,《广韵》仓先切,平先清。①行进。《玉篇·辵部》:'迁,行进也。'②同'遷'。《正字通·辵部》:'迁,俗遷字。旧注'徙也'、'迁葬也'与遷训近。'按:今为遷的简化字。③墓地。《类篇·辵部》:'迁,墲谓之迁。'④伺候。《广韵·先韵》:'迁,伺候也。'⑤标记。《广韵·先韵》:'迁,标记也。'"《字海·辶部》:"迁,'遷'的简化字。"

按:"迁"训行进,虚假字义也。《说文》二篇下《辵部》:"迁,进也。从辵、干声。读若干。"段玉裁注:"干求字当作迁,干犯字当作奸。"《万象名义·辵部》变作"迁",注云:"迁,且坚切。进也。"其列字次第与《说文》"迁"字相当且书中别无"迁"字,知"迁"即"迁"字之变也。"迁"字音干,古寒切,而"迁"字且坚切者,改从"千"音也。《玉篇·辵部》:"迁,且坚切。行进也。迁,古寒切。进也。"考原本《玉篇》列字次第依《说文》,《说文》所无之字补于部末,《万象名义》同原本《玉篇》。《说文》有"迁"无"迁",《万象名义》有"迁"无"迁"(原本《玉篇》佚《辵部》),而今本《玉篇》"迁"、"迁"并见者,盖原本《玉篇》既误"迁"为"迁",孙强、陈彭年等不知其误,复据《说文》补"迁"字及其说解于"迁"字之下也。《龙龛》卷四《辵部》:"迁,七仙反。葬择也(地?),又标记也。"《广韵》平声《先韵》苍先切:"迁,伺候也、进也,又迁葬,又标记也。"《类篇·辵部》:"迁,仓仙切。墲谓之迁[12]。一曰伺候也,进也,表也。"《五音集韵·仙韵》:"迁,迁葬。又标记也,伺候也,进也,表也。""迁"训葬择,训迁葬,又墲谓之迁,其义一也,此"迁"字即"遷"之声旁变易字,字从署声者多变从千,如"鄠"又作"邗"、"欅"又作"杆"(并见《集韵·仙韵》),是其例。张自烈谓此"迁"为俗遷字,其说可从;《广韵》等书"迁"又训进,即据误本《玉篇》所妄补,训进者乃"迁"字,"迁"本无是训也,又"迁"训进,乃"干求"之"干"的本字;"迁"字又训标记、训表,表即标记,其义一也,《五音集韵》既训标记矣,又训表,释义重复,《类篇》"墲谓之迁","墲"与"葬择"、"迁葬"义同,《方言》卷十三:"凡葬而无坟谓之墓,所以墓谓之墲。"郭璞注:"墲,谓规度墓地也。""规度墓地"即葬择地、迁葬,《大字典》据之增墓地一义,误解"墲"字也。字书收字,后出转多,所多出之字,固有为记录新词而造者,为区别词义新造者,然亦有涉传抄失误而变者,涉俗书而变者,而变者远过于造者也;字书释义,义项亦不断增多,所多出之义,固有引申而生者、假借而生者,然亦有涉传抄失误而增设者,有本为一义误分者,有二字、三字之义误合者,又有误解因而误增者。字书编纂者"欲使学者一览而声音文字包举无遗","惟恐其字之易尽"[13],因见字辄收,见义辄补,而不问当收当补否,此字书通病。

(二)妄改

汉字属于表意体系的文字,汉字的意符具有表义功能,因此,汉字"凡某之属皆从某",字从某者多与某义相关,此就原初字形而言也。字经变易,或导致形义关系不相切合,字书编纂者不去恢复该字原初的构形理据,考察该字为何字所变,而是妄改字义以比附经过变易的字形,此亦"虚假字义"产生之一途。举例说明如下:

12.《大字典·歹部》:"殇,xiàng。《改并四声篇海》引《川篇》胡降切。①死衢。《改并四声篇海·歹部》引《川篇》:'殇,死衢也。'②死腐。《字汇·歹部》:'殇,死腐也。'《字海·歹部》:"殇,xiàng,音向,死腐。见《字汇》。"

按:成化本《篇海》卷三《歹部》引《川篇》:"殇,胡降切。死街也。""街"字《大字典》引作"衢",所据不知何本。《说文》六篇下《㔾部》:"䢽,里中道也。从㔾,共,言在邑中所共。巷(巷),篆文从邑省。"大徐等引《唐韵》胡绛切。变作"鄉",见《万象名义·邑部》,犹"鼺"变作"鄉"也。《五音集韵》去声《绛韵》胡绛切:"巷、衖、鄉、鼺,街巷。""鄉"与"鄉"字形近音同,当即"鄉"字之变。然而"鄉"训街巷,"鄉"训死街(或作死衖[巷])者,此盖浅人妄改。"鄉"既变从歹,从歹之字多有死义,因改训"街巷"为死街也。"死街"之义费解,故《龙龛》(朝鲜本)收之而删其义;《详校篇海》、《直音篇》、《篇海类编》、《字汇》收之而又改训死腐。《正字通·歹部》:"鄉,俗字。旧注音巷,死腐。误。"张说是也。改"街巷"为"死街",复改"死街"为"死腐",皆不知"鄉"即"鄉"字讹变而望形生训。《大字典》既据《篇海》训"鄉"为死巷,又据《字汇》训死腐,义项增至两个,不知二义皆虚假也。

13.《大字典·艸部》:"茊,hù,《广韵》胡误切,去暮匣。草名。《玉篇·艸部》:'茊,草名。'《集韵·莫韵》:'茊,草名,可为绳。'"(《字海·艹部》略同)

按:王仁昫《刊谬补缺切韵》去声《暮韵》:"茊,草口(此字漫漶,不可辨识,盖即"名"字)。"增益本《玉篇》及《广韵》"茊"字说解当本于王本《切韵》。然此字不见《说文》,裴务齐正字本《刊谬补缺切韵》、唐写本《唐韵》皆不收录,盖俗字也。《万象名义·艸部》:"茊,胡故反。可为绳也。"据此,"茊"当即"筕"字之变。《说文》五篇上《竹部》:"筕,可以收绳也。从竹,象形,中象手指所推握也。"大徐等引《唐韵》胡误切。《万象名义·竹部》:"筕,胡故反。可绳。"《万象名义》"筕"训可绳、"茊"训可为绳,均当依《说文》作"可以收绳",传写脱误也。"筕"本是用来收绳的工具,以其为竹制,故从竹作"筕"。隶变之后,竹头、艸头同形,故从竹之字多变从艸,"筕"因此而写作"茊"。顾野王作《玉篇》,于《艸部》收入此字(原本《玉篇》佚《艸部》,根据《万象名义》及今本《玉篇》,原本《玉篇》当有此字),据顾氏《玉篇》体例,"茊"字下盖但云"同筕",后世字书,好移正字之义补于俗字之下(《万象名义》即有此例),而在移录过程中又难免出现失误。《万象名义》移"筕"字之义于"茊"字之下而误为"可为绳",

致令俗字"苴"与正字"筲"失去联系。王仁昫等不知"苴"即"筲"字，但见其从艸，因改训草名（凡草多可为绳，故"可为绳"不可专训一名，因改），《玉篇》、《广韵》袭之；丁度等亦不知"苴"为"筲"之俗，既从《切韵》系韵书训"苴"为草名，又据顾氏《玉篇》系字书补训可为绳，于是遂有《集韵》"苴，草名，可为绳"之说解。

14.《大字典·目部》："瞍，shēn，《玉篇》舒仁切。引目。《玉篇·䀠部》：'瞍，引目。'"（《字海·又部》略同）

按："瞍"字不见《说文》、《万象名义》，《广韵》、《集韵》亦不收录；其字训引目，从䀠、从又，盖以为会意字也。然以手牵引双目，有违事理。以音求之，并参考字义，"瞍"当是"曼"字俗书。《说文》三篇下《又部》："曼，引也。从又，㫗声。㫗，古文申。"大徐等引《唐韵》失人切。"瞍"、"曼"读音相同。"㫗"字不便书写，流俗不明其构形理据，因变作"马"，《万象名义·申部》："马，申字。"又作"曼"，《广韵》平声《真韵》失人切："曼，引也。"又作"曳"，《集韵·真韵》外（升）人切："曳，《说文》：引也。""申"古文作"㫗"（见《集韵》），形近二目，"曼"字从之，因变从二目，即成"瞍"字。然"曼"本训引，与"申"字音义相同，变从双目后，陈彭年辈不知其即"曼"字之变，为比附字形，因改其义为引目。今本《玉篇·又部》收"曼"字，云："古文申字。"《䀠部》又出"瞍"字，训引目，致令"曼"、"瞍"判若二字。王仁昫《刊谬补缺切韵》平声《真韵》书邻反："瞍，引。"同一小韵无"曼"字，此"瞍"训引、为"曼"字俗书之明证。

（三）误解

字书释义，又有编纂者误解旧注或原文而造成虚假训释者。例如：

15.《集韵》平声《先韵》亭年切："䎕，声盈耳也。"《类篇》同。《篇海》卷十五《耳部》引《馀文》："䎕，徒年切。声盈耳也。或书作䎕。"《大字典·耳部》："䎕，tián，……声音充满耳朵。《集韵·先韵》：'䎕，声盈耳也。'"（《字海·耳部》略同）

按：《说文》一篇上《玉部》："瑱，以玉充耳也。从玉、真声。

《诗》曰:玉之瑱兮。顚,瑱或从耳。"段玉裁注:"《诗》毛传曰:瑱,塞耳也。又曰:充耳谓之瑱。天子玉瑱,诸侯以石。"《释名·释首饰》:"瑱,镇也,县(悬)当耳傍,不欲使人妄听,自镇重也。""瑱"为古代首饰,悬于耳旁,若不当妄听,则以之塞耳,故又名塞耳、充耳。初为王侯饰物,后平民女子亦著之。《战国策·赵策》载北宫之女婴儿子"彻其环瑱,至老不嫁,以养父母",是施于女子者,后世耳坠,盖其遗制。"瑱"有平去两读,《广韵》去声《霰韵》:"瑱,玉名。《说文》曰:以玉充耳也。《诗》曰:玉之瑱也。他甸切,又音田。"(《广韵》平声《先韵》徒年切失收)"瑱"为玉制,故字从玉,用于填耳,故又从耳做"顚"、作"聄"。《万象名义·耳部》:"顚,耻⑭见切。塞耳。"《龙龛》卷二《耳部》:"聄,他见切。塞耳。"《玉篇·耳部》:"顚,他见切。《诗》云:玉之顚也。顚,充耳也。亦作聄,本亦作瑱。""瑱"、"顚"、"聄"本为一字,音他甸切,又音田、徒年切,训充耳、塞耳,乃玉制饰物。《馀文》误解"充耳"之"充"为充盈,因训"聄"为声盈耳,平声读之,尚知"聄"或书作"顚"也;《集韵》则"瑱"、"顚"去声读之,入《霰韵》,引《说文》训以玉充耳,"聄"平声读之,入《先韵》,训声盈耳,遂分"聄"、"顚(瑱)"为二。后世字书,盲从《集韵》,不知"声盈耳"之义纯系乌有也。

16.《大字典·山部》:"歔,[歔宗]尊。《逸周书·王会篇》:'天元歔宗马十二。'孔晁注:'歔宗,尊也。'"《字海·山部》:"歔,音未详。[歔宗],见《逸周书·王会解》孔晁注。"

按:《字汇补·山部》:"歔,《汲冢周书·王会篇》:'天元歔宗马十二。'注:'歔宗,尊也。'音未详。"字书收"歔"字始于《字汇补》。考《逸周书·王会解》云:"受贽者八人,东面者四人,陈币当外台,天玄歔宗马十二。"孔晁注:"陈东(束)帛被马于外台,天玄黑歔宗,尊也。""玄歔宗"为马之修饰语,读作"玄鬣鬃"。"歔"即"鬣"字讹变也。《说文》九篇上《彡部》:"鬣,髮鬣鬣也。从彡、巤声。毼,鬣或从毛。獵,或从豕。""鬣"从彡,或从毛,巤声,从巤得声之字多变从葛,故"鬣"又作"鬐"(见《集韵·葉韵》),"毼"又作"氎",《龙龛》卷一

《毛部》:"氀、㲜,二或作;毷,正。良沙(涉)反。~毛,长毛也。"《逸周书·王会解》:"周公旦主东方,所之青马,黑氀,谓之母儿。"朱右曾校释引王应麟曰:"氀即鬣字。""歀"当即"氀"字之误,俗书从毚、从曷之字或变从葛,"獵"俗书作"獦"又作"獦"(并见《龙龛》),是其例。"氀"所从之"葛"变作"曷",又误毛为欠,因成"歀"字。上引《逸周书》"黑歀",《汉魏丛书》本亦误作"歀",是其明证。孔晁"天玄黑歀宗,尊也",意在解释原文奉天之马何以用玄黑歀者,以天地位尊贵也。《字汇补》、《大字典》截取"歀宗"二字,训为尊,大违孔注本意。

17.《字海·虍部》:"虤,音未详。[~虓]陶器名。民国修《顺义县志·风土·方言》:"这时候涮好的茶壶,正在搁得~虓些,登时搌(摔)得纷纷碎。"又《口部》:"虓,音未详。见'虤'。"

按:"虤虓"即"虓虤"之变。裴务齐正字本《切韵·笑韵》丘召反:"虓,~虤而不安也。虤,牛召反。高。"唐写本《唐韵·笑韵》五(丘)召反:"虓,~虤,高不安皃。虤,牛召反。"《玉篇·兀部》:"虓,丘召切。虓虤,不安也。虤,牛召切。虓虤。"字或变从兀("兀"为"九"之俗书),《龙龛》卷四《兀部》:"虤虓,上丘召反,下牛召反。高不平皃。又《切韵》、《玉篇》上牛召反,下立(丘)召反。举头~~不安也。"又变从尢,《篇海》卷十三《尢部》引《龙龛》:"虓,丘召切。高不平也。虤,丘召切。高不平皃。"("虓虤"为叠韵联绵词,合二字而为义,音 yàoqiào,《龙龛》又音 qiàoyào,前读盖是。《篇海》拆散二字作注,且并音丘召切,致令二字音义相同,大误)俗书尢旁、兀旁、元旁形近相乱,"尥"俗作"旭"(见《龙龛》),又作"虓"(见《篇海》引《奚韵》),又作"虓"(见《篇海》引《玉篇》),故"虤虓"又变作"虤虓",1935年修《临朐县志》:"虤虓,《集韵》不安妥也。音曜巧。"而虍旁、虡旁亦相乱,"戯"又作"戱",是其例。故"虤虓"又变作"虤虓",亦当训不安。《字海》所引《顺义县志》原文不过是说涮好的茶壶,由于放得不稳摔碎了,若依《字海》所释,文转不通。此不知"虤虓"即"虤虓"之变而误解也。今河北高阳方言仍保留"虤虓"一词,音yáoqiao,与《字海》所引《顺义县志》"虲虳"用法相同,指东西没放好。

(四)误认

古书抄刻,字多俗体,字书释义用字亦在所不免;后代字书释义,有为前世字书释义中俗字所惑而误认甲字为乙字,因导致释义失误者。例如:

18.《大字典·爪部》:"燹,chèng,《改并四声篇海》引《馀文》昌孕切。降服。《改并四声篇海·爪部》引《馀文》:'燹,夅也。'《篇海类编·身体类·爪部》:'燹,夅也。'"(《字海·爪部》略同)

按:成化本《篇海》卷十一《爪部》引《馀文》:"燹,昌孕切。夅也。"《详校篇海·爪部》:"燹,昌孕切,音秤。夅也。"《篇海类编》同。《字汇补·爪部》:"燹,昌孕切,音趁。夅也。""燹"字宋以前字书未见,以音求之,当是"䆀"之讹变,《集韵》去声《證韵》昌孕切;"䆀,大也,举也。古作䆀。""燹"、"䆀"读音相同。《篇海》引《馀文》字多见《集韵》,《集韵》有"䆀"无"燹",《篇海》有"燹"无"䆀";《篇海》与《五音集韵》同为韩道昭所撰,《五音集韵》昌孕切亦有"䆀"无"燹"。"燹"训"夅",又训"夅"、"夅"、"夅"并当作"夅","夅"即"举"之俗写。《篇海》卷五《夂部》引《俗字背篇》:"夅,音举。义同。俗用。"是其证。《篇海》卷十《心部》引《馀文》:"惄,力夅切。慢也。""夅"亦"举"字,可资比勘。然则"燹"、"䆀(禹)"音义全同,其为一字,似可无疑。《大字典》、《字海》为字形所惑,径依"夅"字转训降服,殊误。"夅"固为降服字,然其字久废不用,《说文》五篇下《夂部》:"夅,服也。"段玉裁注:"凡降服字当作此,降行而夅废矣。"《玉篇·夂部》:"夅,伏也。今作降。"若"燹"果有降服之义,则当以"降"字训之;若以久已废弃之"夅(xiáng)"释之,则时人不识,不能达到训释目的也。由此亦可知"燹"无降服之义。

19.《大字典·心部》:"憰,guó,《广韵》古获切,入麦见。又古对切。①心乱。《玉篇·心部》:'憰,心乱也。'②恨。《广韵·队韵》:'憰,恨也。'"(《字海·忄部》略同)

按:《说文》未见"惈"字,《万象名义·心部》亦无"惈"字,字书从心之"惈"始见《龙龛》,其《心部》云:"惈,古对反。恨也。"《玉篇·心部》:"惈,古对切。心乱也。"此字《玉篇》列从忄之字末,又《万象名义》所无,盖陈彭年辈所增,非原本《玉篇》中字。《龙龛》、《玉篇》"惈"字或训"恨",或训"心乱",各止一义。《切韵》系韵书有"惈"字,乃"帼"之俗书,唐人字书巾旁多作"忄"或"丬",与心旁(在左)无别,故"帼"亦书作"惈"。裴务齐正字本《切韵》入声《隔韵》古获反:"帼,妇人丧冠。"字从巾;去声《海韵》古对反:"帼,女人丧首饰。"变从忄。故宫藏王仁昫本《切韵》去声《队韵》古对反:"帼,女人丧(此字漫漶)首饰。"亦从忄。敦煌本《王韵》去声《效韵》莫教反:"帨,帼。"刘复《敦煌掇琐》抄刻本从巾,原书照片影印本漫漶,似是从忄;故宫藏王仁昫本《切韵·效韵》莫教反:"帨,帼。"二字并从忄作。笺注本《切韵》(斯二○七一)入声《麦韵》古获反:"帼,妇人丧冠。"王国维摹本从巾,原书影印本在从巾、从忄之间。以上韵书"帼"字无论从巾或从忄,无论古获反或古对反,均止一义,即妇人丧冠("丧首饰"义同),除此之外,并无训"心乱"或"恨"之"惈"。唐写本《唐韵》入声《麦韵》古获反:"帼,妇人丧冠。"去声《队韵》古对反:"帼,妇人丧冠。又古获反。"同一小韵又收"惈"字,注云:"惈,恨。出《埤苍》。加。"训"恨"之"惈"始见于此书,乃孙愐据《埤苍》所加。考《埤苍》一书,唐代尚存,每见于唐人注释书、字书征引,若《埤苍》果有从心之"惈"训"恨",则不应至孙愐始收入《唐韵》,顾野王作《玉篇》,广引《埤苍》,而原本《玉篇》无从心之"惈"(《万象名义·心部》无),增益本《玉篇·心部》有"惈",不训"恨"。孙愐所加,恐不足信。《万象名义·巾部》:"帼,古海反。覆发上。帨,亡教反。帼。"《玉篇·巾部》:"帼,古海切。帨也,覆髮上也。或作簂,又古获切。帨,亡教切,帨帼也。"《玉篇》"帼"、"帨"二字所处位置与《万象名义》"惈(帼)"、"帨(帨)"二字所处位置相同,原本《玉篇》当有"帼"字训"帨也,覆髮上也",有"帨"字训"帼也"。《说文》无此二字,顾野王《玉篇》有之,当是据《埤苍》收入。《玉篇》"帼"、"帨"互训,《切韵》系韵书"帨"、"悦"训"幗"、"憒",而"幗"、"憒"训妇人丧冠或妇人丧首饰。冠则帨、帨则冠也,所不同者,《切韵》系韵书"憒(幗)"字词义范围缩小耳。"幗"字词义范围缩小,当与诸葛亮送司马懿"巾幗妇人之饰"以激怒司马出战有关(事见《晋书·宣帝纪》),犹"础"本泛指石,因用于柱下者称柱础,"础"遂特指柱下石也[15]。"帨"字从巾、兑声,俗书巾旁作忄、作牛,"兑"字及"兑"旁俗书作"㒟",《干禄字书·效韵》:"㒟、兑、貌,上俗中通下正。"是其证。故"帨"字变作"悦",已见上引《万象名义》矣,而"悦"与"恨(恨)"则形极近也,"悦"亦有可能变作"悦(帨)",而与怨恨字同形,"貌"俗作"狷"(隋《明云腾墓志》),又作"狠"(魏《王偃墓志》),可资比勘。然则孙愐所见《埤苍》"幗,悦(或"恨")也",即"幗,帨也"之俗写,孙氏《唐韵》"幗"字之外复加"憒"字,训"恨"者,为俗书所魅也。《玉篇·心部》收"憒"字,不训"恨"而训"心乱",音古对反,与《切韵》系韵书"愦"字音义相同,《切韵》系韵书"憒(幗)"字之上紧接"愦"字,明代以前字书未见有言"愦"或作"憒"者,《玉篇》"憒"字列从忄之字末(该书《心部》从忄者列前,从心者列后),训心乱,当是陈彭年等见"憒(幗)"字从忄,误以为从心,而从心则与妇人丧冠之义不合,故妄改训"心乱",也不排除陈彭年等误抄"愦"字之义于"憒"下之可能。明代章黼《直音篇·心部》始云"憒"同"愦",非探本之论也。然则本无从心之"憒"也,由俗书相乱,《唐韵》始有从心之"憒"、训恨,《玉篇》(增益本)始有从心之"憒",训心乱,《广韵》则有从心之"憒"既训愦(即心乱)又训恨。后代字书,竞相袭之,不知此二义皆属虚假也。无独有偶,"幗"既涉俗书生出一从心之"憒",而"帨"字亦涉俗书生出一从心之"悦"。《五音集韵》去声《笑韵》眉俵切:"悦,憒也。"此本是"帨,幗也",俗书既变从忄作"悦,憒也",又误"憒"为"憒"也。《大字典》又据《五音集韵》收"悦"字于《心部》,转训为"依恃";《字海》从之,而训为"依靠",不知"憒"乃"憒"字之误,而"憒"又"幗"字之俗写也[16]。

以上13例"虚假字义"的产生,无论是妄补、妄改,还是误解、误认,皆字书编纂者之过也。

三 "虚假字义"的负面影响

字典辞书释义中存在的"虚假字义"具有多方面的负面影响,而且影响巨大,后果严重。

(一)字典辞书本身方面。大型历史性语文辞书应当是开启古代文化大门的钥匙,应当是历史文化积淀的渊薮;在释义方面,应当具有知识性、科学性、通俗性、系统性。"虚假字义"对字典辞书的知识性、科学性、系统性具有破坏作用,它的大量存在,会直接影响到字典辞书的编写质量和使用价值。例如:明董斯张《广博物志》卷一:"张衡又制浑象,具内外规、南北极、黄赤道。"《大字典》据此而于《补遗》中收入"覝"字,缺音,训为"现;显示",并将原文标点作"张衡又制浑象具,内外覝南、北极、黄、赤道"。原文"覝"字当即"規"字之变,隶书"規"字或作"覝",汉《北海相景君铭》:"覝荚矩模。"《韩勑碑阴》:"吕规字仲覝。""規"俱作"覝"。《隶辨》云:"从夫之規变作覝,与从先之字无别。"又董斯张述张衡造浑象事,出自《晋书》,《晋书·天文志上》:"至顺帝时,张衡又制浑象,具内外规、南北极、黄赤道……"字正作"规"。"具内外规、南北极、黄赤道"是说浑象(即浑天仪)具备内规外规、南极北极和黄道赤道[17]。今释"覝"为现、为显示,假使读《广博物志》者不识此字而查阅《大字典》,《大字典》不仅不能答难解疑,反而会给读者解读原文增加新的障碍。上文例16"歆"字,《大字典》"歆宗"释为"尊",例17"䰾䰾",《字海》释为"陶器名",存在同样的问题。又如例5"狢"字,本合"独"字为名,"独狢"为怪兽名,"其状如虎,而白身犬首,马尾彘鬛",由于传抄失误,"狢"字遂生"兽,如赤豹,五尾"之训,不仅与《山海经》"独狢"形状不合,且与"狰"字之训相雷同。凡此训释,均影响到字典辞书本身的质量,不仅不能起到解读古书的作用,还会给使用者提供假知识、假信息。又由于字典辞书的编纂无不以前出字书为基础,在编纂过程中又普遍存在重编轻考的问题,所以,一旦字书出现"虚假字义",便会直接为后出字书所承袭,而后出字书在编纂过程中又会出现新的"虚假字义";字书"虚假字义"递相增加,结果会把本应是知识库的字典辞书变为垃圾收容箱。

(二)文字学方面。大型字典都程度不同的收录了一些异形字,其中有的异形字和正字作到了正确认同;还有大量异形字没有和正字认同或认同有误,因而成为疑难字。一般说来,字书收字越多,存在疑难字也就越多。《中华字海》是迄今为止收录汉字最多的一部字典,全书收字多达 85568 个,因而该书也是贮存疑难字最多的一部字典,全书疑难字可以说还有成千上万(不包括张涌泉先生《丛考》释出的字)。在这些疑难字中,有些是音义不全的,可称作显性疑难字;有些虽音义俱全,表面看来,它和正字没有什么区别,其实它本有正字存在,只是由于种种原因,它和正字失去了联系,人们已经意识不到它是哪个正字的变体,这类疑难字具有隐蔽性、欺骗性,我们把它称作隐性疑难字。隐性疑难字和显性疑难字同样需要作出考辨。由于疑难字普遍缺少文献用例,字书贮存的形音义信息便成为考辨疑难字的重要依据,利用正确的字义信息进行疑难字考释因而成为一种有效的方法。例如:"扡"从尢、勻声,训胫交,力弔切,"扡"字晚出,见《广韵》,亦训胫交,音力、林直切。根据《广韵》等书提供的有关"扡"字的音义信息,不难发现"扡"有可能是"扡"字俗讹;"弔"字手写连书与"即"字草写形近,力弔切因误作力即切,力即切也就是音力、林直切;而"扡"字俗又作"扡",右部所从与"勻(力)"形近,因变作"扡","抛"变作"抛",可资比勘。至此似可确定"扡"即"扡"字。字书中贮存的"虚假字义"由于具有欺骗性,因而使得疑难字具有隐蔽性,难于发现并作出考辨,甚或为"虚假字义"所蒙骗,把考释引入歧途,从而影响考释的质量和数量。张涌泉先生的《汉语俗字丛考》代表了当今疑难俗字考辨的最高水平,但本文所考释的"圐"、"瀸"、"屏"、"赞"、"圁"、"苍"、"彭"、"狭"、"旱"、"迁"、"郷"、"茞"、"叟"、"聑"、"歕"、"虢虢"、"嫠"、"愶"、"悦"等大量疑难字,

《丛考》都未曾论及,这恐怕与作者没有充分意识到"虚假字义"在字书中普遍存在不无关系。又如"庎"字,《广韵·卦韵》方卦切训"到别";《集韵·卦韵》卜卦切又有"庍"字、训"舍别"。"庎"、"庍"皆"𠂢"字俗书,"𠂢"训别,后作"派";"庎"训到别,传抄失误也;"庍"训舍别,编者妄改也。余迺永《新校互注宋本广韵》、张涌泉《丛考》均以"庎"为"庍"之俗讹字,为"庍"之虚假字义所惑,非探本之论也。

　　汉字的总字数到底有多少,迄今为止仍然是难于回答的问题。周有光先生在《语文闲谈·字种和字形》中指出:"'字数'计算法有三种:1.'总字数',有一个算一个。2.'字形数',一字两形要算两字。3.'字种数',一字多形只算一字。"苏培成先生在《现代汉字学纲要》中提到:"计算汉字的字数要区分字形数和字种数。只根据字形,凡字形不同的就算不同的字,这样得到的字数是字形数。不但看字形,还要看所表示的语素,表示相同的语素的不同形体,要合并计算,这样得到的字数是字种数。'够夠'是两个字形,但是只有一个字种。计算汉字的总字数,应该是指字种数。"这里对字形数和字种数的区分以及关于计算汉字总字数的标准,无疑是科学而有意义的。汉字有形有音有义,音义相同而形体不同的字应当算作一个字种;音义不同或音同义不同(义同音不同的字情况较为复杂)的字应当算作不同的字种。但由于字书存在大量的"虚假字义",使得音义本来相同的字变得音义不同,如上文考释的"悅"与"㤙"、"憪"与"𢢒"、"𡡗"与"禹"、"䚙"与"䚔"、"䰞"与"䰞"、"歔"与"𪓰(𪓿)"、"瑱"与"瑱(瑱)"、"瞍"与"夏"、"苴"与"𥰴"、"䣙"与"䣕(巷)"、"㫖"与"知"又与"牟"、"彭"与"彭(桼、漆)"、"㞬""𡶶"与"癸"、"费"与"甏(甏)"、"圙"与"圛"、"庎"与"庍"、"圂"与"圂"等等,在计算汉字字种数时,很容易误导人们把这些本属同一字种的字算作不同的字种,这样计算出的字种数会远远多于实际字种数。比如,苏培成先生说:"字书中的字种数还比较容易计算,而出现在各种典籍中的字种数却难于计算……全汉字的研究目前正在进行,尚未取得最后成果。因此,这里只能根据历代有影响的字书的收字数做一个大略的统计。"下面我们看一看苏先生的几组统计数据:《广韵》,收 26194 字。《广韵》是韵书,多音字分属不同的韵,所以实际字种数要比 26194 为少;《康熙字典》,收 47043 字,内有 110 个重见字,字种数不超过 46933 字;《汉语大字典》收 54678 字。"由上述资料可以看出,汉字的总数是不断增多的,到现在已经有五万多个。"显然,苏先生的统计只是根据字书所出现的字形,并没有看这些字形"所表示的语素",没有对"表示相同语素的不同形体""合并计算",因此,这些统计数据是字形数而不是字种数。苏先生做这种统计时,所见到的收字最多的字书是《汉语大字典》,《大字典》收 54678 字,因此说汉字总字数(字种数)"已经有五万多个";现在《字海》收字多达 85568 个,假如苏先生的书晚出一年半载而见到《字海》[18],恐怕又会说汉字总字数已有八万多了。这种统计未免与苏先生的统计标准不合,与汉字实际字总数出入过大,并没有什么实际意义。汉代许慎《说文》收字 10516 个,而"六艺群书之诂,皆训其意,而天地鬼神、山川艸木、鸟兽蚰虫、杂物奇怪、王制礼仪、世间人事,莫不毕载[19]"。晋代吕忱《字林》收字 12824 个、南朝梁顾野王《玉篇》收字 16917 个,其中均程度不同的包含重文、或体,字总数到六朝时也不过一万出头。王宁先生指出:"魏晋以后,由于汉语的造词方式逐渐变成以合成为主,汉字的增长速度也就逐渐缓慢了。"[20]六朝以后到现在,真正属于新增加的字种,只有少数为新词语造的字、为方言词语造的字、译音字、和后起区别字,加上这些字种,汉字总字数也就在 25000 左右,充其量也不会超过 30000 个。而汉字的总字形数多逾十万,其中存在大量的异形字。为了比较精确地对汉字字种数作出统计,需要对异形字中的隐性疑难字、显性疑难字作出科学的考辨,这一研究工作顺利地进行,则必须对"虚假字义"有清醒的认识,并在具体考证中,尽量排除"虚假字义"的干扰。出现于各种典籍中的字种数固然难于计算,字书中的字种数,由于传抄失误、编纂失误,又由于缺乏具体的语言环境,实际统计起来,亦非易事,甚至比前者更难。苏先生"字书中的字种数还比较容易计算",这种思想对利用字书进行字种数统计这项工作的难度认识不足,不利于字种数的精确统计。

随着科技的发展和社会的需要,国内外都有人编制大型的汉字库,有的已编制出来,有的正在编制。大型字库的编制究竟多大为宜,恐怕要以编制的目的为前提;无论出于何种目的而编制大型字库,盲目地追求收字多绝非益事。字库收录过多的字形,需要花费人力物力,浪费使用者检索时间,更为严重的是:汉字笔形有限,单个汉字笔画数有限,字库收字越多,汉字之间的区别率便越会降低,在编制过程中又会产生一些错字。一方面,字库把字书编纂过程中出现的错字收了进来,而字书编纂又把字库编制过程中出现的错字收了进去,编来编去,错字便越来越多。而字库中的文字"垃圾"一旦进入出版领域,便会给后世子孙带来不小的麻烦。因此,大型字库的编制不能盲目求大,在编制目的明确的前提下,要首先考虑哪些字当收,哪些字不当收,先制订出一套收字标准来。在标准制订的同时,应充分考虑到"虚假字义"的存在。否则,便会影响到字库编制的质量和收字的科学性。

(三)词汇语义学方面。汉语词汇、词义都是成系统的,词汇系统、词义系统的研究,除了利用文献资料之外,往往要借助字典辞书。字典辞书存在大量的"虚假字义",便会直接影响汉语词汇、词义的研究。例如:"戽"字由于传抄失误,产生"户戽"之义,"户戽"究作何解?"户戽"是"戽"的本义?引申义?还是假借义?又如"憪"训"心乱",又训"恨",二义之间有何联系?"迁"训"行进",又训"迁葬"、训"伺候"、训"墓地"、训"标记",这些词义又有何联系,它记录的是汉语中的一个词还是两个词?这些词义来源又是什么?等等。考虑这些问题并作出科学的回答,首先应排除"虚假字义"的干扰,否则,便会使这些研究失去意义。

上文已经提到梁顾野王的《玉篇》收字 16917 个,经唐人孙强、宋人陈彭年等增修,宋本《玉篇》收字达到 22980 个,《广韵》收字 26194 个(含重音),《集韵》收字 53525 个(含重音),《篇海》收字

54595 个,《五音集韵》收字达到 56556 个[21]。从北宋《玉篇》,到金《五音集韵》(1196 年),字数多出三万多个,而且,《玉篇》收有许多有音无义的字,《五音集韵》有音无义的字极少,许多在《玉篇》中有音无义的字到了《五音集韵》中便有了义。这些现象如何解释,是语素增加、词汇迅猛丰富的原因,还是传抄、编纂的原因?还是二者兼而有之?恐怕是二者兼而有之。那么哪些是适应记录语素的需要新造的,哪些又是传抄编纂失误造成的?回答这一问题有待对汉字进行更为深入细致的研究,而这项研究工作相当大的一部分便是发现"虚假字义"、探讨"虚假字义"产生的原因,最后消除"虚假字义"。

附 注

① 王仁昫《刊谬补缺切韵·序》。
② 裴务齐正字本《刊谬补缺切韵·长孙讷言序》。
③ 《五音集韵·麋韵》微母三等文甫切共收 50 字,"圖"为最后一字。第 48、49 字为"蛧"、"蜨",成化本训舞。宁校:"注文当为'音舞',此系据Y(《玉篇》)'蛧蜨,二同,音舞'增,无义训。""圖"亦有音无义训也。
④ 《篇海》卷九《子部》引《搜真玉镜》:"穤、薷,二音而注也。""也"亦"切"字之误。"穤"、"薷"为"穮"、"穮"之变,字本作"孺"。《集韵·遇韵》"孺,儒遇切。""而注"与"儒遇"读音相同。吴任臣不知《篇海》"而注也"为"而注切"之误,遂于《字汇补·子部》云:"薷,人移切,音而。注也。亦作穤。"后出字书从之,并误。
⑤ 《五音集韵·霁韵》亦作"㭟",宁校改作"挥"。
⑥ 《万象名义》多此类失误。
⑦ 参看本文例 17。
⑧ 郝懿行笺疏:"经文'如狰'之'如'当为'曰'字之讹。"
⑨ 原字所从部件既经变易,因在变易字形之上复加原部件,构成正俗部件叠加,俗书多有此例。
⑩ 《龙龛》成书在《广韵》、《集韵》之前,但契丹书禁甚严,有传入中国者,法皆死。宋熙宁中,始有人自房中得其书,故陈彭年、丁度等未及见。详见《梦溪笔谈》卷十五。
⑪ 参看张涌泉《旧学新知·〈龙龛手镜〉读法四题》。
⑫ "撫",《集韵》误作"抚"。
⑬ 并见潘耒《广韵·序》。
⑭ 《万象名义》舌上、舌头不分。
⑮ 参看拙作《〈汉语大字典·补遗〉不释、误释字考释》,《古汉语研究》

1992年第3期。
⑯ 参看宁忌浮《校订五音集韵》校订记第50页。
⑰ 参看拙作《〈汉语大字典·补遗〉不释、误释字考释》。
⑱ 《纲要》、《字海》同于1994年出版。
⑲ 《说文解字·叙》附《许冲上表》。
⑳ 王宁先生主编《汉字学概要》第5页。
㉑ 以上数字参见钱剑夫《中国字典辞典概论》、张涌泉《旧学新知·读〈四声篇海〉》、宁忌浮《校订五音集韵·单字索引凡例》。

参考文献

葛信益（1993）《广韵丛考》，北京师范大学出版社，北京。
李国英（2002）《论字典义项误设》，北京师范大学学报第4期，北京。
宁忌浮（1992）《校订五音集韵》，中华书局，北京。
裘锡圭（1988）《文字学概要》，商务印书馆，北京。
苏培成（1994）《现代汉字纲要》，北京大学出版社，北京。
王　宁（2001）《汉字学概要》，北京师范大学出版社，北京。
——（2002）《汉字构形学讲座》，上海教育出版社，上海。
余迺永（2000）《新校互注宋本广韵》，上海辞书出版社，上海。
张涌泉（1995）《汉语俗字研究》，岳麓书社，长沙。
——（1999）《旧学新知》，浙江大学出版社，杭州。
——（2000）《汉语俗字丛考》，中华书局，北京。
周有光（1995）《语文闲谈》，生活·读书·新知三联书店，北京。
周祖谟（2001）《语言学论文集》，商务印书馆，北京。

引书目录

《草书大字典》，中国书店影印本，1983。
朝鲜本《龙龛》，日本影印朝鲜咸化八年增订本。
陈彭年（宋），《广韵》，北京市中国书店影印张氏泽存堂本，1982。
陈彭年（宋）等重修，《玉篇》，北京市中国书店影印张氏泽存堂本，1983。
丁度等（宋），《集韵》，北京市中国书店影印扬州使院重刻本，1983。
顾蔼吉（清）《隶辨》，中华书局影印清康熙五十七年刻本。
顾野王（梁）《玉篇》，《续修四库全书》影印日本东方文化丛书本。
韩道昭（金）《篇海》，《四库存目丛书》影印明成化七年辇刻本。
冷玉龙等，《中华字海》，中华书局、中国友谊出版公司，1994。
李登（明）《详校篇海》，《续修四库全书》影印明万历三十六年赵新盘刻本。
罗振鋆、罗振玉，《增订碑别字》，文字改革出版社，1958年影印本。
梅膺祚（明）《字汇》，上海辞书出版社影印清康熙二十七年刻本。
释空海〔日〕《篆隶万象名义》，中华书局缩印日本崇文丛书本，1995。
释行均（辽）《龙龛手镜》，中华书局影印高丽本，1982。

司马光(宋)《类篇》,上海古籍出版社影印汲古阁影宋抄本,1988。
宋濂(旧题明)《篇海类编》,《四库存目丛书》影印北京图书馆藏明刻本。
吴任臣(清)《字汇补》,上海辞书出版社影印康熙五年刻本。
夏竦(宋)《古文四声韵》,《字典汇编》本。
徐中舒等,《汉语大字典》,湖北辞书出版社、四川辞书出版社,1986—1990。
许慎(汉),《说文》,中华书局,1963。
张玉书等(清)《康熙字典》,中华书局,1958。
张自烈(明)、廖文英(清)《正字通》,中国工人出版社,1996。
章黼(明)《直音篇》,《续修四库全书》影印明万历三十四年明德书院刻本。
周祖谟,《唐五代韵书集存》,中华书局,1983。

(杨宝忠　071002　保定,河北大学人文学院
E-mail:yangbaozh@eyou.com
张新朋　071002　保定,河北大学人文学院)

由《诗论》"常常者华"说到"常"字的隶定
——同声符形声字通假的字形分析

虞万里

上博《诗论》第九简简末有:

> 裳裳者芋,则……

五字。下残断。上博释文云:"'裳'下有重文符,为'裳裳'二字。'裳裳者芋'即今本《诗·小雅·甫田之什·裳裳者华》原篇名。裳、裳通假。"①将此判释为《小雅·裳裳者华》篇名,确凿无疑。

《广雅·释训》:"常常,盛也。"王念孙疏证:"《说文》常或作'裳'。《小雅·裳裳者华》传云:'裳裳犹堂堂也。'"②张慎仪云:"董氏云:古本作'常常'。明丰坊《诗传》《诗说》作'常常'。"③丰坊本固可指为据《广雅》改,然陶宗仪《说郛》卷一载申培《诗说》、梅鼎祚《皇霸文纪》卷七引《诗传》均作"常常"④,且《广雅》既作"常常",则或如董氏所云有古本作"常常"者。王先谦以为鲁、韩诗作"常",盖以《广雅》所引系鲁、韩诗为说⑤。常、裳于《说文》为一字异体,文献中又多有互替之例,《诗经》篇名"裳裳者华"或有三家诗及三家以外之诗家古本作"常常者华",不必拘于鲁、韩诗。据此,竹简此字如作"常常",则适与字形、文献相合,今隶定为"裳",其字不见于《说文》,虽古文字多有不见于《说文》者,亦足以引起注意。因裳字之隶定牵涉到很多铭文、竹简中相同、相近字形,故有必要作详细剖析讨论。

一　"常"字字形分析

(一)"常"字的金文字形

"常"字在铭文中为数不少,首先将此字隶定为"裳"的是郭沫若。

郭沫若于《楚王酓忑鼎》中考释云:"裳即秋祭之尝的本字。"⑥又在《寿县所出楚器之年代》中云:"裳从示尚声,当即祭名蒸尝字之专字。《尔雅·释天》秋祭曰尝,冬祭曰蒸。尝乃假借字。"⑦以祭为裳,释为"尝",其释义固与铭文合,而字形之隶定仍有不同说法。胡光炜《寿县所出楚王鼎考释》释为"常",读作"尝"⑧。刘节《寿县所出楚器考释》云:"常字鼎铭作祭,其非从示可知。古文从冂之字每作崗(《汗简》卷中之一),而冂字从巾,故崗字所从之"介"盖巾字之别构也。由是推证他器之常字从爪者,非示字,乃巾字也。常即蒸尝。"⑨刘氏将此字下部"介"视作从冂,以《说文》所释从巾,遂以为乃"巾"之别构。其实此形体与冂字无涉。释常虽是而途径迂曲,故后之学者未予采纳。张日升云:"按,字从尚从示,《说文》所无。刘节释常字从巾,非从示,郭沫若谓裳乃蒸尝之专字,郭说近是。刘氏所据祭乃从示之变异,释常非是。"⑩李孝定云:"裳字,郭氏读为经传蒸尝之尝,极确。刘氏释常,谓下乃从'巾',说非。唐氏读为'盛',未安。"⑪

以上诸家均从个别器物出发对此字予以隶定,不免有一叶泰山之憾,现将金文中有关字形作一全面考察。金文中的裳,据张亚初《殷周金文集成引得》罗列二十余例⑫。其实此数系张氏将尝、裳两字合并之结果。检核拓片,细审字形,并以时间与地域将其框定,事实如下:

西周时多作"尝",下从"旨",如《姬鼎》"用烝用尝",《六年琱生簋》"用作朕剌祖召公尝簋",《效卣》《效尊》"王观于尝公东宫"等。

"用尝"显系秋尝之义,"尝篡"亦可以解作尝祭召公之篡,"观于尝"盖系地名。东周始有常字形出现,但有其地域之限制。齐国《十四年陈侯午敦》《十年陈侯午敦》《陈侯因瓷敦》作"以烝以尝",《蔡侯尊》《蔡侯盘》作"祗盟尝啇",尝祭之义均作"尝"[13]。唯有楚国之器,如:《楚王酓肯鈚鼎》《楚王酓肯鼎》《楚王酓忑鼎》《楚王酓肯簠》《楚王酓肯盘》之"以共岁常",字形多作"常"。然亦有几例可商讨者,《楚王酓忑鼎》盖铭之"常",示字上划中间高两面低,作"常";器铭之"常",示字中竖上穿象"木",作"常"。《楚王酓肯盘》"常"下三竖较粗,似系圆写美术体。江苏无锡出土的《鄂陵君王子申豆(二)》,铭文"攸立岁常",字作"常",下部之巾甚明,且有一划,与后来楚系文字中的"巾"字写法一致。《鄂陵君王子申豆(一)》之"攸立岁常",字形作"常",尚可辨是"常"字,唯不像《王子申豆(二)》下有短划。《鄂陵君王子申镜》之"攸立岁常",字形作"常",与《王子申豆一》近,而与楚系简牍文字之字形亦已接近。所不同者:镜文巾字竖与横折勾两笔相连,简牍字形两笔多不连(详下文)。

同为秋尝之祭的"烝尝"、"尝啇"、"岁尝",齐国《陈侯》组器、蔡侯组器均作"尝",似用本字;《鄂陵君》组器作"常",用一后世常见的同声符借字;唯独《楚王》组器字形被隶定为"常",为一不径见的古文字。其中尚可致疑者,虽隶定为"常",实际却无"示"上之一划,且亦有不像"示"或像"木"的字形结构。

(二)简帛、陶文中的"常"字

常,《说文》云从巾尚声。而春秋末战国以还之竹简中有些字形在"巾"字下加一短划,如:

　　常　　　　常　　　　常
信阳二·一三　信阳二·一五　包山二〇三

巾下加短划,楚系文字常见。如:包山、信阳简之"带",信阳简之"帬",信阳、仰天湖简之"布",信阳简之"帛"等。若上溯《鄂陵君王子申豆(二)》之字形,也可算作楚系文字的一个特点。另有一批字形作"常",如:

由《诗论》"常常者华"说到"常"字的隶定　401

郭《缁》一六　郭《成》三一　郭《老甲》三四

望山一号(尝祭)　九店五六·二〇　包山二二二

尚下从示而少一划。由于楚系文字"示"字上部多有作一划者,如"祭""祷""祖"等字⑭,且其义又多用作烝尝之祭祀,故学界信从郭说而不疑。然普查"常"字各种写法,尚有以下数种,一种下部从"市",如:

曾五三　曾六九　曾一二二　曾六

四字均出《曾侯乙墓》⑮。裘锡圭、李家浩《曾侯乙墓竹简释文与考释》隶定为常。并作考释云:"'常'字所从'巾'旁原文作'市'。一二二号、一三七号、一三八号等简'帏'字所从'巾'亦写作'市',与此同。"⑯市为韨之古字。《说文·市部》:"市,韠也。上古衣蔽前而已,市以象之。天子朱市,诸侯赤市,大夫葱衡。从巾,象连带之形。"市乃上古天子、诸侯及有命服者常用之物,唯以颜色别之,故两周金文多见以市赐,且多作"韍"。市字从巾,殆与巾同物,用途亦近,故铭文偶亦有省作"巾"者,如:《元年师兑簋》"赐女乃祖巾、五黄、赤舄",《智壶盖》"赐女秬鬯一卣、玄衮衣、赤巾、幽黄、赤舄、攸勒、銮旗"。祖巾即祖市,赤巾即赤市。由于铭文已市、巾互用,故简牍中出现市、巾偏旁互替。常字以及裘、李两先生所揭橥的帏字而外,如曾侯墓之"布",望山、信阳简之"帽"⑰,皆从"市"旁;郭店简之"帀",也有从"市"旁者。若上溯铭文,《毛公鼎》《晋公盝》之"帅"亦从"市"。常字从巾又从市,可知巾、市亦是一对可以互换的义符,是铭文、简牍文字中不容抹煞之史实。缘此观之,有些看似像帀,其实亦是"市"字之变体,如:

天星观遣策四字　　包山二·二一四　陶汇三·四二五

天星观遣策等字形,下部巾字虽分成两笔,但尚相连。证诸其他字形,马王堆《相马经》、《老子》乙前简一四〇之"饰",左下从"市";

《五十二病方》简二四七、武威《士相见》简十三以及《夏承碑》之"席",下部亦从"市",实皆"市"字。娄机《汉隶字源·入勿》芾字下部之市作帀,上面不出头[18]。此不仅可知从巾、从市意义之相同,更可明了从"市"快写作从"帀",亦为简牍、碑刻中不容抹煞之史实。陶汇三·四二五之字形,下部两笔虽连,但已接近于撇捺。一旦分开,即成上所列从示缺上划之"𧝄"。然若中划上穿,即成:

      陶汇三·四二四   陶汇三·四二六   陶汇三·四二九   陶汇三·四三〇

以上四字见高明、葛英会编《古陶文字征》[19]。因为他们将此字认作"棠",故将其依次释为孟棠匋里□(三·四二四)、孟棠匋里赏(三·四二五)、孟棠匋里人□(三·四二六)、孟棠匋里可(三·四二九)、孟棠陶里□(三·四三〇)。其所以隶定为"棠",或以其形似"棠",且亦前有所承[20]。然何琳仪《战国古文字典》释"孟棠匋里赏"之"棠"为"常",读作"尝",以为即齐地名"孟尝"[21]。兹将四二五之不出头之"帀"与其他出头近似"市"之字相比较,仍以归入"常"字一系之别体为妥。简牍、陶文中个别"常"字还有不同程度之简化,其中有省形旁者,如:

    帛乙二·一

原文为"卉木亡尚","亡尚"即"无常"。上溯铭文,《陈公子𤲃》之"常"亦省"巾"字。当然此种情况亦可认作用"尚"通"常",因文献中有常仪作"尚仪"等实例。另一种是省去部分构件,如:

    陶汇三·一二七六   陶汇三·一二七八

此两字形,虽说可认为从巾而省去以上部分,但若联系常字各种形体及其上划较平直一点考虑,似看作从"帀(市)"更妥。

以上所列除陶文外,均为楚系文字。如大致以其墓葬年代排列,则依次是战国早期的曾侯乙墓[22]、信阳楚墓[23],战国中期的江陵楚墓[24]、望山楚墓[25],战国中期偏晚的郭店墓[26],战国中晚期至晚期早段的江陵九店墓[27],以及战国中晚期的包山墓[28]。由《曾侯乙墓》规整的"常"字从"市",知战国早期就有将"市"替换"巾"之字形流传。

与其先后或同时的楚惠王铭文中的从"示"字形,很可能系由铜器刻划不便或铸器刻字者苟简趋省等因素所造成。从"市"稍简而为"帀",进而为"示",转而为"木",行迹脉络尚可按覆。兹依其时代先后、形体繁简,并考虑书写者苟简趋省之心理,稍作排列如下:

　　　　战国早期　　　　　战国中期　　　　　　战国晚期
常
　　　信阳二·一三　　　　　　　　　　　　　　　包山二〇三

　　曾六九　　　天星观遣策 望山一号 郭《老甲》三四　　包山二一四、二二二

如此排列,仅是有助于认识其演兑之迹。在实际书写过程中,必然更加纷繁复杂。比如,包山楚简三个"常"字,年代虽晚,却体现出三种字形。而一旦到了汉代的马王堆、银雀山、居延竹简中,"常"字基本都从"巾",已不再出现其他各种字形。

(三)巾、市、示、木偏旁演兑混淆之旁证

《汗简》中之一"市部"收禹、杀、绤、幡四字。

禹从市构形不明,审其字下部确似从巾[29],黄锡全谓当由《禹鼎》《秦公篡》等"禹"之字形隶变而来[30]。绤字左下也从巾(出《义云章》),幡字左边亦从巾(出《天台碑》)。"杀"字甲骨文字形作"朮",金文作"朮",《说文》古文作"朮",三体下部之形相近。金文用为"蔡"字,三体石经亦以为"蔡"之古文。《说文》"杀"字左下之市后已演变成"木",其第三体古文朮与甲、金文字体近,第一体古文作"朮",其中间下部构件犹可看出与甲、金文下部像"巾"之形及"蔡"字下部之"示"、楷体"杀"字左下之"木"三者之关系。

楚系文字中"杀"字形体特多,其左下之形大约可分成五类:

像金文、《说文》古文下部之形而小变: 砖三七〇·一、 砖三七〇·三

像市字之形: 包二·一三七、 包二·一三五

像示之形: 包二·一三六、 包二·一三六

像巾(市)字加短划之形: 包二·一二〇 包二·一二一

404 语言学论丛(第二十九辑)

𣏟 望·卜

像木字之形：𣏟 包二·九五、𣏟 帛丙·三

市、示、木，上部之一划或二划，仅是从视觉上形似着眼，正是这种视觉上的形似，乃是引起后来传抄走样、变形的直接原因。沈兼士曾作《希杀祭古语同原考》，将三字之关系已表述清楚，兹迻录其文末表格以助思考[31]。

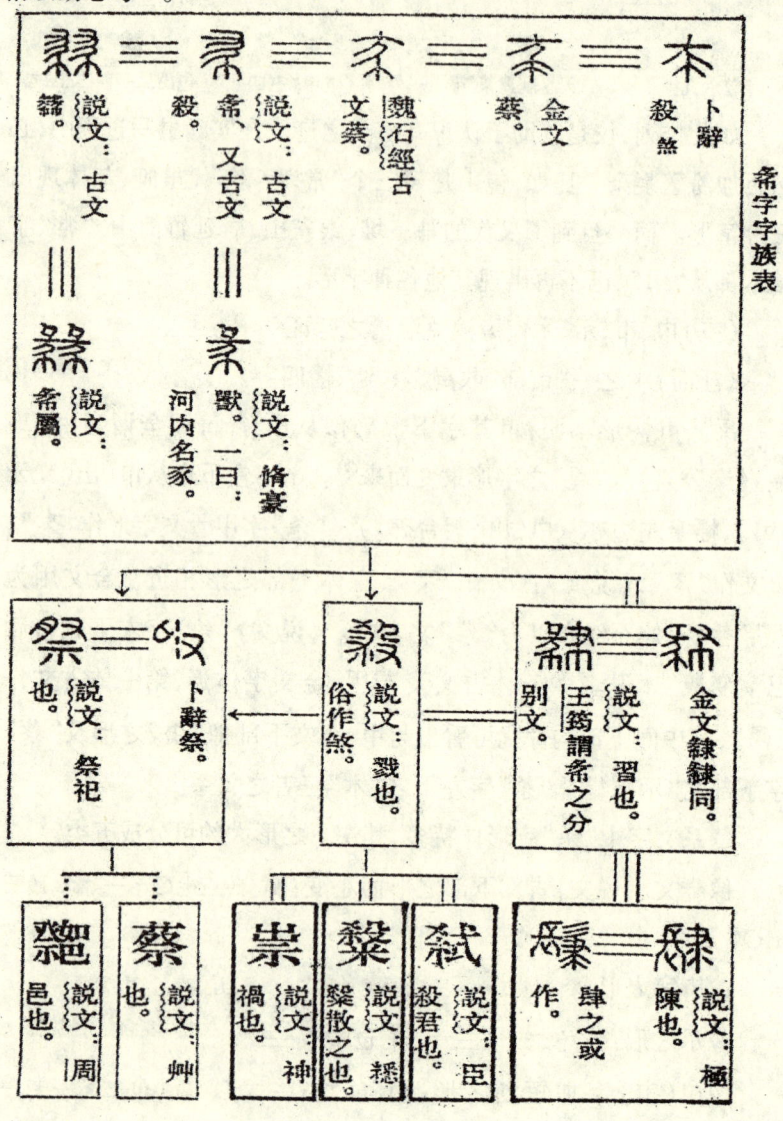

希字字族表

| 𣏟 说文…古文䋣。 | 𣏟 希、又古文殺。 | 𣏟 文蔡。 | 𣏟 魏石經古文蔡。 | 𣏟 金文蔡。 | 木 卜辭殺、煞。 |

| 𣏟 说文…希屬。 | 𣏟 说文…脩豪獸。一曰河内名豕。 |

↓ ↓ ↓

| 祭 说文：祭祀也。 | 𣏟 卜辭祭。 | 殺 说文：戮也。俗作煞。 | 希 说文：習也。王筠謂希之分別文。 | 希 金文隸緣同。 |

| 𨞨 说文：周邑也。 | 蔡 说文：艸也。 | 祟 说文：神禍也。 | 㪔 说文：㪔散之也。 | 弑 说文：臣殺君也。 | 肆 说文：極陳也。或作肆。 |

由此可看出甲、金文及《说文》古文字形演兑为巾、示、市、木、个等字形之痕迹。

师,金文有省作"帀"者,《楚王酓忑鼎》作"夲",郭沫若云:"夲即帀字,师之省文,《叔夷钟》师字作龂,省之则为夲矣。"[32]杨树达早年亦将此字释为师字之省,曾举《师袁簋》之'不'、《工师瓶》之'夲'为证,见郭说与己暗合,复举《蔡大师鼎》之师字作"示"为证,以为"此字之释益无疑矣"[33]。按,帀(不)下部像巾字,《楚王酓忑鼎》下部多一划,且巾字变成"个"形,此乃楚系文字"帀"的常见字形,与常字下部之"巾"作"个"形或增加一划者相同。《鄂君启舟节》《鄂君启车节》"师"字下部像作"个"形。撇捺稍分则像"示",此皆巾字之变形,而为"常"下从"示"作一佐证。

"杀"与"师"等字偏旁的俗写、讹变过程,可以看出市、巾、示、木、个诸字形互相纠葛,似是而非、似非而是的纷乱事实,有助于认识"常"之各种字形间的联系,并可进而证明从"示"之"禜"是"常"的异体字,而绝非如郭说是烝尝之"尝"的本字。

二 文献中"尚"声字族通假的字形与声韵诠释

典籍异文,纷繁复杂。粗略而言,文字由形音义组成,其任何一方面都有产生异文之可能。同义换字,可以归之于用字措辞不同,兹略不论。同音异字,古人早已关注并予揭示。陆德明《经典释文叙录》引汉郑玄云:

其始书之也,仓卒无其字,或以音类比方假借为之,趣于近之而已。受之者非一邦之人,人用其乡,同言异字,同字异言,于兹遂生矣。[34]

郑氏所言仅是同音通假的一个主要方面。至于因字形之异同而产生的异文,古今多将之归入形讹之例。但同音通假之中是否还有因字形之讹变而产生的异文,文字、训诂、音韵学家多未置一辞。

战国秦汉之际,因简牍笨重,携带、安放不便,乃至一般翻阅,亦容易散落(所谓韦编三绝)、磨损而致使辞句错舛、文字漫漶,从而引起误读、误写以至误传。两汉经师、学者、官吏由于时代迩近、学有师承或熟谙文牍,于音近异文都能心知其义。他们或认为这是"以音类比方假借为之"的"同言异字,同字异言",或者得其义而忽略其形,不再追究其所以然。然传写文字者并非都是经师、文士或者能"讽诵九千字"的官吏,还有许多四方弟子、乡村小吏、笞箠儿童,由他们去认识、传抄本来就已"异声"的语言和"异形"的文字,势必产生可以预料的和意想不到的错讹。倘若这种错讹发生在形声字的形符而非声符中间,延及后世,训诂学家对某一组同声符异形符的形声字互相借用,因其有声韵上之关系,往往目为同音通假,但这绝不是战国秦汉间文字的实际应用状况。汉字的发展,从社会历史视角看,有民族、地理、方言等因素在支配、制约、推动;从语言、文字内部结构分析,有字形、声韵及本义、引申义等因素在支配、制约、推动:而两者又时时交互作用。因此,考证出土文字,分析文献异文,必须充分考虑这些因素。"常"字之有从"巾"从"市"等不同字形,并且又有增笔、简笔以及快写、草写,于是生出许多不同变体。此种变体为深入探讨战国、秦汉出土与传世文献中大量与"尚"声相关字形与互替异文因形讹而引起的淆乱与混用提供了绝佳的例证。下面将从"尚"得声的形声字就声韵、意义、形体三方面各举例说明。

(一)常(裳)——尝

裳字《说文》未收,仅见于铭文与简牍。它是当今古文字学者根据"常"的异体字即"𧚨"的一简再简的字形"裳"所隶定的,而不是战国秦汉时实际存在的独立文字。具体字形的排列与论证已见前。这个隶定的字形之所以被学界接受并承用数十年,主要是它的字形结构多为从"示(少一划)"、"尚"声,表示的意义恰好是用于祭祀的蒸尝之"尝"。音义的偶尔吻合,加之楚系文字中与祭祀有关的"示"旁有省作一划者,遂使"常"之异体"裳"替代了祭祀尝谷的本字而成为尝祭的专字。但用作祭祀的蒸尝之"尝"的客观历史是:铭文中首先用的是"尝"。作为四时之祭,《公羊传·桓公八年》有云:"烝者何?冬祭也。春曰祠,夏曰礿,秋曰尝,冬曰烝。"何休注:"荐尚黍肫。尝者,先辞也。秋谷成者非一,黍先熟,可得荐,故曰尝。"陈立义疏云:

> 《尔雅·释天》云:"秋祭曰尝。"《周礼·大宗伯》云:"以秋尝享先王。"《繁露·深察名号》《四祭》篇并云:"秋曰尝。"……《尔雅》郭注云:"尝新谷。《诗》疏引孙炎云:"尝,尝新谷。"《礼》疏引《白虎通》云:"尝者,尝新谷。熟而尝之。"《繁露·祭义》云:"先成故曰尝,尝言甘也。"此何"先辞"所本也。《一切经音义》引《广雅》云:"尝,暂也。"《礼·檀弓》注云:"尝犹试也。"事未全行,先暂试之,故曰尝。亦如饮食未能大歠,先口尝之,亦曰尝也。《礼记·少仪》云:"未尝不食新。"郑注:"尝谓荐新物于寝庙。"若《月令》"凡食新者皆曰尝",盖散文通也。是以《说文·旨部》:"尝,口味之也。"亦谓先以口试之。《广雅·释诂》亦云:"尝,试也。"皆有先义。惟《月令》以雏尝黍,非食新,故郑注云:"此尝雏也。而云尝黍不以牲,主谷也。"云黍先熟者,《管子·轻重篇》以夏日至始数四十六日,夏尽而秋始,而黍熟,天子祀于太祖,其盛以黍。黍者,谷之美者也。黍之下种在稷粱之后,其收也在稷粱之先,故黍之播种也在小满、芒种,《夏小正》"五月种黍"。其收也在立秋、白露,《月令》孟秋之月,"农乃登谷(引者按,当是"黍"),天子尝新,先荐寝庙",所荐黍也。㉟

陈氏罗列经传文献中有关资料,将"尝"之字义及所以用于秋祭祭名之关联意义均剖析明白。尝,《说文》在"旨"部。旨字从甘,本义为"美",故从"旨"、"尚"声之"尝"本义为"口味之"。甘甜之味为美,故有"尝甘""尝新"之辞。七月新谷熟,人得尝而食之。然在畏天敬祖心理支配下,不敢先尝,必欲让先王烈祖先尝之,以祈鸿福太平,故荐之于宗庙。是知尝祭之尝乃由尝甘之本义引申而来。《尔雅·释诂》:"祠、烝、尝、礿,祭也。"而《释天》所载却与《公羊传》同。郝懿行义疏引先儒之说解释其为夏殷之祭名不同㊱,但对尝祭之"尝"本为尝新谷之义却无异辞。且秦汉之际,经师口授,弟子别记,文字颇多异同,倘若"裳"为尝祭本字,这在一个崇尚祭祀的社会中绝对不会了无痕迹。即使不在经文中留存,也会在经师所见的别本中留下痕迹。相反,文献中有许多尝新本义之字而用"常"相代。如:《列子·周穆王》"尝甘以为苦",殷敬顺释文:"尝,字又作常"。是别本确有作"常甘以为苦"者。

裳固有作尝祭之尝用者,如望山一号墓竹简一四〇:"裳祭□。"但亦未必都是,望山一号墓竹简一一三:"□之日,月馈东庀公。裳巫甲戌祭□。"[37]《管子·小称》:"臣愿君之远易牙、竖刁、堂巫、公子开方。"《史记·齐太公世家》司马贞索隐作"棠巫"[38],《吕氏春秋·知接》作"愿君之远易牙、竖刀、常之巫、卫公子启方"。据下文桓公云"常之巫审于死生,能去苛病"之语,是亦巫医之流,演而为巫者之专名。故望山简之"裳巫"疑即"常巫",为巫师之称,而非祭巫之事[39],由《小称》《知接》之"堂巫"与"常之巫",可知望山简之"裳祭""裳巫"似应隶定为"常祭""常巫"为宜。

作为本义之"尝",与"常"多通用,作为引申义之"尝",与"常"的关系更为密切。

《诗·鲁颂·閟宫》"鲁邦是尝",张慎仪云:"唐石经、小字本、相台本尝作常,闽本、明监本、毛本同。按,阮文达云:尝字误也。"[40]于省吾云:"按,常、尚古通。《陈侯因资敦》'永为典尚',即永为典常……《抑》'肆皇天弗尚',王引之引《尔雅》训尚为右。《殷武》'曰商是常',俞樾训为惟商是助,是也。然则鲁邦是尚者,鲁邦是右也。"[41]诗句既用尚之"右"义,参考经籍用字,自以常字为是。然尝、常虽皆从尚得声,而尝从旨,其形体与常之各种形体均有差异,显与字形无涉,今本所以作"尝",必因两字同属禅纽阳部,遂相通假。《礼记·少仪》"马不常秣",《释文》:"常,如字,恒也。本亦作尝。"义既为恒,则常为正字而作尝为假字。《史记·李将军列传》"尝自射之"、《吴王濞列传》"尝患见疑无以自白",《汉书·李广传》《吴王濞传》尝皆作"常"。是班固用正字而司马迁用假字。

《公羊传·僖公十七年》"桓尝有继绝存亡之功",《汉书·陈汤传》颜注引作"常"。《荀子·天论》"是无世而不常有之",王先谦集解:"《群书治要》常作'尝',是也。"㊷按,《韩诗外传》卷二亦引作"尝"。此谓曾经、不曾,故作"尝"是而"常"为假字。《韩非子·难三》"孟常芒卯率强韩魏,犹无奈寡人何也",《战国策·秦策》《说苑·敬慎》作"孟尝"。孟尝君固当作"尝"。《史记·外戚世家》"又常与其姊采桑堕"、《留侯世家》"项伯常杀人从良匿"、《屈原贾生列传》"而常学事焉"、《魏其武安侯列传》"魏其常受遗诏",《平津侯主父列传》"秦时常发三十万众筑河北",《汉书·外戚传》《张良传》《贾谊传》《窦婴田蚡灌夫传》《主父偃传》常皆作"尝"。是班固用本字而司马迁用假字。

以上不管用正字抑用假字,皆因两字声韵相同故代用之。

(二)常(裳)——裳

《说文·巾部》:"常,下裙也。从巾,尚声。裳,常或从衣。"㊸诸家多从许说,唯朱骏声《通训定声》云:"常、裳二字经传截然分用,并不通借。疑常训旗,裳训下裙,宜各出为正篆也。或曰旗虚悬摇曳如裙,故为裙之转注。"按,朱氏疑常训旗之说亦自有理。徐灏笺谓"八尺曰寻,倍寻曰常。常丈有六尺,盖即太常之旗制,而用为度数之名。"㊹甚得字义引申之理。至于常、裳二字,出土简牍、经传文献多混用不分。《睡虎地秦简日书乙种》简二三壹:"利以裂衣常、说盂诈。"又简二四二:"壬辰生,必善医,衣常……"㊺信阳楚简二·一三"屯有常"㊻诸常字即裳。《易·坤·六五》"黄裳,元吉",汉马王堆汉墓帛书本《川卦》作"囗常"。张家山汉墓竹简《二年律令·赐律》简二八三"赐衣襦、棺及官衣常"、简二八四"赐衣、棺及官常"、简二八五"常一,用缦二丈",三"常"字亦是"裳"之义㊼。《九店楚简》五六号墓出土竹简二〇下"利以折卒裳"㊽,句式文字与《睡虎地》简二三一同,其义亦为"衣裳"。此见之于出土简牍者。《论衡·恢国篇》"越常献雉"、"越常重译白雉一、黑雉二",《讲瑞篇》"越常献白雉",

《宣汉篇》"周家越常献白雉",均作"常",然其《儒增篇》作"越裳献白雉"。《吕氏春秋·去尤》"为甲裳以帛",《初学记》卷二十二、《太平御览》卷八一九引作"常"。陈奇猷校释引杨树达说据《说文》及《左传》、《汉书·刑法志》、《史记·苏秦列传》索隐等谓甲裳即甲常。[49]此见之于传世文献者。今姑不追究常、裳两字之本义究为何物,仅就春秋、战国以还所流行之字形而论,因衣裳必以布帛为之,常又为下裙,故两字已多混用。常既从巾,与从衣本可通用。犹帬字从巾,亦从衣作裠;幒字从巾,亦从衣作裮;帙字从巾,亦从衣作袠:理正相同。

(三)常(裳)——棠(唐)

《诗·小雅·常棣》:"常棣之华。"常字之作棠作唐,已成为经学史上一桩文字公案。现将有关异文择要罗列:鲁诗作"棠",《汉书·杜业传》引作"棠",蔡邕《姜伯淮碑》:"有棠棣之华,萼韡之度。"邕习鲁诗,则《杜业传》亦用鲁诗。《文选·谢瞻〈于安城答灵运诗〉》《谢庄〈宋孝武宣贵妃诔〉》李善注引《毛诗》作"棠棣之华",《初学记》卷十七友悌"事对"、《艺文类聚》卷二十一友悌引《毛诗》作"棠棣之华",论者以蔡邕习鲁诗,遂谓鲁诗作"棠",然若李善注及《初学记》《艺文类聚》文字乃唐人原貌,则李善、徐坚、欧阳询等人所见《毛诗》亦作"棠"。

《召南·何彼秾矣》:"何彼秾矣,唐棣之华。"毛传:"唐棣,栘也。"而《太平御览》卷一五二、卷七七二引此诗作"棠棣之华"。

《论语》:"唐棣之华,偏其反而,岂不尔思?室是远而。"何晏集解:"唐棣,栘也。"孔安国云:"唐棣,棣也。"孔、何异说。《春秋繁露·竹林篇》引《论语》此四句作"棠棣之华",《文选·广绝交论》李注引同。

以上三诗之异文涉及常、棠、唐三字,而常棣、唐棣又为两种植物。陆文郁《诗草木今释》云:

唐棣,又名:郁李……棣、棠棣、郁、雀李、奥李、车下李……棠棣……赤棣……蔷薇科。

常棣,又名:小叶杨、青杨、栘杨、常、栘、夫栘、枎栘。杨柳科。(50)

其字形于经传文献中所以混同纠葛,除古人于此两种植物性质不明外,乃因据误本《尔雅》擅改所致。今本《尔雅·释木》:“唐棣,栘;常棣,棣。”王引之《经义述闻》卷二十八正之云:

引之谨案:《召南》“何彼秾矣”传:“唐棣,栘也。”正义引舍人注曰:“唐棣一名栘。”《小雅·常棣》传:“常棣,棣也。”正义引舍人曰:“常棣一名棣。”并与郭本合。然《常棣》释文云:“常棣,棣。本或作常棣,栘。”《秦风·晨风》传:“棣,唐棣也。”《论语·子罕篇》注:“唐棣,棣也。”(今本作“唐棣,栘也”,此后人据郭本《尔雅》改之。皇侃疏云“唐棣,棣树也”,《释文》不出“栘”字之音,则旧本作“唐棣,棣也”可知。)则与郭本殊。盖所见《尔雅》旧本作“常棣,栘;唐棣,棣也。”今案,《小雅》“常棣之华”,《艺文类聚·木部下》引三家诗作“夫栘之华”,(唐时《韩诗》尚在,所引盖《韩诗》也。)则名栘者乃常棣而非唐棣甚明。……以三家诗及毛传、陆疏、本草考之,似作“常棣,栘;唐棣,棣”为长。盖因常、唐声相近,遂致相乱耳。(51)

《诗·鲁颂·閟宫》“居常与许”,郑笺:“常或作尝。”张慎仪曰:“笺谓常即战国孟尝之尝,在薛旁。字通堂、棠、唐。”(52)按,常之或作“尝”,证见前。《国语·齐语》之“棠潜”,《管子·小匡篇》作“常潜”。郭沫若集校云:“古本‘常潜’作‘堂潜’。刘本、朱本、赵本以下各本均作‘常潜’,同宋本。……戴望云:‘《齐语》常作棠’。(沫若案:明刻《国语》作堂,宋刻作棠。)”(53)《左传·隐公二年》:“秋八月庚辰,公及戎盟于唐。”杜注:“高平方与县北有武唐亭。”《春秋·隐公五年》:“春,公矢鱼于棠。”杜注:“今高平方与县北有武唐亭,鲁侯观鱼台。”杜注固已将唐、棠视为一地。阮元校勘记云:“《史记》正义引杜注唐作棠,鱼作渔。《释例》亦云唐即棠,本宋地。”(54)

《淮南子·地形训》:“雒棠、武人在西北陬。”《晋书·四夷传·肃慎氏》引同,雒棠,注家多以为此乃《山海经·海外西经》“肃慎之国有树曰雄常"之"雄常";又《地形训》"沙棠、琅玕在其东",注家多以为即《山海经·海内西经》之"服常树"�535。结合上面所提及的堂巫、棠巫和常巫,犹可知战国秦汉之间,常、棠、堂因字形相近而混淆,其例不在少数。

常,禅纽阳部;唐,定纽阳部。韵同而声近。但据笔者对战国竹简中"常"字形体的分析,此种"遂致相乱"的直接原因,恐怕还有"棠"这一字形在中间起桥梁作用。上面已展示出：常字有从"市"作"常",省而作"常",小变作"常"等各种字形,其下部中划上穿即成"常",此形体已与"棠"字无别。马王堆汉墓帛书《合阴阳》一○三"上常山"之常作"常",下部巾字亦作撇竖㊱。此在汉代已属偶尔一见,而古人书写"巾"字之笔法正由此可窥一斑。六国时文字异形,篆隶交替,汉承秦弊,废挟书之律,于是古书复出。传抄者于各国字形非有异体字典可依凭,于是识此字原为"常"之异体者,抄作常;不识者以为此字像"棠",遂以"棠"相传。此间固可有毛诗、鲁诗以及齐诗、韩诗异文之别,亦可有同为一家之学,而用字各异者。唐代李善、徐坚、欧阳询所引毛诗,若非后人抄讹,即系一家之别本。检视其他文献如《礼记》郑注所记别本,足见此非孤例。

棠字亦定纽阳部,与唐同音。常、棠因字形相近而淆乱,棠、唐因声韵相同而通用,遂使文献中呈现出常、棠、唐互用之复杂情况。

以上罗列三种异文而论之,虽义各有侧重,所涉字形则联属而未能断取,然此正足以说明古人用字情况之复杂与纠葛。

"常"本是一个极常用之字,由于使用频率过高,在苟简趋省心理支配下,不免快写、草写,产生各种异体,在仓促记录之时,又不免取音同音近之字代替,产生各种通假。本文排比所有出土文献中的"常"字字形,类别而形分之,又结合大量传世文献中与"常"有关的语词、文句,从形音义三方面作综合研讨,揭示出：常字在楚系文字中有从"市"作"常",省笔作"常",再简作"常"的种种异体,其间脉络甚为清晰。自郭沫若以来将"常"隶定为棠,释为烝尝本字,虽为学界接受,但证诸文献,实属子虚乌有,恐不足取。常之与尝通假混用,系于两字之声韵相同;常之与裳通假混用,声符相同之外,还基于两字所从之巾与衣同为布帛之物,古人多有以义符相近相通而互代之例;常之与棠通假混用,则是因为常字的异体"𦃃"下部像"木",与棠字形似。至于常与"堂""唐"等字混用,很可能是以"棠"为桥梁而辗转通假的。当然,在地域广袤、时间久远的前提下,在"言语异声,文字异形"的特定历史中,由文化层次不同的人来同时使用同一种文字,其情形之纷乱远比我们想象的要复杂。本文所揭示的同声符形声字通假混用有基于字形讹变的规律,虽只是纷繁复杂的汉字应用发展史中极其隐微而细小的客观事实,但对当今研究战国秦汉文献,特别是出土简牍文字中的异文与通假有着不可忽视的作用。

附　注

① 　马承源主编:《上海博物馆藏战国楚竹书》(一),上海古籍出版社,2001年。
② 　王念孙:《广雅疏证》卷六上,上海古籍出版社,1988年,第523页。
③ 　张慎仪:《诗经异文补释》卷十一,箋园丛书本,第1页。
④ 　宛委山堂本《说郛》卷一,上海古籍出版社,1988年影印本,第64页上。《皇霸文纪》卷七,文渊阁四库全书,台湾商务印书馆影印,1983年,1396册,第106页上。
⑤ 　王先谦:《诗三家义集疏》卷十九,中华书局,1987年,第770页。
⑥ 　郭沫若:《两周金文辞大系图录考释》,上海书店出版社,1999年影印本,下册,第169页。
⑦ 　郭沫若:《金文丛考》,人民出版社,1954年,第413页。
⑧ 　胡光炜:《寿县所出楚王鼎考释·楚王酓忎鼎》,《国风半月刊》,第四卷三期,转引自崔恒昇:《安徽出土金文订补》,黄山书社,1998年,第44页。
⑨ 　刘　节:《古史考存》,人民出版社,1958年,第115页。
⑩ 　周法高主编:《金文诂林》,香港中文大学出版社,1974年,第一册第165页。
⑪ 　李孝定:《金文诂林读后记》,中央研究院历史语言研究所专刊之八十,第6页。
⑫ 　张亚初:《殷周金文集成引得》,中华书局,2001年,第596页。
⑬ 　安徽省文物管理委员会、安徽省博物馆:《寿县蔡侯墓出土遗物》,科学出版社,1956年,图版三柒。

⑭ 仅据《楚系简帛文字编》统计,"祭"字十五例,作一划者三例;"祷"字九十二例,作一划者十二例。"祖"字五例,作一划者三例。

⑮ 湖北省博物馆:《曾侯乙墓》,文物出版社,1989年,简53见图版一八七,简69见图版一九三。

⑯ 见《曾侯乙墓》上册第493至494页,考释文字见第510页。

⑰ 此字右边之"首",高明《古文字类编》隶定为"面",以其《说文》虽无,而《玉篇》有此字。中华书局,1980年,第259页。

⑱ 宋娄机:《汉隶字源》卷六,文渊阁四库全书本,台湾商务印书馆影印本,第19页。

⑲ 高明、葛英会编《古陶文字征》,中华书局,1991年,第130页。

⑳ 袁仲一所编《秦代陶文》中401、403有两"棠"字,刻划较细。细审之,下部从"禾"。且与"孟棠"字形有距离。袁氏将403隶定为"棠",而将401归入附录。三秦出版社,1987年,图版见213页,字头分别见451页、471页。徐谷甫、王延林《古陶字汇》均归入"棠"字下。上海书店出版社,1994年,第218页。

㉑ 何琳仪:《战国古文字典》,中华书局,1998年,上册,第682页。

㉒ 参《曾侯乙墓》上册,文物出版社,1989年。

㉓ 河南省文物研究所:《信阳楚墓》,社科院考古所编、文物出版社出版,1986年。

㉔ 陈振裕:《望山一号墓年代与墓主》,《中国考古学第一次年会论文》,文物出版社,1979年。

㉕ 湖北省文物考古研究所、北京大学中文系编:《望山楚简》,中华书局,1995年。

㉖ 《荆门郭店一号楚墓》,《文物》1997年,第7期。

㉗ 《江陵九店东周墓》,科学出版社,1995年。

㉘ 湖北荆沙铁路考古队:《包山楚简》,文物出版社,1991年,第1页。

㉙ 《汗简》下之二肉部同。中华书局,1983年影印本,第21页上。《古文四声韵》卷三禹古文收入《古尚书》《云台碑》《古孝经》四形体下亦从巾。中华书局,1983年,第39页上。

㉚ 黄锡全:《汗简注释》,武汉大学出版社,1990年,第286页。

㉛ 沈兼士:《希杀祭古语同原考》,《沈兼士学术论文集》,中华书局,1986年,第212—225页。另,沈培曾撰《从郭店楚简"肆""隶""杀"说到甲骨文的"希"》,似应谈到这个字形问题,因该文仅发表前一部分,题为《说郭店楚简中的"肆"》,故未能知其有关此字字形的意见。文见《语言》第二卷,首都师范大学语言研究中心编,首都师范大学出版社,2001年,第302—319页。

㉜ 郭沫若:《两周金文辞大系图录考释》,下册,上海书店出版社,1999年,170页。

㉝ 杨树达:《积微居金文说》卷五,中华书局,1997年,第128页。

㉞　陆德明:《经典释文叙录》,上海古籍出版社,1985年影印宋刻本,第6页。

㉟　陈　立:《公羊义疏》卷十四,《皇清经解续编》卷1202,上海书店影印本,1988年,第五册,第225页下。

㊱　郝懿行:《尔雅义疏》中之四,上海古籍出版社,1983年,第782页。

㊲　湖北省文物考古研究所、北京大学中文系编:《望山楚简》,中华书局,1995年,第38页、第44页。

㊳　司马贞以为《史记》所云“雍巫”即《管子》之棠巫。见《史记》中华书局标点本,第1494页。

㊴　湖北省文物考古研究所、北京大学中文系编:《望山楚简》,中华书局,1995年,第101页。

㊵　张慎仪:《诗经异文补释》卷十六,篴园丛书本,第7页背。

㊶　于省吾:《泽螺居诗经新证》卷下,中华书局,1982年,第91页。

㊷　王先谦:《荀子集解》卷十一,中华书局,1988年,第313页。

㊸　《玉篇·巾部》:“常,下裙也。今作裳。”小徐《说文系传》作“俗常从衣”。

㊹　丁福保编:《说文解字诂林》,中华书局,1988年影印本,第八册,第3410页b。

㊺　睡虎地秦墓竹简整理小组:《睡虎地秦墓竹简》,文物出版社1990年,第232页、252页。

㊻　河南省文物研究所:《信阳楚墓》,文物出版社,1986年,图版一二三。刘雨隶定为“常”,括注“裳”。同书第129页。

㊼　张家山二四七号汉墓竹简整理小组:《张家山汉墓竹简》,文物出版社,2001年,图版第30页。

㊽　湖北省文物考古研究所、北京大学中文系编:《九店楚简》,中华书局,2000年,第5页。

㊾　陈奇猷:《吕氏春秋校释》,学林出版社,1984年,第691页。刘文淇:《春秋左氏传旧注疏证》,科学出版社,1959年,第707页。

㊿　陆文郁:《诗草木今释》,天津人民出版社,1957年,第13页、第94页。

(51)　王引之:《经义述闻》卷二十八,江苏古籍出版社,1985年,第669页。此一问题古人早有论辩。笔记则宋祁《宋景文笔记考古》、王应麟《困学纪闻》卷七《论语》、刘廷献《广阳杂记》卷五等均有考订,专著则陈奂《诗毛氏传疏》、胡承珙《毛诗后笺》、王先谦《诗三家义集疏》、程树德《论语集释》等皆有辩说,文繁不录。

(52)　张慎仪:《诗经异文补释》卷十六,篴园丛书本,第9页。

(53)　郭沫若:《管子集校》,《郭沫若全集·历史编》第5册,人民出版社,1984年,第552页。

㊹ 阮刻《十三经注疏》,中华书局影印本,第1730页中。

㊺ 参张双棣:《淮南子校释》,北京大学出版社,1997年,第435页、486页。

㊻ 见陈松长等编:《马王堆简帛文字编》,文物出版社,2001年,第324页。

(200235 上海,上海社科院历史研究所 E-mail:yufangzhai@vip.163.com)

ABSTRACTS

He Jiuying, Basic Principles in the Comparative Studies of Chinese and its Related Languages

Abstract: This article sets out to clarify some basic principles in the comparative studies of Chinese and its related languages. The articles is centered around two debates in the area of Chinese liguistics. The first one is Benedict and Matisoff's criticism of Li Fanggui on the classification of Chinese-related languages. The second one is Haudricourt and Pulleyblank's challenge to the conventional reconstruction of old Chinese phonology. Drawing from his extensive surveys of scholarships of Chinese and foreign linguists, the aurhor argues that the two debates are principally different. The first one looks at remote-reconstruction and level-reconstruction while the second one focuses on comparative reconstruction and internal reconstruction. Based on his in-depth analysis of Chinese linguistics, the author proposes a new reconstruction theory which integrates both methodologies.

Key Words: Chinese, related languages, remote-reconstruction, level-reconstruction, comparative reconstruction, internal reconstruction

Pan Wenguo, On Interaction of Sound and Meaning

Abstract: Starting from a study of grammatical means ever used by men in linguistic history and language facts in Chinese, the paper suggests that a law of interaction between sound and meaning is the most important one in the structure of Chinese language. The paper includes five parts: 1) Introduction; 2) The motivation of the law of interaction between sound and meaning; 3) the main content of the law; 4) Explanation of certain Chinese facts applying the law; and 5) Certain emphasis must be laid on written language. The paper further suggests that the law of interaction between sound and meaning is not only important to the Chinese language, it may prove to have universal value for the study of general linguistics.

Key Words: laws of language structure, sound and meaning relations, law of interaction between sound and meaning

Ye Wenxi, The Hierarchical Structure of Chinese Semantic Category and the Semantic Problem of Word-Formation

Abstract: The studies of Chinese word-formation paid much more attention to the grammatical viewpoint in the past. This paper researches two word-formation ways of co-ordination and attribution from the viewpoint of semantics, and strengthens the systematicness of semantic word-formation. Referring to the functional characteristics of Chinese basic structural unit "Zi", this paper raises the pattern of hierarchical structure of Chinese semantic category, and differentiates Chinese semantic category into three levels of "basic level", "abstract level" and "concrete level". On the basis of above pattern this paper discusses the standards of identifying co-ordination and the conditions of semantic collocation inside the co-ordination.

Key Words: semantic category, hierarchical structure, word-formation

Zhang Xinhua, Space-time field, Pivot and Sentence

Abstract: This paper studies the construction regulation of a Chinese sentence expressing spatial meaning. I hold that a sentence is a relatively independent and integrated deictic framework in time-space field, and is settled by speaker with a definite pivot. In this deictic framework, all deictic expressions of space, such as locations, participants, entities, motions etc., are integrated to be a semantic network of an organism contact, with the pivot dominating it. The pivot is also the base point for the interpretation of the temporal expressions of the sentence. After all, the deictic expressions are the formalization of the deictic relations in a sentence's time-space field, and their diapason guarantees the sentence qualified.

Key Words: sentence, space-time field, pivot, deictic expressions

Chu Chianing, Analogical Change of Initial Consonant Reflected in *Yun Lai* (《韵籁》)

Abstract: *Yun Lai* (《韵籁》), is a rhyme book completed in Ching Dynasty. It reflected phonological situation of those days. We could find some analogical change of initial consonant in this book. It is a special kind of phonetic evolution in Chinese language. This change evolved the construction of Xing Sheng character. The pronunciation of each character is sometimes influenced by the Sheng Fu of Xing Sheng character (Sheng Fu is one of the two elements which constitute a Xing Sheng character). In my paper, I try to find the hint of this influence, and explain some phenomena of the initial change.

Key Words: analogical sound change, *Yun Lai*, Chinese Phonology, initial consonant

Yuchi Zhiping, A Philological Study on Remaining Fragment P4871 of the Rhyming Dictionary

Abstract: Apart from Lu Fayan's preface and Zhangsun Neyan's preface, the remaining fragment p4871 of the rhyming dictionary found in Dunhuang should also include Guo Zhixuan's annotation,

Sunmian's Preface to *Tang Yun* and the part *Lun Yue*(论曰). On the basis of it, the prefaces in *Guang Yun* were written with the standardization of the use of characters.

Key Words: remaining fragments of the rhyming dictionary found in Dunhuang, P4871, nature, source

Zhang Minquan, On the Phonology of the Shezi Poetry in Book *Bin Tui Lu* (《宾退录》) by Song Scholar Zhao Yushi

Abstract: The phonology of the Shezi (射字) poetry in book *Bin Tui Lu*(《宾退录》) has been studied by the older generation scholar. However, we find that there are some problems not to be solved. Combined with a large of historical documents of Song and Yuan dynasty, this article is dealt mainly with the phonology wards that appeared repeatedly in the Shezi poetry. It should be emphatically pointed out a basic fact that the dorsal initial consonant (tɕ tɕ' ɕ) were born of *Song-jin*(宋金) time, and compound vowel *Che-zhe* rhyme(车遮韵) and *Zi-si* rhyme(资思韵) were did either. It can illustrate some phonology phenomean of the Song Dynasty.

Key Words: dorsal, semivowel, *Che-zhe* rhyme, *Zi-si* rhyme

Gao Yong'an, Hui dialect at Last Qing: The phonology of *Shanmen Xinyu* (《山门新语》)

Abstract: In this paper, I analyze *Shanmen Xinyu*(《山门新语》), a dialect rhyme book, compare with *Guang* and present Jixi dialect. The analysis shows that, the ancient voiced initials are all devoiced, and the stop and affricate ones are aspirated whatever Even tone or not; the division Ⅱ have changed into Division Ⅰ, or division Ⅲ, Ⅳ, and *Zhen* Group(臻摄) is not combined with *Shen* Group(深摄); The Even and the going tone are divided into two according to the voicing of ancient initials, but the rising tone and the entering tone are not divided.

Key Words: dialect of Qing Dynasty, Hui Dialect, latter-day rhyme book, devoicing aspirated

Xu Dan, Orientation of the Verbs in Old Chinese and Late Old Chinese

Abstract: In this paper, we show how in Old Chinese (OC), especially in Late OC, the orientations of verbs were marked. We argue that OC represents a mixed type of language in which different devices were used to express syntactic relations. We have noted the phonological or morphological device, and focussed our study on the syntactic one. In Late OC, the phonological device was on the decline and the thin traces left were hidden in poems and phonetic series or noted by some rhyme dictionaries. In contrast, syntactic device developed significantly and became a dominant one. In classical texts, especially in excavated texts, we find numerous examples in which the change of the verb position marks different relations between the agent and the patient. To sum up, all these phenomena result from the reorganization of the word order forced by the typological change in Late OC.

Key Words: orientation of verbs, reorganization of the word order, phonological device, syntactic device, typological change

Zhang Meng, Rules on How to Define the Meaning of the Verb *shang* (伤) in *Zuo Zhuan* (左传)

Abstract: This article discusses rules on how to define verbs' meanings in ancient Chinese. Under certain conditions, it aims to discuss the possibilities as follows: when a verb has more than two usages, how to limit the meanings of verbs and relevant prepositions, and meanwhile to limit the subject or object, the active or passive use of the verb, and the noun as a doer or a receiver in a sentence through the analysis of the semantic characteristics of the nouns which are before or after the verbs and the semantic relations of the nouns and verbs. This article studies two usages of the verb shang(伤), analyzing all the examples of the verb shang(伤) as a predicate verb in Zuo Zhuan, and thus sums up rules accordingly.

Key Words: ancient Chinese, verb, determinant of meaning, rules of semantics

Liu Minzhi, The Self-description Structural Partical *de* (的) in Modern Chinese

Abstract: There is a singly used self-description *de*(的) as nominalization marker in Modern Chinese. It emerged during Wudai Period as a kind of new usage. This article investigates the development of self-description *de*(的$_s$) from Wudai Period to Qing Dynasty, gives detailed description of the characteristics of its usage on each period and also discusses its origin.

Key Words: Modern Chinese, self-description, *de*(底/的), nominalization

Yang Rongxiang, Research and Analyse of Serial Adverbs in Early modern Chinese

Abstract: This paper gives a conclusion for "linear sequence principle" and the characteristic of serial adverbs, based on round depiction for the serial adverbs in "Dunhuang Bianwen Ji", "Zhuzi Yulei", "Xinbian Wudaishi Pinghua", "Jinpingmei Cihua". The linear sequence of serial adverbs in early modern Chinese showed by the four texts approximately is: mood adverb → congener adverb → accumulation adverb → all-in adverb → time adverb → (statistic adverb) → qualification adverb → negative adverb → intensifier → (frequency adverb) → mode adverb ("→" means "excel", the bracket means the subcategory is seldom used with other adverb). Serial adverbs have some "abnormal" orders in early modern Chinese, but all of them can be explained. "Scope principle" is the essential principle restricting the order of adverbs: the adverb having a bigger scope will be anterior in the linear sequence (near left), the one having a smaller scope will be posterior (near right). The four texts reveal the characteristics of serial adverbs in early modern Chinese as fellows: (1) If a subcategory gets more restrictions in choosing the attribute of the member decorated by it, it's position will be more anterior; if it gets less restrictions, it will be more posterior. (2) If the adverb's semantic points to front or to the correlative arguments of the verb in the sentence, it will get a anterior position. (3) If the subcategories can change their position freely, they frequently are near in the routine linear sequence. (4) The "abnormal" sequence often correlates with the emphasis of the semantic restriction to which the discourse wants to give prominence. (5) Few adverbs can be anterior or posterior when they are used with other adverbs in series; this phenomenon correlates with the degree of grammaticalization. (6) The linear sequence principle is relative, not absolute.

Key Words: the subcategories of adverbs, serial adverbs, linear sequence, scope principle, abnormal sequence, syntactic structure, semantic characteristic

Chu Zexiang, The Grammaticalization Process of *duizhe* (对着) and Its Grammatical Position

Abstract: Through diachronic study, this paper finds that *duizhe*(对着) used as a preposition in modern Chinese has been grammaticalized from the verb *dui*(对) plus *zhe*(着). *duizhe*(对着) is not a preposition *dui*(对)plus an aspect marker *zhe*(着). *zhe*(着)is only a morpheme within the preposition *duizhe*(对着). *duizhe*(对着)in modern Chinese is in some different levels. It can be used as a verb, a preposition or partly a verb and partly a preposition, which shows that *duizhe*(对着)hasn't been completely grammaticalized.

Key Words: preposition, *duizhe*(对着), grammaticalization, grammatical position

Li Ming, On Deictic Verbs *lai/qu* (来/去) Their Usage and Grammaticalization

Abstract: This paper consists of two parts. In the first part, the usage of deictic verbs *lai/qu*(来/去)is illustrated as this: in non-narrative speech, *lai*(来)signals motion toward the location of either the speaker or the addressee at either coding time or reference time, while *qu*(去)indicates motion away from the speaker's location at coding time; in third person narrative, normally *qu*(去)rather than *lai*(来)is used, nevertheless, *lai*(来)is chosen if the motion is toward the protagonist or the central scene, and *lai*(来)may appear in sentential complements. In the second part, the grammaticalization of *lai/qu*(来/去)is sketched from two perspectives, i. e. semantic persistence vs. semantic bleaching. At early stages of grammaticalization of *lai/qu*(来/去), there is a redistribution of meaning; the meaning of directionality tapers off, while subjective opinions or attitudes of the speaker are strengthened. Nevertheless, the loss of meaning is available at the end of grammaticalization chain.

Key Words: deictic verbs, grammaticalization, semantic persistence vs. bleaching, shift of point of view, subjectification

Zhan Weidong, Syntactic and Semantic Constraints of *ba* (把) Construction Based on Generalized Valency Mode

Abstract: This paper consists of three parts. In the first part the author introduces a semantic representation framework called as Generalized Valency Mode (GVM), by which the author tries to describe both the combinational restrictions between verb and adjective and valency attributes of verb phrase. In the second part, some syntactic and semantic rules of *ba* construction are proposed on the basis of GVM. In the third part of the paper, in order to demonstrate the effectivity of such rules, the author has a discussion on how to analyse some ambiguous examples related to *ba* construction by using the rules.

Key Words: valency, generalized valency mode, syntactic-semantic rule, *ba* (把) construction, disambiguation

Liu Hsiuying, Lien Chinfa, Lexical Polysemy and Conceptual Structure of $chau^2$ (走) in Taiwanese Southern Min: An Approach to Semantic Extension

Abstract: This paper aims to explore the polysemy of $chau^2$ (走), a verb of movement in Taiwanese Southern Min (TSM). In addition to seeking out the paths of semantic extension, we establish conceptual structure to capture how $chau^2$ (走) is represented in our mind.

At first blush $chau^2$ (走) in TSM is rich in meanings to the tune of at least ten related senses, but our treatment based on conceptual structure can lead to a reduction to five senses. In order to integrate related senses for the purpose of generality and economy in theoretical account we set up a cluster of conceptual structures which are constructed out of a limited set of semantic features. The core conceptual structure of $chau^2$ (走) can be construed as "Agent Moves by specific Instruments", and several extended meanings can be derived from this central meaning. The first extended meaning is derived from MOVE by adding different paths, and the second one results from the addition of REASON. The third extended meaning involves causativity in that $chau^2$ (走) takes on a causative meaning. The fourth and the fifth ones are a further extension of the first derivational meaning by adding the semantic feature of the path FROM/ AWAY-FROM. The first four extended uses retain the locomotive (i. e. , spatial) sense, whereas the fifth use indicates a change of situation. Besides a verb, $chau^2$ (走) also functions as a complement and in most cases, expresses concept regarding special types of movement.

There are many paths that a word follows in its meaning extension. In exploring the polysemy of $chau^2$ (走) in TSM we find some patterns of semantic extension. Apart from its basic sense a polysemous word undergoes semantic extension brought about by the mechanism of inference, metaphor, and conversational implicature.

Key Words: polysemous words, conceptual structure, semantic extension, semantic structure

Yang Baozhong, Zhang Xinpeng, The Exposition of False Meaning of Chinese Character

Abstract: For various reasons, there are some meanings of a Chinese character which are not the meanings of the word it represented in the dictionaries. The meanings that irrelative to the word are false meanings of the Chinese character. This kind of meaning will take ill effects to the recognition and pronunciation of the Chinese character, the quality of the dictionaries, the use of the dictionaries and the meaning system of the Chinese character. This paper discusses the causes and the ill effects of the false meaning of Chinese character to call up the attention of the researchers of philology, lexicography and lexicology.

Key Words: dictionaries, false meaning of Chinese character, knotty Chinese character

图书在版编目(CIP)数据

语言学论丛. 第29辑/北京大学汉语语言学研究中心
《语言学论丛》编委会编. —北京:商务印书馆,2004
ISBN 7-100-04108-2

Ⅰ. 语… Ⅱ. 北… Ⅲ. 语言学-丛刊
Ⅳ. H0-55

中国版本图书馆 CIP 数据核字(2004)第 018965 号

所有权利保留。
未经许可,不得以任何方式使用。

YǓYÁNXUÉ　LÙNCÓNG
语 言 学 论 丛
(第二十九辑)
北京大学汉语语言学研究中心
《语言学论丛》编委会编

商 务 印 书 馆 出 版
(北京王府井大街36号　邮政编码100710)
商 务 印 书 馆 发 行
北京市白帆印务有限公司印刷
ISBN 7-100-04108-2/H·1012

2004年10月第1版　　开本 787×960　1/16
2004年10月北京第1次印刷　印张 27½
定价: 36.00 元